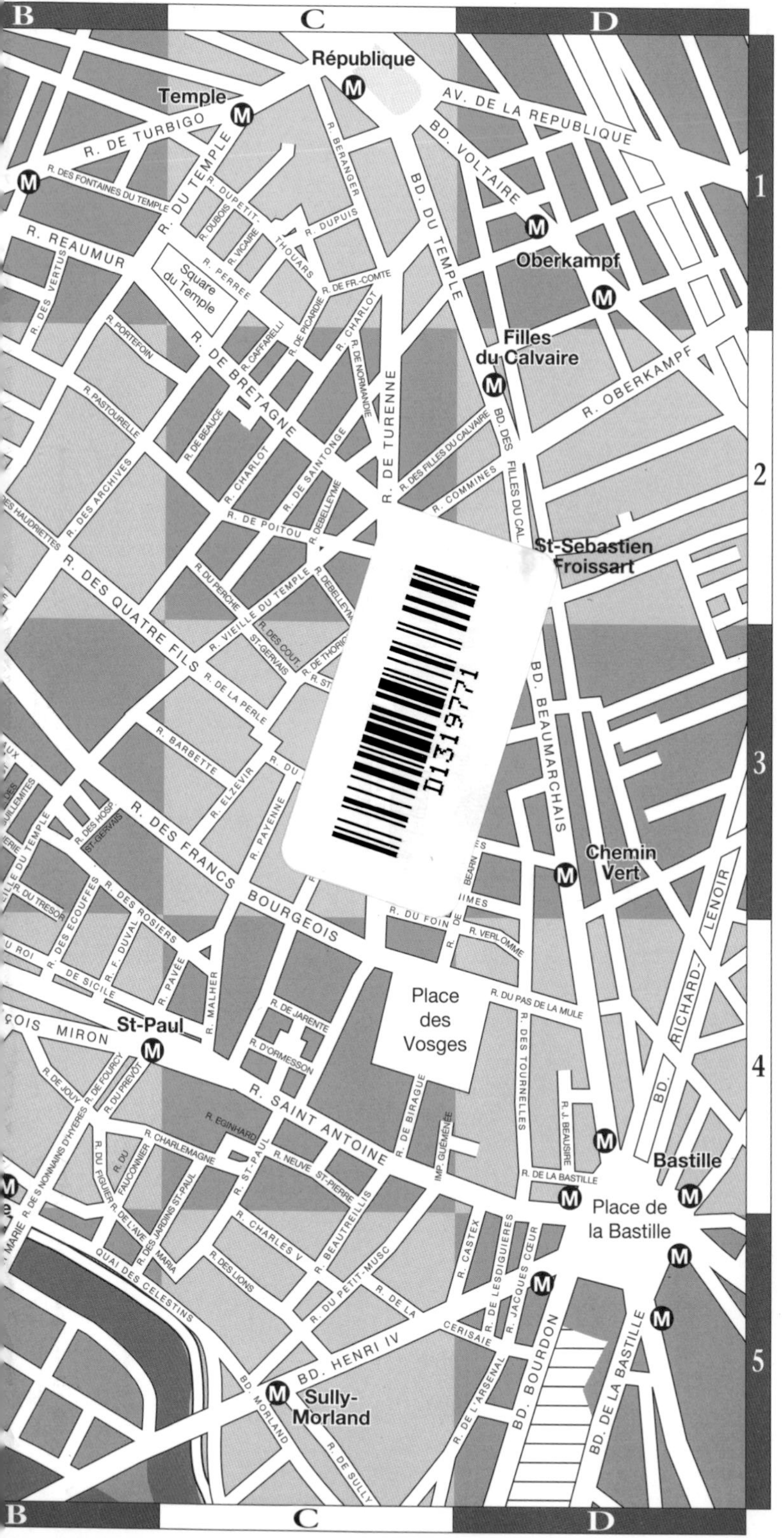

B
C
D
1
2
3
4
5
République
Temple
Oberkampf
Filles du Calvaire
St-Sebastien Froissart
Chemin Vert
Bastille
Place de la Bastille
St-Paul
Sully-Morland
Square du Temple
Place des Vosges
AV. DE LA REPUBLIQUE
BD. VOLTAIRE
BD. DU TEMPLE
R. DE TURBIGO
R. DU TEMPLE
R. DES FONTAINES DU TEMPLE
R. REAUMUR
R. DES VERTUS
R. DUBOIS
R. DUPETIT-THOUARS
R. VICAIRE
R. PERREE
R. BERANGER
R. DUPUIS
R. DE FR.-COMTE
R. DE PICARDIE
R. CHARLOT
R. DE NORMANDIE
R. DE TURENNE
R. CAFFARELLI
R. PORTEFOIN
R. DE BRETAGNE
R. PASTOURELLE
R. DE BEAUCE
R. DE SAINTONGE
R. DES FILLES DU CALVAIRE
BD. DES FILLES DU CAL.
R. OBERKAMPF
R. COMMINES
R. DES ARCHIVES
R. DE POITOU
R. DEBELLEYME
R. DES HAUDRIETTES
R. DES QUATRE FILS
R. DU PERCHE
R. VIEILLE DU TEMPLE
R. DES COUT. ST-GERVAIS
R. DE THORIGNY
R. DE LA PERLE
R. BARBETTE
R. ELZEVIR
R. PAYENNE
R. DES FRANCS BOURGEOIS
R. DES HOSP. ST-GERVAIS
BD. BEAUMARCHAIS
R. DU FOIN
R. VERLOMME
R. DU PAS DE LA MULE
R. DES TOURNELLES
R. RICHARD-LENOIR
R. DU TRESOR
R. DES ECOUFFES
R. DES ROSIERS
R. F. DUVAL
R. PAVÉE
R. DE SICILE
R. MALHER
R. DE JARENTE
R. D'ORMESSON
R. FRANÇOIS MIRON
R. DE JOUY
R. DE FOURCY
R. DU PREVÔT
R. SAINT ANTOINE
R. DE BIRAGUE
IMP. GUÉMÉNÉE
R. J. BEAUSIRE
R. DE LA BASTILLE
R. EGINHARD
R. CHARLEMAGNE
R. ST-PAUL
R. NEUVE ST-PIERRE
R. DES NONNAINS D'HYERES
R. DU FAUCONNIER
R. DU FIGUIER
R. DE L'AVE MARIA
R. DES JARDINS ST-PAUL
R. CHARLES V
R. BEAUTREILLIS
R. DES LIONS
R. DU PETIT-MUSC
R. CASTEX
R. DE LESDIGUIERES
R. JACQUES CŒUR
R. DE LA CERISAIE
QUAI DES CELESTINS
BD. HENRI IV
BD. MORLAND
R. DE SULLY
R. DE L'ARSENAL
BD. BOURDON
BD. DE LA BASTILLE

Le Marais

Remerciements

Toute notre gratitude va vers ceux sans qui ce livre n'aurait pas vu le jour et que nous tenons ici à remercier chaleureusement :
M. Jean-Pierre Babelon, membre de l'Institut, directeur du Domaine national du château de Versailles et des Trianons,
M. Michel Fleury, secrétaire général vice-président de la Commission du Vieux Paris,
Mme Claude Billaud, conservateur à la Bibliothèque historique de la Ville de Paris,
M. Guy-Michel Leproux, chargé de recherche au C.N.R.S., chargé de conférences à l'E.P.H.E.,
Mmes Isabelle Dérens et Y.-H. Le Maresquier, Centre de topographie de Paris au CARAN,
Mlle Joly, Cartes et plans des Archives nationales,
M. Jean-Pierre Jouve, architecte en chef honoraire des Monuments historiques,
Mme M.-N. Grand-Mesnil, archiviste-paléographe,
Mlle Joëlle Barreau, historienne d'art, qui achève une thèse sur Libéral Bruand,
M. Camille Pascal, agrégé de l'Université, qui achève une thèse sur la censive de Saint-Martin des Champs à l'époque moderne,
Mme Proust-Perrault, docteur en médecine, historienne,
M. Bruno Pons, École nationale du Patrimoine,
Mme Anne Dugast, Commission du Vieux Paris,
M. Michel Borjon, société G. R. A. H. A. L.

Qu'Isabelle Dérens, véritable complice qui nous a aidés avec efficacité et bienveillance, soit tout particulièrement remerciée ici.

Nous tenons également à remercier tous ceux qui, par leur aide, ont contribué à la réalisation de ce guide :
Arto Akaeren, Jean-Frédéric Cambianica, Micheline Carrance, Jean-Christophe Doerr, Fabrice Epelboin, Joëlle Labbé, Gwenaëlle Lesné, Bérangère Phillibert.

Nous remercions Hélène Tran qui a bien voulu concevoir la couverture de ce guide.

Nous remercions pour leur travail photographique, Roland Liot, Lionel Mouraux, Sylvain Pelly, Caroline Rose

Direction de l'ouvrage : Vanessa Nahoum.

Conception graphique : Katia Tiberghien.
Cartographie : Philippe Mouche.
Schémas : Carole d'Andon.
Correction : Catherine Marin.
Relecture : Marianne Fernel.

ISBN : 2-908393-09-3

Photogravure : Fotimprim, Paris.
Imprimé en Italie par Milanostampa.

Le Marais

Guide historique et architectural

Alexandre Gady

Préface de Jean-Pierre Babelon
membre de l'Institut

Portail de l'hôtel Chalons-Luxembourg,
26, rue Geoffroy l'Asnier.

Sommaire

En quittant la rue des Francs Bourgeois, mon vieil archiviste me dit à voix basse qu'il considérait l'hôtel de Soubise comme la plus admirable maison du monde. Pourtant, comme il était « du Marais », il fut obligé de répéter ce compliment devant un nombre considérable d'hôtels, qui font de ce quartier une sorte de ville d'art dans Paris.

Léon-Paul Fargue, *Le Piéton de Paris,* 1939.

Préface

Une ville dans la Ville, c'est bien la réalité spécifique qu'a consacrée la création du Secteur sauvegardé du Marais en 1964, en application de la loi votée deux ans plus tôt pour sauver les quartiers anciens, une loi voulue par André Malraux, qui déclarait alors : « Les nations ont pris conscience qu'en architecture un chef-d'œuvre isolé risque d'être un chef-d'œuvre mort. »

La mesure de sauvegarde intervenait à un moment où l'on pouvait encore craindre des démolitions massives. Depuis quelques années, des voix s'élevaient, de plus en plus nombreuses, pour défendre un ensemble architectural que l'on commençait seulement à admirer comme un tout ; et non plus comme un semis de monuments historiques réunis par un banal tissu urbain de « maisons d'accompagnement ».

L'opinion est aujourd'hui mobilisée pour la défense d'un patrimoine dont les frontières, sans cesse repoussées, risquent parfois de dissimuler les valeurs les plus irréfutables. Le Marais, lui, retient notre attention par la magnifique unité de son architecture – depuis le XVIe siècle jusqu'au milieu du XIXe siècle –, la qualité de ses dispositions urbaines, du développement de ses façades, du tracé de ses voies, du système de convivialité qui avait généré durant des siècles son organisation, un système qui cède progressivement la place à l'anonymat des cités modernes.

À l'exemple du marquis de Rochegude, publiant, dans les premières années de ce siècle, ses guides pour des promenades dans les arrondissements de Paris, Alexandre Gady nous propose aujourd'hui une série de randonnées dans le Marais.

Répudiant le ton neutraliste et strictement descriptif généralement retenu par les auteurs de guides, il a choisi de donner son jugement sur les architectures d'hier et d'aujourd'hui, et son ton, on le devine, est volontiers critique sur les quelques intrusions de l'architecture contemporaine dans le Marais. C'est là un parti personnel qui donne à cet ouvrage un piment tout particulier, et une véritable originalité.

Plus encore, il faut souligner la connaissance toute nouvelle qu'il apporte des édifices du quartier. Dans ce domaine, la répétition des anciens errements et la transmission des légendes, au moins des approximations, est monnaie courante. Grâce à sa formation d'universitaire et à ses recherches personnelles sur l'histoire de Paris, l'auteur se révèle un analyste rigoureux. Il a tiré parti de toutes les découvertes récemment publiées. Bien plus, il a mené lui-même de fécondes investigations dans les archives parisiennes, et en particulier dans l'inépuisable fonds des notaires parisiens – le Minutier central conservé aux Archives nationales –, pour renouveler, parfois entièrement, l'historique des immeubles qu'il a choisis pour ses descriptions, et en retenant toujours l'essentiel : les propriétaires constructeurs, l'intervention des architectes et des artistes décorateurs, les modifications substantielles dans la forme et dans l'utilisation.

On invitera donc l'amateur à dépasser les conclusions pessimistes de l'auteur. Le Marais n'est pas mort, et son âme ne s'est pas effacée comme une photographie d'Atget imprudemment laissée exposée à la lumière. Il a subi, et pas dans sa totalité, la mutation urbaine de notre temps, la transformation sociale et son corollaire, la privatisation des espaces. Mais ce vieux quartier reste habité. Cet ensemble architectural merveilleusement un et diversifié ne doit pas être considéré comme un musée d'architecture, car c'est un morceau bien vivant de la Ville.

C'est à sa découverte que l'auteur nous convie à travers ses neuf promenades. Deux conseils à l'usager de ce moderne cicérone. Il trouvera parfois porte close lorsque l'auteur lui laisse entrevoir mille merveilles dans la cour ou dans l'escalier ? Qu'il accepte ce contretemps dû à la hantise sécuritaire de notre temps. On lui propose d'admirer une maison, une façade, un balcon ? Qu'il n'oublie pas de prolonger sa vision vers la fuite des perspectives, issues de tracés historiques qui remontent parfois aux origines les plus anciennes, la rue Saint-Antoine, la rue du Temple…, et qui en tirent leur beauté particulière, née des plus anciens cheminements des Parisiens.

Jean-Pierre BABELON
membre de l'Institut

Grand escalier de l'hôtel Amelot de Chaillou, 78, rue des Archives.

D'un Marais l'autre

Qu'est-ce que le Marais ? « J'ai été une fois au Marais, mais avec un carrosse de remise, courir cette énorme villasse dont les rues étaient au caramel. Je ne crus pas d'en jamais revenir. » C'est l'aimable description que fait du quartier, en 1754, un grand voyageur, le président de Brosses. Pourtant Mme de Sévigné, en s'installant en octobre 1677 dans ce même Marais, à l'hôtel Carnavalet, n'écrivait-elle pas à sa fille : « Ici, nous aurons le bel air, une belle cour, un beau jardin, un beau quartier » ? On l'aura compris : tous deux ont raison. En effet, le Marais se décline au pluriel, et semble à chaque siècle prendre une parure différente. Le Moyen Âge marque sa naissance, à la fois princière et potagère. La Renaissance y voit poindre les premiers hôtels, régulièrement construits par une noblesse de robe – serviteurs de l'État anoblis par leurs charges –, avide de paraître et de transposer en ville les modèles des châteaux de la campagne. Le siècle de Louis XIII le consacre comme le quartier à la mode, chanté par les poètes et habité par l'élite de la Cour. À cet apogée, qui culmine et s'achève en même temps sous Louis XIV, succède le crépuscule ; un lent engourdissement, la défaveur des modes de ce terrible siècle des Lumières, plongent le Marais dans un sommeil de cent années, d'où le tirent, dans un fracas de machines et d'outils, les artisans et les ouvriers que la Révolution industrielle a multipliés dans la capitale. À quoi peuvent bien servir ces hôtels désertés depuis longtemps, avec leurs cours vides et leurs jardins immenses ? C'est le Marais d'Atget, avec ses vieilles façades de pierre bordées de voitures à bras et à cheval, le Marais des vandales et des premières démolitions spéculatives aussi. Le XIXe siècle, malgré tout, a sauvé le Marais. Une fois n'est pas coutume ! Disons, pour être absolument exact, qu'il n'a pas eu le temps de le raser (car cela était prévu, comme pour tous les vieux quartiers de Paris).

Qu'allait faire notre siècle fou de ce Marais préservé sous son manteau de crasse et de roture ? Il décida d'abord d'en finir, mais se ravisa sous l'heureuse impulsion des amoureux de ce Paris qui s'en va un peu chaque jour. En 1965, le Marais devenait le premier « secteur sauvegardé » de la capitale, et les démolitions cessaient officiellement. Sur 126 hectares englobant le Marais des Anciens, agrandis d'autres territoires à l'ouest et au sud, était tentée une expérience nouvelle : un retour en arrière – une « révolution » en quelque sorte. D'industriel, le quartier allait faire une mue à l'envers, et recouvrer ses habits d'or et de pierre blonde, devenir peut-être ce « mémorial vivant de l'ancienne France », selon l'admirable mot d'Yvan Christ.

Trente ans plus tard, ce pari n'est pas encore gagné ; le promeneur attentif ressentira parfois un malaise devant ces portes fermées et codées, ces restaurations clinquantes et sans âme, ces édifices prétendument modernes et sottement provocateurs qui peuplent le Marais des années 90. Aux artisans et aux vieux maraîchins succèdent tous les jours un peu plus les nouveaux riches en mal de poutres apparentes.

Détail du plan de Truschet et Hoyau, XVIe siècle.

Désormais, le quartier est « à la mode », pour le pire et le meilleur. Mais il faudrait être bien difficile pour ne pas voir dans le Marais le plus beau fleuron du vieux Paris et l'endroit où l'on ressentira le plus fortement l'esprit de la capitale des Bourbons.

Des origines médiévales

Il faut remonter au Moyen Âge pour comprendre ce qu'est le Marais. Et d'abord à Philippe Auguste, roi fondateur à bien des égards. Partant pour la croisade en 1190, il ordonna d'entourer la rive droite d'une enceinte de pierre, défendue par des tours circulaires et de solides portes. Stimulant autant la fortification que l'urbanisme, ce geste fut décisif pour Paris.

La rive droite, appelée « la Ville » par opposition à « l'île » (la Cité) et à la rive gauche (« l'Université »), offrait alors, à l'intérieur de l'enceinte, des quartiers compacts – Saint-Germain l'Auxerrois, les Halles, la Grève,

Saint-Gervais... –, serrés autour de leurs églises. Au-dehors, les bourgs et faubourgs, à l'urbanisation plus lâche, faisaient la transition avec la campagne. Toute la partie nord-est hors l'enceinte était ainsi occupée par d'immenses terres en marais, propriétés de grandes abbayes comme Saint-Victor, Saint-Éloi, le Temple, qui entreprirent alors de les mettre en culture – c'est l'origine du mot « couture ». Ce sont ces terres maraîchères qui ont donné son nom à ce vaste territoire : le Marais.

À partir de la rue Saint-Antoine, l'ancienne voie gallo-romaine qui reliait Lutèce à Melun, vont se développer les grandes voies qui aujourd'hui encore irriguent le quartier : les rues Saint-Paul, du Roi de Sicile, Vieille du Temple et du Temple. De cette époque, le Marais a conservé sa trame urbaine si particulière : un socle parallèle au fleuve autour de la rue Saint-Antoine, tôt urbanisé, et un développement vers le nord en lignes verticales. Les premiers à penser l'urbanisme du quartier sont les Templiers au XIIIe siècle : ils encouragent et favorisent l'installation du prieuré de Sainte-Catherine du Val-des-Écoliers, proche de la porte de l'enceinte sur la rue Saint-Antoine, tandis que se met en place le quartier autour de la rue des Rosiers. Mais la grande affaire, c'est la création sur leur vaste domaine, à la fin du XIIIe siècle, d'une « ville neuve » entre, d'une part, les rues du Temple et Vieille du Temple, leur enclos au nord, et, d'autre part, l'enceinte de Philippe Auguste au sud. Un véritable quartier, avec un réseau de rues orthogonales autour de la rue des Archives, des boucheries, une échelle de justice et des privilèges économiques, est alors établi d'une pièce ; il a perduré jusqu'à nous (voir promenade 6).

Mais c'est au XIVe siècle, et plus précisément sous Charles V, que se mettent en place les facteurs qui décideront de l'histoire du Marais. En construisant une nouvelle enceinte qui consacre l'extension de Paris depuis Philippe Auguste, le roi sage enferme dans sa fortification – qui suivait le tracé des actuels boulevards Beaumarchais, des Filles du Calvaire et du Temple – toutes ces terres cultivées, ces champs vierges, ces coutures... Ce faisant, il donne ses limites au futur quartier et crée en même temps les conditions de son développement : la sécurité grâce à l'enceinte – et bientôt la Bastille – qui fait de cette campagne un territoire intra-muros et la plus-value de terres qui d'agricoles tendent à devenir résidentielles.

Charles V donne d'ailleurs l'exemple, en quittant l'antique palais de la Cité pour s'établir à l'hôtel Saint-Pol : cette agréable résidence, située entre la Seine et la rue Saint-Antoine, jouxtant le bourg Saint-Paul, est formée de plusieurs hôtels acquis au coup par coup, et dotée de vastes jardins. Le Marais devient quartier royal, fonction qu'il gardera jusqu'à la Renaissance. La famille du roi l'imite : Charles VI continue d'agrandir l'hôtel Saint-Pol et se divertit fort des tournois rue Saint-Antoine. Son épouse, la reine Isabeau, aménage son petit séjour dans l'hôtel Barbette, rue Vieille du Temple ; tandis que son beau-frère le duc d'Orléans, qui sera assassiné en 1407 rue des Francs Bourgeois en sortant de chez elle, achète l'hôtel du Prévôt, puis, en 1404, celui des Tournelles, qui deviendra également résidence royale. Le duc de Bedford y séjournera durant l'occupation anglaise. La présence royale entraîne l'établissement de grands seigneurs et de serviteurs de l'État : Olivier de Clisson, connétable en 1380, Jean de Nouvion et Bureau de La Rivière, proches de Charles V, le maréchal de Rieux...

Le Marais est aussi un quartier religieux, où la foi rayonne de nombreux établissements conventuels (aujourd'hui tous disparus). Les couvents de l'Ave Maria, des Blancs Manteaux, de Sainte-Croix de la Bretonnerie et le prieuré de Sainte-Catherine du Val des Écoliers, soutenus par saint Louis, les Billettes, le Petit Saint-Antoine, encouragés comme les Célestins par Charles V, témoignent, comme les maisons des Haudriettes ou de Sainte-Avoye, de cette ferveur chrétienne. D'ailleurs, très tôt, les « maisons de ville » de grandes abbayes proches de Paris s'étaient établies au sud du Marais : Ourscamp et Chaalis rue François Miron, Tiron, Jouy et Preuilly à côté, Maubuisson rue des Barres, d'Hyères et Barbeaux plus à l'est. Les archevêques de Sens, dont l'évêché de Paris était suffragant, d'abord logés sur le quai des Célestins, se font construire, à la fin du XIVe siècle, le bel hôtel qui subsiste encore, quoique mutilé, rue du Figuier. On connaît moins la résidence des évêques de Beauvais, rue de Moussy, tôt disparue. Au nord règne l'ordre des Templiers, qui possède un enclos puissant – véritable ville dans la Ville – et, de fait, finit par indisposer le pouvoir royal. L'affaire se termine comme l'on sait et, après la confiscation

Détail du plan de Mathieu Mérian, 1615.

des biens des Templiers sous Philippe le Bel, la commanderie parisienne passe aux chevaliers de l'ordre de Saint-Jean de Jérusalem.

Tel se présente, à la fin du Moyen Âge, le Marais. C'est un quartier vaste et aéré, où de grands domaines royaux et princiers, de nombreux établissements religieux, s'organisent autour de quelques grandes rues marchandes et actives. Il subsiste encore bien des espaces en friche : cela fournira, dès le XVIe siècle, matière à lotissement.

Le beau Marais des derniers Valois

C'est sous François Ier, roi parisien depuis 1528, que le Marais connaît ses deux premiers lotissements depuis celui des Templiers. Le premier est le fait du roi lui-même : sous son règne se précipitent et s'achèvent la disparition et le lotissement du vieil hôtel Saint-Pol, devenu caduc, et que remplace un quartier neuf aux voies droites – actuelles rues Charles V, Beautreillis et des Lions – et aux parcelles régulières (voir promenade 2). Dès 1545, encouragés par cet exemple, les religieux du prieuré de Sainte-Catherine du Val-des-Écoliers font de même avec leur couture, située juste au nord de la rue Saint-Antoine, hors de l'enceinte de Philippe Auguste (voir promenade 4). Ce lotissement, plus réussi que l'autre, va donner naissance à un magnifique quartier où seront élevés les plus célèbres hôtels du Marais, Carnavalet en tête, autour de la future rue des Francs Bourgeois. Les Grands, nobles de robe ou d'épée, viennent ici trouver un quartier neuf, aéré, où la nouvelle architecture, inspirée de l'exemple italien, peut s'épanouir. Au même moment, l'accident tragique de 1559, où Henri II trouve la mort dans un tournoi rue Saint-Antoine, provoque l'abandon du palais des Tournelles (démoli sous Charles IX et Henri III), et le départ définitif de la famille royale, désormais installée au Louvre. Qu'importe ? La vogue est lancée.

L'âge d'or : du Vert-Galant au Roi-Soleil

Un temps freinée par les atroces guerres de Religion et le long siège de Paris (1589-1594), la mode du Marais reprend de plus belle sous Henri IV. Le premier Bourbon, amoureux de sa bonne ville et habile politique, conduit la reconstruction et charge Sully des grands chantiers – opérations qui lui ont valu le titre posthume de premier urbaniste de Paris. Il est ainsi à l'origine de la place Royale, actuelle place des Vosges, dont la beauté, la régularité et l'étendue en font immédiatement *la* place par excellence, lieu de prédilection de la bonne société. Jouant un rôle à la fois de « capitale du Marais » et de catalyseur de la construction du quartier, la place Royale, où se marient la brique, la pierre et l'ardoise,

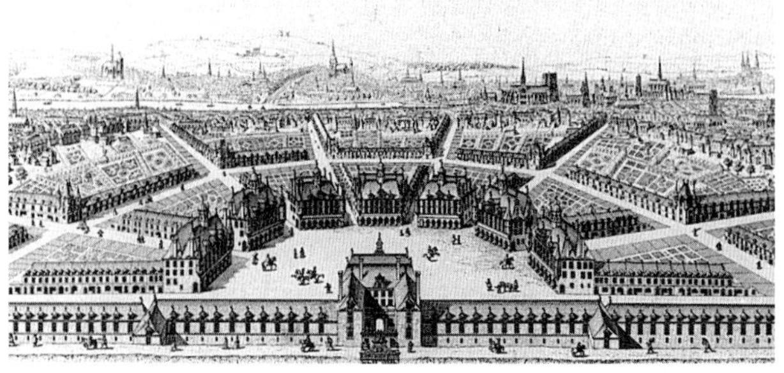

Projet de la place de France, gravure, XVIIe siècle.

est toujours le symbole du Marais (voir promenade 3). Après ce coup d'éclat, Henri IV lance plus au nord, vers la rue du Temple où subsistent des coutures en friche, une seconde opération de lotissement que devait couronner une place, la place de France. Si cette dernière idée est abandonnée dès la mort du roi en 1610, le lotissement aboutit et fait naître tout un quartier où spéculent petits artisans et gros promoteurs, comme Claude Charlot ou Paul Aymeret : les rues de Saintonge, du Perche, de Normandie, de Bretagne, du Poitou, de Beauce, rappellent par leurs noms le projet de la place de France (voir promenade 7). Enfin, les derniers champs se bâtissent, les uns après les autres, comme un puzzle, sous le coup d'initiatives privées : l'hôpital des Dames de Saint-Gervais lotit ses coutures sous Louis XIII autour de la rue de Turenne (voir promenade 8) ; les architectes Libéral Bruand, au petit fief des Fusées rue de la Perle en 1683-1685, et Jean Beausire, tout au nord du quartier en 1696-1700, fermant la marche. À ce moment, l'enceinte de Philippe Auguste a disparu depuis longtemps, digérée par les constructions nouvelles ; l'enceinte de Charles V est détruite sur décision de Louis XIV et remplacée, à partir de 1680, par un boulevard planté d'arbres, qui deviendra une promenade appréciée.

Tout le Siècle passe au Marais. Et d'abord les architectes. François Mansart s'établit en 1646 rue Payenne, où il meurt en 1666 ; son petit-neveu Jules Hardouin-Mansart se bâtit un hôtel rue des Tournelles et sera enterré à Saint-Paul ; leur nombreuse famille, avec Delisle-Mansart, est aussi propriétaire rue de Sévigné et rue Saint-Gilles ; leurs parents, les Gabriel, continuent la tradition, avec leurs demeures rue des Tournelles et rue Saint-Antoine. Jean Thiriot s'installe rue Vieille du Temple, à l'angle de la rue du Poitou, et l'actif Michel Villedo a son hôtel rue de Turenne comme Libéral Bruand, qui y meurt en 1697.

C'est bien sûr le quartier de leurs riches clients, financiers et « traitants » (intéressés aux affaires du roi, gabelous...), dont Aubert de Fontenay est le meilleur exemple (il est à l'origine de la construction de l'hôtel Salé en 1656), avec Claude Boislève (qui fait transformer l'hôtel Carnavalet en 1660) et Adrien Bence (qui s'établit rue de Saintonge en 1661). Ils sont bientôt entraînés dans la chute de leur patron le surintendant Nicolas Fouquet, qui habite aussi au Marais, rue Barbette, chez le maréchal d'Estrées, puis, jusqu'en 1658, rue Courteauvilain (actuel n° 5 rue de Montmorency) dans un hôtel que sa femme lui a apporté en dot. Les Guénégaud aussi sont partout : Claude est rue de Turenne, Jean-François rue des Archives, Gabriel à l'hôtel d'Albret...

À côté des financiers, on trouve des magistrats, des gens de robe : les Le Pelletier (rue de Sévigné et rue Vieille du Temple) et la grande famille des Lamoignon, installée en 1658 à l'hôtel qui a gardé leur nom, rue Pavée. Guillaume de Lamoignon est alors Premier président du parlement de Paris. Son salon réunit les beaux esprits, qui rivalisent de culture et d'éloquence.

Car les écrivains ne manquent pas à l'appel dans le Marais du Grand Siècle : Mme de Sévigné, bien sûr, qui habita le Marais de sa naissance à sa mort, loue diverses demeures, rue des Lions, rue Courteauvilain, rue de Thorigny, des Trois-Pavillons... avant de s'établir en 1677 à l'hôtel Carnavalet. Boileau fréquente le salon de Lamoignon, son ami ; Paul Scarron habite et meurt rue de Turenne ; Théophile de Viau est rue de Montmorency ; l'érudit Du Cange rue des Écouffes ; tandis que Valentin Conrart, l'un des fondateurs de l'Académie française, s'éteint rue des Archives. La Science prend conscience à l'hôtel de Montmort, où une « académie montmorienne » préfigure la création de l'Académie des sciences.

Des personnages plus pittoresques comme Ninon de Lenclos, Marion Delorme ou Mme de Beauvais, l'habile et entreprenante femme de chambre d'Anne d'Autriche, sont aussi au Marais dans ses belles années.

Ajoutons les grands serviteurs de l'État, qui sous Louis XIV restent également fidèles à ces lieux : Saint-Aignan, gouverneur des Enfants du Grand Dauphin ; les chanceliers de France, Le Tellier rue des Francs Bourgeois, Boucherat et Voysin, qui s'éteignent successivement dans le même hôtel de la rue de Turenne, Chamillard rue Charlot. Les puissants ducs d'Aumont entassent leurs magnifiques collections rue de Jouy. Que dire des musiciens ? Les Couperin règnent à Saint-Gervais, Henri du Mont à Saint-Paul, où il sera enterré, Charpentier et Campra officient à Saint-Louis des Jésuites.

Le Marais est aussi représentatif de l'immense ferveur catholique de la Contre-Réforme. Les grands Jésuites de la rue Saint-Antoine, comme on les appelle, en sont l'éclatant symbole ; la construction de leur église magnifique a été soutenue et encouragée par Louis XIII en personne, qui assiste avec toute la Cour à la première messe, en 1641. Dès le début du règne, les fondations se multiplient, au premier rang desquelles se placent les Minimes, la Merci et Sainte-Élisabeth aidées par Marie de Médicis. Rue Saint-Antoine, le commandeur de Sillery favorise les Filles de la Visitation, dont Mansart construit l'église en 1634 ; saint Vincent de Paul en sera l'aumônier. En face s'installe le couvent des Filles de la Croix, qui reprendra peu après la maison de Maubuisson, rue des Barres. Toutes ces fondations sont réputées pour leur enseignement et l'éducation qu'elles dispensent. Sur le rempart, le couvent des Filles du Calvaire est fondé par le père Joseph, éminence grise de Richelieu, tandis que l'établissement des Petits Capucins est encouragé par les riches habitants du quartier, dont Claude Charlot, à s'installer rue du Perche. Un des plus beaux fleurons de ce Marais catholique, le noviciat des Mauristes, s'installe en 1618 dans l'ancien couvent des Blancs Manteaux, qui était tombé en décadence. Enfin, car il faut bien finir à défaut d'être complet, on aura une pensée particulière pour les Dames de l'hôpital Saint-Gervais qui maintiennent leur belle mission de soins et de charité à l'hôtel d'O, rue Vieille du Temple. Cette dimension religieuse a aujourd'hui totalement disparu, mais la méconnaître serait un contresens.

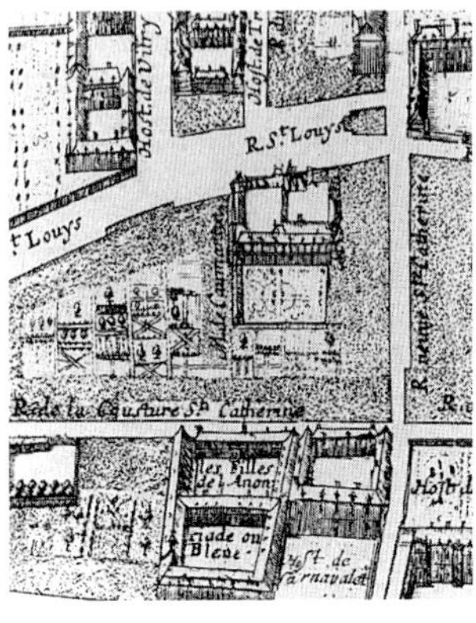

Détail du plan de
Jacques Gomboust, 1652.

Les grandes heures du Marais, qui ont résonné tout au long du siècle, s'achèvent pourtant avec la fin du règne de Louis XIV.

La mode passe : des Lumières à la crasse industrielle…

La construction des somptueux hôtels de Soubise et de Rohan, en 1705-1708, semble marquer tout à la fois l'apothéose et le « début de la fin » du Marais aristocratique. On va moins construire, plutôt améliorer ce qui existe, mais la mode est passée : c'est désormais aux faubourgs Saint-Germain et Saint-Honoré que la Cour fait bâtir au XVIIIe siècle, à l'ouest de Paris, vers ce Soleil qui se couche à Versailles. Le Marais s'assoupit, les grandes familles s'éloignent ou vendent : les Aumont partent en 1742, les Lamoignon en 1750, remplacés par des bourgeois aisés et une petite noblesse sans moyens. Mais on peut nuancer un tableau aux tons trop crus : de riches financiers restent, comme les Michau de Montaran, les Thiroux sont même bien implantés rues de Montmorency, des Archives et Michel le Comte. Le fermier général Laurent Charron loge en 1751 à l'hôtel de Montmort qu'il fait partiellement rebâtir. Au nord-est, près du boulevard, après un démarrage difficile à la fin du règne de Louis XIV, on trouve Fargès, dont la fortune douteuse sera chèrement taxée par le roi, Michel de Roissy et Bergeret de Frouville, parents et aussi riches l'un que l'autre. Les Soubise et les Rohan restent jusqu'à la chute de la monarchie, comme les Bertier de Sauvigny, qui donneront les deux derniers intendants de Paris. On ne comprendrait pas, sans cela, que le Marais soit si riche – beaucoup plus qu'on ne le croit – en belles architectures Louis XV et même Louis XVI. Ce dernier style est bien représenté au nord du quartier, et profite de la vogue du boulevard qui n'a cessé de grandir. Cafés à la mode, demeures extravagantes comme celle que se fait bâtir Beaumarchais face à la Bastille en 1788-1789, jeux de paume comme celui du comte d'Artois, frère du roi (actuel théâtre Déjazet), programme de suppression de la Bastille pour aménager une place Louis XVI en 1784 : le boulevard donne le ton. Enfin, c'est le Marais que choisit Louis XVI en 1778 pour installer le Mont-de-Piété : il s'y trouve encore.

Une « vie culturelle » se maintient avec l'ouverture de la bibliothèque de la Ville à l'hôtel Lamoignon, et de celle de l'érudit Paulmy d'Argenson à l'Arsenal, qui a fini son rôle militaire depuis longtemps et abrite alors, comme le Louvre, une pléiade de pensionnés du roi, parmi lesquels se côtoient Hubert Robert et le chimiste Antoine Laurent de Lavoisier ! On ne saurait oublier le « concert des amateurs » des Soubise, fondé en 1769 et où, tous les lundis, de jeunes musiciens comme Gossec et Grétry montrent leur talent. Ne sont-ce pas là les preuves d'un sommeil actif ?

Détail du plan de Bretez, dit de Turgot (1734-1739).

La vague révolutionnaire frappe de plein fouet le quartier. Dès le 14 juillet 1789, c'est la reddition de la Bastille et le triste assassinat de son gouverneur, qui préfigurent l'ère nouvelle. Le 22 juillet, c'est au tour de l'intendant Bertier de Sauvigny. Les demeures des émigrés se vident à partir de 1792 et sont bientôt séquestrées, tandis qu'en septembre, à la prison de la Force, se déroule une partie des horrifiques massacres organisés par Danton et ses sicaires – qui seront plus tard graciés ; la princesse de Lamballe y est atrocement assassinée. En guise de jeu, sa tête est portée au bout d'une pique jusqu'au vieux Temple, où elle est montrée à sa plus chère amie, la reine. La famille royale est en effet au Marais dans ses derniers jours : Louis XVI en partira pour l'échafaud le 21 janvier 1793 et Louis XVII y mourra peu après, en captivité.

On déchristianise bientôt, comme partout : les trois grandes paroisses (Saint-Gervais, Saint-Jean en Grève et Saint-Paul) sont fermées, les couvents (Visitation, Filles de la Croix, Sainte-Élisabeth, Sainte-Avoye, les Blancs Manteaux...) vidés. On profane les tombes pour récupérer du plomb, on fond les cloches en bronze pour faire des canons, on creuse les murs pour en récupérer le salpêtre... la France est en guerre. Pour faire bonne mesure, on casse aussi de nombreuses statues, et tout d'abord celle de Louis XIII place Royale ; on viole également tous les tombeaux célèbres ; les cœurs de Louis XIII et de Louis XIV que conservait Saint-Louis sont profanés. L'hôpital Saint-Gervais, si utile, résiste jusqu'en 1795, puis est fermé à son tour. Dès la fin de la Révolution, tombent Saint-Jean en Grève et Saint-Paul, comme les bâtiments de nombreuses congrégations ; les deux tours du Temple disparaissent sous l'Empire ainsi que l'église des Minimes et le couvent des Filles du Calvaire, cependant que le percement de la rue Castex anéantit le couvent de la Visitation, dont seule l'église subsiste.

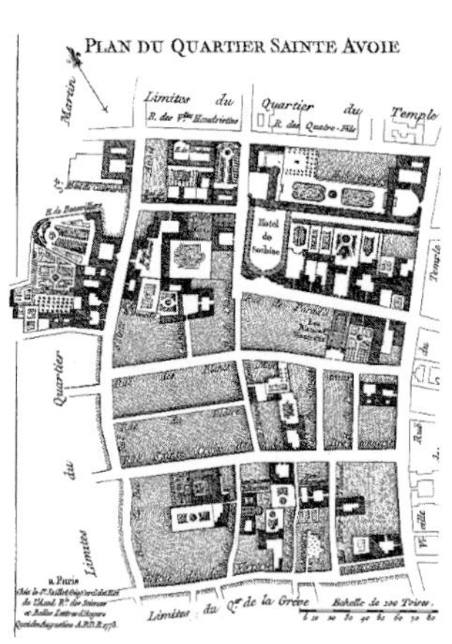

Plan de Jaillot,
le quartier Sainte-Avoye, 1773.

La première moitié du XIXe siècle donne au Marais une teinte d'aquarelle. Jusque sous Louis-Philippe, il reste habité par une bourgeoisie aussi éloignée des Grands de la Cour de Louis XIII que des ouvriers de la période suivante : en somme, une situation moyenne. Beaucoup d'hôtels sont encore en location, mais occupés par une ou deux familles seulement. On ne compte presque aucune démolition d'hôtel important, mais les décors intérieurs et surtout les escaliers d'apparat, trop vastes, commencent à disparaître. C'est le temps des pensions et des maisons d'éducation, que l'on trouve aux hôtels Carnavalet, de Beauvais, de Marle, aux Minimes... L'école des Francs Bourgeois est fondée en 1843 au n° 26 de la rue, avant de s'établir à l'hôtel de Mayenne, l'école Massillon débute rue de Turenne, avant d'acheter l'hôtel Fieubet. Le lycée Charlemagne, établi par Napoléon dans la maison professe des Jésuites, où il se trouve encore, ne prend pas d'internes, d'où l'abondance de ces pensions qui prospèrent aux hôtels d'Aumont (pension Petit) et Fourcy (pension Harent, devenue le lycée Sophie-Germain). C'est à la pension Massin, établie dans l'infirmerie des Minimes, qu'Ernest Lavisse étudie.

L'hôtel Hérouet,
gravure de Thomas Boys, milieu XIXe.

Les beaux esprits, d'ailleurs, ne désertent pas le quartier, et Balzac, Hugo, Théophile Gautier sont, dans leur bel âge, des habitants du Marais – tout ce petit monde se réunissant à l'Arsenal autour de Charles Nodier, alors bibliothécaire. Flaubert boulevard du Temple, plus tard Alphonse Daudet à Lamoignon, où naît son fils Léon, les y rejoindront.

Le règne de Louis-Philippe, mais surtout le Second Empire marquent un tournant. Le quartier s'appauvrit et voit sa population devenir industrieuse. Partout, les ateliers remplacent les anciens jardins et les grandes cours, devenus inutiles. Certains hôtels sont irrémédiablement défigurés, d'autres seulement adaptés tant bien que mal au nouveau rôle qu'on leur fait jouer. Léon Daudet a bien rendu cette atmosphère particulière :

« Derrière notre hôtel Lamoignon se trouvait une fabrique de produits chimiques. Elles abondaient alors dans le Marais, ainsi que les maisons de produits pharmaceutiques en gros. Il en est encore de même aujourd'hui. Les jouets d'enfants, les produits chimiques et pharmaceutiques, les passementeries et étoffes de laine et de coton entreposées, les bijouteries en gros et en toc, les pièces détachées, les zincs et les bronzes d'art, les installations dentaires et de menuiseries remplissaient, du haut en bas, ces anciennes demeures seigneuriales, où devisaient les beaux et les belles de la Cour de Louis XIII et de Louis XIV, où tenaient conciliabule les précieux et les précieuses, et qui gardent comme un parfum de Molière mêlé aux odeurs des acides et du cuir » (*Paris vécu, rive droite,* 1929). Le vieux quartier est en effet propice à cette métamorphose ; il est maintenu à l'écart des grandes percées entreprises par Haussmann, qui anéantissent alors de nombreux quartiers anciens de Paris, le Châtelet, la Grève, la Cité tout entière, et en abîment irrémédiablement d'autres comme les Halles, la montagne Sainte-Geneviève et la chaussée d'Antin. De ce fait, ses vieilles demeures dépréciées, ses rues calmes, sont le laboratoire idéal où se prépare l'alchimie subtile d'une sauvegarde par la réutilisation, fût-elle apparemment antinomique ! Giraudoux l'a bien vu, qui considérait que le Marais avait été sauvé « par l'occupation sanctifiante du petit travail et de l'artisanat » (*Pleins Pouvoirs,* 1939).

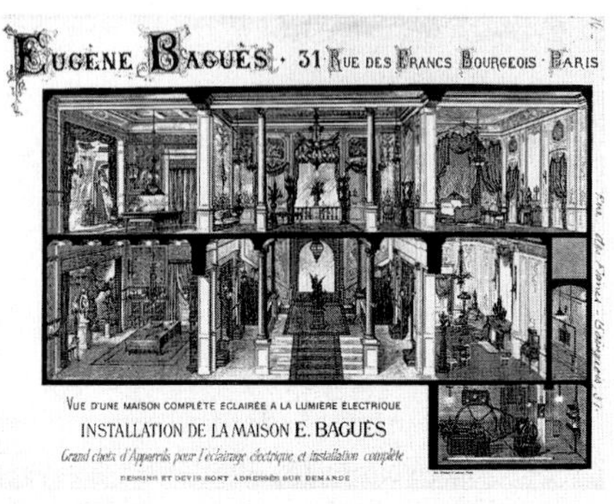

Affiche publicitaire, fin XIXe.

Le baron Haussmann veille cependant, car rien ne doit subsister de la vieille ville condamnée : il projette de couper le Marais en deux par une vaste avenue, la « rue Étienne Marcel prolongée », reliant la place des Victoires au boulevard Beaumarchais, voie néfaste qui ne sera officiellement abandonnée qu'après 1950, mais causera la perte des rues de la Perle et des Quatre Fils dans les années 30... Le Marais ne connaît ainsi, de ces tristes avenues rectilignes et bordées d'immeubles tous semblables, que la rue Malher (1852), le prolongement de la rue de Rivoli (1856) et, au nord, la sinistre place du Château d'Eau (actuelle place de la République) en 1865. Mais l'aménagement du square du Temple, de la mairie du IIIe arrondissement et du marché voisin ruine l'ancien Temple et provoque la disparition du palais du Grand Prieur. Haussmann laisse également des bombes à retardement, comme la percée du boulevard Henri IV qui emporte, en 1878, l'hôtel Lesdiguières, ou encore l'élargissement de la rue de Bretagne après 1914.

Les démolitions spéculatives commencent sous la Troisième République leur ronde infernale : l'hôtel d'Effiat est détruit en 1882 pour ouvrir la triste rue du Trésor, les bâtiments conventuels des Célestins sont rasés en 1904, le cloître des Minimes est abattu en 1926 pour faire place à une hideuse caserne. Le magnifique hôtel de La Vieuville est anéanti pour construire les entrepôts de La Samaritaine en 1925, le couvent des Blancs Manteaux et l'hôtel Le Pelletier de Mortefontaine disparaissent en 1929-1930 au profit d'immeubles à usage industriel, et, en 1930 encore, le magnifique hôtel Bourrée de Corberon, rue Barbette, est rasé... pour rien ! Les hôtels Le Noirat et de Ligny tombent en 1940 devant un immeuble de rapport d'une compagnie d'assurances. Les dernières victimes sont nôtres : en 1950 est rasé en douce le très bel hôtel Bertier de Sauvigny, rue Béranger, en 1965 tombe l'hôtel Raoul, rue Beautreillis, enfin en 1969 disparaît l'hôtel de La Michaudière, rue des Archives, qui semble clore cette liste noire.

Malgré cela, la cohérence du quartier est préservée, mais l'ensemble se paupérise et devient partiellement insalubre. De nombreuses maisons, dépourvues de tout confort moderne, voient s'entasser une population de plus en plus pauvre, à la recherche d'un bout de pièce, d'un peu de place pour travailler.

C'est le temps des petites mains, des célèbres casquettiers juifs, qui s'établissent en force à la fin du siècle dernier dans le « Pletzl », dans une atmosphère qu'a bien rendue Roger Ikor.

Des voix s'élèvent pour demander la destruction de ce quartier que l'on pense alors irrécupérable : « Il est des cas où la conservation à l'excès des vieilles maisons est un crime contre la société », déclare, en 1940, avec cet aplomb que procure l'appât du gain, l'architecte André Hilt, qui veut raser tout le quartier autour de Saint-Gervais.

Au nom du progrès, l'école moderne, issue des théories de Le Corbusier, réclame des tours et des barres, entourées de pelouses et de parkings. Adepte du plan Voisin de 1925 qui prévoyait de raser tout le centre de la rive droite, Hilt propose de couper le Marais par une radiale nord-sud et d'élargir encore la rue de Rivoli. C'est l'époque où l'on se bat autour de l'« îlot insalubre n° 16 », zone qui affecte tout le quartier Saint-Gervais entre la rue Saint-Antoine et la Seine. Dans un chaos idéologique et politique, la préfecture de la Seine, de 1936 à 1965, rase la majeure partie du quartier. Cette opération coïncide sous l'Occupation avec les persécutions antisémites qui meurtrissent humainement le quartier. Au début de la Cinquième République, avec le triomphe de la civilisation du béton brut et du profit roi, la question se repose crûment : que faire du Marais ?

Sauver le Marais : un pari audacieux

La renaissance du Marais est la grande chance de notre époque. Elle a consisté en un pari audacieux : renverser le cours des choses, revenir en arrière, ce qui est au fond l'idée la plus moderne qui soit. La Commission du Vieux Paris et l'architecte Albert Laprade luttent d'abord seuls contre les vandales.

Le 4 août 1962, Michel Debré et André Malraux font voter la loi créant des secteurs sauvegardés, mise au point par le sénateur Jacques de Maupeou et destinée à protéger les centres-villes anciens menacés par la promotion immobilière. C'est à ce moment qu'est sauvé l'hôtel de Vigny et que naît, en 1963, l'*Association du festival du Marais*, fondée par Michel Raude : son ambition est d'attirer les Parisiens dans le quartier, pour le leur faire (re)découvrir et prouver ainsi le bien-fondé des thèses de conservation. L'engouement est immédiat. En 1965, le Marais devient officiellement secteur sauvegardé, couvrant une zone de 126 hectares. Avec l'expérience de l'« îlot n° 16 » (1942-1965), c'est la première fois que la logique de transformation de Paris élaborée sous Haussmann cède le pas.

Dans ce périmètre désormais contrôlé par un plan établi par trois architectes des Monuments historiques (Marot, Vitry et Arretche, conseillés par Maurice Minost, qui fit tant pour le Marais), régi par des dispositions juridiques favorisant la rénovation plutôt que la démolition, prenant enfin en compte la notion d'harmonie urbaine, le Marais tente de revivre depuis bientôt trente ans à l'heure de son glorieux passé, expérience unique dont nous sommes chaque jour les témoins fascinés et parfois désolés : trop de pierres neuves, trop de modes nouvelles. La rénovation a conduit à ce qui était inéluctable : une grave mutation sociologique, une disparition de l'artisanat et des petits marchés, de l'âme du quartier qu'on sent encore si forte sur les clichés d'Atget au début du siècle. Rodin l'avait dit : « Ne détruisez plus, et ne restaurez plus ! » Viollet-le-Duc n'est certes pas mort, hélas ! et le promeneur attentif serait bien

Grand cloître des Minimes en 1925, avant démolition.

Le jardin de l'hôtel de Marle,
bel exemple de rénovation réussie.

avisé de regarder à deux fois les belles façades récurées qu'il a sous les yeux. Avouons que les hôtels de Sens, d'Aumont, de Jaucourt, d'Albret, Donon... ne sont plus que le reflet d'eux-mêmes. Sans parler de l'architecture postmoderne qui étale ses impostures de-ci, de-là : rue Malher, contre l'hôtel Lamoignon ; rue des Écouffes, au coin de la rue du Roi de Sicile ; rue des Francs Bourgeois, face à l'hôtel Hérouet... C'est le choc des styles et des époques, tenu pour un progrès. En est-on si sûr ?

Depuis 1992, un nouveau plan de sauvegarde, mis au point par M. Wagon, architecte du secteur, marque une date nouvelle dans l'histoire du Marais moderne. Si imparfait soit-il, il protégera sans doute le quartier. Mais ses plus sûrs alliés sont les Parisiens, les touristes, les amateurs de vieilles pierres : l'intérêt du Marais ne décroît pas, c'est là le meilleur encouragement. Ce guide sera, nous l'espérons, une pierre à l'édifice...

Départ de l'escalier de l'hôtel d'Alméras, 30, rue des Francs Bourgeois.

Savoir lire l'architecture ancienne

L'architecture est un art difficile, le dieu des Arts pour les Anciens. Se promener dans le Marais sans comprendre ce que l'on voit n'a pas beaucoup d'intérêt à notre sens : le lecteur trouvera donc ici quelques « clefs » pour faire parler les belles architectures signalées dans ce guide. Nous avons adopté pour cela une démarche simple et empirique, illustrée de croquis et de photos. La schématisation et la simplification de notre propos visent à l'essentiel.

En matière d'architecture urbaine, il convient de distinguer l'architecture publique (édifices civils et religieux) de l'architecture privée. Nous n'aborderons ici que le second type, renvoyant le lecteur aux ouvrages en usage sur l'architecture publique.

L'architecture privée, qui englobe tout ce qui touche à l'habitation, obéit à un programme précis que le commanditaire exige de son architecte en fonction de ses besoins, de ses moyens et aussi de son goût personnel. Du jeu de ces contraintes découlent trois types d'habitations : la maison, l'immeuble de rapport et l'hôtel particulier. Chacun répond à une définition différente et à un programme architectural spécifique.

LA MAISON

C'est l'élément le plus répandu du tissu urbain dans le vieux Paris. Le terme de *maison* est assez flou, encore aujourd'hui, mais on peut essayer de définir celle-ci comme une habitation de taille moyenne, prévue à l'origine pour une seule famille.

Son organisation s'est mise en place dès le Moyen Âge : c'est un bâtiment établi sur la rue, construit sur une cave qui peut avoir plusieurs niveaux, avec un rez-de-chaussée commerçant et plusieurs étages – en moyenne deux ou trois au XVIIe et trois ou quatre au XVIIIe siècle. Cette maison est souvent desservie en arrière au Moyen Âge par un jardin maraîcher, qui tend rapidement à se transformer en cour sous la pression de la densification urbaine ; dans cette cour apparaissent alors des bâtiments légers (granges, remises, écuries...), qui sont bientôt convertis en corps de logis en dur, établis en aile, puis au fond de la parcelle, suivant un processus de « remplissage » bien connu (fig. 1).

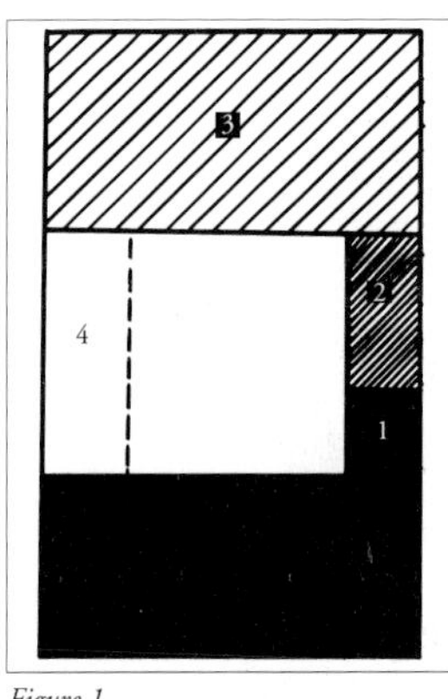

Figure 1

On entre dans cette maison par une porte en général piétonne – dite « porte bourgeoise » –, qui conduit par un étroit couloir à l'escalier, établi sur un plan resserré et qui dessert tous les niveaux : l'habitat se pensait alors sur un mode vertical et non horizontal comme aujourd'hui.

La construction de ces maisons s'est faite du Moyen Âge à la Restauration, soit durant près de cinq siècles, suivant les mêmes méthodes et avec les mêmes matériaux. Cela explique l'harmonie qui règne dans les rues du vieux Paris, harmonie qui a été détruite sous le coup des mutations technologiques issues de la révolution industrielle à partir de 1840-1850.

On distingue trois types de constructions traditionnelles :

- une structure en pans de bois – dont le dessin forme le colombage – avec un remplissage de moellons enduits de chaux, type traditionnel médiéval qui perdurera très longtemps. Seuls le rez-de-chaussée et les caves sont bâtis en pierre pour assurer la solidité et l'étanchéité ;

- une structure en pierre avec un remplissage de moellons également enduits. C'est la même technique que la précédente, mais l'armature en bois est remplacée par une armature en pierre ;

- une façade tout en pierre de taille, plus solide, plus chère, et donc plus rare. Celle-ci se développe dans la maison courante surtout à la fin du XVIIe et au XVIIIe siècle. Derrière ces façades en pierre, le reste de la maison demeure en bois et moellons.

Ces matériaux – bois, pierre, terre cuite – sont vivants et jouent entre eux avec le temps, ce que les Anciens maîtrisaient parfaitement. Ainsi, une façade « ventrue » n'est pas, comme on le croyait au XIXe siècle, le signe d'une maison qui va s'écrouler, mais d'une maison dont les structures ont joué et se sont stabilisées. Les maisons du vieux Paris sont par ailleurs solidaires les unes des autres, par les murs mitoyens : c'est pourquoi la destruction d'un élément dans un pâté de maisons anciennes est toujours dommageable à l'ensemble.

La silhouette générale de la maison parisienne connaît trois étapes :

- au Moyen Âge et durant une partie du XVIe, la façade dont les pans de bois sont apparents est surmontée d'un pignon triangulaire, plus rarement circulaire. Les niveaux sont construits en encorbellement par rapport au rez-de-chaussée (fig. 2) ;

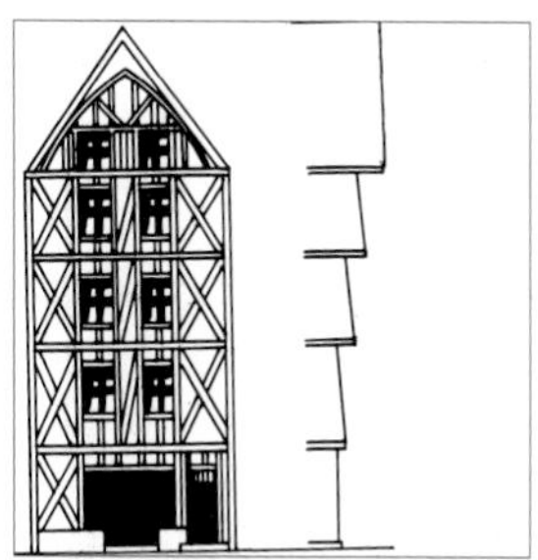

Figure 2

- à partir d'Henri IV surtout, qui légifère en ce sens par l'édit de 1607, les pignons disparaissent et le comble se retourne pour présenter l'une de ses pentes sur la rue, au-dessus d'une corniche qui chasse l'eau ; en conséquence, les lucarnes se développent (fig. 3). Dans le même temps, les pans de bois sont enduits et tendent à disparaître, mais on ne doit pas négliger le poids de l'habitude : la fameuse maison du 3, rue Volta (IIIe arrondissement), qui passait pour la plus vieille de Paris avec ses colombages, date en réalité de 1650. De la même façon, la pratique de l'encorbellement est interdite, et les façades tendent au contraire à pencher vers l'arrière, mouvement que l'on appelle un « fruit » ;

Figure 3

- dès la fin du règne de Louis XIV et au XVIIIe siècle, les maisons, aux façades plus régulières et d'aplomb, s'allongent en hauteur et en largeur, sous le coup de l'« horizontalisation » de l'habitat (fig. 4). Les combles se brisent, les lucarnes désor-

Figure 4

mais en bois se fondent dans le toit, et les dégagements – entrée, escalier – ont tendance à s'amplifier par souci de confort.

LE DÉCOR de ces maisons est très sobre. À la différence des immeubles du XIXe siècle, aux façades souvent alourdies par un décor surabondant, la maison du vieux Paris est belle par ses volumes, par l'équilibre entre les percements et les pleins, où réside le secret de la véritable architecture. Les façades sont marquées par l'irrégularité des éléments les uns par rapport aux autres. Il n'y a aucune symétrie rigoureuse, d'une fenêtre à l'autre, ou d'un étage à l'autre. Cette irrégularité, que l'œil corrige, est le secret de l'harmonie qu'utilisaient déjà les Grecs dans leurs colonnades. À ce trait, imperceptible, s'en ajoute un autre, plus sensible : les étages vont décroissant du premier niveau au comble qui achève l'élévation, avec un art des proportions très maîtrisé.

Après la maison médiévale à colombages, qui tend à disparaître sous Henri IV, on peut distinguer quatre grands styles :

- **LA PÉRIODE HENRI IV-LOUIS XIII** (fig. 5). La façade, enduite au plâtre, est seulement agrémentée entre les étages d'un bandeau souvent double, dit bandeau « à la française », ligne horizontale en saillie plate ou légèrement moulurée, et d'une corniche située au sommet, un peu plus travaillée. Les fenêtres sont plutôt carrées que rectangulaires, fermées par des menuiseries à panneaux, elles-mêmes divisées par des croisillons et des meneaux en pierre ou plus souvent en bois (fig. 5a). L'effet décoratif se concentre sur des éléments comme les portes – dont le vantail peut être sculpté ou mouluré –, ou les lucarnes, qui au XVIIe siècle sont en maçonnerie (pierre ou plâtre) à fronton triangulaire ou courbe (fig. 5b). Ces maisons peuvent encore adopter des fenêtres d'inégales

Figure 5

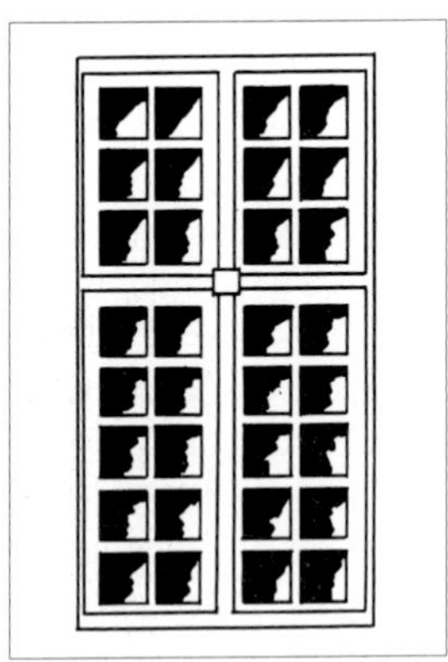

Figure 5a

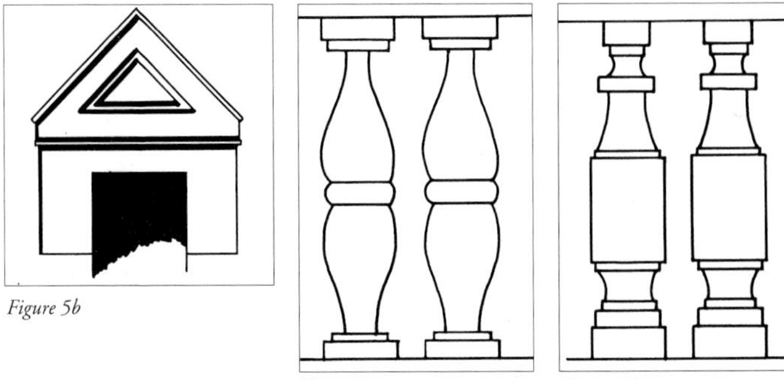

Figure 5b

Figure 5c

Figure 5d

ouvertures – deux faibles encadrant une forte – ou décalées en suivant le mouvement de l'escalier, par exemple. Les rampes d'escalier sont en bois à balustres. Ceux-ci suivent deux modèles : ronds ou tournés (fig. 5c), et carrés ou rampants – ce dernier type apparaissant vers 1630 (fig. 5d).

- La période Louis XIV (fig. 6). La pierre progresse dans les façades, en même temps qu'une plus grande régularité des percements, assujettis à des règles désormais codifiées. Les appuis en fer forgé apparaissent devant les fenêtres, qui sont ainsi abaissées par la suppression de l'allège ; cette modification va de pair avec la disparition des croisillons et des meneaux, et l'apparition d'un nouveau type de fenêtres non compartimentées (fig. 6a). Aux lignes horizontales – bandeaux, corniche – s'ajoutent dorénavant des chaînes de refends verticales aux piédroits des portails et sur les côtés, affirmant ainsi plus fortement les rythmes. Les escaliers à balustres en bois perdurent, mais le fer forgé fait une timide apparition dans la décoration des rampes, dans la seconde moitié du XVIIe siècle, sous forme de barreaux carrés, agrémentés de motifs en enroulement ou en volute (fig. 6b).

Figure 6

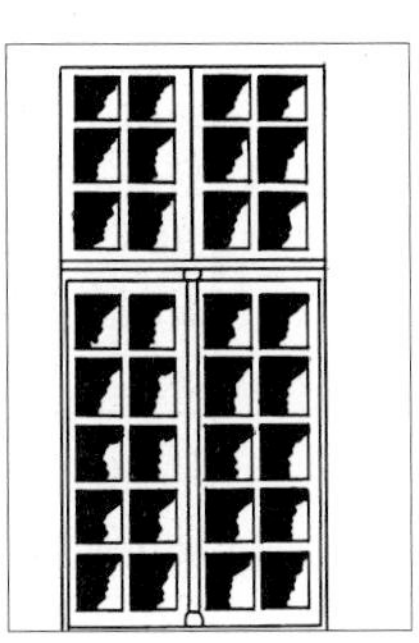

Figure 6a

Figure 6b

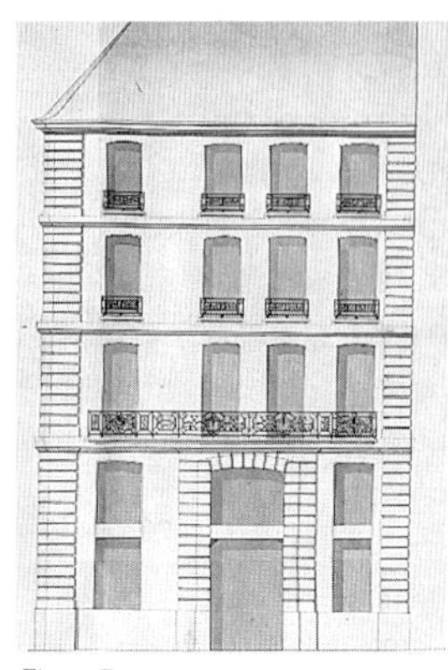

Figure 7

- **Le style Louis XV** (fig. 7). C'est le beau style, l'apogée de la maison urbaine. Les maisons aux façades de pierre deviennent plus nombreuses. L'ornementation est plus présente, mais reste toujours équilibrée et gracieuse : les portes sont plus ouvragées, les fenêtres se cambrent en segments d'arc et reçoivent des mascarons ou des agrafes en clef (fig. 7a), les dessins des appuis de fer forgé rivalisent de souplesse et d'élégance (fig. 7b). L'escalier aussi s'aère, ouvre son plan et adopte, même pour les maisons relativement simples, des rampes plus travaillées, les balustres de bois ayant alors complètement disparu.

Figure 7a

Figure 7b

Figure 8

- **Le néo-classicisme** (fig. 8). C'est l'un des styles les plus complexes et les plus passionnants. Le décor commence très tôt, vers 1750, à se raidir, même si certaines maisons restent fidèles au style Louis XV : on assiste à une période de transition, comme pour le mobilier. De la fin du règne de Louis XV à la Révolution se développe une austérité grandissante : les façades des maisons reviennent à une simplicité jugée antique (voir le « style grec »). Si les consoles et les appuis de fer forgé se maintiennent avec un raidissement du dessin devenu géométrique (fig. 8a), les mascarons disparaissent, avec les hauts combles et les lucarnes. Cette tendance culmine sous la Révolution avec le triomphe du style dorique et une nudité qui se maintiendra jusque sous l'Empire. Parallèlement, des goûts pour l'ogive, l'égyptien, apportent un peu de fantaisie et montrent une diversité plus grande qu'on ne le croit souvent. La Restauration revient à un décor plus riant (fig. 9), adoucissant les sévérités du néo-classicisme de la fin du XVIIIe siècle.

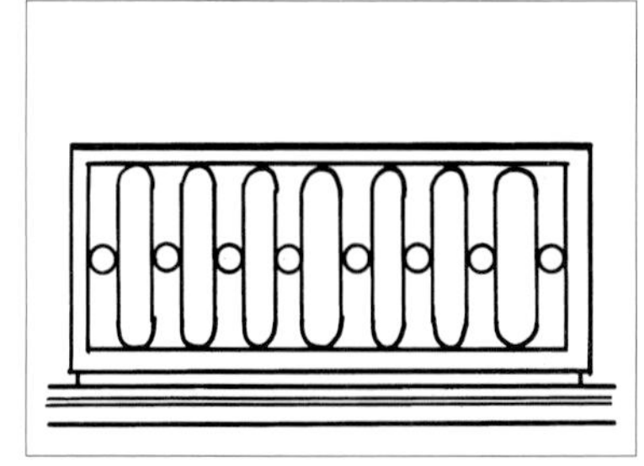

Figure 8a

Figure 9

Dès le début du XIXe siècle, on abandonne la construction des maisons, mais celles qui demeurent continuent d'évoluer. Pour échapper aux règles d'urbanisme, qui imposent un reculement lors de travaux – l'alignement –, nombre de propriétaires préfèrent accommoder la maison ancienne existante. Elle subit alors deux types d'altérations parfois irrémédiables : la surélévation, qui entraîne souvent le remplacement de l'escalier tout entier, et le rhabillage de la façade, avec des ornements au plâtre qui la mettent « au goût du jour ». La surélévation tue les proportions : les étages rajoutés sont souvent plus petits et se distinguent nettement. Le rhabillage tend à systématiser la façade, à effacer cette irrégularité propre aux maisons du vieux Paris, au profit d'une uniformisation tenue alors pour plus belle.

L'IMMEUBLE DE RAPPORT

Ce deuxième type, assez peu représenté dans le Marais, apparaît au XVIIe siècle et se développera surtout à partir du règne de Louis XVI. On ne construira plus que des immeubles de rapport, au XIXe siècle, dans le centre, la maison ne correspondant plus aux besoins économiques ni à la pression foncière.

L'immeuble de rapport étant destiné à la location par niveaux, il vise la rentabilité ; il se rattache à une mentalité particulière, celle du profit calculé. Caractérisé par une plus grande hauteur d'étages (quatre à six en moyenne aux XVIIIe et XIXe siècles), une distribution homogène et répétitive, une desserte verticale plus importante, il nécessite également beaucoup de place au sol. C'est pourquoi il est principalement le fait, au XVIIIe siècle, des congrégations religieuses – importants propriétaires fonciers – pour lesquelles ces « maisons à loyer », comme on les appelle encore à cette époque, sont une source de revenus.

Du point de vue de l'élévation, l'architecture est sensiblement la même que pour la maison, avec une ordonnance cependant plus régulière.

À partir de Louis XVI, l'immeuble de rapport accompagne les programmes d'urbanisme, comme lors de l'ouverture du marché Sainte-Catherine : il deviendra, avec les percées d'Haussmann, la composante principale du tissu urbain parisien. Stylistiquement, on peut découper trois périodes :

Figure 10

Figure 10a

- **L'éclectisme.** Ce style fleuri est propre au règne de Charles X et surtout à celui de Louis-Philippe, qui fait transition avec le vieux Paris. Les façades sont plus volontiers en plâtre et se parent de motifs légers, néo-gothiques ou néo-Renaissance, parfois les deux – on en verra de bons exemples rue Rambuteau (fig. 10). Avec l'apparition de la fonte, les grands balcons se développent au premier étage, mais surtout au dernier, qui est disposé légèrement en retrait, ce qui deviendra de règle dans la période suivante. Les portes sont ajourées de grilles de fonte ornées de petits personnages, d'oiseaux, etc. (fig. 10a) et les escaliers abandonnent la structure traditionnelle à limon pour adopter un accrochage des barreaux désormais ronds « à l'anglaise ».

Figure 11

- **Le style bourgeois** (improprement qualifié d'haussmannien). Il règne en maître absolu de la fin des années 1840 à 1914. Les façades de cette période adoptent la pierre de taille, qui rend possible un décor chargé de sculptures et d'ornements divers pastichant l'architecture ancienne : colonnes, pilastres, consoles, mascarons, guirlandes, modillons... le tout mélangé pour le meilleur ou pour le pire (fig. 11). Les façades, avec leurs grands balcons de fonte courant au premier et au dernier niveau, s'uniformisent, tandis que la distribution se standardise. Ce type est bien représenté rue de Rivoli. Ces immeubles, bien construits et solides grâce à l'utilisation de la pierre, de la brique et de la fonte dans les structures, n'apportent cependant aucune nouveauté, ni stylistiquement, ni du point de vue du plan. Dans ces deux domaines, ce type d'architecture ne fait que broder sur les acquis des périodes précédentes.

Après 1918 apparaît ce que l'on nomme architecture contemporaine. Elle est si peu représentée dans le Marais et les quelques éléments présents sont si faibles, qu'il est préférable de n'en pas parler.

L'HÔTEL

C'est l'élément le plus intéressant, le plus complexe aussi, du point de vue urbain et architectural. La définition de l'hôtel est malaisée car elle repose sur des paramètres subjectifs. C'est une grande demeure construite pour une seule famille, dont la taille et le décor renvoient au rôle social que cette famille joue ou aspire à jouer dans la cité. L'hôtel est ouvert sur la rue par une porte cochère soulignée par des armes ; il possède une grande cour et souvent un jardin. Enfin, l'hôtel renferme des pièces spécifiques à la haute société : galerie, chapelle privée...

L'hôtel est déjà un élément important de la ville médiévale. Jadis, les quartiers du Louvre et des Halles en étaient remplis, mais les mutations de la ville les en ont fait disparaître presque complètement. Lorsque l'on parle aujourd'hui d'hôtel particulier, c'est au faubourg Saint-Germain ou au Marais que l'on songe.

Pourquoi le Marais est-il, par excellence, le laboratoire de ce que l'on appelle traditionnellement « l'hôtel entre cour et jardin » – formule trop restrictive et à laquelle on préférera celle d'hôtel « à la française » ?

Tandis que la ville médiévale n'offrait pas toujours des terrains réguliers, obligeant à des plans tordus, compliqués, avec des angles rentrants, le Marais, au contraire, était encore largement, au milieu du XVIe siècle, un vaste champ à bâtir, avec un terrain plat et des rues neuves rectilignes. Des conditions topographiques nouvelles – qui pèsent toujours sur l'architecture d'un poids capital – étaient donc réunies, au moment où l'art s'abreuvait aux modèles ramenés d'Italie ; on sait, en effet, à quel point les guerres des Valois-Orléans et Angoulême, peu fructueuses sur le plan militaire, furent riches sous le rapport de l'art.

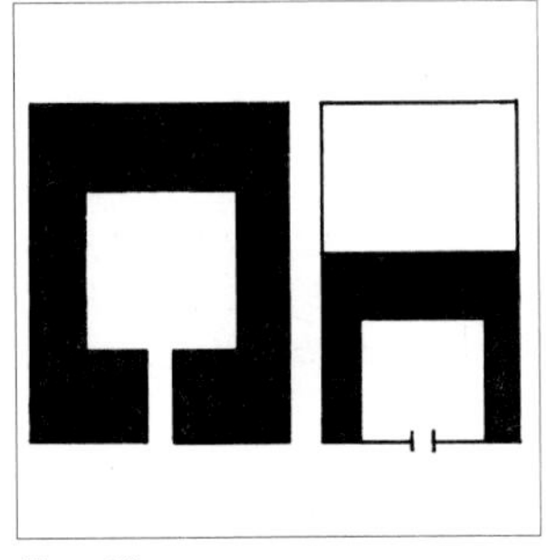

Figure 12

Il faut aussi souligner que l'apparition, à cette époque, d'hôtels en nombre important, et suivant un canon très semblable, correspond également à l'émergence au XVIe siècle du second âge de la monarchie : de militaire, de « féodale », elle entre dans l'âge administratif. Le roi gouverne désormais avec l'appui d'une puissante administration, composée non de fonctionnaires – qui n'existaient pas – mais de robins, c'est-à-dire de bourgeois ayant acheté une charge et ayant été anoblis au service de l'État. Ceux-ci, à la différence de la noblesse d'épée, qui se ruinait alors par ses frondes contre l'État, avaient moins besoin d'un château en province, sur des terres qu'ils n'avaient pas encore achetées, que de résidences urbaines, proches du Pouvoir, qui se sédentarise et se centralise tout à la fois : Paris redevient en 1528, et jusqu'en 1682, le siège permanent du gouvernement.

Comment définir un trait commun à ces hôtels ? La composante principale des demeures qui vont s'élever est la symétrie : voilà ce qui est réellement nouveau. Plus, en tout cas, que le fameux plan entre cour et jardin, qui nous distingue des Italiens (fig. 12), mais qui existait dès le Moyen Âge comme l'attestent l'hôtel Jacques Cœur à Bourges, et, à Paris, les hôtels de Cluny et de Sens. Il convient d'ailleurs de nuancer le propos, puisqu'il existe aussi un type d'hôtel en façade sur la rue, bien représenté dans le Marais.

On peut distinguer deux grandes époques dans l'évolution architecturale de l'hôtel : le temps de la simplicité et le temps de la subtilité. Entre les deux, sous Louis XIII, se place une période de tâtonnement et de recherche passionnante, véritable révolution de l'art d'habiter, conduite par deux esprits supérieurs, si opposés en apparence et pourtant si français tous deux : François Mansart et Louis Le Vau.

Le temps de la simplicité

Les hôtels construits dans le Marais, de la Renaissance au règne de Louis XIII, obéissent à trois caractères simples et clairs :

- le corps de logis est placé entre une cour et un jardin d'agrément, l'éloignement de la rue étant recherché. Mais, surtout, l'hôtel est construit sur un axe unique ou centré. Cela signifie que la porte d'entrée, le centre de la façade sur cour, celui de la façade sur jardin sont alignés sur le même axe, donnant ainsi une rigoureuse symétrie de plan (fig. 13) ;

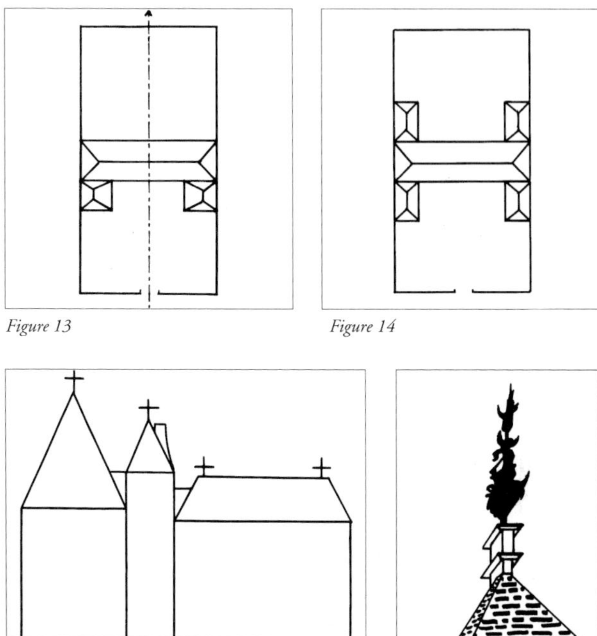

Figure 13 *Figure 14*

Figure 15

Figure 16

- le corps de logis est simple en épaisseur, c'est-à-dire qu'il n'y a qu'une seule enfilade de pièces dans la largeur de l'édifice, et que celles-ci s'ouvrent à la fois sur la cour et le jardin. Si les fenêtres sont en face les unes des autres, on dit du corps de logis qu'il est « à jour passant ». Ce corps de logis est isolé en l'absence de véritables ailes, mais on trouve des pavillons latéraux (fig. 14), disposés sur cour ou sur jardin, ou sur les deux. Chaque partie est coiffée d'un comble indépendant, ce qui donne à l'ensemble une silhouette pittoresque, qui était recherchée (fig. 15). Les combles sont droits, et dits combles « à la française » – leur forte pente, qui s'explique par le niveau pluviométrique, étonnait les étrangers. Couverts d'ardoises et éclairés par des lucarnes de pierre à fronton, ils sont agrémentés en leur sommet d'épis de faîtage en plomb, tradition ramenée de la campagne (fig. 16) ;

- la distribution est simple et juxtaposée. Ces hôtels sont élevés suivant un modèle qui va perdurer jusque sous Louis XIII, soit cinq niveaux : caves (à bois, charbon ou vin), étage demi-souterrain (abritant les communs – salle du commun, paneterie, sommellerie..., et surtout cuisine –), rez-de-chaussée surélevé, étage noble, comble faisant office de garde-meuble, de grenier à foin (fig. 17). Les appartements sont divisés par étage, et distribués par sexe : monsieur est en règle générale au rez-de-chaussée, madame à l'étage. Cette régularité peut encore être renforcée si l'escalier prend place en position centrale du corps de logis. Ainsi placé, il sert d'entrée, de montée et encore de passage vers le jardin, comme on le voit encore à l'hôtel de Sully. Cette position a cependant le désavantage de couper en deux la demeure et les appartements.

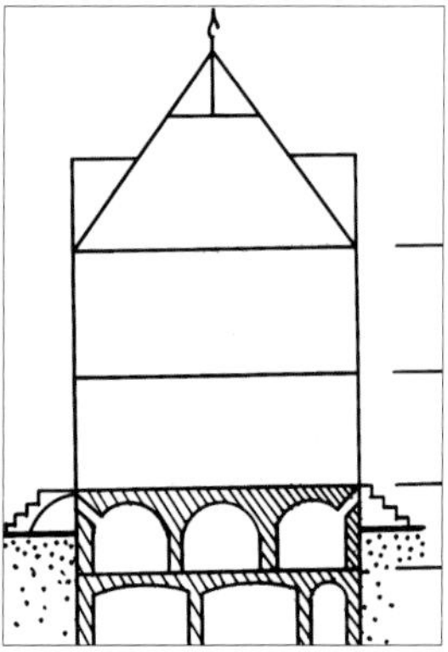

Figure 17

LE TEMPS DE LA SUBTILITÉ

L'hôtel « à la française » va connaître, sous le règne de Louis XIII et durant la période Mazarin, une série d'améliorations qui, agissant les unes sur les autres, entraînent un renouvellement complet de l'art d'habiter. Les formules alors mises au point seront celles utilisées depuis le règne de Louis XIV jusqu'à la Révolution.

Ces changements s'enchaînent les uns les autres, affectant la distribution intérieure et aussi générale. On peut essayer de les classer en quatre groupes :

- La maîtrise de l'espace, au service d'une symétrie toujours plus grande et d'une utilisation intensive des parcelles à construire, se parfait. Les ailes, qui apparaissent véritablement au XVIIe siècle, prennent d'abord la suite des pavillons, mais restent encore légèrement plus basses que le corps de logis, marquant ainsi la hiérarchie des masses : ailes, pavillon, hôtel. Ces ailes permettent d'agrandir considérablement l'habitabilité, mais présentent un défaut : elles bouchent la vue du voisin en s'élevant le long du mur mitoyen. C'est ainsi qu'une aile en appelle une autre, et qu'elles s'adossent les unes aux autres. Mais il existe une autre façon de masquer le mur du voisin, par définition aveugle et triste : le « mur renard ». Il s'agit, comme son nom le laisse supposer, d'une ruse : simuler l'existence d'une aile par un décor d'architecture, qui donne l'illusion de la symétrie (fig. 18). Un des premiers exemples est celui de l'hôtel d'Alméras, construit en 1612 par Louis Métezeau – malheureusement, ce décor a été détruit lors de sa restauration. À l'hôtel de Sully, un décor d'arcades et de niches, très italien, se voit encore sur le jardin, à droite de la terrasse.

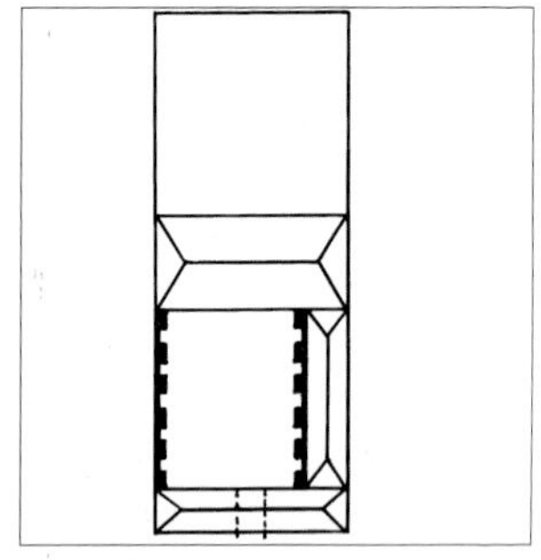

Figure 18

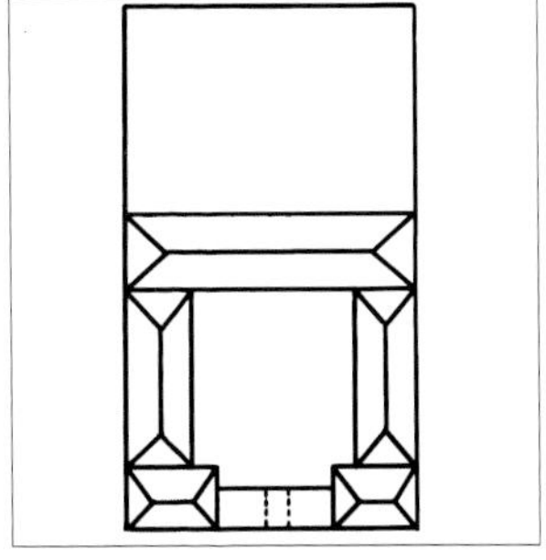

Figure 19

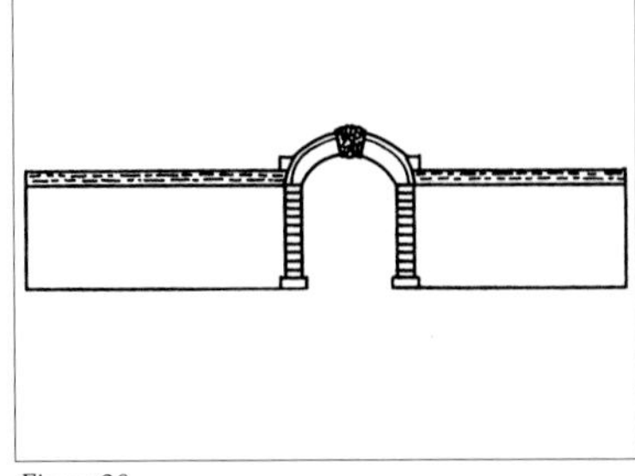

Figure 20

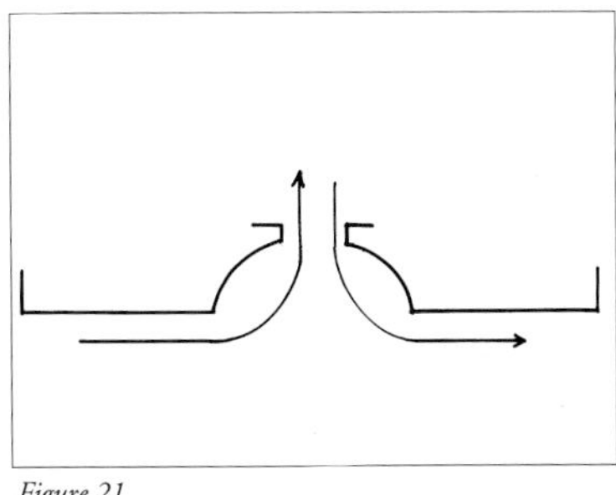

Figure 21

Mais les deux exemples les plus fameux se trouvent, d'une part, à l'hôtel de Saint-Aignan, où Le Muet a rhabillé un mur médiéval de l'enceinte de Philippe Auguste, et, d'autre part, à l'hôtel de Beauvais, où Le Pautre a triché avec la parcelle tordue de l'hôtel.

La cour est d'abord bordée d'une aile, à droite ou à gauche selon le plan, comme à l'hôtel Mégret de Sérilly à l'origine (1620). Mais les deux ailes symétriques, quand c'est possible, se développent bientôt, donnant ainsi à la cour un aspect unifié et fermé. On le sent bien aux hôtels de Sully, d'Aumont ou Guénégaud des Brosses (fig. 19). Dans l'ensemble, la cour tend à s'entourer de bâtiments, à s'uniformiser. Saint-Aignan en fournit un exemple type, proche de la cour italienne.

On peut remarquer d'ailleurs que la tendance sera au refermement du plan. Ce mouvement s'observe dans le traitement de la façade sur rue et de l'entrée de l'hôtel. À l'origine, on trouvait un mur droit et bas, percé d'un portail (fig. 20). S'ouvrant directement sur la rue, pour une question de place, ce dernier ne pouvait être décoré que de pilastres ou de piédroits à refends. À l'hôtel Salé, en 1658-1660, une amélioration sensible est esquissée avec l'apparition d'un renfoncement léger, qui facilite la révolution des carrosses dans les rues étroites. On appelle ce renfoncement « tour creuse » ou « demi-lune ». Cette disposition va permettre de remplacer les colonnes par des pilastres et de donner une ampleur nouvelle à l'entrée : c'est le cas de l'hôtel Soubise (fig. 21).

D'une manière générale, au cours du XVIIIe siècle, et particulièrement dans le Marais, où les hôtels sont rapidement loués, la façade sur rue s'épaissit et devient un corps de logis en soi. La transition se fait avec les pavillons, qui marquent l'extrémité des ailes, comme à Sully (fig. 22).

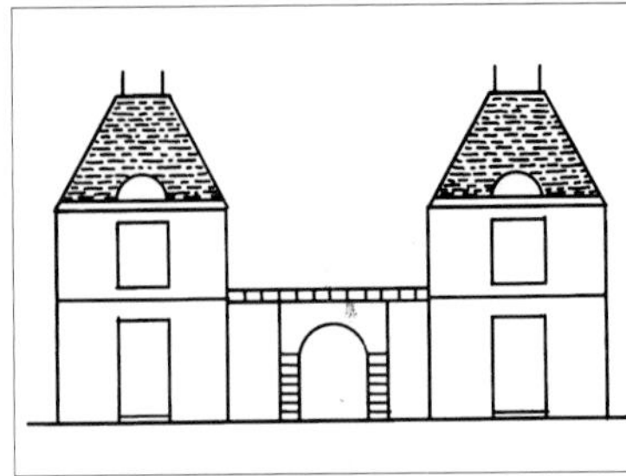

Figure 22

Figure 23

On peut ainsi rencontrer un bâtiment d'un rez-de-chaussée dissimulé derrière le mur et le portail : l'hôtel de Montescot, rue des Archives (1647), offre un bon exemple de ce genre de porterie. Une disposition jumelle existait à l'hôtel voisin de Villeflix, surélevé d'un étage à fronton après 1740. La tendance est alors de construire sur la rue, comme on le voit aux hôtels Donon et d'Albret en 1740-1744, et de Sandreville en 1767. Mansart construit un étage sur la terrasse de Carnavalet, ce que le XIXe siècle fera moins bien, à Sully (détruit) et Mayenne – en survie provisoire – (fig. 23).

- Le corps de logis simple en profondeur est abandonné et remplacé par un corps de logis double en profondeur, dans un souci d'agrandissement des appartements et de commodité plus grande. Il y aura désormais une série de pièces regardant côté cour et une autre côté jardin, séparées dans le sens de la longueur par un mur de refend (fig. 24). Le premier exemple parisien connu est l'hôtel Chalons-Luxembourg, construit vers 1625-1626. Après un temps d'adaptation, on ne construira bientôt plus que des corps de logis doubles.

- Les combles se modifient. On ne peut plus, en effet, couvrir de la même manière un corps deux fois plus large, sous peine d'être obligé de construire d'immenses combles droits coûteux en bois et de perdre beaucoup d'espace. À l'hôtel Chalons-Luxembourg, l'architecte s'est tiré de ce problème nouveau par une solution étonnante : il a couvert chaque moitié du corps de logis d'un toit indépendant (fig. 25), comme l'avait fait Jean Bullant aux Tuileries de Catherine de Médicis. Mais les progrès de l'art de la charpenterie ont bientôt raison du comble droit à la française. C'est ainsi que du doublement en épaisseur des corps de logis apparaît une seconde innovation, le « comble brisé ». Mis en forme par Pierre Lescot au Louvre d'Henri II, il est rapidement appelé « comble à la Mansart », car François Mansart l'utilisa assez tôt et avec ingéniosité. Ce nouveau comble se présente un peu comme un comble droit dont on aurait brisé la pointe pour l'aplatir : le toit comporte donc deux

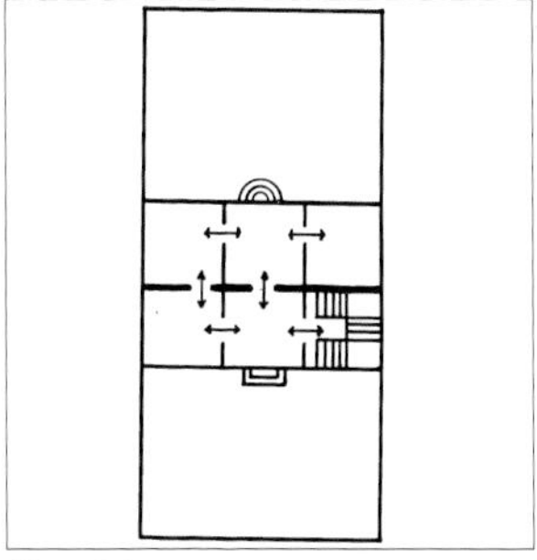
Figure 24

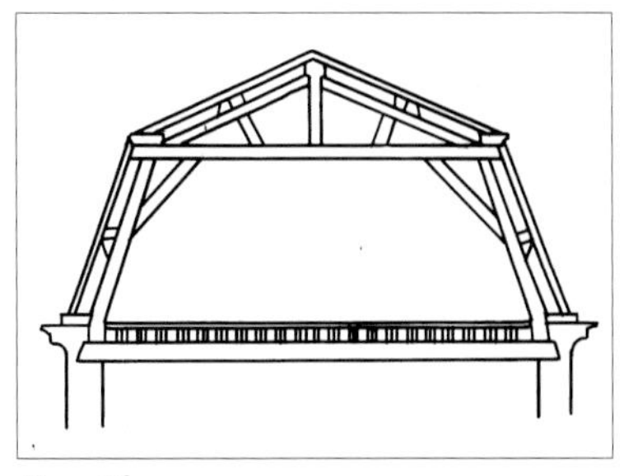
Figure 26

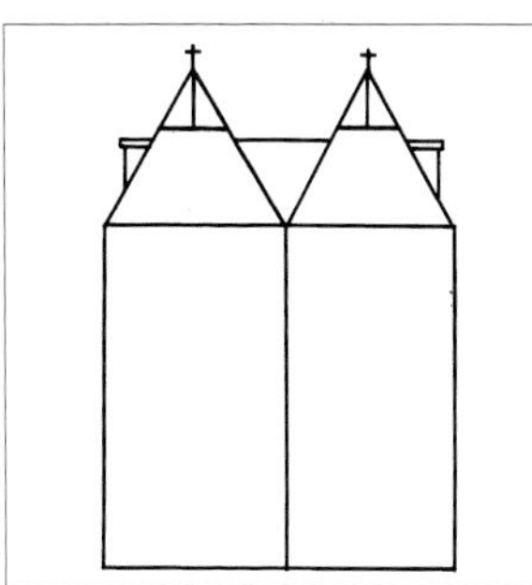
Figure 25

fois deux pentes, contre deux versants uniques auparavant. La partie la plus verticale s'appelle un « brisis », l'autre, plus plate, un « terrasson » (fig. 26). En raison de la pente, le brisis est recouvert d'ardoises, le terrasson de tuiles plates – solution la plus courante, qui donne au toit parisien de la période classique une chaleur de couleur unique. Le comble brisé apparaît dans le Marais sur un corps simple, à l'hôtel de Saint-Aignan, construit par l'architecte Le Muet en 1645-1648. Il s'imposera dès le début du règne de Louis XIV – hôtels Salé, de Beauvais –, mais il ne chassera jamais le comble plat ou « en appentis » qui reste utilisé pour les ailes, les petits édifices de fond de cour, et sur les maisons très simples. Toutes ces formes coexistent parfois sur un même édifice.

Ce comble brisé apporte un changement esthétique important. Il abaisse en effet la silhouette de la toiture et tend à l'unification des combles, alors que la période précédente aimait les jeux de toitures découpées et indépendantes entre elles, dont les épis de faîtage soulignaient la fantaisie. Ce changement correspond à une évolution du goût, lequel est désormais tourné vers des formes plus maîtrisées, plus sages aussi. Un exemple très significatif de ce phénomène peut être constaté à l'hôtel Carnavalet, construit en 1545-1550 et modernisé en 1660-1661 par François Mansart (fig. 27 et 27a). Le changement fut tel qu'en 1868-1870, l'hôtel, quoique en parfait état, fut « restauré » : on détruisit les combles brisés de Mansart, pour tenter de retrouver l'effet de la Renaissance : c'est l'état actuel. En même temps, ce changement s'accompagne de la progressive disparition des lucarnes en pierre, jadis seul type de fenêtres de comble, désormais concurrencées par les lucarnes en bois, dites « lucarnes de charpente ». Sobres et dépourvues de sculpture, ou de fronton monumental, ces lucarnes sont peintes en gris et se fondent dans le brisis d'ardoises (fig. 28). On peut aussi mettre au-dessus de la corniche une balustrade amenuisant le comble, comme à l'hôtel de Saint-Aignan ou à l'hôtel Soubise, où l'architecte Delamair a ainsi atténué le grand comble ancien qu'il devait conserver.

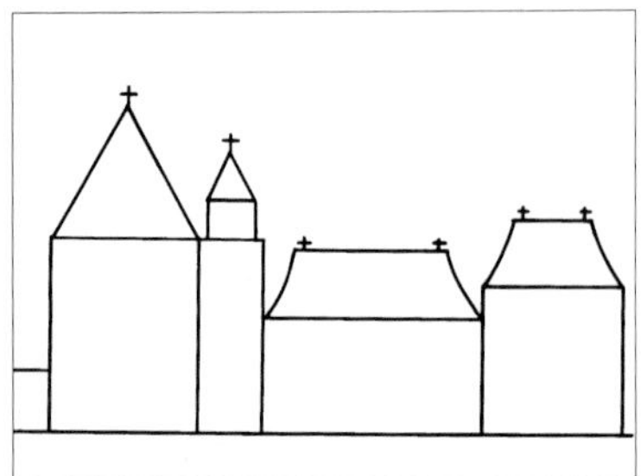

Figure 27

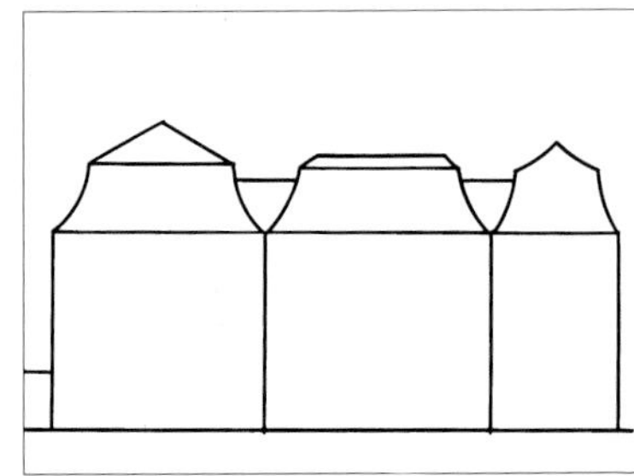

Figure 27a

- Cependant, la dernière innovation, celle du « plan désaxé », est la plus décisive et semble couronner l'évolution des années 1630-1640. On la trouve esquissée dès 1546 à l'hôtel Carnavalet, mais, comme le comble brisé, elle ne sera appliquée véritablement qu'à partir du milieu du XVIIe siècle. Ce plan désaxé consiste à créer non pas une, mais deux cours côte à côte – la grande cour et la cour des communs –, en conservant derrière le corps de logis un seul jardin. Ainsi, l'axe de la porte d'entrée et de la façade principale sur la cour d'honneur n'est plus le même que celui de la façade sur jardin : il y a un désaxement (fig. 29). On peut ainsi créer une distinction nette entre réception et communs, ne plus mélanger deux espaces différents, et regrouper, dans une basse-cour liée à l'hôtel, écuries et remises, qu'il fallait auparavant isoler sur une parcelle voisine, voire rejeter de l'autre côté de la rue. C'est à l'hôtel Mégret de Sérilly (1620) que le plan réapparaît dans le Marais, mais il est d'une ampleur véritablement magistrale à l'hôtel Salé, construit en 1656-1660.

Figure 28

Édifié pour un nouveau riche, cet hôtel est si démonstratif qu'il éclaire une autre tendance qui se développera au XVIIIe siècle, surtout dans le faubourg Saint-Germain, faute de place dans le Marais : l'hôtel isolé de toutes parts – disposition qui nécessite bien sûr un vaste terrain. Les ailes disparaissent ou plutôt s'abaissent pour laisser complètement la vue vers la façade principale ; le visiteur,

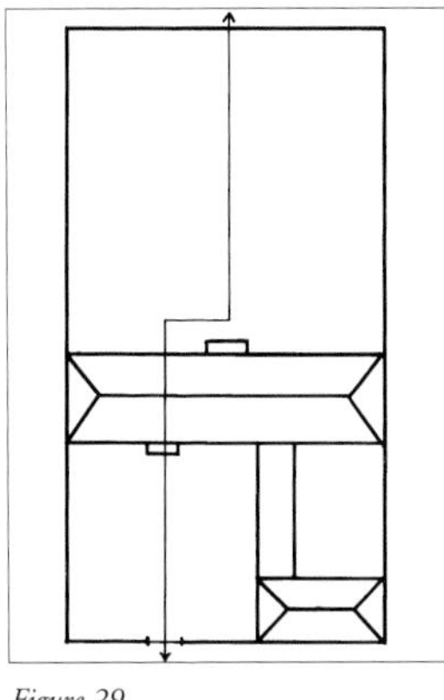

Figure 29

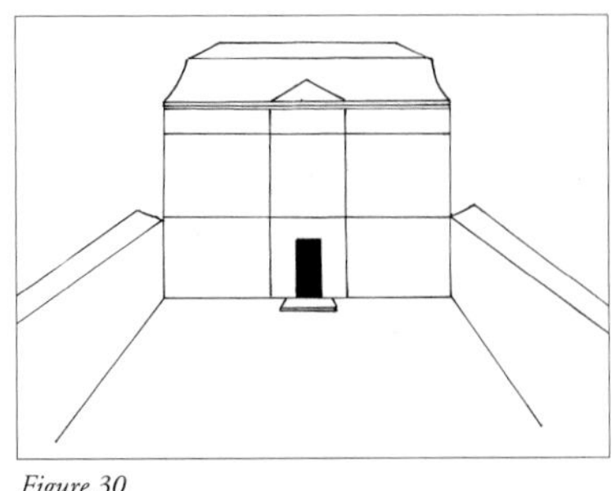

Figure 30

dès le portail, est frappé par le corps de logis qui se dresse, superbe et imposant (fig. 30). L'hôtel Fieubet, quai des Célestins, les hôtels Soubise et de Rohan, grâce à leurs immenses emprises foncières, et dans une certaine mesure l'hôtel de Vaucel, 22, rue Saint-Gilles, ont pu adopter ce mode d'implantation.

Pour être complet, il faut encore évoquer trois types de plans non orthodoxes. Le premier consiste à placer le corps de logis principal en façade et non au fond de la cour (fig. 31). Plutôt qu'un manque de place, il faut voir là le désir de profiter du site comme à la place des Vosges ou d'une rue très passante comme à l'hôtel de Beauvais rue Saint-Antoine. Dans ce cas, la cour vient en seconde position et le jardin à la suite. Ces deux éléments peuvent être séparés par un muret, une grille… Le deuxième type de plan est celui de l'hôtel double. Celui-ci s'organise apparemment comme un seul hôtel mais en forme en réalité deux (fig. 32). Le troisième type est le plus complexe : il peut être qualifié de plan en « poêle à frire » (fig. 33). Sur la rue sont édifiés deux immeubles de rapport possédant chacun leur entrée, sous lesquelles

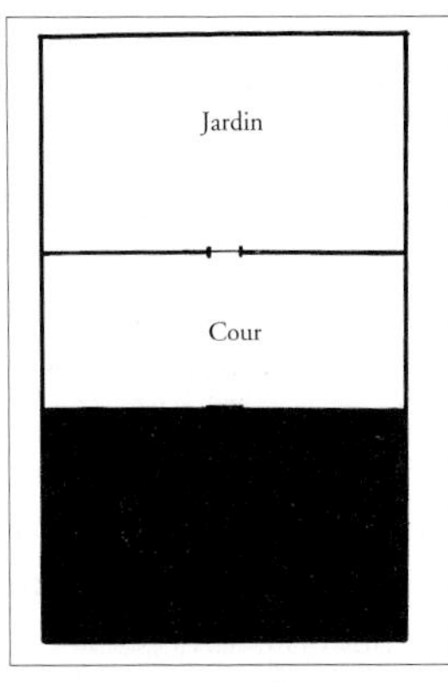

Figure 31

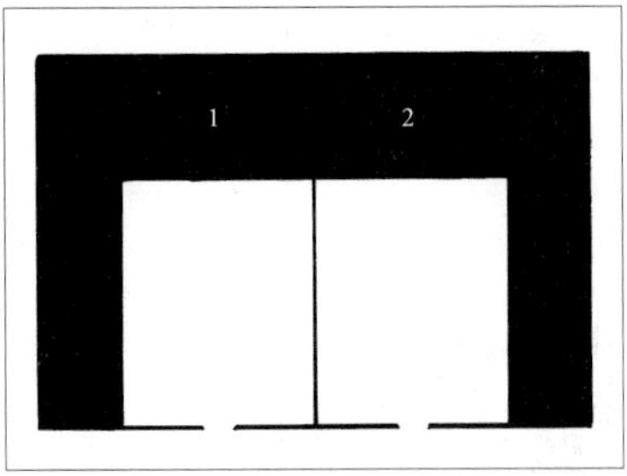

Figure 32

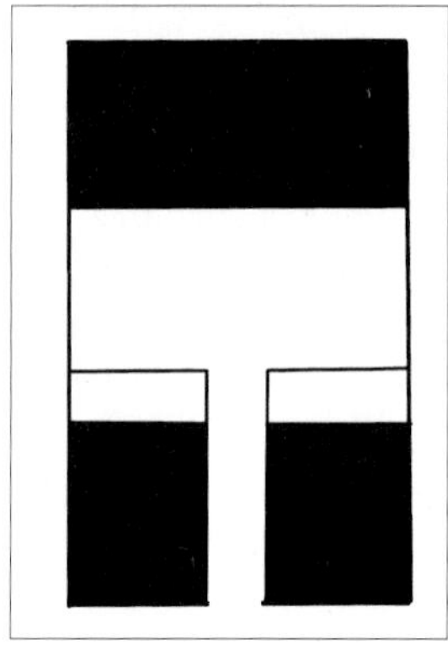

Figure 33

prend une longue allée conduisant à l'hôtel proprement dit, établi en arrière. L'hôtel de Berlize, rue du Temple, en est le meilleur exemple.

Distribution et décors intérieurs

Les appartements, jusqu'au doublement du corps de logis, obéissent à une distribution canonique, du plus ouvert au plus intime : salle, antichambre, chambre, cabinet. Les décors les plus anciens, au XVIe siècle et encore au début du XVIIe, sont assez simples. Les pièces sont carrelées de terre cuite ou de pierre, plus rarement recouvertes de parquet. Les murs sont enduits, parfois peints – imitant des décors géométriques –, ou boisés sur certaines parties. Ils sont souvent réchauffés par des tapisseries accrochées au mur, que l'on déplace suivant les résidences et qui peuvent changer aussi avec les saisons. Les plafonds, à l'exception de ceux surplombant des pièces spécifiques comme galerie ou chapelle, sont volontiers des plafonds à poutres et solives peintes, que les Anciens, avec logique, appelaient des planchers. Un léger décor à motif répétitif, qu'interrompent des cartouches, les chiffres des propriétaires, des paysages..., est peint directement sur la structure apparente du plancher de l'étage supérieur.

Le mobilier est alors peu abondant. Il est constitué de pièces majeures : le lit, le coffre, la table. Les fenêtres sont fermées par des vitres de verre pris dans un réseau de plomb, vitraux simples, eux-mêmes divisés en compartiments par les meneaux extérieurs en pierre ou en bois à partir d'Henri IV. Des volets (par définition intérieurs) les ferment la nuit. La cheminée, l'âtre si important pour le chauffage comme pour la sociabilité, est encore un monument de belles dimensions : elle forme un bloc qui avance dans la pièce, et peut ainsi recevoir un décor peint ou sculpté (fig. 34). Les gravures d'Abraham Bosse montrent bien ce type d'intérieurs.

Un tournant apparaît avec la période Louis XIII-Mazarin. Sous l'influence italienne, le décor évolue sensiblement vers plus de richesse, plus de chaleur. Les murs se couvrent de boiseries compartimentées, ornées de sculptures, d'arabesques et de tableaux. Les plafonds à poutres et solives peintes passent de mode et sont désormais dissimulés par des plafonds en plâtre, décorés de stucs et de cadres où sont encastrées des toiles peintes. Ces peintures commandées aux jeunes maîtres de

Figure 34

l'école parisienne, Le Brun, Le Sueur..., permettent également un discours allégorique illustrant la culture et les prétentions du propriétaire. Enfin, le parquet se généralise, comme la cheminée « à l'italienne », plus enfoncée dans le mur. Un des exemples les plus caractéristiques de ce nouveau style est conservé à l'Arsenal.

À la fin du règne de Louis XIV se met en place un autre système de décor, qui perdurera jusqu'à la Révolution. On abandonne les couleurs vives, le jeu des compartiments de boiseries, les plafonds peints. Les boiseries sont désormais à fond blanc et rehaussées de filets, cadres et sculptures dorés. Elles se divisent en deux parties : le bas-lambris et le lambris de hauteur, qui monte jusqu'au plafond ; le second élément peut être remplacé par une tenture murale. La corniche se cambre pour former une légère voussure – avec ou sans sculpture – et encadre un plafond désormais blanc, centré en général d'une rose dorée d'où pend un lustre. Les cheminées à la royale, encastrées complètement dans le mur, n'offrent plus qu'une architecture basse en marbre. La peinture subsiste en dessus-de-porte, tandis que les glaces font une apparition sur les cheminées, en face des fenêtres et parfois entre celles-ci, qui s'allongent pour laisser entrer plus de lumière. Ces pièces au décor raffiné sont donc plus claires.

La forme et le dessin des boiseries ne sont plus qu'une affaire de goût et de style : Louis XIV, Régence, Louis XV et Louis XVI. Le Marais renferme deux somptueux ensembles représentatifs du style Louis XV, à l'hôtel Soubise et à l'Arsenal. Mais beaucoup de ces beaux décors ont disparu ou ont été détruits lors de travaux divers ; dans le meilleur des cas ils auront été achetés et remontés dans certains musées ou dans des demeures de collectionneurs.

Les escaliers

L'escalier est un monde à lui tout seul et mérite un petit chapitre. Comme les hôtels, les escaliers ont subi sous le règne de Louis XIII une mutation décisive, qui va conduire de l'escalier médiéval et Renaissance à l'escalier moderne. C'est le type de structure qui distingue les escaliers.

- Le premier type est celui de l'escalier à appui central. Les escaliers des hôtels construits jusqu'à la grande mutation des années 1630 sont bâtis suivant deux formes : en vis ou à mur d'échiffre. Dans le premier cas,

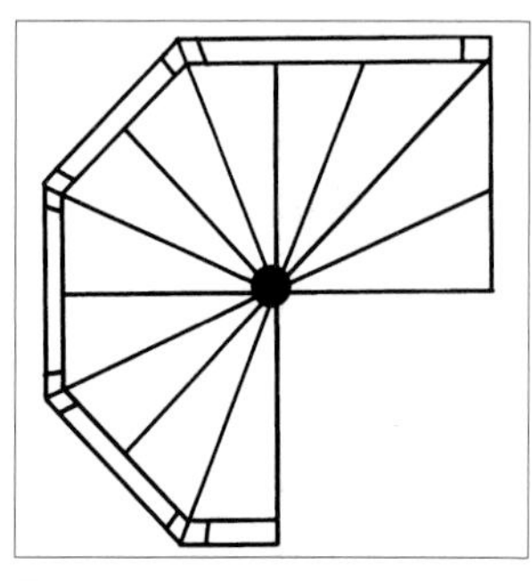
Figure 35

les marches décrivent un mouvement en colimaçon, comme une vis, et tournent autour d'un noyau central, poteau rond, mouluré ou non, en pierre ou en bois (fig. 35). C'est l'escalier médiéval par essence, et on en trouve peu dans le Marais – bel exemple tout de même à l'hôtel de Sens.

L'escalier à mur d'échiffre (fig. 36), en pierre ou en bois là aussi, est plutôt un modèle italien : s'il représente un progrès par rapport au précédent, par le développement des volées désormais parallèles dans une cage rectangulaire et non plus ronde ou carrée, il conserve cet assujettissement au point d'appui central. Ce mur d'échiffre peut être plein et rendre aveugles les volées entre elles – comme à l'hôtel de Sully –, ouvert par des arcades en pierre comme l'avait fait Jean Thiriot à l'hôtel Lamoignon, ou enfin se composer de deux noyaux ou poteaux fermés par une rampe composée de balustres en bois. Ce type de structure est appelé escalier « rampe sur rampe » ou « limon sur limon » (fig. 37) : le limon est une poutre qui reçoit les marches latéralement et les balustres de la rampe. Ces balustres sont un peu comme des vases stylisés et se présentent d'abord sous une forme ronde ou tournée, toujours en bois. Au début des années 1630 apparaîtra un second type, carré ou rampant, plus robuste, parfois en pierre mais plus souvent en bois.

- Le second type est l'escalier à vide central. Grâce aux progrès de la charpenterie et de la stéréotomie – art d'agencer les pierres et de les couper savamment pour les appareils de voûte – on parvient à faire porter les charges sur les murs de la cage, libérant le centre qui peut ainsi s'évider : c'est la naissance de l'escalier « à la française », avec un « vuide » au centre, comme disaient les Anciens (fig. 38). On dispose ainsi de quatre volées tournantes, interrompues par des paliers de repos, dépassant le simple phénomène de la montée pour conférer à l'escalier une fonction d'apparat et de distinction sociale. Les grands escaliers tendent alors à ne plus monter que jusqu'au premier étage avec une structure tout en pierre (limon, palier, marches monolithes…).

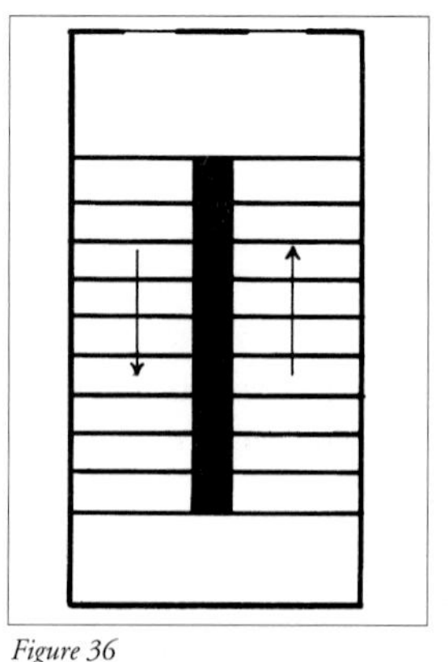
Figure 36

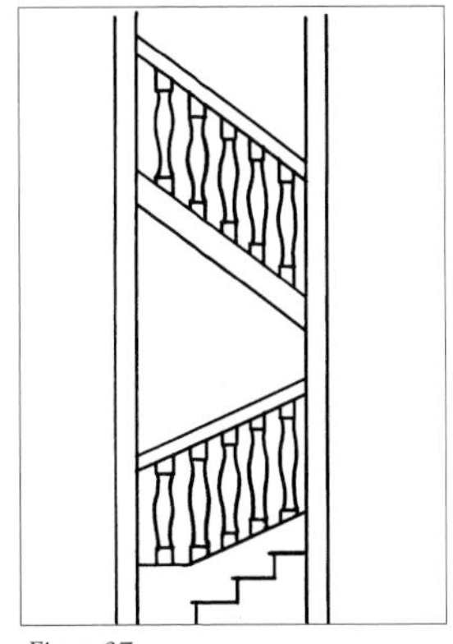

Figure 37

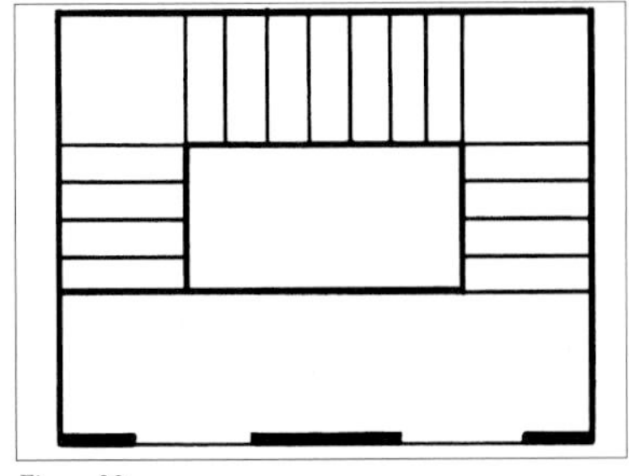

Figure 38

Figure 39

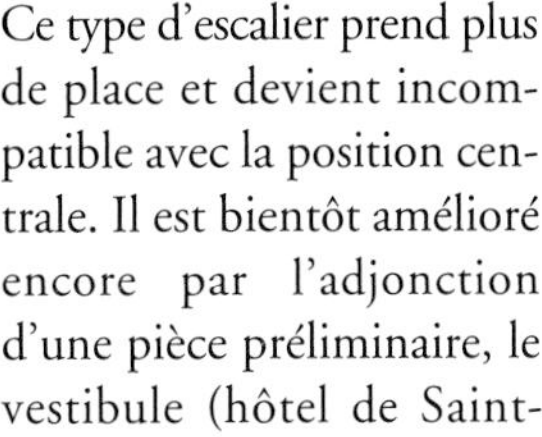

Ce type d'escalier prend plus de place et devient incompatible avec la position centrale. Il est bientôt amélioré encore par l'adjonction d'une pièce préliminaire, le vestibule (hôtel de Saint-Aignan, second escalier d'Aumont, en 1665, vestibule à claire-voie de Beauvais, en rotonde...).

La cage est désormais spacieuse et lumineuse grâce à des fenêtres disposées à chaque niveau. Cette transformation attire immédiatement un renouvellement du décor, qui se manifeste par l'enrichissement du dessin des rampes. Les entrelacs se développent, en bois comme au petit hôtel Fieubet, en pierre à l'hôtel de Beauvais, mais une grande nouveauté, au début des années 1640, bouleverse le décor : le fer forgé fait son apparition dans les rampes. Le premier exemple parfaitement répertorié et daté est l'escalier de l'hôtel Marin, rue des Francs Bourgeois, en 1642. Il est suivi de peu par les rampes de l'hôtel de Vigny, de la maison Boucher, rue des Blancs Manteaux (1643)… Ces premières rampes reprennent d'abord le motif des balustres en bois, imité avec plus ou moins de fantaisie (fig. 39). Le rythme est régulier et répétitif, fait de panneaux verticaux attachés par des colliers.

Le regard étant immanquablement attiré vers le haut, on voit se développer les coupoles peintes, appelées à surplomber les escaliers des hôtels de Saint-Aignan (projet non réalisé), Amelot de Bisseuil et Voysin (disparues sous Louis XVI).

Sous Louis XV, les serruriers (ferronniers) ont acquis une maîtrise parfaite de leur art. Le motif s'assouplit, la symétrie est abandonnée. Les panneaux verticaux, appelés « pilastres », alternent désormais avec

Figure 40

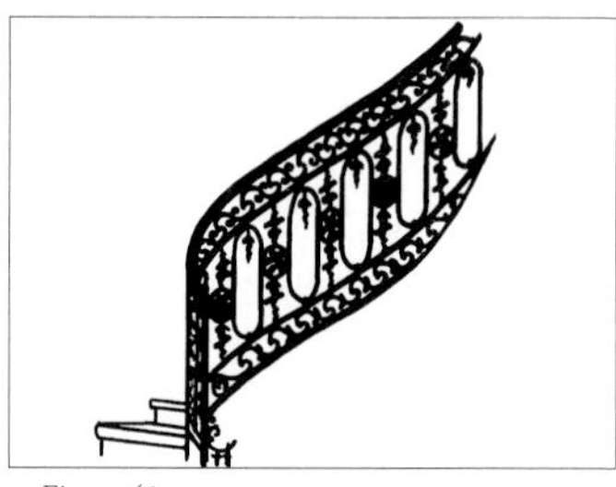

Figure 41

Figure 42

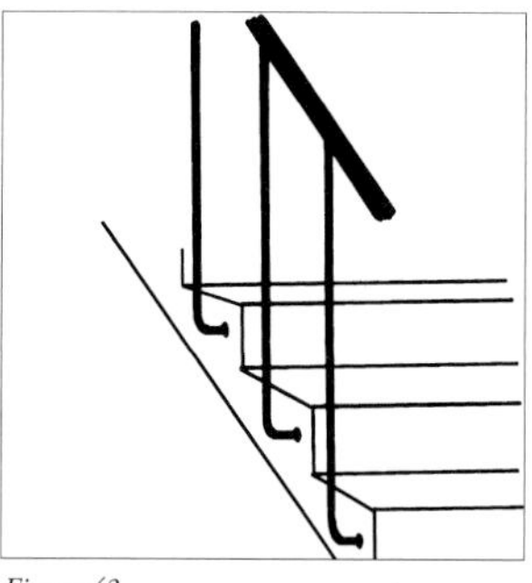

Figure 43

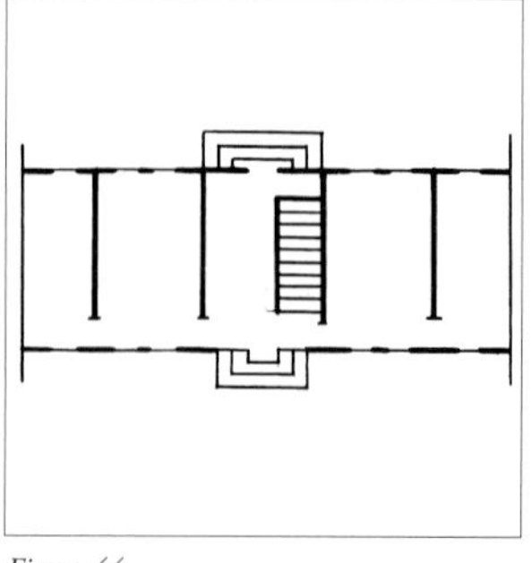

Figure 44

des panneaux horizontaux, où chiffres, médaillons et motifs végétaux s'épanouissent (fig. 40). Sous Louis XVI, on reviendra à la symétrie et à la répétition (fig. 41), à tel point que certains escaliers Louis XIV et Louis XVI semblent contemporains ! Peu après, avec la disparition du limon, les barreaux iront se planter dans les marches, comme à la maison de Jean Varin de 1792 (fig. 42), avant de se ficher sur leurs côtés, « à l'anglaise » (fig. 43). Le fer forgé disparaîtra enfin, pour être supplanté par la fonte, mieux adaptée aux productions en série du XIXe siècle.

La place de l'escalier est fondamentale car elle commande la distribution des appartements. Deux positions sont usitées. La plus classique est de mettre l'escalier en position centrale, c'est-à-dire au milieu du corps de logis. Cette solution survit à l'hôtel de Sully (fig. 44), qui n'a pas été modernisé, mais elle a souvent disparu ailleurs avec le temps : on la trouvait aux hôtels de Marle, Mortier de Soisy (Sandreville), Lamoignon, Mailly, Chalons-Luxembourg... On appelle ces escaliers « dans œuvre », par opposition aux escaliers médiévaux hors-d'œuvre (pris dans une tour) ; mais cette solution a le défaut

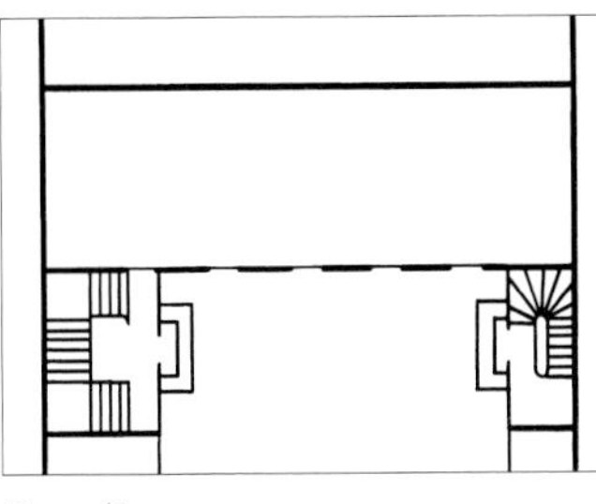
Figure 45

de couper en deux les niveaux d'habitation, et c'est la raison qui avait poussé Henri II à l'abandonner au nouveau Louvre de Lescot en 1549.

Le deuxième type consiste à placer l'escalier en position latérale, dans un pavillon, solution inaugurée à Carnavalet là encore (1546). Ce faisant s'amorce le balancement grand escalier/petit escalier de part et d'autre du corps de logis, qui deviendra courant au XVIIIe siècle (fig. 45).

MÉFIEZ-VOUS DES IMITATIONS...

Il convient, chacun en sera d'accord, de combattre la négligence coupable qui aboutit aux façades asséchées au ciment ou ravalées avec des peintures plastifiées ; à la disparition des appuis en fer forgé, remplacés par des barres ; au remplacement des menuiseries de fenêtres anciennes par des menuiseries en PVC, dont la forme et l'aspect sont ignobles ; à la pose de lucarnes mal proportionnées, qui défigurent les combles, etc. Les raisons de se plaindre ne sont hélas ! que trop nombreuses.

Mais le patrimoine peut compter un autre ennemi, un ennemi qui lui veut du bien : le restaurateur. Depuis que l'on restaure le Marais, l'amateur d'architecture ancienne doit compter avec les pierres de taille apparentes, les poutres apparentes dégagées partout (couloirs, escaliers, plafonds...) et, enfin, avec l'intervention des Monuments historiques. Celle-ci, comme toute action humaine, est susceptible d'erreur. La qualité d'une intervention est fonction des hommes, des matériaux employés, des choix esthétiques. Il arrive ainsi qu'un monument n'ait plus qu'un lointain rapport avec ce qu'il était avant d'être restauré. C'est le cas de l'hôtel Carnavalet et surtout de l'hôtel de Sens, le seul hôtel médiéval construit en 1950... Et si la qualité et la rigueur des restaurations récentes sont dignes d'éloges, on peut toujours déplorer une certaine sécheresse, un certain systématisme qui aboutissent parfois à aseptiser le monument. L'hôtel Donon, par exemple, est trop neuf au regard et semble avoir été entièrement reconstruit.

On veillera donc à prendre toujours garde à cet aspect du Marais contemporain : une vessie n'est pas une lanterne, fût-elle néo-Louis XIV...

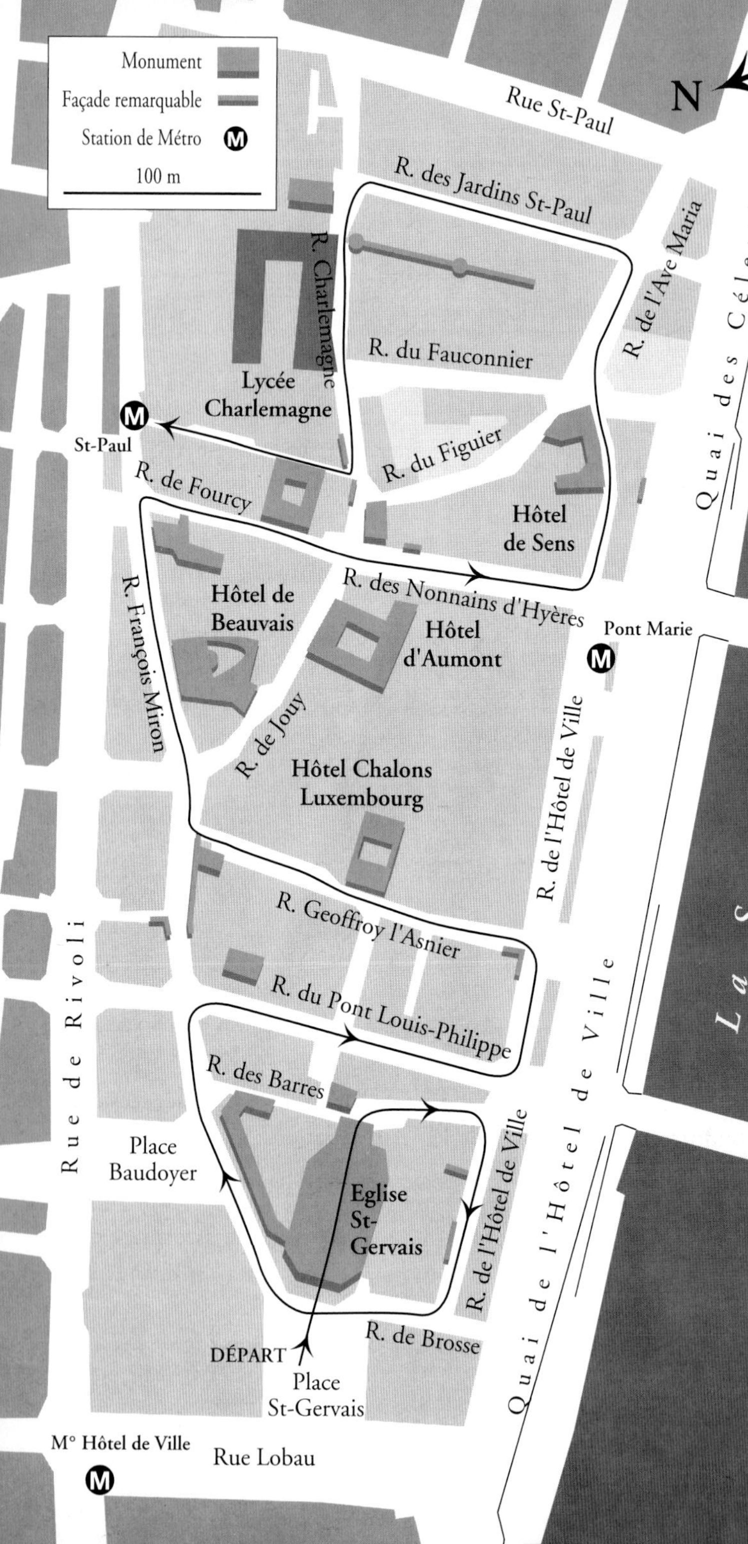

Monument
Façade remarquable
Station de Métro
100 m
N
Rue St-Paul
R. des Jardins St-Paul
R. Charlemagne
R. de l'Ave Maria
Quai des Célestins
R. du Fauconnier
Lycée Charlemagne
St-Paul
R. du Figuier
R. de Fourcy
Hôtel de Sens
R. des Nonnains d'Hyères
Hôtel de Beauvais
Hôtel d'Aumont
Pont Marie
R. François Miron
R. de Jouy
Hôtel Chalons Luxembourg
R. de l'Hôtel de Ville
R. Geoffroy l'Asnier
R. du Pont Louis-Philippe
R. des Barres
Rue de Rivoli
Place Baudoyer
Eglise St-Gervais
R. de l'Hôtel de Ville
Quai de l'Hôtel de Ville
La Sei
R. de Brosse
DÉPART
Place St-Gervais
M° Hôtel de Ville
Rue Lobau

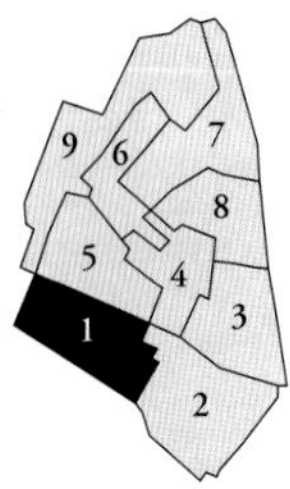

1

Promenade

Le quartier Saint-Gervais

Place Saint-Gervais. Rues des Barres, de l'Hôtel de Ville, Place Baudoyer. Rues François Miron, du Pont Louis-Philippe, Geoffroy l'Asnier, de Fourcy, de Jouy, des Nonnains d'Hyères, du Figuier, du Fauconnier, de l'Ave Maria, des Jardins Saint-Paul, Charlemagne, du Prévôt.

Né à l'ombre de l'église Saint-Gervais Saint-Protais, entre la Grève à l'ouest et le bourg Saint-Paul à l'est, ce quartier médiéval est, du Moyen Âge au XIXe siècle, le siège traditionnel des métiers de la construction, et s'appelle jusqu'à la Révolution « quartier de la Mortellerie ». Coupé du Marais par la rue de Rivoli, il se transforme dès le milieu du XIXe siècle en un quartier pauvre et surpeuplé. Devenu en 1936 l'« îlot insalubre n° 16 », il est alors éprouvé par une tentative de rénovation (1942-1965) et de nombreuses démolitions qui ruinent sa cohérence. On y verra le pire et le meilleur.

PLACE SAINT-GERVAIS

Cette place a été ouverte sous le Second Empire, sur une partie de l'ancienne place Saint-Gervais. Beaucoup plus étroite, celle-ci s'étendait au pied de la façade de l'église paroissiale. L'actuelle place reflète bien la fracture entre le vieux Paris et le Paris moderne né sous le Second Empire. A l'ouest, la façade arrière de l'Hôtel de Ville, construite en 1882, occupe l'emplacement de l'église Saint-Jean en Grève élevée en 1326, et détruite en 1797. Au nord et au sud, deux anciennes casernes, construites respectivement en 1852 et en 1856 sur les dessins du capitaine du génie Guillemant, offrent une architecture néo-Louis XV sobre. Tandis qu' à l'est se dresse de travers, comme un fait exprès, la grande page classique de l'église Saint-Gervais Saint-Protais. Au centre de la place un arbre rappelle l'orme Saint-Gervais, qui se tenait là depuis le haut Moyen Âge. Symbole de la paroisse, il jouait un rôle social et religieux : on s'y réunissait pour les assemblées locales ; on y rendait la justice ; on s'y donnait rendez-vous pour régler des affaires d'argent, d'où l'expression « attendez-moi sous l'orme... vous m'attendrez longtemps ». Cet orme vénérable fut abattu en 1794 comme « arbre féodal » (sic). *C'est seulement en 1912 que la tradition reprit ses droits, suivant le vœu de la Commission du Vieux Paris.*

■ **ÉGLISE SAINT-GERVAIS SAINT-PROTAIS** - (voir pp. 54-57).

RUE DES BARRES

Aujourd'hui piétonne, cette voie du haut Moyen Âge longeait intérieurement la première enceinte en bois, édifiée au XIe siècle pour défendre une partie de la rive droite. La destruction en 1945 des n°s 1 à 9 de la rue a dégagé la façade sud de Saint-Gervais, offrant ainsi une belle vue sur l'ensemble.

□ **N°s 2-4** - Immeuble Louis-Philippe élevé à l'emplacement de l'ancien hôtel de Charny (XVIIe s.), où ont habité jusqu'en 1826 Louis et Félix Lazare, historiens de Paris et auteurs, en 1844, du *Dictionnaire administratif et historique des rues de Paris.*

□ **N° 9** - Emplacement d'une maison fondée au XIIe siècle et appelée « le Petit Temple ».

□ **N° 11** - Un portail dorique XVIIIe flanqué de deux colonnes marque l'entrée secondaire de l'église Saint-Gervais. À gauche se dresse la chapelle de la Vierge.

□ **N° 12 - MAISON DES DAMES DE MAUBUISSON** - L'abbaye cistercienne de Maubuisson installe ici en 1327 sa maison de ville. Réparée vers 1618-1620 par Thomas Gobert le père, elle est louée à partir de 1672 aux Filles de la Croix Saint-Gervais. Après la Révolution, elle est transformée en immeuble de rapport. Propriété de la Ville de Paris, elle abrite aujourd'hui une maison internationale pour les jeunes. Lourdement restaurée, elle présente ses deux pignons, restitués, et une façade latérale à pans de bois, très pittoresque. On distingue au-dessous du socle de l'ancienne tourelle d'angle une pierre en relief, qui portait encore au début du XXe siècle les armoiries de l'abbaye de Maubuisson.

□ **N° 13** - Petite maison de 1626 construite pour la paroisse par le maître maçon Claude Monnard. Munie de lucarnes, cette maison abrite un escalier en bois à balustres ronds.

Chevet de l'église Saint-Gervais Saint-Protais.

ÉGLISE SAINT-GERVAIS SAINT-PROTAIS

place Saint-Gervais

LES COUPERIN À SAINT-GERVAIS

Saint-Gervais reste aussi célèbre pour ses orgues, tenues par la dynastie des Couperin de 1653 à 1789. Le premier Couperin fut Louis, organiste de 1653 à 1661. Son frère Charles prit sa suite de 1661 à 1679. C'est le père du plus illustre représentant de la famille, François dit le Grand, organiste de 1685 à 1723, que la postérité a seul reconnu. Ses successeurs furent son cousin Nicolas, qui tint les orgues jusqu'à sa mort en 1748, puis son fils Armand-Louis, sans doute le plus doué après François le Grand. Organiste de la chapelle du roi, il était célèbre pour ses improvisations. Il eut trois enfants, dont Antoinette-Victoire, « la Couperine ».

HISTORIQUE - *L'église actuelle est le troisième édifice religieux élevé sur le monceau Saint-Gervais. Á l'abri des caprices de la Seine, ce monticule est occupé depuis l'époque gallo-romaine. Fondée au VIe siècle, l'église est dédiée à deux frères romains Gervais et Protais, martyrisés sous Néron au Ier siècle ap. J.-C. Du deuxième sanctuaire, construit au XIIIe siècle, il ne subsiste que les bases de l'actuel clocher. En raison de l'accroissement de la population, l'édification d'une nouvelle église est amorcée en 1494 par le chœur et les chapelles attenantes. Poursuivis jusqu'en 1540, probablement par Martin Chambiges, architecte des transepts des cathédrales de Sens et de Beauvais, les travaux sont arrêtés au niveau du transept lors des guerres de Religion. Ils ne seront repris que sous Henri IV, et ce fidèlement aux plans d'origine, dans un style gothique flamboyant. La façade principale sacrifie en revanche à la « modernité » : ce chef-d'œuvre, définitivement attribué à Salomon de Brosse, le célèbre architecte du palais du Luxembourg et du parlement de Rennes, a été édifié de 1616 à 1621 par le maître maçon Claude Monnard ; il a été immédiatement célébré et devait connaître une grande postérité. L'achèvement du clocher, en 1657, marqua la fin des travaux.*

La paroisse était jadis l'une des plus riches. Elle renferma jusqu'à la Révolution un somptueux décor intérieur. Alors dévastée, l'église retrouve son rang de paroisse dès 1795. Mais jusqu'à la fin du Directoire, les catholiques doivent partager l'église avec les théophilanthropes, adeptes d'un système religieux d'inspiration déiste, qui avaient fait de Saint-Gervais leur temple de l'Agriculture. La paroisse connaît une grande activité religieuse durant tout le XIXe siècle, avant d'éprouver un drame terrible le jour du Vendredi saint 1918 quand un obus allemand touche la nef qui s'effondre en partie, tuant des dizaines de fidèles. Une restauration immédiate efface les dégâts (1920-1921). Un temps désaffectée, l'église abrite de nos jours la Fraternité de Jérusalem, communauté de moines et de moniales fondée en 1975.

Place Saint-Gervais,
gravure de Van der Meulen, XVIIe s.

Relevé de la grille,
Moniteur des Architectes, 1894.

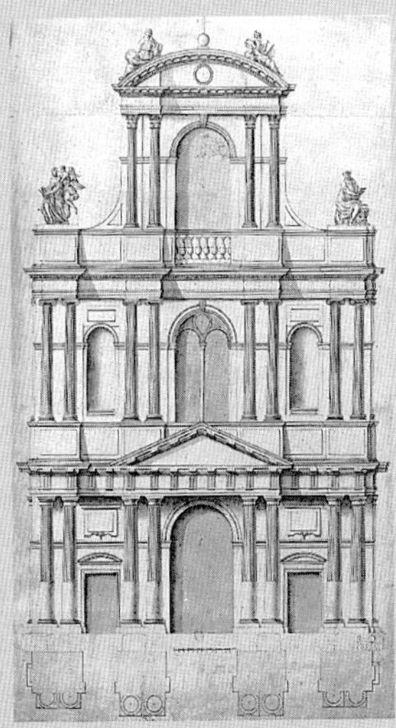

Façade de Saint-Gervais Saint-Protais,
dessin de Ponsart, XVIIe s.

ÉGLISE SAINT-GERVAIS SAINT-PROTAIS

place Saint-Gervais

ARCHITECTURE - La façade, haute de 41 mètres, est imposante : sa sévérité, sa régularité et l'emploi correct des ordres dorique, ionique, puis corinthien expliquent l'admiration qu'elle a suscitée. On y sent la tradition française que l'on retrouve dans l'avant-corps du château d'Anet. Malgré le placage qu'elle constitue sur la nef flamboyante, sa verticalité est toute médiévale, comme on le ressentira en la regardant depuis la dernière marche du perron. Les portes ont conservé leurs belles menuiseries Louis XIII. On admirera, dans la niche droite à l'étage, la statue peu connue de saint Gervais par Augustin Moine (1849) : l'attitude en est magistrale.

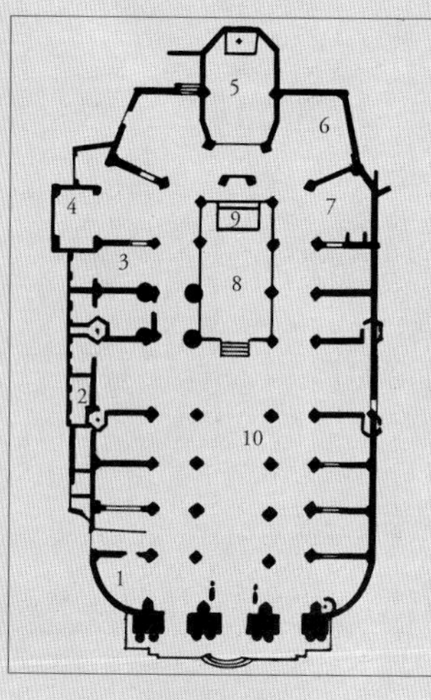

Plan de l'église Saint-Gervais Saint-Protais.

À l'intérieur, on est saisi par la force de l'architecture : de hauts piliers jaillissent du sol et montent sans interruption jusqu'aux voûtes, où s'épanouissent nervures et tiercerons flamboyants. L'ensemble est d'une grande majesté.

❶ À gauche, dans la première chapelle de la nef, la chapelle des Fonts baptismaux, un modèle en bois de la façade de Salomon de Brosse surmonte l'autel.

❷ Par la troisième chapelle de la nef, on accède à la Chapelle dorée, fondation privée construite pour Antoine Goussault. Elle est décorée de peintures Louis XIII, restaurées au début du siècle.

◇ Passé le transept, on verra sur le mur du clocher l'extraordinaire *Christ en croix* sculpté par Préault en 1840. Ce Christ en bois au corps noueux et torturé est l'un des meilleurs manifestes du romantisme. À sa gauche, rapportée, la pierre de fondation de l'édifice du XIIIe siècle.

❸ La première chapelle du chœur, dont les murs sont ornés de boiseries Louis XV, est fermée par une magnifique grille en fer forgé de 1740, due au serrurier Vallet.

❹ La deuxième chapelle de chœur donne accès à une seconde chapelle construite sous Louis XIV pour le chancelier Boucherat, qui habitait rue de Turenne. Coiffée en coupole aplatie, elle offre une belle voûte appareillée. À côté, malheureusement fermée au public, la chapelle Scarron.

❺ La chapelle axiale, achevée en 1517, offre une extraordinaire couronne de pierre en clef de voûte signée Jacquet, et de beaux vitraux. Elle est alourdie par des peintures saint-sulpiciennes.

❻ À droite, la chapelle Saint-Eutrope abrite le bouleversant tombeau de Michel Le Tellier – père de Louvois –, chancelier de France mort en 1685. Il est représenté avec la cassette des sceaux, entre la *Religion* et la *Fermeté*. Un enfant qui pleure tient l'écusson aux Trois Lézards, armes de la famille. Ce mausolée a été sculpté par Mazeline et Hurtrelle d'après un dessin de Jules Hardouin-Mansart. Un remontage incomplet a été opéré en 1824, après les déprédations révolutionnaires.

Détail du tombeau de Michel Le Tellier.

❼ La chapelle consacrée à saint Jean-Baptiste est fermée par un magnifique vitrail de 1531 attribué à Jean Chastellain, la *Sagesse de Salomon*. Il a été restauré en 1993.

◇ À l'entrée du chœur, sur le pilier de gauche, est adossée une belle Vierge du XIVe siècle. Connue sous le nom de *Notre-Dame-de la Bonne Délivrance*, cette statue se trouvait à l'angle des rues du Roi de Sicile et des Juifs (voir p. 181) ; elle fut déposée à Saint-Gervais Saint-Protais en 1528 à la suite d'une profanation.

❽ Les quarante-trois stalles du chœur ont été exécutées vers 1540, aux armes de François Ier (la Salamandre) et d'Henri II (Trois Croissants). Quelques-unes, décorées de sculptures jugées trop vivantes et savoureuses, ont été rabotées par la suite.

❾ De l'ancien maître-autel ne subsistent que les deux statues en bois sculptées par Michel Bourdin. L'autel était jusqu'à la Révolution décoré par le grand tableau de Quentin Varin, *Les Noces de Cana*, aujourd'hui conservé au musée des Beaux-Arts de Rennes. Les chandeliers actuels, dessinés par Soufflot, proviennent de la basilique Sainte-Geneviève.

Tombeau de Le Tellier, tête provenant du mausolée de J. de Souvré (jadis à St-Jean de Latran).

❿ Dans la nef, on peut admirer un beau banc d'œuvre méconnu de style Louis XVI datant de 1774. Au-dessus des arcades de la nef sont encore visibles les crochets des tableaux du cycle de l'*Histoire de saint Gervais et saint Protais*, peint par Le Sueur, Goussay, Bourdon et Philippe de Champaigne. Ces grandes toiles, aujourd'hui conservées aux musées du Louvre et de Lyon, ont servi de modèles pour les tapisseries qui ornaient le chœur lors des manifestations solennelles et qui sont aujourd'hui à l'Hôtel de Ville. Au revers de la façade, la splendide tribune maniériste du grand orgue date de 1628.

□ **Nº 14** - Immeuble d'accompagnement de style XVIIᵉ en béton préfabriqué, construit en 1971 par l'architecte J.-P. Jouve.

□ **Nº 15** - Au rez-de-chaussée de cet immeuble, à travers une grille, on aperçoit un beau jardin au revers des maisons de la fabrique Saint-Gervais Il a été créé en 1943-1945 par l'architecte Albert Laprade sur l'emplacement de l'ancien cimetière Saint-Gervais, fermé en 1765 et recouvert entièrement par des constructions parasites au XIXᵉ siècle. Invisibles de la rue, quatre murs subsistent de l'ancienne chapelle de la Communion, où est enterré Philippe de Champaigne. Longtemps occupée par un confiturier, la chapelle a été dégagée par Albert Laprade en 1943, sans qu'il puisse en imposer la conservation intégrale.

Élévation originale de la façade du 17, rue des Barres, par Gabriel V.

□ **Nº 17** - Belle maison à loyer en pierre, élevée par l'architecte Gabriel V en 1737-1739 en même temps que la maison Camuset (voir 14, rue François Miron, p. 60).

□ **Nºs 26-28** - Immeuble d'accompagnement en pierre de 1960, très raide. Trois appuis anciens en fer forgé remployés en balcon sont encore visibles ainsi qu'une ancienne inscription du nom de la rue, provenant du nº 14. Cet immeuble remplace une très belle maison assise sur deux étages de caves ogivales, construite en 1666 par les Dames de l'hôpital Saint-Gervais.

RUE DE L'HÔTEL DE VILLE

Cette rue cache sous ce nom l'ancienne « rue de la Mortellerie », qui abrita pendant longtemps de nombreux maçons. Les mortelliers étaient ceux qui gâchaient le plâtre. La rue a été débaptisée en 1835 par superstition, à la suite de l'épidémie de choléra de 1832, qui avait fait de nombreuses victimes dans ce quartier devenu misérable. Tout le côté impair, entre les rues des Nonnains d'Hyères et Geoffroy l'Asnier, a été détruit en 1930, et, entre les rues du Figuier et des Nonnains d'Hyères, en 1958-1960.

■ **Nºs 2-8 - HÔTEL DE SENS** - (voir p. 76).

□ **Nºs 10-48 - CITÉ DES ARTS** - Cette triste barre sur pilotis, située entre la rue des Nonnains d'Hyères et la rue Geoffroy l'Asnier, qui défigure le quai de l'Hôtel de Ville, a été construite en 1960-1962 par l'architecte Tournon à l'emplacement de dix-neuf maisons des XVIIᵉ et XVIIIᵉ siècles détruites en 1942. À l'emplacement de la grille d'entrée de la cour s'élevait le petit hôtel d'Aumont. Construit sous Louis XIV et partiellement refait en 1721-1723 par l'architecte Bonneau, il a été détruit en 1942. Il communiquait avec l'hôtel d'Aumont par l'orangerie du jardin auquel il était adossé.

□ **N° 50** - Belle maison d'angle du XVIIe qui renferme un escalier en bois à deux noyaux et balustres tournés.

□ **N° 56** - Façade remaniée au début du XIXe siècle. Cette maison conserve une cave voûtée ogivale sous la cour.

□ **N° 62** - Ancienne devanture de boulangerie datant du XIXe siècle.

□ **N°s 80-84 - MAISON DES COMPAGNONS DU DEVOIR** - Les compagnons, qui perpétuent les techniques et le savoir-faire des anciens maîtres bâtisseurs, sont installés ici depuis 1945. Seules deux anciennes maisons, dont l'une à pignon du XVIe (n° 82) et l'autre du XVIIIe (n° 84), ont pu être conservées. Sous le porche subsiste un bel escalier Louis XV. Les autres bâtiments élevés dans les années 50 sont assez laids. Contre le mur de l'imprimerie, au n° 80, a été rapporté un fronton Louis XIV, provenant de l'hôtel Le Noirat, démoli en 1939 (voir 50, rue Vieille du Temple, p. 180).

□ **N° 89** - Porte XVIIe encadrée de deux beaux piliers en pierre.

□ **N° 95** - Ancienne inscription de la « rue de la Mortellerie ».

□ **N° 107** - Maison Louis XIV, avec une belle façade en pierre de taille.

□ **N° 109** - Maison du XVIIe siècle rénovée en 1977. Elle abrite un escalier limon sur limon à balustres tournés. Rythmé par de gros piliers en pierre et en bois à chapiteaux carrés, le rez-de-chaussée est représentatif des boutiques du vieux Paris. Sur le pilier le plus à gauche est gravée la lettre B, surmontée d'une plume stylisée.

Motif ancien sculpté sur un pilier, 109, rue de l'Hôtel de Ville.

PLACE BAUDOYER

Cette place, métamorphosée par Haussmann, recouvre l'ancienne « place du Marché Saint-Jean », qui s'étendait jusqu'à la rue de la Verrerie (voir rue du Bourg Tibourg, p. 187). Elle est bordée à l'est par la mairie néo-Renaissance du IVe arrondissement, élevée par Bailly entre 1862 et 1867 dans le style pompeux du Second Empire.

La caserne Napoléon, à l'ouest de la place, a été construite sur l'emplacement de soixante-treize maisons abattues en 1850-1851, et sur une partie de l'ancienne « rue de la Tixanderie », où se trouvait l'hôpital Saint-Gervais. Fondée au Moyen Âge et installée dans une maison donnée en 1171, la congrégation des Dames hospitalières de Saint-Gervais a subsisté jusqu'à la Révolution, et n'a été supprimée qu'en 1795, tant était précieuse son activité. Elle est à l'origine de plusieurs opérations immobilières dans le Marais. La congrégation acquiert en 1654 un hôtel plus vaste rue Vieille du Temple pour son hôpital. Lors des fouilles menées en 1993-1994 pour la construction d'un parking souterrain, on a mis au jour un cimetière mérovingien, déjà reconnu de nombreuses fois, sous la rue François Miron et aux alentours, depuis le XVIIe siècle.

RUE FRANÇOIS MIRON

Sous le nom du célèbre prévôt des marchands d'Henri IV, François Miron, se cache l'ancienne voie gallo-romaine reliant Lutèce à Melun, qui formait jadis le début de la grande rue Saint-Antoine. Cette portion a été dévitalisée après le percement de la rue de Rivoli en 1854 et débaptisée en 1865.

■ **N°s 4-12 - MAISONS DE LA FABRIQUE SAINT-GERVAIS** - (voir p. 61).

□ **N°s 11-13** - Ces deux maisons d'opérette ont été restaurées avec fantaisie en 1966-1967 par l'architecte Herrmann. Une grande partie des colombages est fausse, et le n° 11, qui a conservé un escalier à balustre Louis XIII, a été coiffé à cette occasion d'un pignon qui n'avait jamais existé.

◇ Entre les n°s 13 et 15, moignon de la pittoresque rue Cloche Perce (voir p. 185). Remarquer le beau ventre de la maison d'angle.

□ **N° 14 - MAISON DU NOTAIRE CAMUSET** - Bel immeuble d'angle construit en 1735-1737 pour le notaire Camuset, par le premier architecte du roi, Jacques-Jules Gabriel V, auteur des places Royales de Bordeaux et de Rennes. Les façades en pierre de taille sont sensiblement différentes mais parfaitement en harmonie avec les maisons de Jacques Vinage. La fausse porte cochère ouvre sur un vestibule donnant accès à un élégant escalier de fer forgé. On remarque aussi l'orme dans les ferronneries et le balcon du premier étage.

□ **N° 17** - Derrière la porte cochère se cache une petite cour pavée pittoresque. À gauche subsiste un bel escalier Louis XIV en fer forgé.

□ **N° 22** - Emplacement approximatif de la première porte Baudoyer, ouverte dans l'enceinte en bois du XIe. Au début du XXe siècle, on voyait encore, inscrite dans la pierre de l'immeuble d'angle voisin, au n° 14, l'inscription « porte Saint-Antoine ».

□ **N° 27** - Boulangerie « Au petit Versailles du Marais », avec décoration intérieure fin XIXe bien conservée.

□ **N° 30** - Bel immeuble à loyer en pierre, construit en 1829 pour François Marin Paris, marchand épicier. On accédait par la porte aujourd'hui condamnée à la maison Renaissance du 22 bis, rue du Pont Louis-Philippe (voir p. 67).

Maisons de la fabrique Saint-Gervais, 4-12, rue François Miron.

MAISONS DE LA FABRIQUE SAINT-GERVAIS

4-12, rue François Miron

HISTORIQUE - *La paroisse avait laissé construire vers 1475 onze maisons locatives, entre la rue alors appelée « du Pourtour Saint-Gervais » (une ancienne inscription est encore visible au n° 4) et le petit cimetière de l'église. Conscients de la vétusté de ces maisons, les marguilliers de la fabrique, qui gèrent les affaires temporelles de la paroisse, décident de les remplacer par cinq maisons locatives uniformes, édifiées en 1733-1734 par l'architecte Jacques Vinage.*
L'ensemble est vendu à la Révolution. Acquises par la Ville de Paris au XXe siècle, ces maisons devaient être démolies pour dégager l'église, selon le goût moderne. Mais cette mesure ne voit pas le jour, et l'ensemble est finalement restauré entre 1943 et 1945 par Albert Laprade, qui réhabilite scrupuleusement les immeubles, et supprime par la méthode du « curetage » tous les parasites dans la cour pour laisser place à un agréable jardin (voir 15, rue des Barres, p. 58).

Appuis de fer forgé figurant l'Orme.

ARCHITECTURE - D'une belle ordonnance, les cinq maisons de Jacques Vinage sont caractéristiques de la construction de rapport à Paris sous Louis XV : bâties en pierre de taille, avec les rez-de-chaussée et les entresols pris dans des arcades, trois étages décroissants et un comble à lucarnes de bois remplacées récemment par des lucarnes incongrues. Les portes piétonnes entre deux boutiques desservent de petits escaliers aux rampes simples. Les ferronneries des appuis au premier étage, œuvres du serrurier Jean-Baptiste Bouillot, représentent au centre l'orme de Saint-Gervais.
Aux nos 2-4 ont vécu les derniers Couperin, organistes de l'église Saint-Gervais jusqu'à la fin du XVIIIe siècle (voir p. 54).
Au n° 6, par la cage d'escalier, très belle vue sur la façade flamboyante du transept nord de Saint-Gervais, d'où jaillit le clocher.
Au n° 10 est né le 2 février 1807 Ledru-Rollin, l'un des promoteurs du suffrage universel. La maison a été acquise par la Ville en 1882.

MAISONS D'OURSCAMP

44-46, rue François Miron

HISTORIQUE - *Ces deux remarquables petites maisons, construites vers 1585, s'élèvent à l'emplacement de la maison d'Ourscamp, bâtie vers 1255 par les moines de l'abbaye cistercienne d'Ourscamp (Oise) sur un terrain donné par Mathieu de Saint-Germain. Cette « maison de ville » était un point de contact entre la vie recueillie de l'abbaye et l'activité politique, sociale et économique de la capitale ; elle servait non seulement de résidence à l'abbé, mais aussi de lieu de stockage pour les denrées agricoles produites par l'abbaye et avantageusement revendues sur les marchés parisiens, ce dont témoigne en sous-sol un vaste cellier.*

Quand la maison du XIIIe fut détruite au XVIe siècle, on éleva en place les deux petites maisons actuelles. Leur histoire est ensuite fort simple et, hormis leur vente en 1791 comme biens du Clergé, on ne trouve rien d'autre que des occupations successives de marchands et de petits bourgeois. La Ville de Paris exproprie et réunit les deux maisons en 1957, et les loue par bail emphytéotique de trente ans. L'Association du Festival du Marais *fondée par Michel Raude et* l'Association du Paris historique *s'y installent en 1963. Depuis lors, cette dernière, composée de bénévoles, a entrepris une restauration complète des extérieurs.*

Caves XIIIe siècle de la maison d'Ourscamp.

ARCHITECTURE - Les deux maisons possèdent chacune une boutique, deux étages carrés, plus un comble droit recouvert de vieilles tuiles. Elles sont desservies par deux petits escaliers en bois à balustres qui prennent jour sur une courette centrale unique. Sous les deux maisons, ainsi que sous celle du n° 48, subsiste en sous-sol le magnifique cellier médiéval comprenant trois nefs de quatre travées voûtées d'ogives. On remarquera sur la façade, restaurée en 1986, les belles lucarnes de pierre à pilastres et frise, dans un style Renaissance. La courette intérieure restaurée en 1992 est un bon exemple de construction en pans de bois apparents et torchis, rare à Paris.

☐ **N° 31** - Haute façade en pierre de taille d'une maison XVIIe, prise au milieu d'un ensemble d'immeubles haussmanniens.

☐ **N° 34** - Maison à l'enseigne de « La Tête noire », jadis propriété du collège de Laon. Façade Louis XIV.

☐ **N° 36** - Maison construite en 1732 pour le sieur Gourdon, par l'architecte Pierre Lebègue. Gracieuse façade Louis XV. Agrafes des arcs de fenêtres.

☐ **N°s 38-40** - Immeuble en style Louis XV, remarquablement intégré dans le tissu ancien, construit en 1978 par Camelot et Finelli.

☐ **N°s 41-43** - Emplacement du Petit Saint-Antoine fondé sous Charles V et supprimé à la Révolution. Les bâtiments conventuels, alors partiellement conservés, ont été détruits lors de l'ouverture de la rue de Rivoli.

☐ **N° 42 - MAISON LA BARRE DE CARROY** - Cette maison de rapport a été construite en 1742 par l'architecte Pierre Vigné de Vigny pour Joseph-Abel La Barre de Carroy, conseiller à la Cour des aides. L'entresol offre un beau balcon, forgé par Mathieu Debauve. Le mascaron d'Hercule, coiffé de la peau du lion de Némée, est dû à Philippe Cayeux.

■ **N°s 44-46 - MAISONS D'OURSCAMP** - (voir p. 62).

☐ **N° 48** - Immeuble fin XVIIIe, de même origine que les maisons d'Ourscamp, qui fut sauvé de la démolition et restauré par l'architecte J.-P. Jouve.

◇ Le carrefour où se jettent les rues Tiron, de Jouy et Geoffroy l'Asnier a été l'un des hauts lieux de la révolution de Juillet 1830, témoin de la chute de la monarchie légitime.

■ **N° 68 - HÔTEL DE BEAUVAIS** - (voir pp. 64-66).

☐ **N° 70 - MAISON DE L'ÉTUDE MOUFLE** - Cette maison à l'enseigne de « L'Écu d'Orléans » a été achetée en 1662 par Benjamin Moufle, issu d'une importante famille de notaires parisiens, qui l'a fait reconstruire. Elle abrite un bel escalier en fer forgé Louis XV.

☐ **N° 72** - Façade Louis XV.

☐ **N° 74** - Petite façade Louis XV avec des appuis en fer forgé très souples.

☐ **N° 76** - Le premier étage porte des appuis Louis XIV, au chiffre JDA.

☐ **N° 78** - Belle façade de pierre début XVIIIe. Dans la cour se dresse un petit hôtel ayant appartenu en 1729 à Guillaume Coustou (Premier sculpteur du roi, il est l'auteur des célèbres *Chevaux de Marly).* À droite, dans la cour, bel escalier Louis XIV qui fait partie du n° 76, les parcelles ayant été réunies lors d'une récente rénovation.

■ **N°s 82-84 - HÔTEL HÉNAULT DE CANTOBRE** - (voir p. 70).

☐ **N° 86** - Curieuse maison locative très étroite, construite en 1689 par l'architecte Jacques Gabriel pour les religieuses de Notre-Dame du Bon Secours de Reuilly. Restaurée en 1984, elle repose sur des piliers de pierre qui semblent fléchir sous le poids. Le rez-de-chaussée a été évidé pour faire passer le trottoir, afin d'élargir la rue sans démolir la maison.

Escalier Louis XIV,
76, rue François Miron.

HÔTEL DE BEAUVAIS

68, rue François Miron

MOZART À PARIS

De fin novembre 1763 à avril 1764, le jeune Wolfgang Amadeus Mozart, accompagné de son père et de sa sœur, séjourne à Paris, à l'occasion de sa première tournée européenne. Grimm rapporte : « Un maître de chapelle de Salzbourg nommé Mozart vient d'arriver ici avec ses deux enfants, de la plus jolie figure du monde. Sa fille, âgée de onze ans, touche le clavecin de la manière la plus brillante [...]. Son frère, qui aura sept ans au mois de janvier prochain, est un phénomène si extraordinaire qu'on a de la peine à croire ce qu'on voit de ses yeux et ce qu'on entend de ses oreilles. »

HISTORIQUE - *Cet hôtel a été construit à l'emplacement d'une demeure donnée en 1200 par Héloïse de Palaiseau à l'abbaye cistercienne de Chaalis, qui en fit sa « maison de ville ». De cette époque subsiste une belle salle en sous-sol – divisée en deux nefs voûtées d'ogives (XIIIe s.)–, partiellement restaurée par l'Association du Paris historique en 1966. Ce domaine religieux, fragmenté au XVIe siècle puis à nouveau réuni en 1611, appartient ensuite à la famille de Castille, dont l'une des héritières, Madeleine, épouse Nicolas Fouquet. Mais, en 1654, ceux-ci cèdent leur propriété à Pierre de Beauvais et à son épouse, Catherine Bellier, femme de chambre et confidente d'Anne d'Autriche ; Mme de Beauvais, habile intrigante, fort galante quoique borgne et bossue, était surnommée Catheau la Borgnesse.*

Les Beauvais agrandissent leur domaine de deux parcelles voisines, et font construire par le maître maçon Marc Robelin, grâce aux libéralités de la reine, un vaste hôtel sur les plans d'Antoine Le Pautre, architecte du roi. Ce dernier établit sur le terrain très irrégulier un plan parfaitement maîtrisé, dont l'ingéniosité est restée célèbre. Les intérieurs somptueux renfermaient une grande salle, une galerie, une chapelle, une volière, une grotte et un jardin suspendu. L'hôtel connaît une manière d'inauguration, le 26 août 1660, lors de l'entrée royale de Louis XIV et de l'infante Marie-Thérèse dans Paris, après leur mariage.

En 1686, l'hôtel passe dans les mains d'un notaire affairiste, Pierre Savalette, qui fait moderniser en 1704, sans doute par Robert de Cotte, les lourds appartements des Beauvais, passés de mode. La façade est alors modifiée et perd, dès cette époque, son grand fronton et une partie de sa décoration sculptée. En 1706 s'y installent Jean Orry, financier de haut vol proche de Philippe V d'Espagne, puis sa fille Mme de La Galaizière, qui confie en 1730 à l'architecte J.-B.-A. Beausire la réalisation d'importants travaux. En 1740, ses frères reprennent l'hôtel. L'aîné, Philibert Orry, contrôleur général des Finances et directeur des Bâtiments du roi, y résidera et y aura ses bureaux. Aux Orry succède, d'abord simple locataire en 1755, puis propriétaire en 1769, le comte Van Eyck, envoyé extraordinaire de l'Électeur de Bavière. L'hôtel, confisqué en 1792 aux héritières de Van Eyck, est acquis en 1799 par un affairiste, Maurin, qui le rentabilise en créant trois niveaux d'appartements à la place des deux étages d'origine, mutilant ainsi façades et décors intérieurs. La partie sur la rue de Jouy disparaît aussi. Dès lors, l'hôtel est loué. Acquis par la Ville de Paris en 1943, il est vidé de ses derniers locataires en 1987. Sa restauration, devenue nécessaire, est enfin annoncée.

Plan du rez-de-chaussée, d'après J. Marot, XVIIe s.

Façade principale de l'hôtel de Beauvais, relevé début XVIIIe.

HÔTEL DE BEAUVAIS

68, rue François Miron

Frise de la rotonde sur cour.

ARCHITECTURE - La grande façade du corps de logis, établie sur la rue François Miron, se présente telle qu'elle a été remaniée vers 1806, avec ses trois niveaux. De la façade d'origine subsistent l'ancien avant-corps marqué de refends (jadis couronné d'un fronton), le balcon sur trompe (qui a perdu sa balustrade de pierre), et l'extraordinaire porte avec sa menuiserie concave. En revanche, le génie de Le Pautre est encore sensible dans la cour, dont les formes imbriquées (rectangle, triangle et, enfin, demi-cercle) montrent une maîtrise de l'espace tout à fait baroque. Le mur de gauche n'est qu'un renard, destiné à masquer le mitoyen. Seule l'aile droite est réelle : elle abrite à l'étage la galerie qui donnait, derrière, sur le jardin suspendu au-dessus des écuries.

Le revers de la façade est marqué en son centre d'un avant-corps convexe, soutenu au rez-de-chaussée par un vestibule ouvert à colonnes doriques, qui commande la distribution et le jeu des courbes et contre-courbes. À gauche, grand escalier de pierre, décoré de couples de colonnes corinthiennes et de sculptures dues à Martin Desjardins.

Par un petit escalier ovale avec des marches en pierre audacieusement disposées et une très belle rampe en fer forgé, on accédait jadis à la chapelle située au fond de la cour et encadrée par deux colonnes ioniques. Des intérieurs ne subsistent que quelques rares épaves du XVIIIe siècle, conservées dans les pièces des combles, ainsi que d'intéressants vestiges du Premier Empire, glaces, cheminées, pilastres.

La cour, vue du vestibule.

RUE DU PONT LOUIS-PHILIPPE

L'ouverture de cette rue, en 1833, pour prolonger la rue Vieille du Temple jusqu'au quai, a été confiée à la « Société pour la construction du pont Louis-Philippe » des frères Seguin. Elle est exclusivement bordée d'immeubles de cette époque, formant un beau panorama de l'architecture locative Louis-Philippe. C'est une bonne transition entre le Vieux Paris et l'ère industrielle qui va éclore et changer le visage de la capitale sous Napoléon III. On notera, au gré des façades, les motifs en fonte aux balcons et surtout aux grilles des portes.

☐ **N° 6** - Décor de boutique XIXe.

☐ **N° 8** - Deux belles devantures néo-classiques symétriques.

☐ **N° 10** - Dans la cour, vestige d'une maison plus ancienne, comme en témoigne une fenêtre à meneaux mise au jour durant la rénovation. Escalier à quatre noyaux Louis XIII à balustres carrés. Une belle cave voûtée en berceau a été aménagée en chapelle pour les moniales de la Fraternité de Jérusalem. Un petit cloître moderne a été construit en 1992 (J.-P. Jouve arch.).

☐ **N° 14** - Façade en pierre de taille, à la modénature soignée. Les fenêtres sont encadrées de chambranles à crossettes. L'ensemble a été rénové en 1993.

☐ **N° 19** - Façade en pierre de taille, balcon typique avec motifs de fonte.

☐ **N° 22** - Beau panneau en fonte de la porte.

☐ **N° 22 bis** - Maison renaissance. Cette maison dont l'histoire reste à faire a été épargnée par le percement de la rue. Elle ouvrait jadis rue François Miron (voir p. 60). On voudrait y voir la maison de Marie Touchet, maîtresse de Charles IX, mais celle-ci habitait rue des Barres.
Sur la première cour, le corps de logis du début du XVIe est un intéressant spécimen d'architecture Louis XII en brique de deux couleurs et en pierre. Le chapiteau sculpté du pilastre est formé de deux petits personnages dans lesquels on sent notre architecture médiévale tentée par des habits italiens. Les lucarnes à la Viollet-le-Duc datent de la Restauration. Une seconde cour, difficile d'accès, est fermée au sud et à l'est par deux façades à pans de bois, ornées de petits pilastres à chapiteau corinthien et d'une frise fleurdelisée. Ce décor semble postérieur. On pouvait encore y lire la date de 1607 lors de sa mise au jour en 1857. Surélevé au XIXe siècle, l'ensemble, acquis par la Ville de Paris, a été restauré en 1980.

RUE GEOFFROY L'ASNIER

Cette rue médiévale porte le nom, déformé par l'usage populaire, de l'un de ses habitants importants au XIIIe siècle, Frogier Lasnier. C'est l'une des voies les plus sinistrées de l'ancien « îlot insalubre n° 16 » : il ne subsiste plus que cinq maisons anciennes, dont trois hôtels.

☐ **Nos 9-15** - Annexe de la Cité des arts, construite par Henry Bernard.

☐ **N° 17 - MÉMORIAL DU MARTYR JUIF** - Construit en 1956 par les architectes Goldberg et Persitz, il renferme une crypte du souvenir, un centre de documentation et un petit musée. L'impasse Putigneux, d'origine médiévale, qui ouvrait entre les nos 15 et 17 de la rue, a été supprimée en 1992 lors des travaux de rénovation.

HÔTEL CHALONS-LUXEMBOURG

26, rue Geoffroy l'Asnier

HISTORIQUE - *Ce petit hôtel a été aménagé vers 1626 pour Guillaume Perrochel et Françoise Buisson, sur un ancien jeu de paume et une maison ayant appartenu à Antoine Le Fèvre de La Boderie, ambassadeur d'Henri IV, et à son gendre Robert Arnaud d'Andilly. Quand il est revendu, en 1659, par les héritiers Perrochel à Marie Amelot de Béon-Luxembourg, il s'appelle déjà hôtel Chalons sans qu'on puisse l'expliquer. Les deux noms sont gravés sur le cartouche de marbre noir du portail. Il est habité bourgeoisement au XIXe siècle, et partiellement loué au début du XXe siècle par Charles Huard, graveur alors réputé, qui devait sous-louer le rez-de-chaussée d'octobre 1914 à mai 1915 à l'écrivain italien Gabriele D'Annunzio. Le goût de D'Annunzio pour les bibelots fit surnommer l'hôtel « La maison aux Mille Bouddhas ». Acquis par l'architecte Jean Walter en 1920, l'hôtel a été cédé pour un franc symbolique à la Ville de Paris, qui l'a fait restaurer en 1990.*

Détail du portail.

ARCHITECTURE - Avec son fronton cintré, son mufle de lion et ses pilastres ioniques, le portail sur rue est l'un des plus extraordinaires du Marais. La menuiserie des vantaux est particulièrement remarquable. Le beau marteau de porte en fer forgé XVIIIe est orné de chevaux marins. Les façades de l'hôtel sont en brique et pierre, dernier exemple d'un style qui passe alors de mode. Le registre décoratif est encore maniériste (masques, linges, lucarnes en « chapeau de gendarme » aux chiffres de Perrochel et de son épouse Buisson). On remarque que l'hôtel est assis sur des communs semi-enterrés, disposition courante à l'époque qui explique l'existence du perron. Du XVIIIe siècle datent les appuis en fer forgé, le perron et le grand escalier, seul élément ancien intérieur encore en place. Il est précédé d'un vestibule orné d'une statue. Le jardin, intact, a conservé ses bancs, ses deux statues et son décor de treillage architecturé.

Façade sur jardin.

□ **N° 20 - HÔTEL DE VILLEMONTRÉ** - Ce bâtiment construit au XVIIe siècle s'ouvre par un beau portail orné d'un mascaron féminin. Mais les vantaux, refaits en 1991, n'épousent que maladroitement la courbe de l'arc en pierre. La première cour, pittoresque, contraste avec la seconde, écrasée à droite par la sinistre façade arrière de la Cité des arts. L'hôtel, entre cour et jardin, a été dénaturé et surélevé, mais conserve à gauche un bel escalier à rampe en fer forgé du milieu du XVIIe qui se termine par des balustres de bois carrés. Le jardin a disparu.

□ **N° 22 - HÔTEL ROUSSEAU** - Une austère façade, avec un beau portail, dissimule le petit hôtel construit vers 1668 pour le quartenier Jean Rousseau, officier municipal chargé de la surveillance du quartier. Au fond de la seconde cour apparaît la façade du corps de logis principal, dont la porte est sommée d'un vase et de guirlandes de fruits. On aperçoit à travers la baie un vaste escalier à rampe en fer forgé. Très belle façade sur le petit jardin avec des appuis au chiffre de Rousseau. L'aile gauche renferme un escalier à balustres de bois carrés à quatre noyaux, dont le départ à claire-voie a été refait au XVIIIe siècle.

□ **N° 23** - Collège François Couperin, élevé en 1898 à l'emplacement d'un ancien hôtel abritant de 1828 à 1838 la mairie de l'ancien IXe arrondissement.

■ **N° 26 - HÔTEL CHALONS-LUXEMBOURG** - (Voir p. 68).

□ **N°s 30-36** - Ensemble d'immeubles municipaux, construits dans un style d'accompagnement par J.-P. Jouve en 1991-1992. À l'emplacement de l'ancien n° 28 s'élevait un bel hôtel construit au XVIIe siècle et redécoré sous Louis XV, qui a été détruit en 1962. Jusqu'à la rue François Miron, toutes les maisons ont été abattues en 1945 sous prétexte d'insalubrité.

RUE DE FOURCY

Voie ouverte en 1685 sous la prévôté d'Henri de Fourcy, dont elle porte le nom. Cette rue formait à l'origine une petite impasse sur la rue Saint-Antoine et s'appelait la « ruelle Sans-Chief ».

□ **N° 6 - HÔTEL GILLES CHARPENTIER** - Cet hôtel peu connu a été construit en 1689 pour Gilles Charpentier, commis du chancelier de France Michel Le Tellier, par le maître maçon Nicolas Liévain sur les dessins de l'architecte Joseph Payen. L'hôtel possédait une sortie arrière, donnant sur la rue du Prévôt. Loué dès 1690, on ne lui connaît aucun occupant célèbre. Il a été acquis par la Ville de Paris qui l'a fait restaurer en 1980, et agrandir d'un jardin aménagé à l'angle des rues de Fourcy et Charlemagne. Célèbre maison close durant l'entre-

Rampe d'escalier, 6, rue de Fourcy.

HÔTEL HÉNAULT DE CANTOBRE

82, rue François Miron

Façade principale, détail de la console centrale du balcon.

HISTORIQUE - *Établi sur une parcelle étroite, à l'emplacement supposé d'une ancienne propriété de Du Guesclin, l'hôtel a été construit en 1704-1705 par l'architecte Edme Fourier pour un financier, François-Alphonse Hénault de Cantobre, souvent confondu avec son neveu, le président Hénault, l'un des hommes les plus en vue du monde littéraire du XVIIIe siècle. Habité aussi par le gendre de Hénault, Surirey de Saint-Rémy, l'hôtel a connu un sort plutôt médiocre depuis la Révolution. Le jardin a été parasité par une entreprise de roulage sous Louis-Philippe. Acquis par la Ville de Paris en 1943, il doit abriter en 1995 la Maison européenne de la photographie, dont l'installation a entraîné une restauration radicale des bâtiments, la destruction des remises Louis XIV et la construction dans l'ancien jardin d'un bâtiment résolument contemporain (Y. Lion arch.).*

ARCHITECTURE - C'est un beau spécimen d'architecture Louis XIV finissante, rare dans le Marais. Sur la rue François Miron, la façade en pierre de taille est assise sur trois arcades, dont l'une renferme la porte cochère qui a conservé ses vantaux d'origine. Au-dessus, le balcon central est soutenu par cinq consoles en pierre, celle du centre étant ornée d'une tête de Maure enturbanné. Ce grand corps de logis se poursuit à l'arrière par une aile sur la cour pavée, qui était séparée de la rue de Fourcy par le bâtiment des remises doté d'arcades en pierre, malheureusement détruit en 1993. Des intérieurs ne subsiste que le grand escalier avec une rampe en fer forgé au dessin original. La forme étirée de la parcelle a nécessité une disposition peu traditionnelle de la cour et du jardin attenant.

Détail de la rampe du grand escalier.

deux-guerres, l'hôtel est aujourd'hui une demeure ouverte aux jeunes étrangers qui séjournent dans la capitale. La façade Louis XIV est rehaussée d'un portail dont la menuiserie porte une imposte aux chiffres GC et AB pour Gilles Charpentier et Anne Binot, son épouse. Le portail ouvre sur une charmante cour pavée, bordée au fond par les anciennes remises à arcades. À droite, très bel escalier en fer forgé Louis XIV.

■ **Nos 7-9 - HOTEL HÉNAULT DE CANTOBRE** - (voir p. 70).
Le n° 7 correspond à l'emplacement de l'ancien jardin de l'hôtel. Il est occupé sous Louis-Philippe par une maison de roulage.
Une maisonnette assez amusante du siècle dernier y est ensuite construite. Elle a été détruite en 1993, en même temps que les anciennes remises à carrosses. Celles-ci doivent être refaites à l'identique. Une partie de l'ancien jardin doit être restituée, mais on peut regretter l'extension moderne de la Maison de la photographie.

□ **Nos 10-14** - Ces deux immeubles locatifs construits après 1684 sont, jusqu'en 1790, la propriété du couvent des Célestins. Les façades sont percées régulièrement et structurées par des refends verticaux.

□ **N° 12** - La porte cochère au n° 12 conduit à une cour pavée au fond de laquelle se dresse un petit hôtel XVIIe qui abrite un bel escalier en fer forgé. La façade sur jardin porte un cabinet en encorbellement. Un accès à cet hôtel existait au 5, rue du Prévôt.

RUE DE JOUY

Cette voie d'origine médiévale, détachée de l'ancienne partie de la rue Saint-Antoine, actuelle rue François Miron, est baptisée au XIVe siècle du nom des abbés de Jouy qui y installent leur « maison de ville » dans un hôtel sis aux nos 17-21 de la rue. Cet hôtel a disparu en 1658.

□ **N° 2** - À l'angle d'un bâtiment moderne construit en 1974 a été placée la copie d'une enseigne jadis célèbre dans le quartier, « Le Gagne-Petit », représentant un rémouleur, avec son costume Louis XV. L'original, daté de 1767, est déposé au musée Carnavalet. L'enseigne ornait jadis l'angle d'un immeuble, démoli en 1942, au coin des rues des Nonnains d'Hyères et de l'Hôtel de Ville.

■ **Nos 5-7 - HÔTEL D'AUMONT** - (voir pp. 72-73).

□ **N° 8 - MAISON MAIRE** - Cet immeuble a été construit pour Jacques Maire, maître tailleur d'habits, par l'architecte Jean-François Chasteau, en 1764-1765. Il abrite un escalier dont l'aileron de départ est orné d'une grecque.

□ **N° 9 - LYCÉE SOPHIE GERMAIN** - Dans la cour subsistent les vestiges d'un hôtel ayant appartenu à la famille de Fourcy durant tout l'Ancien Régime. De cette époque restent le gros œuvre des bâtiments, un petit escalier en bois sur la gauche, et le volume du grand escalier dans l'aile droite. Passé au XIXe siècle aux Guesnier, puis à l'avocat Nast, il est loué en 1865 à la pension Harant, qui préparait à Polytechnique. L'actuel lycée a été fondé en 1882. L'ancien jardin, qui longeait celui de l'hôtel d'Aumont, est devenu une cour bitumée parasitée par des bâtiments scolaires achevés en 1914 par l'architecte Claës. L'ensemble a été renové en 1992-93.

□ **N° 12** - Maison de rapport, construite en 1743 par l'architecte Jean-François Desmaisons, qui en fait son lieu de résidence. La façade en pierre, admirablement proportionnée, est

HÔTEL D'AUMONT

5-7, rue de Jouy

HISTORIQUE - *Le riche financier Michel-Antoine Scarron achète, en 1619 et 1623, trois maisons, dont un vieil hôtel médiéval appelé « Le Croissant noir ». Il les fait abattre pour construire un hôtel à la mode, peut-être réalisé d'après les plans de François Mansart, et non de Le Vau comme on l'a longtemps pensé. Les nouveaux bâtiments, commencés sans doute vers 1631, sont achevés en 1649-1650 par le maître maçon Michel Villedo, qui respecte l'ordonnance primitive, avec une décoration sculptée encore un peu maniériste et des proportions déjà classiques. La fille de Scarron, Catherine, avait épousé en 1629 Antoine d'Aumont. Le couple s'installe dans l'hôtel achevé en 1651. D'Aumont, bientôt maréchal de France, duc et pair, gouverneur de Paris, achète la demeure en 1656 et l'agrandit sur la rue de Jouy, où il crée une basse-cour. Il fait embellir les intérieurs par Le Brun et reconstruire en 1665 le grand escalier en pierre par Libéral Bruand qui devait aussi réaliser une orangerie dans le jardin en 1677. C'est son fils, Louis-Marie d'Aumont, le célèbre collectionneur, qui fait allonger la façade sur jardin en 1703 par l'architecte Maurissart, en veillant à ce que les grandes lignes de l'architecture originelle soient respectées (voir rue des Nonnains d'Hyères, p. 74). Il aménage alors de nouveaux appartements, que son fils, Louis-Marie II, achèvera de décorer.*

L'hôtel, délaissé par les d'Aumont dès 1742, est vendu en 1756 à l'architecte Sandrié, qui faillit le démolir. De cette époque date la disparition du bel escalier d'honneur. Vendu à Pierre Terray, frère du ministre de Louis XV, l'hôtel connaît une fête somptueuse, le 4 décembre 1771, à l'occasion du mariage de la petite-nièce de Terray avec Lavoisier, fermier général et savant renommé. Confisqué à la Révolution, l'hôtel devient en 1802 le siège de la mairie de l'ancien IXe arrondissement, puis d'un pensionnat. En 1856 commence l'occupation industrielle avec l'installation de la Pharmacie centrale de France. L'hôtel souffre alors de multiples dégradations : surélévation de l'aile droite sur cour, saccage des intérieurs, remplissage progressif du jardin qui disparaît complètement sous les ateliers et les verrières. Il est finalement acquis en 1936 par la Ville de Paris qui entreprend de difficiles travaux de restauration entre 1942 et 1963. Il abrite depuis 1965 le siège du Tribunal administratif de Paris.

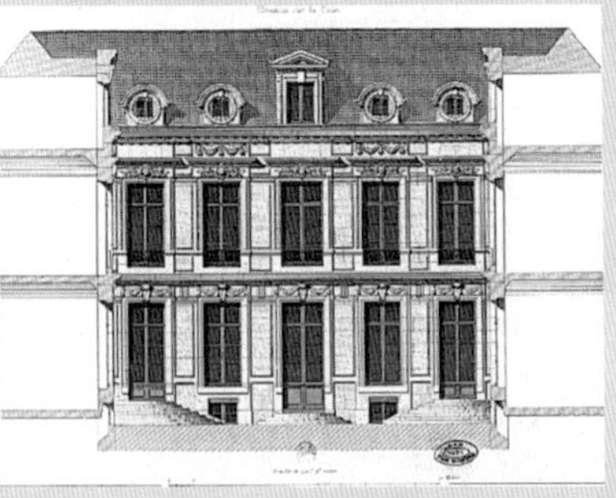

Relevé de la façade sur cour en 1868, gravure de Daly.

Plafond à poutres et solives peintes.

ARCHITECTURE - L'hôtel d'Aumont est le type même de l'hôtel parisien entre cour et jardin. La façade sur la rue de Jouy est fermée par une aile basse dans laquelle s'ouvre une porte monumentale, encadrée par deux grands pavillons. La cour, restaurée, aux belles proportions, est bordée par des bâtiments d'un étage ; un second étage s'articule dans le comble brisé du corps de logis, flanqué de deux pavillons qui abritaient à l'origine les escaliers. Dans l'aile gauche, un passage voûté conduit à une seconde cour qui servait autrefois aux communs, entièrement reconstruits.

Les intérieurs ont beaucoup souffert, mais conservent cependant de très beaux éléments : un beau plafond à poutres et solives peintes Louis XIII au premier étage dans l'aile gauche ; quelques fragments de l'*Histoire de Romulus et Rémus* de Le Brun dans la corniche de l'actuelle bibliothèque ; un petit boudoir ovale ; une belle chambre aux boiseries blanc et or, datant des travaux de 1703, actuel bureau du président du Tribunal. L'escalier en fer forgé Louis XV de l'aile gauche a été allongé jusqu'au premier étage pour en faire l'escalier d'honneur du Tribunal.

La façade sur jardin, visible depuis la rue des Nonnains d'Hyères, est une étrange et fantaisiste reconstitution de 1962, due à l'architecte Paul Tournon. La façade d'origine, achevée en 1651 pour M.-A. Scarron, ne couvrait que les onze travées en partant de la gauche, avec un seul avant-corps central. Reprise en 1703, elle fut assagie par une suppression partielle du décor sculpté et allongée de six travées avec un second avant-corps. Elle porte également un balcon de fer forgé avec le chiffre de Louis-Marie d'Aumont. L'actuelle composition a encore été allongée en 1960-1962 vers la droite pour les besoins du Tribunal, le comble forcé en hauteur et les lucarnes systématisées. Ces transformations alourdissent l'ensemble, notamment par l'absence de souches de cheminée, nécessaires à l'équilibre des toitures anciennes.

L'actuel square Albert Schweitzer n'a qu'un lointain rapport avec l'ancien jardin, célèbre pour son raffinement. Il était décoré de statues, de vases en pierre et d'une perspective peinte par Rousseau.

ornée de refends soulignant un avant-corps central de deux travées, et porte au premier étage des appuis au chiffre JFD. Au-dessus du portail, qui a perdu ses vantaux, est sculpté le mascaron d'Hercule coiffé de la peau du lion de Némée. Son traitement, avec un regard oblique, est magistral. La boutique de gauche est assise sur une cave ogivale du XVe d'une travée, restaurée, qui court jusque sous les remises de l'hôtel de Beauvais.

☐ **Nº 14** - Façade arrière de l'hôtel de Beauvais. Le corps de bâtiment du XVIIIe siècle, élevé d'un étage et ouvert d'une porte de service, a été abattu sous l'Empire.

☐ **Nº 16** - Petite façade néo-classique dont le dernier étage date de la rénovation récente.

☐ **Nº 18** - Maison natale du peintre Raffet (1804-1860), spécialiste de l'épopée napoléonienne. Grandes lucarnes à fronton XVIIe.

☐ **Nº 20** - Cette maison à l'enseigne des « Trois Chandeliers » avait été bâtie vers 1678 pour Geneviève Génicot. Sa construction est la conséquence d'un arrêt du Conseil du roi de 1677, abolissant l'ancienne pointe formée par l'angle des rues de Jouy et François Miron. L'immeuble se présente donc comme un immense pan coupé à l'échelle du carrefour, jadis coiffé d'un fronton.

Mascaron d'Hercule, 12, rue de Jouy.

RUE DES NONNAINS D'HYÈRES

Ouverte sans doute au XIIIe siècle, cette rue rappelle le nom de l'abbaye des Nonnains d'Hyères, installée au XIIIe siècle vers le n° 12 actuel. Autre victime de l'« îlot insalubre n° 16 », la rue a perdu presque toutes ses maisons en 1942. Seules deux façades anciennes en pierre ont pu être sauvées.

☐ **Nº 5** - Square. Emplacement de la maison dite du « Gagne-Petit », construite en 1767 pour Étienne Chagot, marchand de vin. Célèbre pour son enseigne (voir 2, rue de Jouy, p. 71), elle a été démolie en 1942.

☐ **Nº 12 - MAISON DUPOND** - Construite en 1761-1762 pour un marchand de vin, Arnaud Dupond, par le maître maçon Lefranc sur les dessins de l'architecte Pierre Thunot. La façade, ornée d'une frise grecque, est intégrée dans un immeuble d'accompagnement élevé en 1948.

◇ Tout le bas de la rue jusqu'au quai a été détruit en 1942-1943. On se trouve entre deux jardins d'hôtels anciens. À l'ouest, la grande façade de l'hôtel d'Aumont (voir pp. 72-73). Au fond, la Cité des arts, construite par l'architecte Paul Tournon, écrase sans pitié la demeure des ducs d'Aumont – restaurée par le même P. Tournon. De l'autre côté de la rue se dresse l'extravagante façade néo-gothique de l'hôtel de Sens construite entre 1940 et 1950. Le jardin n'a guère plus de charme.

RUE DU FIGUIER

Cette rue médiévale, doucement coudée, porte le nom de l'arbre qui s'élevait jadis devant l'hôtel de Sens. Il a été abattu en 1606 pour faciliter les manœuvres du carrosse de la reine Margot.

■ **N° 1 - HÔTEL DE SENS** - (voir p. 76).

□ **N° 11** - Maison Louis XV avec façade en pierre. L'élévation a été encore asséchée lors de la rénovation.

□ **N° 15** - Façade arrière de la maison Dupond (voir 12, rue des Nonnains d'Hyères, p. 74), construite par l'architecte Thunot en 1761-1762. Trop abîmée, elle a dû être reconstruite à l'identique en 1959 par l'architecte Lefol.

◇ Le reste de la rue a connu des démolitions massives en 1946 lors du réaménagement de l'« îlot n° 16 ». Le côté pair offre un désolant spectacle urbain.

RUE DU FAUCONNIER

Rue médiévale, dont le nom rappelle l'existence de l'hôtel de la Fauconnerie. Elle ne compte plus qu'une maison ancienne.

□ **N°s 2-6** - Emplacement de l'ancien couvent de l'Ave Maria (voir 22, rue de l'Ave Maria, p. 77). Après la destruction des bâtiments sous le Second Empire, les terrains, un temps occupés par un marché, ont servi à la construction d'une école primaire en 1882 et du collège Charlemagne en 1884. Dans sa cour, des cercueils en plomb ont été mis au jour en août 1993.

□ **N° 9** - Immeuble années 50, représentatif du type de constructions apparues après l'assainissement de l'« îlot n° 16 ».

□ **N° 11** - Haute maison XVIIe, qui épouse la pliure de la rue. Appuis XVIIIe, et porte cochère aux vantaux fin XIXe. L'aile sur l'ancienne cour renferme un grand escalier avec une rampe en fer forgé Louis XIV de toute beauté. Sauvée *in extremis* de la démolition par la création en 1965 du secteur sauvegardé, cette maison a été restaurée et abrite aujourd'hui un foyer d'accueil des jeunes.

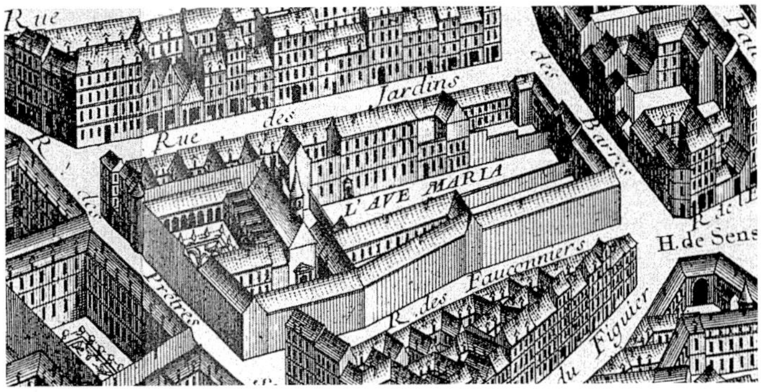

Couvent de l'Ave Maria, détail du plan de Turgot.

HÔTEL DE SENS

1, rue du Figuier

HISTORIQUE - *Cet hôtel, seule demeure médiévale d'importance conservée à Paris avec l'hôtel de Cluny, s'élève sur l'emplacement de l'hôtel d'Estomenil, donné par Charles V à Guillaume de Melun, archevêque de Sens. Simple évêché, Paris était alors suffragant de Sens. L'hôtel devient la résidence parisienne des successeurs de Guillaume de Melun. À partir de 1475, Tristan de Salazar, d'origine espagnole, neuvième archevêque de Sens, fait agrandir l'hôtel et entreprendre des travaux qui durent jusqu'en 1507. C'est dans l'hôtel qu'a lieu en février 1528 le « concile de Sens », présidé par le cardinal Duprat, chancelier de François Ier, qui condamne Luther et ses théories. Renaud de Béarn, archevêque de Sens, y héberge en 1605 Marguerite de Valois, la reine Margot, première femme d'Henri IV, à son retour d'exil. Après le meurtre de son amant par un rival, elle quitte la demeure au printemps 1606 pour aller s'établir sur la rive gauche. Bien que l'hôtel reste la propriété du diocèse de Sens jusqu'à la Révolution, il est loué dès 1622, date à laquelle Paris fut élevé au rang d'archevêché, et abrite une messagerie de diligences pour Lyon en 1660. À partir du règne de Louis-Philippe, il tombe en déchéance et subit plusieurs mutilations, dues à une occupation industrielle. En 1911, la Ville de Paris achète l'hôtel, alors complètement dénaturé. Entièrement restauré à la Viollet-le-Duc par l'architecte C. Halley entre 1934 et 1960, il abrite depuis 1961 la riche bibliothèque municipale Forney, qui porte le nom de son fondateur. Elle est spécialisée dans les arts décoratifs et l'histoire des techniques.*

Portail, gravure
de Roger de Gaignières, XVIIe.

ARCHITECTURE - La façade, flanquée de deux tourelles d'angle, a conservé son ancienne disposition avec une porte cochère et une porte piétonne ; dans la cour s'élèvent divers bâtiments qui, hormis le donjon et la façade d'entrée, datent de 1940-1950. Il subsiste sur le corps de logis, à l'étage, quelques traces murales de la chapelle, qui se trouvait en hors-œuvre sur la cour et qui disparut assez tôt. Le reste de la construction et de la décoration est néo-gothique.
En considérant les pénibles immeubles modernes entourant l'hôtel, on comprendra mieux la mise en garde de Malraux : « Un chef-d'œuvre isolé risque d'être un chef-d'œuvre mort. »

RUE DE L'AVE MARIA

Bon exemple de rue anéantie par de nombreuses démolitions. Elle s'appelait autrefois « rue des Barrés », et traversait l'enceinte de Philippe Auguste par une poterne.

□ **Nos 2-12** - Immeubles d'accompagnement construits lors de l'opération « village Saint-Paul ». Les nos 6, 8 et 10 étaient de belles maisons en pierre de taille du XVIIIe siècle.

□ **No 7** - Façade Louis XV de facture simple.

□ **No 15** - Emplacement de l'ancien jeu de paume de la Croix noire, dont le bâtiment s'appuyait sur l'enceinte de Philippe Auguste. Molière y a joué en 1645.

L'ensemble a été détruit en 1929 au profit d'un immeuble municipal. Un petit square s'étend devant, à l'emplacement du marché de l'Ave Maria, dont la halle métallique, construite en 1878 par l'architecte Magne, a disparu au début du siècle. Sa construction avait alors entraîné la destruction de l'ancienne maison de l'abbaye des Barbeaux, dont les caves ogivales étaient intactes.

□ **No 22** - École municipale construite en 1882. Emplacement de l'ancienne entrée du couvent de l'Ave Maria fondé au XIVe siècle. Fermé en 1790, il est désaffecté, et ses bâtiments transformés en caserne (voir rue du Fauconnier, p. 75).

RUE DES JARDINS SAINT-PAUL

Rue ouverte au XIIIe siècle en bordure de l'enceinte de Philippe Auguste. Les maisons du côté pair forment, malgré leur restauration, un ensemble pittoresque. Rabelais habitait cette rue lors de sa mort, le 9 avril 1553.

□ **ENCEINTE DE PHILIPPE AUGUSTE** - Sur plus de 70 mètres, on peut admirer la fameuse enceinte commencée en 1190 sur les ordres de Philippe Auguste. Elle a été dégagée en 1946 lors de la démolition de toutes les maisons du côté impair de la rue, considérées comme insalubres. Rabelais, qui habitait rue des Jardins, fait dire à Panurge « qu'une vache, avecque un pet, en abattrait six brasses ». L'enceinte est pourtant toujours debout !

N'ayant jamais rempli son usage défensif, l'enceinte est par la suite abandonnée et sert de mur mitoyen sur lequel viennent s'appuyer différentes propriétés, ce qui explique sa conservation. Large de 2 mètres, le mur est construit en « blocage », c'est-à-dire en pierre de taille pour les deux

Vestiges de l'enceinte de Philippe Auguste.

parements extérieurs entre lesquels est coulé, selon une technique romaine, un mélange de sable et de moellons. Le sommet était couronné de créneaux aujourd'hui disparus. Elle est encore flanquée de deux tours, dont l'une est un vestige de la poterne Saint-Paul ouvrant sur la rue Charlemagne ; appelée sous l'Ancien Régime « tour Montgomery », elle appartenait au couvent de l'Ave Maria (voir p. 75).

□ **N° 10** - Petite façade Louis XVI construite vers 1786 sur un gros œuvre plus ancien, comme l'indique la lucarne à fronton du comble. Refends, consoles sous les baies, corniche à modillons.

□ **N° 14** - Grand hôtel Louis XIV. Il possède une belle cour pavée, avec un décor d'arcades au revers de la façade. La parcelle s'étendait jusqu'au 9, rue Saint-Paul.

□ **N° 20** - Haute maison XVIIe avec lucarnes coiffées d'un fronton en pignon.

◇ Le pâté de maisons compris entre les rues des Jardins Saint-Paul, Charlemagne, de l'Ave Maria et Saint-Paul forme ce que l'on appelle le « village Saint-Paul ». Cet ensemble, longtemps menacé de démolition puis finalement conservé, a été rénové par la Ville de Paris de 1975 à 1985. L'architecte d'opération, Félix Gatier, a aménagé le site en démolissant quelques bâtiments intérieurs, parasites, et en faisant communiquer toutes les cours entre elles.

On peut ainsi déambuler à loisir et apprécier le calme de l'endroit, même si la rénovation un peu raide de certaines parties est à déplorer.

RUE CHARLEMAGNE

Ancienne « rue des Prêtres Saint-Paul » cette voie forme le prolongement de la rue de Jouy, qui reliait la rue Saint-Antoine (François Miron) au bourg Saint-Paul. Son nom actuel lui a été donné en 1844.

□ **N° 7 - MAISON RULHIÈRE** - Elle a été construite en 1770 par le maître maçon Lefèvre pour Martin de Rulhière, lieutenant et inspecteur général de la maréchaussée de France. Belle façade néo-classique. La porte cochère a été supprimée et forme un des accès du « village Saint-Paul ».

□ **N° 8** - Immeuble d'accompagnement de 1978 (J.-P. Jouve arch.) parfaitement réussi ; beau jeu de toits. À côté, fontaine de 1840. Le petit génie qui tient la vasque a un furieux air de ressemblance avec Victor Hugo...

■ **N° 14 - LYCÉE CHARLEMAGNE** - (voir pp. 80-81).

Inscriptions des anciens noms des rues Charlemagne et du Prévôt.

☐ N° 16 - Immeuble de rapport construit en 1892, dont la façade a été asséchée au ciment. Emplacement de l'ancien hôtel des Marmousets, acquis en 1367 par Charles V pour son prévôt royal Hugues Aubriot. L'hôtel s'étendait alors jusqu'aux murs de l'enceinte de Philippe Auguste. En 1397, le domaine a été acheté par le frère de Charles VI, Louis d'Orléans. La maison prend alors le nom d'« hôtel du Porc-Épic », animal figurant sur le blason du prince. Après avoir fait des travaux, Louis d'Orléans le vend à son oncle Jean de Berry en 1404, et part s'installer dans un hôtel rue Saint-Antoine, le futur hôtel des Tournelles (voir p. 121). Le domaine a été divisé en deux au début du XVIe siècle : la partie touchant à l'enceinte a été absorbée par les jésuites et le reste devint l'hôtel de Brienne puis de Jassaud au XVIIIe siècle. L'ensemble a été démoli en 1891 et 1908.

☐ N° 18 - **HÔTEL DU PRÉSIDENT DE CHATEAUGIRON** - Construit sous Louis XIV, l'hôtel a gardé une jolie grille en fer forgé XVIIe coiffant le portail. Beau traitement de l'angle avec un léger encorbellement. Vieilles inscriptions de noms de rue.

☐ N° 20 - **MAISON LECAMUS** - Belle maison d'angle, élevée en 1746 pour Nicolas Lecamus, par le maître maçon Dubuisson. La façade en pierre de taille repose sur un rez-de-chaussée à arcades. Appuis de fenêtre en fer forgé, escalier en aile sur cour avec sa rampe en fer forgé. Elle est occupée par une Maison internationale des jeunes.

☐ N° 25 - **LA MAISON DU CHÂTEAU-FRILEUX** - Bel immeuble d'angle construit en 1755 pour l'hôpital royal des Quinze-Vingts, par Barthélemy Bourdet sur les dessins de l'architecte Saint-Martin. On notera la fermeté des proportions, et la belle porte avec son mascaron d'un lion tenant dans sa gueule une guirlande feuillue.

Mascaron, 25, rue Charlemagne.

RUE DU PRÉVÔT

Ancienne « rue Percée », ouverte au XIIIe siècle. Elle a été baptisée en 1878 rue du Prévôt en souvenir d'Hugues Aubriot, prévôt royal de Paris sous Charles V, qui habitait un hôtel voisin.

☐ N° 8 - Belle porte en bois Louis XIV, enchâssée dans un petit immeuble postmoderne assez malvenu dans cette rue médiévale.

☐ N° 10 - Ancienne sortie arrière et cour de service de l'hôtel du Prévôt (voir 16, rue Charlemagne).

☐ N° 5 - Magnifique arcade cochère avec voussure en pierre et bornes XVIIe. Autre entrée au 12, rue de Fourcy.

☐ N° 7 - Sortie arrière de l'hôtel Séguier (voir 133, rue Saint-Antoine, p. 89).

LYCÉE CHARLEMAGNE

14, rue Charlemagne

HISTORIQUE - *Il occupe l'ancienne maison professe des jésuites. Cette maison, liée jadis à l'église voisine Saint-Louis (voir pp. 90-91), a été édifiée sur les terrains de l'ancien hôtel du Porc-Épic, achetés en 1619. Les premiers bâtiments sont construits sous Louis XIII (les plans sont datés de 1622) et achevés sous Louis XIV par le frère Turmel, selon une disposition qui n'a pas changé : trois corps de bâtiment entourant une cour centrale. L'établissement était célèbre pour sa bibliothèque et pour la qualité de son enseignement, auquel étaient confiés les enfants des grandes familles du Marais. À la fin du* XVIIe *siècle, les jésuites construisent à l'angle des deux ailes Louis XIII un pavillon destiné à renfermer un grand escalier. Ils le font décorer par le peintre italien Gherardini, qui a donné à la voûte de la coupole une* Apothéose de saint Louis. *Gherardini réalise également dans la bibliothèque des pères, au second étage de l'aile nord, une grande composition :* Saint Ignace appelant à lui les peuples de l'Univers, *œuvre actuellement en restauration.*

En 1764, les jésuites sont expulsés de France et leur domaine donné aux moines de Sainte-Catherine du Val des Écoliers (voir p. 138). Les bâtiments conventuels sont affectés en partie en 1774 à la bibliothèque historique de la Ville, fondée peu avant à l'hôtel Lamoignon (voir pp. 166-167). En 1802, Napoléon y installe l'actuel lycée Charlemagne. L'ensemble a fait l'objet, en 1990, d'une campagne de rénovation qui l'a transfiguré.

Vue de la cour intérieure (ancien jardin des jésuites).

ARCHITECTURE - Du XVIIe subsistent les ailes nord et est, dans lesquelles la restauration a mis au jour des décors de panneaux de brique et, à l'intérieur de l'aile nord, au premier étage, un beau plafond à poutres et solives peintes. À l'écart et au chevet de l'église se trouve un autre bâtiment qui abritait les appartements du supérieur, dont le célèbre père La Chaise, confesseur de Louis XIV. Construit au XVIIe, il est isolé au XIXe siècle lors de la démolition d'une partie sur la rue Charlemagne. Au début du XVIIIe siècle, le grand bâtiment longeant la rue Charlemagne est remanié. La grande cour rectangulaire remplace le jardin des jésuites, jadis orné d'un bassin. Depuis la restauration de 1990, on entre par la rue Charlemagne, en passant par un étrange portail néo-XVIIe. Le bâtiment à droite renferme un grand escalier avec sa rampe en fer forgé Louis XIV à motif de balustres. Une belle porte sculptée est conservée au deuxième étage. En face, revers des bâtiments de la grande cour. En traversant l'aile est par un passage orné de colonnes doriques en bois début XIXe, on accède à la cour pavée, entourée sur trois côtés des bâtiments des jésuites ; celui du fond, à l'ouest, est un pastiche XIXe. Les façades des ailes est et nord sont décorées de manière encore très maniériste : en témoignent les frontons des fenêtres, les tables et la mouluration. L'aile sud, avec ses hautes fenêtres, est plus tardive et abrite encore un petit escalier avec une rampe à arceaux.

Porte de l'appartement du père supérieur, XVIIe.

Apothéose de saint Louis, plafond peint du grand escalier, fin XVIIe.

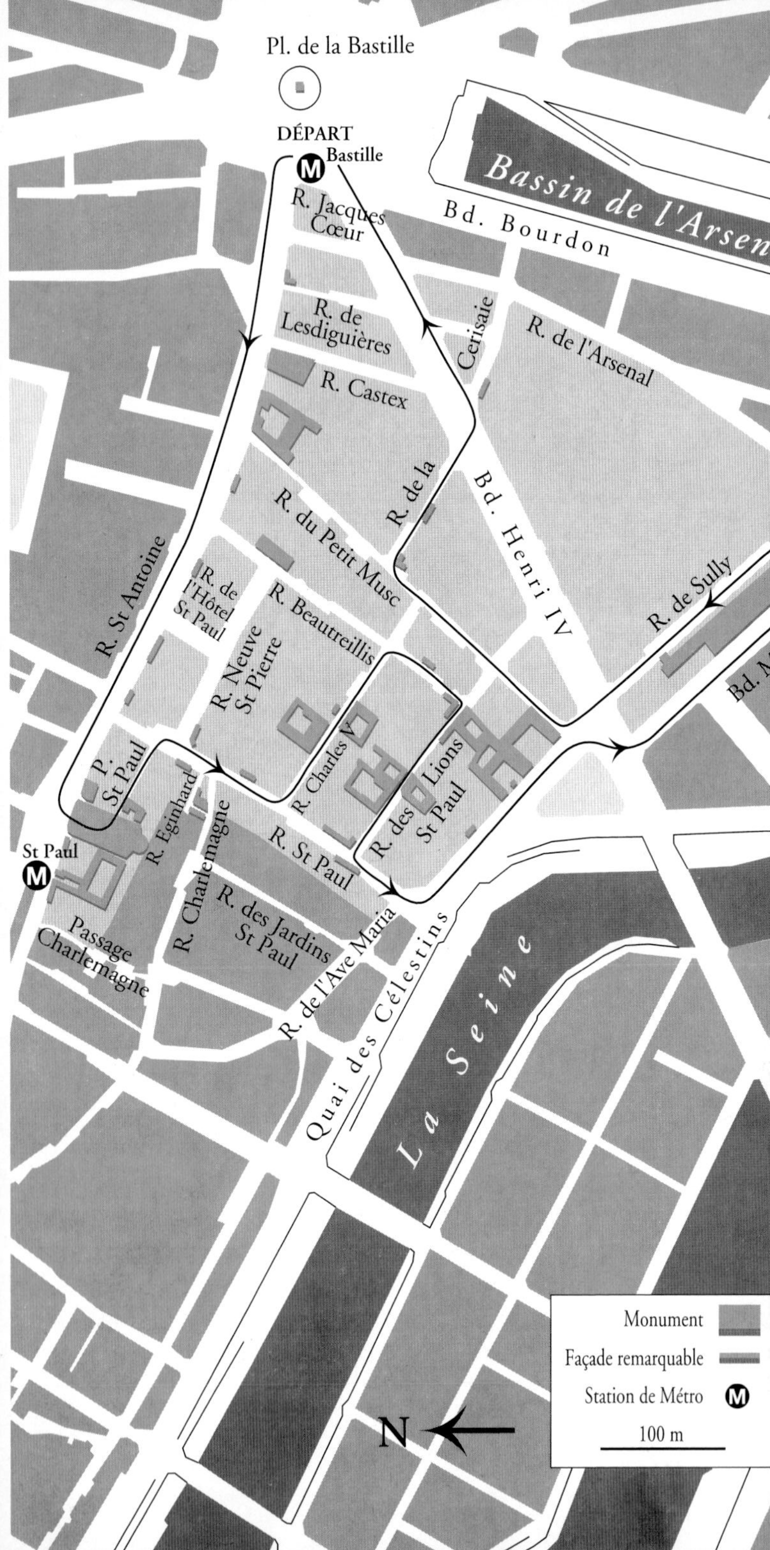

Pl. de la Bastille
DÉPART
Bastille
Bassin de l'Arsen
Bd. Bourdon
R. Jacques Cœur
R. de Lesdiguières
R. Castex
Cerisaie
R. de l'Arsenal
R. de la
Bd. Henri IV
R. du Petit Musc
R. St Antoine
R. de l'Hôtel St Paul
R. Beautreillis
R. Neuve St Pierre
R. de Sully
Bd. M
R. Charles V
R. des Lions St Paul
P. St Paul
R. Eginhard
R. Charlemagne
R. St Paul
St Paul
R. des Jardins St Paul
Passage Charlemagne
R. de l'Ave Maria
Quai des Célestins
La Seine
Monument
Façade remarquable
Station de Métro
N
100 m

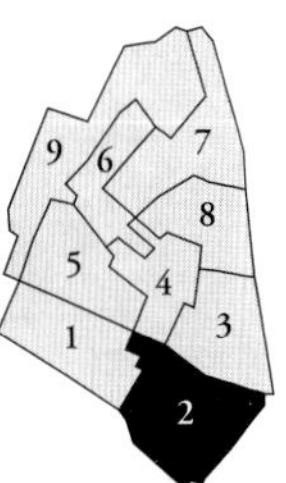

2

Promenade

Le bourg Saint-Paul et l'Arsenal

Rue Saint-Antoine (côté impair). Passage Saint-Paul. Rues Saint-Paul, Eginhard, Charles V, Beautreillis, des Lions. Quai des Célestins. Rue de Sully. Boulevard Morland. Rues du Petit Musc, de la Cerisaie.

Ce quartier se forme, dès le haut Moyen Âge, autour de la rue et de l'église Saint-Paul. C'est là, dans une vaste demeure appelée l'hôtel Saint-Pol, que Charles V s'installe en 1370. Détruit et loti en plusieurs étapes sous François Ier, l'hôtel fait place à un quartier neuf, avec des rues régulières et des parcelles orthogonales. De cet ensemble miraculeusement bien conservé et, surtout, peu restauré se dégage un charme particulier. Au-delà de la rue du Petit Musc s'étendaient les grands jardins des Célestins et le vaste ensemble de l'Arsenal avec son mail, qui ont été bouleversés par le percement du boulevard Henri IV en 1877.

RUE SAINT-ANTOINE

La rue Saint-Antoine doit son nom à l'abbaye Saint-Antoine des Champs (actuel hôpital Saint-Antoine), à laquelle elle conduisait. Ancienne voie romaine reliant Lutèce à Melun, elle a été conservée grâce à sa largeur exceptionnelle et raccordée en 1856 à la rue de Rivoli par Haussmann. La largeur de la rue s'explique par un tracé champêtre au-delà de l'enceinte de Philippe Auguste, qui s'élevait à la hauteur de l'actuel n° 103. Elle est au XVIe siècle un lieu propice aux tournois et aux joutes, une sorte de « place », dans une ville qui en compte peu avant Henri IV. Elle est aussi le parcours obligé des cortèges et des entrées royales, dont la plus célèbre reste celle de Louis XIV lors de son mariage en 1660. L'abondance des fêtes explique le grand nombre de balcons que comptait la rue.

□ **N° 3 -** Emplacement de l'ancienne tour de la Liberté de la Bastille (voir p. 112).

□ **N° 5 -** Immeuble de rapport de la fin du XIXe siècle. Emplacement de la porte de l'avant-cour de la Bastille (voir p. 112), dont une plaque rappelle le souvenir.

□ **N° 7 -** Petite maison construite au milieu du XVIIe siècle par les religieuses de la Visitation. Dernier témoin du lotissement qui s'étendait entre la porte de l'avant-cour de la Bastille (n° 5) et l'église de la Visitation Sainte-Marie. Elle a perdu beaucoup de son caractère à la suite d'une rénovation récente.

□ **N° 9 -** Belle maison d'angle construite à la fin du règne de Louis XVI, époque à laquelle est ouverte la rue Lesdiguières, laquelle n'était jusque-là qu'une voie semi-privée.

■ **N° 17 - TEMPLE DE LA VISITATION SAINTE-MARIE -** (voir p. 87).

□ **N° 19 -** Immeuble XIXe élevé à l'emplacement des bâtiments conventuels des religieuses de la Visitation. Dan la cour, à droite, subsiste la galeri ouest de l'ancien cloître.

■ **N° 21 - HÔTEL DE MAYENNE -** (voir p. 86).

□ **Nos 33-35 -** Maisons XVIIe avec deu grandes lucarnes jumelles à fronton

□ **N° 53 -** Maison construite par l'ar chitecte Jacques Gabriel III, cousi de la lignée des grands Gabriel, pou son usage personnel. La façad Louis XIV, coiffée d'un fronton, es remarquablement dessinée. La port cochère a été amputée de l'un de se battants pour aménager une minus cule boutique. La maison abrite u très bel escalier, construit sur un pla semi-ovale et muni de sa rampe en fe forgé ouvragée.

□ **N° 57 -** Au second étage, exempl rare d'appuis en fer forgé ornés d flèches entrecroisées du début d XIXe siècle.

□ **N° 59 -** Bel immeuble de rappor Louis-Philippe, avec balcon de font et premier étage en pierre.

◇ Entre les nos 61 et 67, débouché d la rue de l'Hôtel Saint-Paul. Cette voi a été ouverte sur l'ancien passag Saint-Pierre. Jusqu'en 1914, l'entré

Hôtel de Mayenne, pavillon occidental, 21, rue Saint-Antoine.

Église de la Visitation, détail de la nef.

TEMPLE DE LA VISITATION SAINTE-MARIE

17, rue Saint-Antoine

Détail du décor sculpté.

HISTORIQUE - *Fondé en 1619 par sainte Jeanne de Chantal, le couvent s'installe rue Saint-Antoine en 1628 sur l'emplacement de l'ancien hôtel de Cossé. L'église est construite de 1632 à 1634, par le maître maçon Villedo, sur les plans de François Mansart. Saint Vincent de Paul en fut l'aumônier de 1622 à sa mort, en 1660. Vidée à la Révolution de ses œuvres d'art, l'église est affectée en 1802 au culte calviniste. Les bâtiments conventuels et le jardin n'ont pas survécu à la Révolution ni à l'ouverture de la rue Castex en 1805. Dans la crypte sont inhumés de nombreux personnages célèbres, dont Fouquet et le marquis de Sévigné.*

ARCHITECTURE - L'église est un des chefs-d'œuvre de François Mansart. Sa construction sur un plan centré et circulaire, rendu nécessaire par l'exiguïté du terrain, fait penser au parti de la chapelle du château d'Anet, élevée par Philibert de l'Orme. Repris plus tard à l'église des Invalides par Jules Hardouin-Mansart, ce plan reste cependant rare en France. Le portail, célèbre, servira de modèle au XVIIIe siècle. Les statues couchées sur le fronton sont des copies du XIXe (Hiolle sculpt.), la façade ayant souffert des combats de la Commune en 1871. Le dôme, recouvert d'ardoises en écaille, était accompagné de pots à feu amortissant les contreforts renversés.

Sous la coupole se trouve la nef circulaire, calée à droite et à gauche par deux chapelles « en haricot ». Celle de droite, plus profonde à l'origine, renfermait le chœur des religieuses, aujourd'hui détruit. Lors de la restauration de la nef en 1967, les tribunes de bois du XIXe siècle, qui encombraient l'espace, ont été supprimées. L'autel est mis en valeur par une position dominante et bénéficie d'un éclairage particulier grâce à une seconde coupole, dissimulée derrière la grande. Sous la nef s'étend la crypte annulaire, centrée d'un puissant pilier rond. Cette partie a été hélas dénaturée par une restauration violente.

Crypte annulaire.

HÔTEL DE MAYENNE

21, rue Saint-Antoine

HISTORIQUE - *Appelé au XVIe siècle « hôtel de Damville », cet hôtel passe en 1561 à Claude Gouffier, sieur de Boisy, Grand Écuyer, qui engage la reconstruction du corps de logis principal et des ailes sur cour. À sa mort, en 1570, il lègue l'hôtel à ses enfants.*
C'est finalement Charles de Lorraine, duc de Mayenne, surnommé irrespectueusement le Gros Mayenne, ancien ligueur réconcilié avec Henri IV, qui l'acquiert en 1605. Il entreprend à son tour des travaux qui seront réalisés de 1606 à 1609 par les maîtres maçons Jean Geoffroy et C. Deschamps, sans doute sur les plans de Jacques II Androuet du Cerceau. De cette époque datent le grand escalier en aile sur le jardin et la façade sur la rue Saint-Antoine, achevée vers 1612 par le fils du duc, Henri de Mayenne.
L'hôtel, modernisé et embelli intérieurement par Germain Boffrand en 1707-1709 pour les Vaudémont, reste dans la famille de Lorraine jusqu'en 1759, date à laquelle il passe aux Lefèvre d'Ormesson, qui le conserveront jusqu'en 1812. Transformé ensuite en pension, l'hôtel abrite depuis 1870 l'école des Francs Bourgeois.

ARCHITECTURE - L'ordonnance initiale a souffert des remaniements survenus au siècle dernier. La cour, très simple, a été dénaturée par un faux décor de brique. Un corps de bâtiment a été construit au-dessus du porche d'entrée vers 1880, entre les pavillons, jadis reliés par une terrasse. Malgré l'adjonction en 1971 de bâtiments scolaires en béton dans le fond du jardin, l'hôtel a conservé de beaux éléments : le pavillon occidental, restauré en 1993-1994, avec de belles façades où se marient la pierre et la brique, ainsi que les hauts toits d'ardoises avec des lucarnes en pierre. L'ensemble fait songer à la place des Vosges. Dans les appuis en fer forgé convexes des fenêtres, ajoutés par Boffrand, figurent des croix de Lorraine, marque de la famille. L'intérieur a perdu en 1882 la majeure partie des boiseries de Boffrand ; il ne subsiste que quelques belles corniches. En revanche, le grand escalier en pierre de 1609, à mur d'échiffre et volées voûtées de brique, est resté intact.
La campagne de restauration en cours doit avoir raison du bâtiment parasite-pastiche qui surmonte le portail.

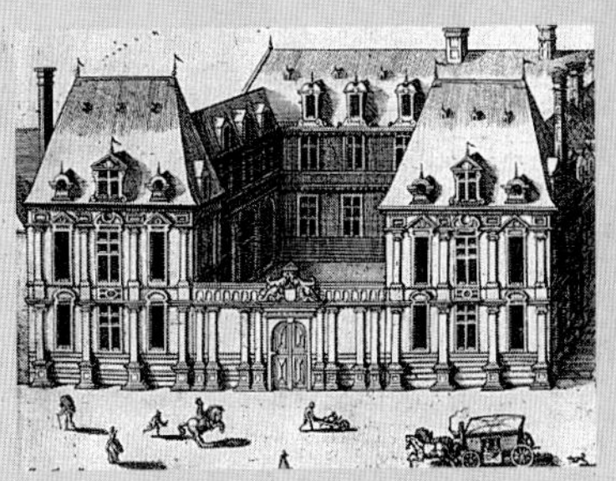

Hôtel de Mayenne,
gravure de C. Chastillon, début XVIIe.

de ce passage était surmontée par une maison, propriété de la fabrique Saint-Paul, où a résidé jusqu'à sa mort Henri Du Mont (1610-1684). Du Mont, maître de musique de la chapelle du roi, tenait les orgues de l'église Saint-Paul où il a été enterré. Un fragment de son tombeau, brisé à la Révolution, est aujourd'hui conservé au musée du Louvre.

□ **N° 69** - Cette petite maison à l'enseigne de « La Rose blanche » est la propriété de la fabrique Saint-Paul jusqu'en 1750, date à laquelle elle est vendue à un marchand de bois, Claude Bon, qui la fait reconstruire. Dans les appuis de fer forgé figure son chiffre, CB.

□ **N° 71** - Ancienne maison à loyer de la fabrique Saint-Paul, qui offre une sévère façade en pierre du XVIIIe. Cette maison renferme de belles caves, dégagées dans le sous-sol du grand magasin qui occupe le rez-de-chaussée.

□ **N° 81** - Maison construite à la fin du XVIIIe siècle. Façade légèrement alignée, couronnée par un pignon à refends dans lequel s'inscrit un arc renfermant la baie.

□ **N° 85** - Maison d'angle Louis XV, surélevée au XIXe siècle de deux étages pastiches. Elle a été construite vers 1736-1737 par le maître maçon Bourgeois pour Philippe de La Marinière, avocat au Parlement.

□ **N° 87 bis** - Maison à l'enseigne de « La Truye qui file ». Cette enseigne de charcutier, sculptée avec naïveté, a été déposée au musée Carnavalet. Elle représente une truie debout, qui allaite ses pourceaux.

Enseigne peinte à l'effigie de saint Antoine, 89, rue Saint-Antoine.

□ **N° 89** - Fixée entre les deux fenêtres du premier étage, une enseigne peinte – la dernière de la rue – représente saint Antoine et son cochon.

□ **N° 93** - Curieuse façade de 1865. L'architecte, Fargeot, a gravé son nom à droite de la fenêtre du premier étage, pratique encore rare à cette époque.

□ **N° 95** - Petite maison basse construite au début du XVIIe par les jésuites. Le grand toit pentu est rythmé par deux lucarnes maçonnées.

□ **N°s 97-99 - HÔTEL DU CANADA** - Construit sous Louis XIII par les jésuites et surélevé vers 1850 , l'hôtel est vendu à un particulier en 1769, après l'expulsion des jésuites et la saisie de leurs biens. Les arcades des boutiques encadrent l'ancienne porte piétonne. La façade offre des appuis XVIIIe au premier étage et des tables moulurées entre les baies. L'ensemble est rattaché à l'église par un petit édicule à fronton, dont la porte cochère a conservé ses vantaux anciens. Sur cour se trouvait jadis un bâtiment aujourd'hui détruit, qui possédait un accès sur le passage Saint-Paul.

◇ Devant l'église s'étendait la place de Birague, amputée par l'ouverture de la rue de Rivoli. Elle était décorée d'une fontaine, détruite en 1856.

■ **SAINT-PAUL SAINT-LOUIS** - (voir pp. 90-93).

□ **N° 101** - Ancienne entrée du lycée Charlemagne (voir 14, rue Charlemagne, pp. 80-81).

□ **N° 103** - Petite maison Louis XV. Les fenêtres du second étage sont couronnées de trophées militaires sculptés. Devant s'élevait la porte Saint-Antoine de l'enceinte de Philippe Auguste. Cette porte a disparu à la fin du XIVe siècle lorsque Charles V consacre, plus à l'est avec la Bastille et une nouvelle enceinte, l'extension de la rive droite.

☐ **N° 111 - HÔTEL DES VIVRES** - Demeure ayant appartenu, sous Louis XV, au riche financier Joseph Pâris Duverney. La façade sur rue a été rhabillée sous Louis-Philippe. L'hôtel est établi au fond, dans la deuxième cour. Celle-ci, pavée, est entourée de bâtiments bas ornés de pilastres. À droite, grand escalier Louis XV avec sa rampe en fer forgé, dont l'entrée est gardée par deux colonnes doriques. La cour offre une splendide vue sur le transept occidental de Saint-Louis des Jésuites.

☐ **N° 113** - Maison pastiche néo-Louis XIII avec lucarne en pierre. Curieux exercice de style des années 30.

☐ **N° 117** - Vieille maison en pierre sans doute construite au XVIIe siècle. Au-dessus du rez-de-chaussée, de fortes consoles soutiennent une puissante frise de postes Louis XVI. Sous le Second Empire, la maison abrite une salle de billard, la salle Rivoli. En 1870-1871, celle-ci sert de cadre à des réunions politiques où Louise Michel prêche souvent la bonne parole : « Quand les cochons sont gras, on les tue. » Fermée en 1872, la salle devient un bal public, puis, en 1912, un dépôt de meubles « Au Bûcheron », dont l'enseigne d'un café situé en face, rue de Rivoli, conserve le souvenir. Un cinéma s'y installe en 1938, remplacé depuis 1970 par un supermarché.

☐ **N° 125** - Cette maison renferme l'un des rares escaliers en vis du Marais. Il se termine par un autre escalier Louis XIII, à balustres ronds, dont la cage conserve ses menuiseries de fenêtres d'époque.

☐ **N° 127** - Belle façade Louis XIV.

☐ **N° 129** - Maison construite en 1727 par le maître maçon Saint-Germain pour la veuve Monet.

☐ **N° 133 - HÔTEL SÉGUIER** - Construit sous Louis XIII, sa façade est ornée d'un magnifique balcon daté de 1729 qui est soutenu par des consoles en forme de chimères, motif que l'on retrouve sur les vantaux sculptés de la porte cochère. Les bâtiments s'organisent autour de deux cours : la première offre, à gauche, un escalier XVIIIe ; la seconde, au fond, donne accès à un bel escalier XVIIe à quatre noyaux et balustres de bois carrés.

Balcon aux chimères de l'hôtel Séguier, 133, rue Saint-Antoine.

PASSAGE SAINT-PAUL

Cet ancien « cul-de-sac Saint-Louis » ou « Saint-Paul », au charme provincial, correspond à l'accès que possédait l'hôtel de Rochepot, sur la rue Saint-Paul. L'hôtel de Rochepot avait été donné aux jésuites en 1580.

☐ **N° 5** - Petit hôtel, précédé d'une cour pavée. Escalier Louis XIV au fond à gauche. Le passage rejoint la rue Saint-Paul en se faufilant sous un immeuble d'accompagnement.

☐ **N° 7** - Presbytère de l'église Saint-Paul Saint-Louis, qui fut la propriété des jésuites jusqu'en 1764, date de leur expulsion. Il renferme un bel escalier Louis XIV. Les vantaux de la porte datent du XVIIIe siècle. L'endroit offre une vue saisissante sur le transept de Saint-Paul Saint-Louis.

SAINT-PAUL SAINT-LOUIS

rue Saint-Antoine

Saint-Louis des Jésuites et la fontaine de Birague, gravure de Mérian, XVIIe.

HISTORIQUE - *À l'emplacement de l'ancien hôtel de Rochepot que leur donne le cardinal de Bourbon en 1580, les jésuites de Paris édifient une première chapelle. Chassés après l'attentat d'un des leurs contre Henri IV en 1597, puis revenus en triomphe en 1604, les jésuites obtiennent la protection et le soutien de Louis XIII et de Richelieu, qui agrandissent leur domaine et financent la reconstruction de l'église.*

L'édifice est commencé en 1627 par le chœur. Le cardinal de Richelieu pose la première pierre de la façade en 1634 et celèbre la première messe en 1641, devant le roi. L'édification de l'église a été confiée à deux architectes, membres de la Compagnie de Jésus : le père Étienne Martellange, auteur du plan, mais écarté dès 1629, et le père François Derand, auteur de la façade.

Au XVIIe siècle, Saint-Louis des Jésuites est l'église à la mode du Marais. Elle acquiert rapidement une grande renommée grâce aux confesseurs de Louis XIII et Louis XIV, les pères Cotton et La Chaise, et aux prédicateurs qui montent en chaire, Bossuet, Fléchier et surtout Bourdaloue.

La maîtrise de la chapelle est confiée à Marc Antoine Charpentier et André Campra, puis à Jean-Philippe Rameau, ce qui assure à l'église une réputation musicale de tout premier ordre. Mais, surtout, église royale par essence, Saint-Louis des Jésuites renferme les cœurs de Louis XIII et de Louis XIV, selon le rite funéraire des Princes. Après l'expulsion des jésuites en 1764, l'église est cédée en 1768 au prieuré Sainte-Catherine du Val des Écoliers, dont le couvent voisin devait être détruit pour faire place à un marché *(voir p. 138)**. L'église est abondamment pillée pendant la Révolution Le cœur de Louis XIII a finalement trouvé refuge à Saint-Denis. La démolition en 1797 de l'ancienne église paroissiale Saint-Paul transforme le vocable de l'église en « Saint-Paul Saint-Louis », et cette dernière devient paroisse à son tour.*

Coupe transversale du chœur et du dôme, 1643.

Vue de la nef et du chœur.

SAINT-PAUL SAINT-LOUIS

rue Saint-Antoine

ARCHITECTURE - La façade à trois niveaux, sur laquelle s'étagent les ordres corinthiens et composites, dissimule le grand dôme haut de 55 mètres. Les portes aux puissantes sculptures ont été offertes par le cardinal de Richelieu dont les armes aux trois chevrons, bûchées à la Révolution, ornaient le fronton central curviligne qui couronne le rez-de-chaussée. Les armes de France et de Navarre au fronton terminal, détruites elles aussi, ont été restituées lors d'une restauration. Sur la rose ovale au premier étage a été plaquée l'horloge de l'ancienne l'église Saint-Paul, qui date de 1627.
La majeure partie de ce que contenait l'église est aujourd'hui dispersée. Le grand retable en marbre a été détruit, comme le maître-autel. Les reliquaires des cœurs des rois Louis XIII et Louis XIV sculptés respectivement par Sarrazin et Coustou, portés par de petits angelots en argent ciselé, ont été fondus en 1802 pour Bonaparte. Le grand tableau du maître-autel, *La Présentation au temple*, dû à Simon Vouet, est conservé au musée du Louvre, tandis que *L'Apothéose de saint Louis* est à Rouen. Quant au sublime monument d'Henri II de Condé par Sarrazin, qui ornait jadis le bras gauche du transept, il a échoué à Chantilly. Des richesses intérieures subsistent, dans le transept, trois tableaux de l'école de Vouet, complétés par un *Christ au jardin des Oliviers* de Delacroix. Dans la dernière chapelle du flanc gauche demeure également la *Vierge de douleur*, sculptée en 1586 par Germain Pilon pour la rotonde des Valois à la basilique Saint-Denis : c'est une œuvre bouleversante.

Ancien maître-autel,
gravure de Edme Moreau, 1643.

Vue de la coupole et du voûtement du chœur.

Vierge de douleur,
sculpture de G. Pilon, 1586.

Monument du cœur
de Louis XIV, esquisse XVIIIe.

RUE SAINT-PAUL

Artère du premier peuplement du secteur, cette voie du VIe siècle offre un bel ensemble de maisons anciennes et un dessin d'une douce irrégularité.

□ **N° 1** - Pittoresque maison du XVIIe siècle, surélevée de deux étages vers 1755 pour la dame Honelle.

□ **N°s 2-6** - Emplacement de l'ancien hôtel de La Vieuville, construit au XVIe siècle, redécoré au XVIIIe, et démoli en 1925 pour édifier les entrepôts de La Samaritaine, fondée par Ernest Cognacq. Celui-ci, également collectionneur érudit et amateur d'art, est à l'origine du musée Cognacq-Jay, aujourd'hui installé dans le Marais (voir p. 160). Ces entrepôts, édifiés par l'architecte G. Bourneuf en 1935 dans un style néo-Louis XIII, ont été à leur tour partiellement détruits au profit d'une banale opération immobilière en 1981. Seule la façade d'angle sur le quai a été conservée.

□ **N° 8** - Ancien hôtel. Façade sans doute du début XVIIe qui se remarque par le rythme irrégulier de ses ouvertures. L'ensemble, remanié sous Louis XV, conserve de beaux appuis. La porte cochère ouvre sur une succession de cours pavées, formées par la réunion de plusieurs maisons. À gauche, dans la première cour, magnifique escalier avec sa rampe en fer forgé Louis XV. Ensemble sobrement rénové.

À l'angle, la maison porte une tourelle de forme carrée du XVIIe, dont l'encorbellement est fermement mouluré. Très prisé jusque sous Louis XIII, ce type d'architecture légère abondait dans le Vieux Paris : il en reste aujourd'hui moins d'une dizaine.

□ **N° 9** - Maison appelée l'« hôtel Bazin » au XVIIIe siècle, propriété de l'architecte Lemoine de Couzon sous Louis XVI. Le célèbre peintre Hubert Robert, « Robert des Ruines », s'y installe à son retour d'Italie en 1766, alors qu'il vient d'être nommé membre de l'Académie royale de peinture. Mais, en 1771, trop à l'étroit, il quitte son hôtel et rejoint son père, Nicolas Robert, logé à l'Arsenal.

□ **N° 10 - MAISON HUA** - Cette maison réunit deux maisons originellement distinctes. La première maison, correspondant aux trois travées de droite, est construite sous Louis XV ; la seconde, couvrant les deux travées de gauche, plus ancienne, est reconstruite en 1769-1770 pour René-Maximilien Hua, secrétaire du roi. Le maître maçon, Maugin, étend alors à l'ensemble le style de la façade Louis XV en pierre, conservée à droite, mais

Maison Hua, 10, rue Saint-Paul, élévation originale de la façade après remaniement, 1769.

aménage au rez-de-chaussée un seul accès, avec une porte cochère en position centrale, ornée de menuiseries à guirlandes de style déjà néo-classique. Les baies cintrées sont remarquables. Le dernier étage, formé de lucarnes en pierre reliées entre elles, est un trait caractéristique des années 1730-1740. La petite cour pavée est encadrée de deux ailes, d'où partent à claire-voie les escaliers à barreaux. Sur le revers de la façade, la limite des deux anciennes maisons est nettement visible.

□ **N° 11 - MAISON LEDOUX** - Construite en 1772-1773 pour Georges Ledoux, maître joaillier, cette maison offre une haute et sévère façade Louis XVI, ornée de refends et d'appuis d'un dessin très souligné. Par l'étroit couloir de l'entrée, on accède à l'escalier qui a conservé sa rampe à arceaux. La cour a été réunie au « village Saint-Paul ».

□ **N° 14** - Façade comprenant une seule fenêtre par étage. Appuis Louis XV.

□ **N° 16** - Jolie boutique début XIXe.

□ **N° 21 - HÔTEL DE PERTHUIS** - La famille de Perthuis avait acheté la demeure en 1705 aux Colbert de Saint-Pouange. La façade basse sur rue, rhabillée sous Louis XVI, est ornée d'appuis néo-classiques au dessin aérien. Elle est ouverte par une belle porte cochère. Au fond de la cour, réunie au « village Saint-Paul », se dresse le corps de logis, jadis entre cour et jardin. La porte à consoles est aussi un rhabillage néo-classique.

Lors des travaux de rénovation en 1979, on a mis au jour, au rez-de-chaussée, un magnifique plafond à poutres et solives peintes Louis XIII, au chiffre GT non identifié. La maison conserve également d'amples caves voûtées, qui abritaient les écuries – selon une habitude courante visant à pallier le manque de place. Propriété de la Ville de Paris, l'immeuble abrite au rez-de-chaussée un centre culturel.

□ **N° 26 - MAISON BRIOY** - Construite sous Louis XV pour Romain Brioy, acquéreur en 1756. La façade en pierre de taille offre des tables moulurées entre les baies et des clefs en pointe de diamant aux fenêtres des deuxième et troisième étages. La maison a conservé ses lucarnes de charpente et la porte ancienne avec une imposte de fer forgé au chiffre RB.

□ **N° 27** - Emplacement d'un bel hôtel Renaissance, détruit en 1835. Un médaillon sculpté provenant de l'ancienne façade a été retrouvé en 1977, lors des travaux de rénovation du « village Saint-Paul ». Le médaillon, représentant un profil d'homme, est conservé dans la cage d'escalier du n° 3b.

Hôtel Renaissance, 27, rue Saint-Paul, restitution de César Daly, 1870-1871.

□ **N° 32** - Immeuble de rapport de 1842. Emplacement de la façade de l'ancienne église paroissiale Saint-Paul, fermée en 1790 et démolie en 1797.

◇ À gauche, débouché de la rue Neuve Saint-Pierre. Emplacement d'une ancienne maison du XVIIe siècle, jadis propriété de la fabrique Saint-Paul, détruite en 1913 pour ouvrir cette triste et inutile rue. Un passage permettait de gagner le cimetière de la paroisse, célèbre pour ses charniers à vitraux et les nombreux hommes illustres, à commencer par Rabelais et Hardouin-Mansart, qui y sont enterrés. Cette démolition a mis au jour, contre le mur nord de l'immeuble voisin, un pan entier de la tour-clocher de l'église Saint-Paul.

Un triste parasite a été édifié, en 1994, au pied de ce beau vestige.

□ **N° 33** - Maison construite par les religieuses de l'hôpital Saint-Gervais, en 1648, sur un terrain leur appartenant depuis 1588. Façade d'une travée, agrémentée d'un balcon du XVIIe.

□ **N° 35** - Bel ensemble formé de deux anciennes parcelles ayant appartenu aux religieuses de Sainte-Anastase. Sur rue, la façade Louis XVI, sévère, est ornée de refends et d'appuis à motifs géométriques. Elle a été construite vers 1784 pour le négociant Bichebois. À l'arrière, beau corps de logis construit à la même époque pour Pierre-François-Fiacre Lamain, dont le chiffre PL orne les appuis.

□ **N°s 36-38** - Emplacement de l'ancienne prison Saint-Éloi, démolie et lotie à la Révolution. Un immeuble affligeant a remplacé, vers 1965, le bâtiment du « Saint-Paul », amusant cinéma construit en 1914 par l'architecte Waser.

□ **N° 40** - Immeuble formé par la réunion de deux maisons : l'une, à droite, issue du lotissement à la Révolution de la prison Saint-Éloi, et l'autre, à gauche, construite en 173[illegible] par le maître maçon Simon Chevalier pour J.-B. Lemoine, bourgeois de Paris. La façade a été asséchée au ciment par la suite.

□ **N°s 41-43** - Immeuble d'accompagnement (J.-P. Jouve arch.).

□ **N° 42** - Petite cour bordée au sud d'un escalier en bois du XVIIe à claire-voie, typique du Vieux Paris.

◇ Débouché du passage Saint-Paul.

□ **N° 47** - Maison à l'enseigne de « La Tour d'Argent ». Immeuble municipal restauré en 1968-1971 par l'Association du Paris historique.

Intéressants appuis du début XIXe.

RUE EGINHARD

Cette petite rue, formant un coude, relie les rues Saint-Paul et Charlemagne. Elle conserve le souvenir d'une opération de lotissement conduite en 1666-1667 par les Dames religieuses de l'hôpital Saint-Gervais ou Sainte-Anastase.

De robustes maisons en pierre de taille, œuvres du maître maçon Charles de Brécy, sont construites en 1666 autour d'une voie à usage privé, qui possède un puits commun aux habitants.

L'entrée de cette petite voie du XVIIe sur la rue Charlemagne est encadrée par deux magnifiques maisons d'époque. Ces maisons locatives, d'une austérité toute fonctionnelle, sont de beaux spécimens d'architecture Louis XIV.

□ **N°s 2-6** - Emplacement des maisons qui fermaient le côté nord de la rue Eginhard, et qui furent abattues vers 1962, laissant la vue sur la cour voisine du 35, rue Saint-Paul. Au n° 6 a été reconstruite une maison d'accompagnement due à l'architecte J.-P. Jouve. Le puits commun, malgré sa restauration énergique, a conservé son cachet avec sa niche et ses deux volutes renversées.

□ **N° 8** - Maison du peintre Nicolas Houasse, de 1678 à sa mort, en 1704. L'imposte ronde au-dessus de la porte a conservé dans le réseau en fer forgé le monogramme S.A. pour Sainte-Anastase. La maison est aujourd'hui propriété de la Ville de Paris.

RUE CHARLES V

« Charles vé », comme disaient les ignares au XIXe siècle. Ouverte en 1544 sous le nom de « rue Neuve Saint-Paul » lors du lotissement de l'hôtel de la Reine, qui faisait partie de l'hôtel Saint-Pol, cette rue offre un bel ensemble de façades anciennes. Jusqu'en 1864, la partie comprise entre les rues du Petit Musc et Beautreillis s'appela « rue des Trois Pistolets ».

□ **N° 2 -** Magnifique balcon Louis XV en forme de « coquille » au-dessus de la porte qui conserve son mascaron.

□ **N° 8 -** Grand immeuble construit en 1938. Façade intéressante, mais incongrue dans cette rue tout entière bordée d'immeubles anciens.

□ **N° 10 -** Ancien hôtel dont ne subsiste que le bas du portail Louis XVI. La cour a été entièrement massacrée par un ravalement au ciment : les façades étaient jadis en brique et pierre.

■ **N° 12 - HÔTEL DE BRINVILLIERS -** (voir p. 98).

□ **N° 14 -** Maison construite à l'emplacement d'un ancien jeu de paume dit « de la Conversion » en 1642.

□ **N° 15 -** Bel immeuble Louis XV. Le portail est surmonté d'un mascaron qui tire la langue au passant. Dans la cour se dresse un grand arbre. À gauche du passage, bel escalier avec sa rampe en fer forgé ouvragée, dont le départ est à claire-voie.

Mascaron XVIIIe, 15, rue Charles V.

□ **N° 19 -** Cour étroite et plantée de petits arbres. Au fond, à gauche, se trouve un magnifique escalier dont le départ est en fer forgé jusqu'au premier étage et qui se continue par des balustres en chêne.

□ **N° 23 -** Belle façade Louis XV, trop ravalée en 1992. Elle a conservé de beaux appuis en fer forgé et les vantaux de sa porte cochère.

Balcon Louis XV en coquille,
2, rue Charles V.

HÔTEL DE BRINVILLIERS

12, rue Charles V

HISTORIQUE - *Balthazar Gobelin, descendant des célèbres teinturiers du bourg Saint-Marcel, achète en 1620 un hôtel construit vers 1547, pour le valet de chambre du roi Morelet de Mureau, si l'on en croit une inscription trouvée sur place au* XVIIIe *siècle. En 1646, le troisième fils de Gobelin, Antoine Gobelin, marquis de Brinvilliers, qui épousera, en 1651, Marie-Madeleine de Dreux d'Aubray, le reçoit en héritage. Le couple habite l'hôtel jusqu'en 1670, date à laquelle les créanciers saisissent ses biens.*
C'est après seulement que commença « l'Affaire » : la marquise de Brinvilliers allait empoisonner la vie, au sens premier du terme, de plusieurs de ses contemporains, à commencer par sa propre famille, grâce aux poisons que son amant, Sainte-Croix, avait mis au point. Mais elle finit par être découverte et s'enfuit à l'étranger en 1672 pour échapper à la Justice royale. Arrêtée, elle est finalement brûlée en place de Grève en 1676.
L'hôtel appartient de 1708 à 1721 à l'intendant Foucault de Magny, érudit et ami des lettres qui loge Antoine Galland, traducteur des Mille et Une Nuits *(1704-1708) ; ce dernier meurt ici en 1715. Foucault avait réuni une riche bibliothèque, dispersée à sa mort en 1721, et un cabinet d'antiquités entré en 1737 à la Bibliothèque royale. Foucault fait remanier et embellir l'hôtel en 1708-1709. Acheté en 1846 par les Sœurs du Bon-Secours de Troyes, l'hôtel, rénové, est aujourd'hui divisé en appartements.*

Rampe Louis XIV de l'escalier principal.

ARCHITECTURE - Sur la rue se dresse un grand corps de logis aux hautes fenêtres recoupées, probablement antérieur aux embellisements de Foucault. Le portail, décoré d'un mascaron à tête d'homme, est un beau travail de 1709 ; sur cour, l'arcade cochère est ornée d'un étonnant mascaron à double visage, unique en son genre. Des travaux de 1709 datent également une partie des bâtiments sur cour ainsi que le grand escalier, d'une élégance admirable. Il est décoré de voussures sculptées avec fantaisie. Un petit jardin agrémente l'ensemble.

RUE BEAUTREILLIS

Cette voie est formée de la réunion de deux rues : la rue Beautreillis et la « rue Gérard Boquet ». La première, entre les rues Saint-Antoine et Charles V, a été ouverte sur l'hôtel de ce nom, loti après 1566. La seconde, entre les rues Charles V et des Lions, date de 1544.

☐ **N° 4** - Porte cloutée Louis XIII.

☐ **N° 6** - Emplacement de l'ancien hôtel Raoul, rasé en 1965 à l'exception du grand portail aux vantaux XVIIIe, qui achève de pourrir sur pied. L'immeuble qui le remplace est l'une des hontes du Marais. Le jardin de l'hôtel s'étendait jusqu'à la rue du Petit Musc.

Façade de l'hôtel Raoul sur la rue Beautreillis avant sa démolition.

☐ **N° 7** - Petit hôtel Louis XIII dont la cour pavée est pittoresque. Il a conservé un bel escalier à balustres de bois carrés. Du comble recouvert de vieilles tuiles se détachent des lucarnes maçonnées à fronton caractéristiques de la première moitié du XVIIe.

☐ **N° 9** - Vieil hôtel. La porte cochère avec ses beaux vantaux ouvre sur une cour pavée, pleine de charme, entourée de vieux bâtiments. Au fond, à gauche, est conservé le bel escalier XVIIe à balustres carrés, dont le départ est en fer forgé.

☐ **N° 10** - Ensemble refaçadé au XIXe siècle. Dans la cour, décor d'arcades feintes soutenues par des pilastres doriques, fin XVIe.

☐ **N° 11** - Façade Louis XV ornée d'appuis. La porte cochère, munie de ses vantaux et surmontée d'un mascaron sculpté, ouvre sur la cour. Plantée d'un grand arbre, elle est entourée de bâtiments anciens. Dans le bâtiment de gauche, grand escalier XVIIIe avec départ à claire-voie. En face, l'aile droite est desservie par un escalier en vis au poteau de bois mouluré, que double une main courante en fer, ajoutée postérieurement.

☐ **N° 16** - Maison où est né, le 5 septembre 1831, Victorien Sardou, célèbre comédien et auteur dramatique (plaque).

☐ **N° 17** - Emplacement d'un hôtel construit en 1598, remanié sous Louis XIII, et détruit en 1902. Il possédait un jardin ombragé qu'un propriétaire de la fin du XVIIIe siècle avait agrandi d'une partie du cimetière Saint-Paul voisin alors désaffecté.

☐ **N° 20** - Petite maison début XVIIe. Lucarnes maçonnées.

☐ **N° 22 - HÔTEL DE CHARNY** - Cette vaste demeure, dont le jardin s'étendait jusqu'à la rue du Petit Musc (nos 29-31), a déchu au milieu du siècle dernier et a été couverte par un immeuble de rapport. La longue façade de onze travées, ornée d'appuis Louis XV, est percée d'un beau portail classique. Le passage d'entrée a été redécoré dans la première moitié du XIXe siècle. Cour pavée. L'ensemble a été rénové en 1992.

RUE DES LIONS

Ouverte en 1544, lors du lotissement de l'hôtel de la Reine, son nom rappelle la ménagerie d'animaux sauvages de la demeure royale, ou bien les lions qui ornaient la porte de l'hôtel Saint-Pol. Elle est bordée de vieux immeubles formant un magnifique ensemble, à l'écart du bruit et de la circulation.

☐ **N° 2** - Annexe de l'école Massillon, construite en 1933.

☐ **N° 3 - HÔTEL DIT « DES PARLEMENTAIRES »** - L'ensemble, reconstruit sous Louis XV, a été acquis en 1857 par le comte de La Valette, propriétaire de l'hôtel Fieubet voisin. Il a été restauré récemment. L'hôtel renferme un bel escalier avec rampe en fer forgé. La cour abrite une élégante fontaine de style rocaille ornée de sculptures, et un second escalier Louis XV, dont le départ à claire-voie est porté par deux colonnes en pierre.

☐ **N° 4** - Maison construite en 1764 par le maître maçon Petit l'Aîné, à l'emplacement d'un ancien jeu de paume. Propriété jusqu'en 1790 du prieuré Sainte-Catherine du Val des Écoliers. Anciennes inscriptions de noms de rue gravées à l'angle, et remarquables appuis en fer forgé, au dessin dit « en aile de papillon ».

Fontaine Louis XV,
3, rue des Lions.

☐ **N° 5** - Façade Louis XV en pierre, surélevée d'un étage sous Louis-Philippe, balcon à balustres de fonte typique. La cour pavée renferme un escalier Louis XV avec sa rampe en fer forgé.

☐ **N° 6** - Porte avec vantaux moulurés du XVIIIe siècle.

☐ **N° 7 - HÔTEL DE SAINT-MESMES** - Acheté en 1628 par Gaspard Ier Fieubet, trésorier de l'Épargne, cet hôtel passe à son fils Gaspard II avant d'être vendu en 1683 par ses héritiers. Il devient ensuite la propriété du président de Saint-Mesmes, qui l'habite au début du XVIIIe siècle. Il est réparé et remanié en 1728 par le maître maçon Simon Rousseau. L'ensemble a été dénaturé au XIXe siècle.
La façade sur rue, dont les fenêtres sont défendues par de curieux appuis de fonte Louis-Philippe, a conservé une porte cochère aux vantaux anciens. L'aile droite abrite un grand escalier à rampe en fer forgé du milieu du XVIIe siècle dont les larges panneaux sont assemblés par des colliers.

☐ **N° 8** - Ancien « passage des Lions », rejoignant jadis la rue Charles V.

☐ **N° 9** - Au fond de la cour se dresse un hôtel du XVIIe avec un bel escalier en bois conservé dans l'aile droite.

☐ **N° 10 - PETIT HÔTEL FIEUBET** - Derrière un immeuble sans intérêt de 1891 se cache un bel hôtel, construit en 1646 pour Gaspard II Fieubet, riche trésorier de l'Épargne. Le décor intérieur est confié à Le Sueur, qui orne le rez-de-chaussée d'une *Histoire de Moïse* et d'une *Histoire de Tobie*, dont subsistent quelques vestiges aux musées du Louvre et de Grenoble.

À la mort de Gaspard II, les héritiers louent la demeure ; elle est occupée au début du XVIIIe siècle par Boucher d'Orsay, prévôt des marchands de 1700 à 1708. L'ancien avocat régicide Thuriot de La Rozière la loue en 1814-1815. La cour pavée est bordée au fond par le corps de logis d'un étage, que prolonge à gauche une aile de même élévation, le tout en pierre de taille. Le comble d'ardoises est orné de lucarnes en pierre à la mouluration très soignée. On verra le petit escalier en bois, à gauche, après le porche, et surtout le grand escalier d'honneur en pierre de taille, à droite, dans le corps de logis : son ampleur, sa structure, et sa puissante rampe en chêne au chiffre de Gaspard Fieubet, sommé d'un vase de pierre sculpté au palier, en font l'un des plus beaux du Marais.

Rampe en bois sculpté,
petit hôtel Fieubet, 10, rue des Lions.

☐ **N° 11 - HÔTEL BELLORCIER** - Cette petite demeure a été acquise en 1644 par le notaire Paysant, qui la loue tout de suite à Mme de Sévigné. Celle-ci y réside de 1645 à 1650, et sa fille, Mme de Grignan, y est née. La fille de Paysant, Mme de Bellorcier, fait reconstruire après 1660 le corps de logis du fond. La façade sur rue est remaniée au XVIIIe siècle, mais a conservé sa porte cloutée et ses lucarnes Louis XIII. À gauche, dans la cour, l'escalier à balustres de bois est de la même époque. Au fond, en revanche, le corps de logis, avec sa façade en pierre de taille, est de style Louis XIV. À droite, grand escalier avec sa rampe en fer forgé.

☐ **N° 12 - HÔTEL DE LAUNAY** - Il a été construit au tout début du XVIIe siècle pour Daniel de Launay, mort en 1611, ou pour sa veuve Élisabeth Phélipeaux. Occupé ensuite par le conseiller Jacques Magdeleine, l'hôtel est vendu en 1660 à Raymond Ardier, maître des Requêtes, qui l'occupe sous Louis XIV. Il est loué sous Louis XVI au conseiller Amelot, puis saisi en 1792 comme bien d'émigrés, et abrite en 1793 une prison de quartier, fermée dès l'année suivante.
La façade sur rue est remarquable par ses hautes fenêtres coiffées de frontons cintrés, dans un goût maniériste caractéristique du style Henri IV. Le portail central couronné d'un fronton est fermé par des vantaux sculptés Louis XIV. L'aile gauche sur cour renferme un bel escalier en bois à balustres tournés, sur plan carré dont le départ a été refait postérieurement. En face, petit escalier à deux noyaux, très étroit. Cette partie porte en hauteur un médaillon avec la date « 1675 » qui rappelle peut-être une campagne de travaux. Un grand plafond à poutres et solives peintes a été récemment découvert au premier étage. L'hôtel est en instance de restauration et doit retrouver son jardin.

☐ **Nos 14-16** - Ces deux maisons anciennes, actuellement réunies à la maison du 8, rue Saint-Paul, ont longtemps été la résidence de l'architecte de la Ville, Jean Beausire, maître général, contrôleur et inspecteur des Bâtiments de la ville. Il y meurt en 1743. À l'angle, sous la tourelle, ancienne inscription du nom de la rue.

QUAI DES CÉLESTINS

Il formait à l'origine un chemin continuant la rue de l'Ave Maria, le « chemin de la Folie-Morel ».
Il porte le nom du célèbre couvent voisin (voir p.105). Son parcours recouvre aujourd'hui trois anciens quais : le quai des Célestins proprement dit, qui s'arrêtait à la rue Saint-Paul ; le « quai Saint-Paul », qui allait jusqu'à la rue du Fauconnier ; et une partie du « quai des Ormes », qui s'étendait jusqu'à la rue Geoffroy l'Asnier.

◇ **N°s 2 bis-8** - Emplacement de l'ancien hôtel des Archevêques de Sens, acquis en 1364 par Charles V pour agrandir l'hôtel royal Saint-Pol. Cette portion du domaine royal est aliénée la première en novembre 1516 par François Ier au profit de son Grand Maître de l'Artillerie, Jacques de Genouilhac. Les parcelles actuelles sont issues de ce lotissement.
■ **N° 2 bis - HÔTEL FIEUBET** - (voir p. 103).
□ **N° 4 - HÔTEL NICOLAÏ** - Construit pour Anne de Fieubet et son épouse, ce petit hôtel passe par leurs héritiers à la famille Nicolaï. De 1853 à 1857, Delpoulle, tailleur d'habits et fournisseur de la Garde impériale de Napoléon III, y est établi. Le sculpteur Barye y installe son atelier en 1862, et y meurt le 25 juin 1875 (plaque).
L'hôtel comprend un corps de logis flanqué de deux ailes. La cour, fermée sur le quai par un mur percé d'un portail à fronton, est bordée d'ailes symétriques sur arcades surbaissées. L'étage noble porte des balcons XVIIIe au chiffre N. L'escalier, en position centrale, a conservé une belle rampe en fer forgé d'origine, à panneaux de serrurerie symétriques attachés par des colliers.
◇ En face, dans le petit square Henri Galli, sont déposées les pierres du socle de la tour de la Liberté de la Bastille, découvertes rue Saint-Antoine, en 1899, lors des travaux de la ligne 1 du métropolitain. Elles ont été sauvées par la Commission du Vieux Paris et remontées ici.
□ **N° 12** - Façade Louis XV ornée d'appuis.
□ **N° 42** - Belle façade néo-classique. Il ne subsiste de la maison d'origine que cette façade Louis XVI en pierre de taille. Sauvée *in extremis* de la démolition lors de l'alignement du quai en 1958-1960, elle est alors reculée au nouvel alignement, selon une méthode appelée « ripage » et remontée dans un ensemble d'immeubles d'accompagnement très lourds de 1960-1963. Le premier étage porte un balcon sur consoles, dont la grille a été refaite à l'identique, l'originale ayant été volée durant les travaux. La modénature, avec ses guirlandes sculptées, est soignée.
□ **N° 46** - Immeuble de 1960. Il porte plusieurs appuis en fer forgé remployés, provenant de la maison du « Gagne Petit » de 1767 (voir p. 74).

RUE DE SULLY

Cette voie a été ouverte en 1807 sur les cours de l'ancien arsenal de Paris. Elle longe au nord la caserne des Célestins, ensemble immense construit en style néo-florentin par l'architecte Hermant en 1893-1895 à l'emplacement des jardins des Célestins.

■ **N° 1 - BIBLIOTHÈQUE DE L'ARSENAL** - (voir pp. 106-108).

HÔTEL FIEUBET

2 bis, quai des Célestins

HISTORIQUE - *Cette demeure s'élève à l'emplacement d'un ancien hôtel datant du début du* XVII*e siècle, l'hôtel Phélypeaux d'Herbault. Acheté en 1676 par Gaspard III Fieubet, chancelier de la reine Marie-Thérèse, il est reconstruit avec faste tout de suite après, sous la direction de Jacques Gabriel IV, en 1678-1679. Il est possible que Jules Hardouin-Mansart soit intervenu sur le chantier. L'hôtel reste dans la famille Fieubet jusqu'en 1755. En 1769, il passe à la famille Boula de Mareuil, qui le conservera jusqu'à la Restauration.*

En 1816, une raffinerie de sucre s'y installe. Le comte de Lavalette, ingénieur et fondateur de la Revue de l'Assemblée nationale, *s'en rend propriétaire en 1857. Il entreprend de faire refaire l'extérieur par l'architecte Jules Gros dans un style pastichant les motifs de la Renaissance et du baroque avec une extrême lourdeur.*

L'école Massillon, qui achète l'hôtel en état de semi-ruine en 1877, fait des travaux d'accommodement, et construit la lourde aile droite sur cour abritant la chapelle.

Décor sculpté Second Empire.

ARCHITECTURE - Il faut faire son deuil de la grande façade sur cour défigurée par Gros. Ne subsistent des façades Louis XIV que le portail bas orné de sphinges, l'aile gauche et la sévère façade sur l'ancien jardin, visible depuis la rue des Lions. A l'angle de la rue du Petit Musc s'élance une tourelle carrée en encorbellement qui abritait la chapelle. À l'intérieur, le grand escalier tout en pierre et l'escalier ovale en vis de Saint-Gilles ont disparu. Seul demeure, dans l'aile droite sur la rue du Petit Musc, un escalier en bois à vide central et balustres carrés. Le jardin est devenu la cour de récréation de l'école.

Façade sur l'ancien jardin.

BOULEVARD MORLAND

Cette voie recouvre l'emplacement d'un ancien bras du fleuve séparant la rive droite d'une île supprimée en 1843, l'île Louviers. Son nom rappelle le colonel Morland, tué en 1805 à Austerlitz.
Au XVIIIe siècle, c'était un quai planté d'ormes, un mail, ce qui en faisait une promenade très prisée des Parisiens.

□ **N° 18 - L'ARSENAL** - Construite sous la direction de Germain Boffrand pour le duc du Maine, cette partie est édifiée avec difficulté entre 1715 et 1725. Le maître maçon, Fouquet de Sainte-Olive, trouve la mort sur le chantier en 1720. La façade a été conçue en fonction du quai et de la belle vue qu'elle procurait sur le fleuve. Le parti en est simple : un long avant-corps, deux ailes en léger retrait et un décor d'un grand dépouillement – il manque cependant le grand balcon soulignant le premier étage. L'effet décoratif est concentré sur l'entablement à consoles doubles, et surtout sur la corniche hérissée de canons qui rappellent, pacifiquement, la vocation militaire de l'édifice, qui n'avait déjà plus cours à l'époque.

Entre le boulevard Morland et le quai Henri IV s'étendait, jusqu'en 1843, la troisième île de Paris, l'île Louviers, qu'un petit pont, le pont de Grammont, situé face à la rue du Petit Musc, reliait à la rive. Cette île servait de dépôts de bois sous l'Ancien Régime.
Propriété de la Ville de Paris depuis 1709, elle était condamnée à disparaître. En 1841, une ordonnance de Louis-Philippe commandait son rattachement à la rive droite.

□ **N° 17 - PRÉFECTURE DE PARIS** - On considérera d'un œil sceptique cette dernière œuvre d'Albert Laprade datant de 1975.

□ **N° 21 - PAVILLON DE L'ARSENAL** - Édifice construit en 1878-1879 par l'architecte Clément pour un riche marchand de bois, Laurent-Louis Borniche, amateur de peinture, qui souhaitait en faire un lieu d'exposition populaire. Ayant longtemps servi d'entrepôt, il a été acheté par la Ville de Paris, qui y a installé, en 1988, un centre de documentation et d'expositions permanentes et temporaires sur l'urbanisme parisien contemporain.

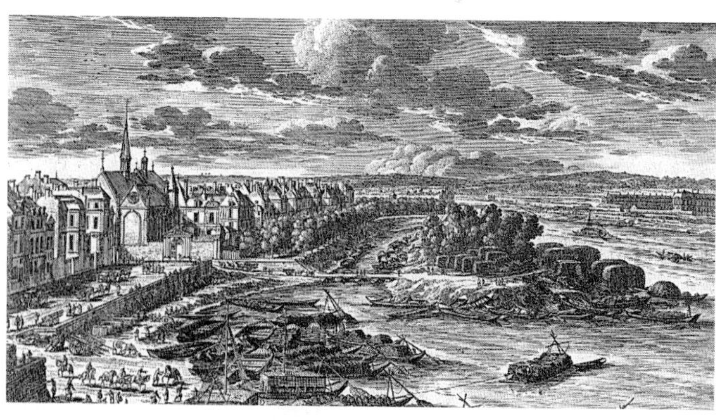

Vue des Célestins, de l'Arsenal et du Mail, gravure de Langlois, fin XVIIe.

RUE DU PETIT MUSC

Voie médiévale, qui marquait la limite orientale de l'hôtel royal Saint-Pol. Son nom semble lui venir d'une transformation orale de « Pute-y-musse », c'est-à-dire « p... s'y promène ».

□ **Nos 2-14** - Lourds immeubles bourgeois début de siècle, construits lors du lotissement de la caserne du Petit Musc. Celle-ci était installée dans les bâtiments du couvent des Célestins, magnifique ensemble construit en 1730 et détruit en 1904. L'église elle-même s'élevait sur l'actuel n° 2. Ce couvent, fondé en 1518, était célèbre pour les nombreux monuments funéraires que renfermait son église – ceux des cœurs d'Henri II et d'Anne de Montmorency sont aujourd'hui au Louvre – et pour son splendide cloître de style Renaissance. L'ensemble a été inexorablement détruit depuis la Révolution jusqu'au règne de Louis-Philippe.

Sur les immenses jardins du couvent est établie l'actuelle caserne des Célestins, ouvrant boulevard Henri IV. Elle a été construite en 1893-1895, en style néo-florentin, par Hermant.

□ **N° 11** - Maison XVIIIe siècle ornée d'une puissante corniche.

□ **Nos 13-15** - Emplacement de l'ancien jardin de l'hôtel Raoul, démoli en 1965 (voir 6, rue Beautreillis, p. 99).

□ **N° 20** - Maison Louis-Philippe où est mort, le 27 octobre 1897, l'historien de Paris E. de Mennorval.

□ **N° 21** - Ancien hôtel particulier, altéré au XIXe siècle. La porte cochère centrale a été obturée et remplacée par deux portes latérales piétonnes. Au fond de l'ancienne cour, parasitée, façade en pierre de taille avec pavillon à gauche.

□ **N° 22** - Maison du XVIIe siècle qui fut la propriété du couvent des Célestins avant la Révolution. La façade ravalée sous Louis XVI porte une corniche à modillons. Dans la cour, à gauche, subsiste un petit escalier à balustres à deux noyaux. L'ensemble a été très restauré en 1992.

□ **N° 27** - Très beau portail en pierre, qui a perdu ses vantaux anciens. Puissante clef de l'arcade.

□ **N° 28** - Derrière un immeuble sur rue sans intérêt se cache, au fond de la cour, un petit bâtiment desservi par un escalier Louis XIII à balustres tournés.

□ **Nos 30-36** - Bâtiments en béton de 1971, construits sur le jardin de l'hôtel de Mayenne (voir p. 86).

□ **Nos 29-31** - Immeubles parasites élevés à l'emplacement de l'ancien jardin de l'hôtel de Charny (voir 22, rue Beautreillis, p. 99) qui était encore intact sous Louis-Philippe.

□ **N° 33** - Grande maison du XVIIe siècle. La façade en pierre de taille a conservé sa porte cochère. À gauche, dans le passage, magnifique escalier Louis XV avec sa rampe en fer forgé

Cloître des Célestins, gravure de Testard.

Démolition des bâtiments du couvent des Célestins en 1904.

BIBLIOTHÈQUE DE L'ARSENAL

1 rue de Sully

HISTORIQUE - *L'actuel bâtiment est le résultat hybride des aménagements réalisés sous le Second Empire par l'architecte Théodore Labrouste, moins connu que son frère Ernest, architecte de la bibliothèque Sainte-Geneviève et de la salle de la Bibliothèque nationale.*

On aura une idée des transformations opérées ici depuis deux cents ans en considérant que la porte de l'Arsenal ouvrait à côté de l'hôtel Fieubet, rue du Petit Musc. Ce portail, petit chef-d'œuvre réalisé sur les plans de Philibert de l'Orme, datait de 1584 et était orné de colonnes en forme de canons.

L'Arsenal avait été fondé et installé ici au XVIe siècle par Louis XII. L'établissement était adossé au mur d'enceinte de Charles V, intra-muros. L'Arsenal prend un nouvel essor lorsque Sully en est nommé Grand Maître par Henri IV en 1599. Partant du vieux pavillon conservé, il fait réaliser l'aile dite des « Grands Maîtres » à partir de 1602 par le maître maçon Marceau Jacquet.

Son successeur, le maréchal de La Meilleraye, se fera aménager de somptueux appartements sous Louis XIII. En 1631 est instituée la Chambre de l'Arsenal, qui aura pour vocation de juger les crimes de fausse monnaie et qui servira lors du procès de Fouquet en 1661-1664 et lors de l'affaire des Poisons en 1680-1683.

Au fil du temps, l'Arsenal perd sa fonction militaire : les fonderies, supprimées en 1670, sont rétablies en 1684 au profit des frères Keller, célèbres fondeurs en bronze de Louis XIV. Tout au long du XVIIIe siècle, comme le Louvre abandonné par les rois, l'Arsenal abrita un caravansérail d'artistes, de peintres, de « parasites » agréés par la Couronne. Lavoisier devait y avoir son laboratoire de 1755 à 1792, Hubert Robert et l'ébéniste Riesener leurs ateliers.

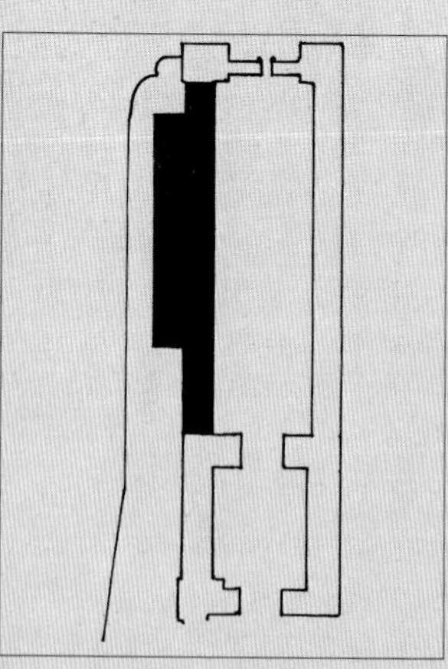

L'Arsenal en 1790,
en noir partie subsistante.

Au début du XVIIIe siècle, le duc du Maine, bâtard du Roi-Soleil et de la Montespan, est nommé Grand Maître. Il fait entreprendre de nouveaux embellissements par Boffrand, mais réside peu dans le vieux bâtiment que son épouse a en horreur. Des locataires s'installent ; l'architecte Dauphin se fait aménager, en 1745, un appartement. En 1755, la charge de Grand Maître est supprimée et remplacée par celle de « bailli ayant la garde de l'Arsenal », poste auquel est nommé un érudit, Voyer Paulmy d'Argenson. Il y rassemble une remar-

Façade de l'Arsenal sur l'ancien mail construite par Boffrand.

quable collection de livres et d'estampes, créant une bibliothèque privée. Achetée par le comte d'Artois, frère du roi, la bibliothèque est confisquée à la Révolution, puis ouverte au public le 28 avril 1797. Mme de Genlis y tient son salon de 1802 à 1811, avec l'agrément de Napoléon. Rendue en 1814 au frère du roi (futur Charles X), la bibliothèque devient « bibliothèque de Monsieur », nom qu'elle conserva après que Charles X, monté sur le trône, l'eut donnée à l'État. C'est pourquoi elle manque de peu d'être pillée lors de la révolution de 1830. C'est grâce au zèle de Charles Nodier qu'elle est sauvée.

Bibliothécaire de 1824 à 1844, ce dernier y tient un salon où le Tout-Paris romantique afflue. À la fin du siècle, un autre poète, José Maria de Heredia, également en charge de la bibliothèque, y aura aussi un salon littéraire.

L'Arsenal, dont les bâtiments s'étendaient très à l'est, est partiellement incendié pendant la Commune en 1871. Les démolitions qui s'ensuivent achèvent de précipiter la transformation radicale d'un ensemble jadis immense, et aujourd'hui réduit à sa plus simple expression.

Panneau peint Louis XIII, cabinet de La Meilleraye.

BIBLIOTHÈQUE DE L'ARSENAL

1, rue de Sully

ARCHITECTURE - Il ne subsiste du vieil Arsenal que l'aile sud de l'ancienne grande cour. Elle est composée de deux ensembles séparés par le gros mur de Charles V. La partie sur la rue de Sully, de 1602, a vu sa façade systématisée par Labrouste. Celle-ci présente des fenêtres à encadrement en harpe et un pavillon dont le comble en pointe souligne la place de l'escalier principal. De l'autre côté de cette épaisse fortification demeure la belle façade de Germain Boffrand (voir 18, boulevard Morland, p. 104). De l'époque du successeur de Sully, le maréchal de La Meilleraye, subsistent deux pièces, déplacées et très remaniées par Labrouste, aux boiseries Louis XIII ornées de peintures de l'école de Vouet (dont N. Quillerier), ainsi qu'un grand escalier en bois à balustres carrés et vide central dont la porte sur la rue de Sully est marquée de la devise du maréchal : *Telo metuenda paterno.*

Pavillon de la duchesse du Maine, dessin de Boffrand.

Les appartements Louis XV de l'aile Boffrand, somptueux et méconnus, datent de 1745 et sont l'œuvre de l'architecte Dauphin. Des embellissements exécutés pour d'Argenson vers 1773 subsiste une pièce au décor Louis XVI. Le reste est XIXe.

Judith et Semiramis,
cabinet de la maréchale de La Meilleraye.

ouvragée. Le revers de la façade sur la cour est orné d'arcades en pierre.
☐ **N° 35** - Curieux immeuble post-moderne de 1992. Emplacement de l'ancienne auberge de la Herse d'or, attestée dès le XVIe siècle et démolie par vandalisme dans les années 50. Le terrain, resté longtemps vacant, était fermé sur la rue par l'ancien portail cocher, finalement rasé.

RUE DE LA CERISAIE

Voie ouverte en 1544 lors du lotissement de l'hôtel d'Étampes. Elle rejoignait à l'origine la rue Saint-Antoine par un coude, supprimé dès la fin du XVIe siècle par le banquier Zamet (voir n° 10) pour son hôtel. À la demande des habitants, un passage entre le petit Arsenal et la rue Saint-Antoine est établi en 1740 sur les jardins de l'hôtel Lesdiguières. Ce passage est devenu en 1792 l'actuelle rue Lesdiguières.
La rue de la Cerisaie a été coupée en deux par le boulevard Henri IV.

☐ **N° 10** - Emplacement de l'ancien hôtel Lesdiguières. Construit pour un financier italien, Sébastien Zamet, entre 1580 et 1587, ce vaste hôtel, où Marie de Médicis venait souvent, passe en 1614 au connétable de Lesdiguières. En 1717, le tsar Pierre le Grand y réside lors de son célèbre voyage à Paris. Loué dès la fin du XVIIIe siècle, il a été détruit en 1877 (plaque).
☐ **N° 11** - Maison ancienne d'un étage surélevée. Le toit est recouvert de vieilles tuiles. La porte cochère, munie de ses vantaux d'origine, donne sur une cour pavée. À droite, on aperçoit le départ enroulé du grand escalier avec une rampe en fer forgé.
☐ **N° 15 - HÔTEL TITON DU TILLET** - Il appartient en 1690 à Titon du Tillet. L'hôtel offre une remarquable façade en pierre de taille Louis XIV, ornée d'appuis au premier étage, de bas-reliefs couronnant les baies des deux étages, et d'une balustrade coiffant l'élévation. Sur le cartouche du portail se lit l'inscription commerciale « Chambre syndicale de l'ameublement », société propriétaire au début du siècle.
☐ **N° 16** - Emplacement de l'ancien lavoir de l'Arsenal, établi dans une maison Renaissance, et détruit en 1931.
☐ **N° 22** - Grande maison élevée à l'emplacement de l'ancienne maison de Philibert de l'Orme. Le célèbre architecte l'avait construite pour son usage personnel en 1554-1558. Détruite partiellement en 1843, elle a entièrement disparu sous le Second Empire.
☐ **N° 25** - Ce petit hôtel présente une belle façade Louis XIV à fronton. Le portail mène à une cour pavée.
☐ **N° 31** - À l'angle de la rue du Petit Musc, amusante maison basse qui abrite un restaurant de quartier, « Le Temps des cerises ».

Portail, 15, rue de la Cerisaie.

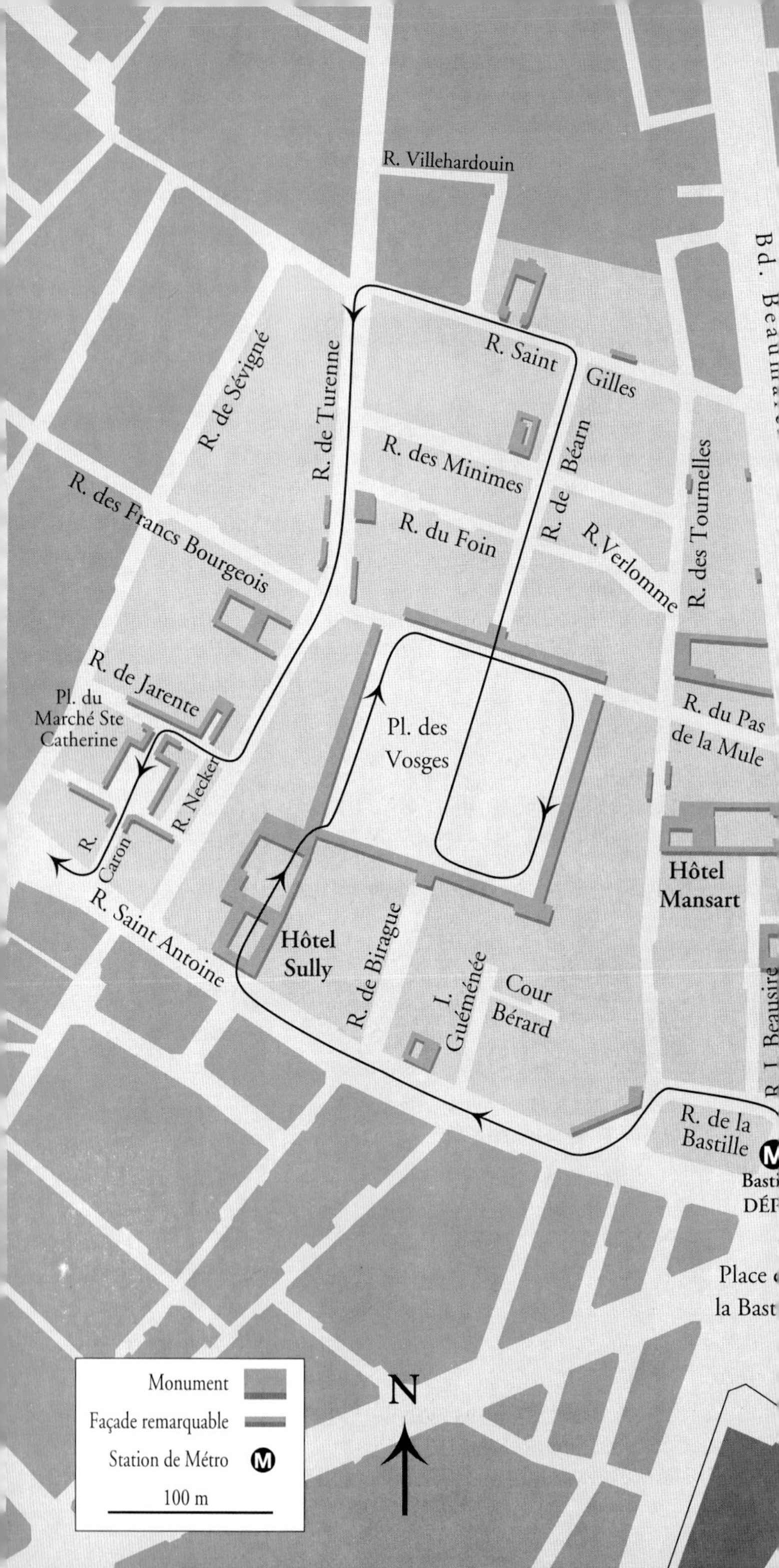

R. Villehardouin
Bd. Beaumarc
R. Saint Gilles
R. de Sévigné
R. de Turenne
R. des Minimes
R. de Béarn
R. du Foin
R. des Francs Bourgeois
R. Verlomme
R. des Tournelles
R. de Jarente
Pl. du Marché Ste Catherine
Pl. des Vosges
R. du Pas de la Mule
R. Necker
R. Caron
Hôtel Mansart
R. Saint Antoine
Hôtel Sully
R. de Birague
I. Guéménée
Cour Bérard
R. de la Bastille
R. J. Beausire
Place d
la Bast
Monument
Façade remarquable
Station de Métro
100 m
N

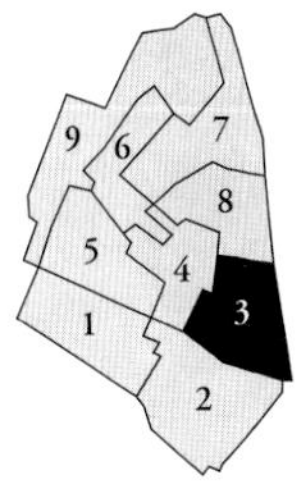

3

Promenade

La place Royale et ses entours

Place de la Bastille. Rues de la Bastille, Jean Beausire, Saint-Antoine (côté pair). Impasse Guéménée. Rue de Birague. Place des Vosges. Rue du Pas de la Mule. Boulevard Beaumarchais (n°s 1-77). Rues des Tournelles, des Minimes, du Foin, de Béarn, Saint-Gilles, de Turenne (n°s 5-45), de Jarente. Place du Marché Sainte-Catherine. Rues d'Ormesson, Caron.

On entre ici dans le grand Marais, Marais royal, Marais aristocratique. Au nord de la rue Saint-Antoine, alors fermée à l'est par la forteresse de la Bastille, s'était formée au XVe siècle une nouvelle résidence royale, l'hôtel des Tournelles. Cette demeure, entourée d'immenses jardins et située à proximité de la « grand' rue Saint-Antoine », propice aux joutes et aux tournois, était l'un des séjours favoris des Valois. Mais la mort accidentelle d'Henri II, en 1559, lors d'un de ces jeux, en marqua bientôt la fin : la Cour s'installa au Louvre et l'hôtel, sur ordre de Catherine de Médicis, fut loti.

Le lotissement des vastes terrains des Tournelles et la reconstruction de la place Royale (actuelle place des Vosges) sous Henri IV relançaient malgré tout la mode du Marais pour cent ans. Tout le quartier se peupla alors de belles demeures, au nord, près des Minimes, et, à l'est, où la destruction de l'enceinte de Charles V avait mis en valeur la rue des Tournelles.

PLACE DE LA BASTILLE

Cette place est, sur le plan urbain, un échec. Des nombreux projets qui ont tenté de lui donner une forme régulière, aucun n'a abouti, et ce n'est plus aujourd'hui qu'un vaste tourniquet à voitures. « L'Opéra populaire », loin de ramener l'harmonie sur le site, ajoute à la cacophonie générale et ressemble, selon le mot d'un critique moderne, à un « hippopotame coincé dans une baignoire ».

Au centre de la place se dresse la colonne de Juillet, qui commémore la chute du Trône légitime en juillet 1830. Construite en 1835-1840 par l'architecte Duc, elle est surmontée du Génie de la Liberté, *sculpté par Dumont.*

Lors de l'installation de Charles V à l'hôtel Saint-Pol, Hugues Aubriot, prévôt de Paris, décide de renforcer le côté est de l'enceinte pour protéger le quartier. Il transforme donc la porte Saint-Antoine, alors flanquée de deux tours, en une redoutable forteresse rectangulaire défendue par huit tours.

Construite entre 1370 et 1382, la Bastille ne joue aucun rôle militaire et sert dès le Moyen Âge de prison, où seront enfermées jusqu'à la Révolution de nombreuses personnalités, comme Fouquet et Voltaire. Contrairement à la légende noire, les embastillés bénéficient au XVIIIe siècle de conditions privilégiées.

Devenue encombrante et inutile à la Couronne, sa démolition est envisagée par Louis XVI. En 1784, l'architecte Corbet publie spontanément les plans d'une place royale circulaire dédiée au roi, mais faute d'argent ce projet ne voit pas le jour.

Lors des troubles de juillet 1789, les émeutiers attaquent la Bastille pour y prendre de la poudre. C'est Jourdan de Launay, dernier capitaine-gouverneur (1776-1789), qui fait face à l'assaut. Désabusé, n'ayant reçu aucun ordre précis, il n'oppose pas de résistance. C'est ainsi que la Bastille se rend, contre la promesse qu'il ne sera fait aucune violence à la garnison d'invalides gardienne des sept prisonniers. Mais cette promesse ne sera pas tenue.

Le malheureux Launay est arrêté et massacré place de Grève, alors qu'il est conduit à l'Hôtel de Ville. Sa tête est la première à être mise sur une pique. La Révolution commençait. Prise comme symbole de la féodalité, la Bastille est rasée en quelques mois, sous l'égide d'un citoyen avisé, Pierre-François Palloy (1754-1835).

Un marquage au sol réalisé en petits pavés carrés à l'entrée de la rue Saint-Antoine rappelle l'emplacement de la forteresse, dont quelques vestiges sont encore visibles dans les espaces du métro. Une plaque représentant le plan de la Bastille a également été apposée sur un immeuble début de siècle au n° 3 de la place. Un impact de boulet, clin d'œil de l'architecte, apparaît sur la façade avec l'inscription « Souvenir du 14 juillet 1789 » !

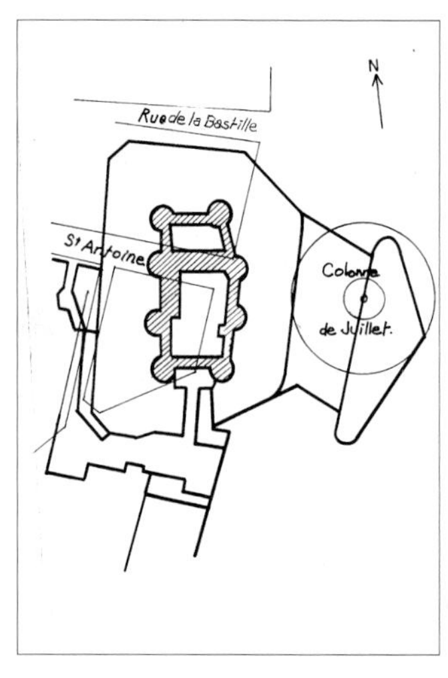

Emprise de la Bastille
sur le plan actuel de la place.

Hôtel de Sully, aile droite sur cour : *La Terre*, vers 1625.

RUE DE LA BASTILLE

Sous Charles V, lors de la construction de la Bastille, la rue Saint-Antoine dut être déviée pour contourner la forteresse : c'est l'origine de la rue de la Bastille. Après la démolition de la forteresse en 1789, la rue Saint-Antoine retrouve son tracé d'origine, et le coude qu'elle formait pour éviter le château est baptisé en 1877 rue de la Bastille.

☐ **N°s 3-7** - « Brasserie Bofinger », fondée en 1864. La belle salle du restaurant conserve un décor début de siècle très représentatif, et, au rez-de-chaussée, une majestueuse verrière ovale.

☐ **N° 11** - Emplacement de la porte Saint-Antoine. Reconstruite au XVIe siècle et décorée par Jean Goujon, elle avait été transformée en 1671 par Blondel en arc de triomphe. De cet arc, détruit en 1778, ne subsistent que deux statues de Van Obstal, conservées au musée Carnavalet. Avant que la Bastille ne soit construite, la porte Saint-Antoine ouvrait l'enceinte Charles V dans l'axe de la rue Saint-Antoine.

La Bastille et la porte Saint-Antoine, gravure de Jacques Rigaud, début XVIIIe.

RUE JEAN BEAUSIRE

Cette petite voie en forme de coude, qui relie la rue de la Bastille au boulevard Beaumarchais, s'appelait aux XIVe et XVe siècles « rue d'Espagne », et porte depuis le XVIe siècle le nom d'un riche bourgeois qui habitait le quartier. Lors de l'ouverture du boulevard (actuel boulevard Beaumarchais), en 1670, les habitants souhaitèrent que leur rue soit prolongée jusqu'à la rue du Pas de la Mule. Mais le jardin de l'hôtel Mansart de Sagonne, qui s'étendait déjà jusqu'au boulevard (voir 28, rue des Tournelles ou 21, boulevard Beaumarchais, pp. 128-130), y faisait obstacle.

☐ **N° 3** - Petite maison Ancien Régime pittoresque.

☐ **N° 10** - Hôtel de 1781 (voir 13, boulevard Beaumarchais, p. 128).

RUE SAINT-ANTOINE

À la hauteur du n° 10, la rue est bordée par une petite place triangulaire, appelée au XVIIIe siècle « place de l'Arsenal », sur laquelle se dresse la statue de Beaumarchais réalisée en 1895 par Clausade.

□ **N° 10 -** Grand ensemble locatif XVIIIe avec une façade rhabillée sous Louis-Philippe. Au fond d'une vaste cour pavée s'élève un sobre corps de bâtiment. À gauche et dans l'aile droite subsistent deux escaliers XVIIIe au dessin sobre.

□ **N° 12 -** Petite maison Louis XV. Façade en pierre de taille, où les vides l'emportent sur les pleins.

□ **N° 16 -** Le rez-de-chaussée est défiguré par un garage. À gauche, dans le passage, une courette donne accès à un très bel escalier à quatre noyaux et balustres de bois carrés milieu XVIIe. Le fond de la parcelle était occupé jusqu'en 1792 par la congrégation des Filles de la Croix, installée là en 1643. Le couvent, chargé de l'éducation des jeunes filles, avait son entrée principale 4, impasse Guéménée (voir p. 120). Au XIXe siècle, les bâtiments conventuels ont été convertis en filature.

□ **N° 24 -** Cette façade asséchée et surélevée porte un balcon Louis XV et de beaux appuis. La porte cochère a conservé ses vantaux XVIIIe.

□ **N°s 28-30 -** Grande maison de rapport bâtie vers 1742 pour Pierre Desprez de Bienville par l'entrepreneur Denis Roquet. La façade en pierre de taille est de belle proportion et conserve ses appuis.

□ **N° 32 -** Cet ensemble est formé de deux maisons jadis distinctes. La première, établie sur la rue, a conservé son portail et son corps de logis en aile à droite, datant de Louis XIV, ainsi qu'un beau balcon sur consoles de la même époque. La seconde maison était établie au fond de la cour pavée. Elle a été remplacée en 1898 par un immeuble de rapport construit par l'architecte Martini.

◇ Des n°s 40 à 46 s'étendait le fief privé du Grand et du Petit Chaumont, propriété au XVIIe siècle d'Antoine Gaillard et, en 1765, de Le Pelletier de Beaupré.

□ **N° 44 -** L'immeuble sur rue datant de Louis-Philippe cache une vieille cour pavée et un petit hôtel du XVIIe avec des appuis Louis XV et des lucarnes maçonnées. Bon exemple de façade défigurée par des menuiseries de fenêtres modernes.

□ **N° 46 -** Derrière cette maison s'élevait un petit hôtel avec jardin, pris à bail en 1745 par Jean-Baptiste-François de La Michodière, alors jeune maître des requêtes et futur prévôt des marchands de 1772 à 1778. L'hôtel a été transformé au début du siècle par une entreprise de ferronnerie. Le décor intérieur a été dispersé en 1905.

□ **N° 50 -** Au fond du passage s'élève un charmant petit hôtel Louis XV, dont la façade est ornée d'un fronton à consoles au motif ravissant.

□ **N°s 56-60 -** Porte cochère Louis XIV, avec impostes en fer forgé. Dans la cour, à gauche, escalier Louis XIV dont la rampe en fer forgé offre un beau dessin. La maison est formée de deux parcelles anciennes réunies, d'où le dédale de cours et de courettes.

■ **N° 62 - HÔTEL DE SULLY -** (voir pp. 116-119).

□ **N° 70 -** Entrée du Petit-Sully, correspondant à la basse-cour des communs de l'hôtel de Sully.

□ **N° 88 -** Cette maison construite en 1787 a été trop ravalée, mais conserve des appuis à décor géométrique.

□ **N° 90 -** Cette belle façade Louis XVI, altérée par un ravalement en 1993, possède au premier étage une baie avec un décor intéressant. L'entresol est orné de refends.

HÔTEL DE SULLY

62, rue Saint-Antoine

Le facétieux Tallemant des Réaux raconte dans ses *Historiettes* que Sully, trompé par sa femme, « ne se tourmentoit pas autrement d'estre cocu, et en donnant de l'argent à sa femme, il disoit : "Tant pour cela, tant pour cela, et tant pour vos f...". Ce bonhomme, plus de vingt-cinq ans après que tout le monde avoit cessé de porter des chaisnes et des enseignes de diamans, en mettoit tous les jours pour se parer et se promenoit en cet équipage sous les porches de la place Royale qui est près de son hostel. Tous les passans s'amusoient à le regarder. »

HISTORIQUE - *L'hôtel de Sully, sans conteste l'un des plus beaux du Marais, a été bâti à l'emplacement de l'ancienne maison de la Moufle, achetée en 1624 par Mesme Gallet, contrôleur des Finances. Celui-ci fait immédiatement entreprendre par le maître maçon Jean Notin la construction d'un hôtel, probablement d'après les dessins de Jean Ier Androuet du Cerceau. La parcelle médiévale, séparée de la rue Saint-Antoine par des maisons, jouxtait la place Royale (actuelle place des Vosges) par un jardin au fond duquel sera élevée l'orangerie.*

Gallet doit bientôt vendre, et la maison inachevée passe en 1628 à Roland de Neubourg, seigneur de Sarcelles. Ce dernier fait terminer les ailes et construire la façade sur rue. Six ans plus tard, Maximilien de Béthune, duc de Sully, alors âgé de soixante-quatorze ans, s'en rend acquéreur. Il fait exécuter le décor intérieur et y vit partiellement jusqu'à sa mort en 1641.

Son petit-fils, deuxième duc de Sully, fait transformer en 1651 par François Le Vau la galerie de l'aile gauche sur cour en un appartement dont subsistent aujourd'hui quelques vestiges. Le troisième duc, enfin, fait construire en 1661

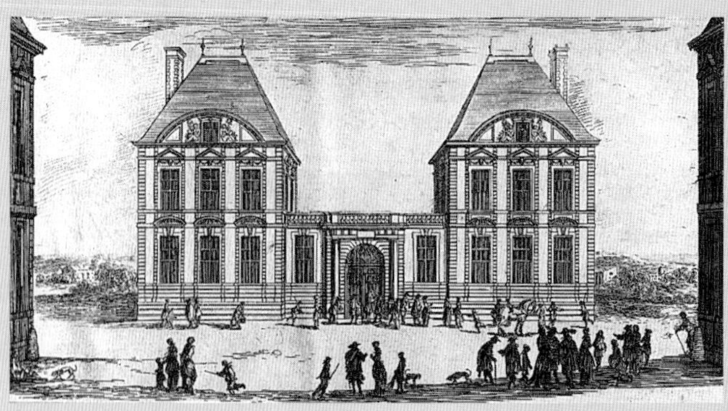

Façade sur la rue Saint-Antoine de l'hôtel de Sully, gravure d'I. Sylvestre, XVIIe.

L'orangerie, au fond du jardin.

l'aile droite sur le jardin par l'architecte Lambert. L'hôtel reste dans la famille Béthune-Sully jusqu'en 1752, date à laquelle il est vendu aux Turgot de Saint-Clair, famille du ministre de Louis XVI. Au XIXe *siècle, l'hôtel connaît un sort plus modeste, et devient en 1827 un pensionnat pour jeunes filles où Blanqui enseignera un temps. La Société des amis des monuments et des arts loue en 1909 une partie de l'aile gauche, et son président, Charles Normand, y fonde un petit musée du Vieux Paris. L'hôtel est alors entièrement loué, le jardin recouvert par un atelier et l'orangerie vendue. Un bâtiment parasite avait été lancé sous Louis-Philippe entre les deux pavillons sur rue, dénaturant l'ensemble de la façade.*

Acquis par l'État en 1944 et en 1953 pour l'orangerie, l'hôtel est entièrement restauré et retrouve son aspect d'origine. Il abrite depuis lors la Caisse nationale des monuments historiques et des sites.

Plafond à poutres et solives peintes, grande salle du rez-de-chaussée.

HÔTEL DE SULLY

62, rue Saint-Antoine

ARCHITECTURE - L'hôtel de Sully forme un ensemble admirable, d'où se dégage une atmosphère extraordinaire : façade sur rue, cour, corps de logis avec escalier et appartements, jardin, orangerie, tout est resté en place.

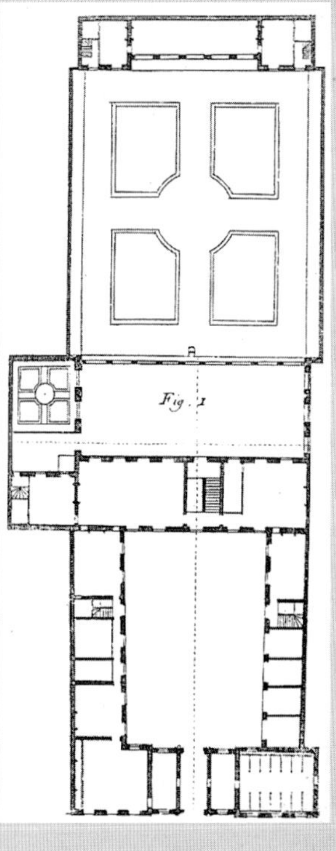

Plan de l'hôtel de Sully, d'après J. Marot, seconde moitié du XVIIe.

La façade sur rue est flanquée de deux gros pavillons dont les frontons arrondis sont décorés de petits amours. Entre ces deux pavillons s'ouvre le portail encadré de colonnes et coiffé d'une terrasse à balustrades – disposition restituée lors de la restauration.

La cour est entourée sur trois côtés par de puissants corps de logis de même hauteur. Les façades offrent un décor sculpté maniérisant déjà un peu archaïque pour l'époque. À l'origine, l'hôtel devait être construit en brique et pierre, comme la place Royale, mais Mesme Gallet préféra une construction tout en pierre, condition d'un décor abondamment sculpté : frontons, mascarons, coquilles, linges. Sur les ailes, des niches abritent des figures en bas relief représentant les *Quatre Éléments* : à gauche, *L'Air* et *Le Feu*, à droite, *L'Eau* et *La Terre*. Le corps principal, en revanche, est orné de deux *Saisons* : *L'Automne* et *L'Hiver* drapé frileusement. Ces sculptures ont un modelé vigoureux. Un petit fossé sec défend le corps de logis auquel on accède par un pont que gardent deux sphinges.

Au centre de la demeure qu'il coupe en deux s'élance le grand escalier central à mur d'échiffre « à l'italienne », tout en pierre. Ses voûtes plates sont aussi chargées de sculptures. Il fait office de passage vers le jardin.

On retrouve sur la façade, côté jardin, les deux autres saisons : *Le Printemps* et *L'Été*. Une terrasse, suivant la mode de l'époque, domine le jardin. Elle est bordée, à droite, par un décor à arcades d'origine et, à gauche, par l'aile construite en 1661, qui reprend harmonieusement la façade Louis XIII.

Détail du couronnement d'une lucarne.

Le jardin a été restitué simplement avec quatre parterres de pelouse. Lors de la restauration, il a fallu retrouver le niveau d'origine du sol, exhaussé au XIXe siècle, d'où l'incongruité de l'arbre qui paraît planté un mètre au-dessus du sol.

Au fond se dresse l'élégant petit bâtiment de l'orangerie, encadré par deux pavillons construits dès 1624 et appelés à tort « Petit-Sully ». Le rez-de-chaussée, orné d'arcades à refends, est coiffé d'un comble aux lucarnes passantes.

Par le pavillon de droite, un passage permet de gagner la place des Vosges.

Les intérieurs de l'hôtel ont conservé plusieurs pièces ornées de plafonds à poutres et solives peintes : au rez-de-chaussée, la chambre de l'épouse de Sully et la grande salle, transformée en librairie en 1993, et, à l'étage, des petits cabinets.

De l'appartement aménagé en 1661 dans le pavillon neuf sur jardin pour la troisième duchesse de Sully subsistent l'antichambre au plafond peint d'un décor géométrique, un petit oratoire et surtout la grande chambre. Celle-ci est décorée de peintures et de boiseries et coiffée d'un plafond en calotte où l'on voit *L'Enlèvement d'Endémyon*, œuvre d'Antoine Paillet. L'alcôve a été conservée.

Façade principale sur cour,
L'Hiver.

Aile droite sur cour,
L'Eau.

IMPASSE GUÉMÉNÉE

Ancien « cul-de-sac du Ha ! Ha ! », cette petite impasse servait de voie de service à l'hôtel de Rohan-Guéménée (voir 6, place des Vosges, p. 126).

☐ **N° 1** - Entrée du grand immeuble de rapport Louis XV (voir 30, rue Saint-Antoine). Le vestibule de l'escalier est décoré en faux marbre avec une statue dans le goût de la seconde moitié du XIXe siècle.
☐ **N° 2** - Hôtel ouvert d'un portail avec arcade en pierre et vantaux XVIIIe.
☐ **N° 4** - Emplacement de l'entrée de l'ancien couvent des Filles de la Croix. Très belle arcade en pierre du portail, qui a conservé ses vantaux d'origine. À gauche, dans le passage, subsiste un escalier avec une rampe néo-Louis XIV. Au fond de la cour pavée, encore occupée industriellement, se dresse un bâtiment surélevé qui a conservé, au deuxième étage, des appuis Louis XIV.
☐ **N° 5** - Immeuble pastiche. Le comble est couvert de vieilles tuiles plates en remploi.
☐ **N° 7** - Sage façade du XVIIIe, ornée d'appuis Louis XV. Sur le comble se détache une lucarne avec sa potence.
☐ **N° 8** - Maison XVIIe habillée sous Louis XV. La façade principale, qui donne sur la cour Bérard, porte de beaux appuis XVIIIe et un motif sculpté en couronnement au second étage de la travée centrale. Très bel escalier, avec une rampe en fer forgé Louis XIV, dont le départ est formé d'une gaine carrée.
☐ **N° 10** - Immeuble postmoderne rythmé par d'étranges lucarnes en verre.
☐ **N° 12** - Sortie arrière de l'hôtel de Rohan-Guéménée (voir 6, place des Vosges, p. 126). Cette haute façade néo-classique, scandée par des appuis et des consoles, est décorée d'une corniche à denticules. Une lucarne avec sa potence termine l'élévation.
◇ Entre les n°s 8 et 10, on accède à la cour Bérard (voie privée).

RUE DE BIRAGUE

Ouverte en 1605 pour desservir la place Royale depuis la rue Saint-Antoine, cette rue s'est appelée jusqu'en 1792 « rue Royale Saint-Antoine ». Elle a conservé un ensemble complet de façades anciennes. En toile de fond se dresse la façade arrière du pavillon du Roi.

☐ **N° 6** - Très belle petite porte piétonne avec son imposte. Le vantail, délicatement mouluré, a conservé son marteau de fer forgé.
☐ **N° 7** - Façade Louis XVI typique, ornée d'une corniche à modillons et décorée de consoles au niveau des baies. Un beau balcon agrémente le premier étage.
☐ **N° 10** - Maison mortuaire du conventionnel Joseph Lakanal (plaque).
☐ **N° 13** - Le corps de logis du XVIIe siècle, avec porte cochère, dépend de l'hôtel de Coulanges (voir 1 bis, place des Vosges, p. 124).
☐ **N° 14** - Belle façade néo-classique ornée d'une corniche à denticules. La porte cochère, qui a conservé ses vantaux, donne accès par un passage à une cour pavée, pleine de charme. À gauche, un escalier fin XVIIIe a été conservé. Le bâtiment du fond, qui donne sur l'impasse Guéménée, est orné d'appuis en fer forgé au dessin remarquable. L'aile, à gauche, est sommée d'une lucarne avec sa poulie.

PLACE DES VOSGES

HISTORIQUE - *Construite sous Henri IV, la place des Vosges recouvre l'emplacement de l'ancien hôtel des Tournelles et d'une partie de ses vastes jardins. Cette résidence royale avait été aménagée dès 1388 sur l'ancien hôtel d'Orgemont, acheté par Charles VI. Son nom lui vient des nombreuses tourelles qui ornaient ses murs. Habité par le duc de Bedford lors de l'occupation anglaise, l'hôtel des Tournelles devient ensuite l'une des résidences favorites des Valois. Mais, en juillet 1559, le tragique accident qui coûta la vie à Henri II, lors d'un des tournois organisés rue Saint-Antoine, précipite la fin de l'hôtel des Tournelles, désormais associé dans l'esprit de Catherine de Médicis à la mort de son époux. Le palais est rasé sous Charles IX, et Henri III installe sur le terrain libéré un marché aux chevaux.*

Henri IV, désireux d'urbaniser Paris, lance en 1604 un programme industriel comprenant une manufacture de draps de soie et des logements modestes entourant une place carrée. La fabrique, établie sur le côté nord, était aux mains d'un consortium de cinq financiers. Les pavillons sont élevés autour de la place, mais la manufacture périclite assez vite, et il faut bientôt changer l'esprit du programme. Henri IV décide alors la construction d'une place Royale, qui devient très recherchée par la haute société. L'ensemble est achevé en 1612, et inauguré à l'occasion des fêtes de fiançailles du jeune Louis XIII avec l'infante d'Espagne.

En 1639, le terre-plein central, encore en sable, reçoit à l'initiative de Richelieu une statue en bronze de Louis XIII à cheval.

Un jardin est ensuite aménagé, et protégé par une magnifique grille en fer forgé posée en 1685, due au maître serrurier Hasté. Ce n'est qu'en 1783 que les riverains demandent la plantation d'arbres qui, en prospérant, ont fini par dissimuler les façades.

En 1792, la statue de Louis XIII est envoyée à la fonte. Elle a été remplacée, sous la Restauration, par l'actuel monument en pierre, un peu raide, sculpté par Dupaty et Cortot, et inauguré en 1829.

Le square d'aujourd'hui est orné de quatre fontaines dues à l'architecte Ménager, et entouré d'une grille en fonte Louis-Philippe, qui remplace pauvrement depuis 1839 l'ancienne grille Louis XIV. La place Royale est baptisée « place des Fédérés » en 1792, et « place des Vosges » en 1800. À cette date, Bonaparte avait offert de récompenser le département qui s'acquitterait le premier de ses contributions en lui attribuant une place dans la capitale. Le département des Vosges arriva en tête. Mais, dès 1814, Louis XVIII rendait à la place son nom d'origine. Ce n'est qu'en septembre 1870 que l'actuelle appellation a été rétablie.

De nos jours, la plupart des pavillons ont été restaurés et la place a retrouvé, avec ses restaurants et ses antiquaires, une certaine dignité.

ARCHITECTURE - La place des Vosges forme un quadrilatère bordé de trente-six pavillons, neuf de chaque côté, de proportions identiques, à l'exception de ceux du Roi et de la Reine, de dimensions plus importantes. Toutes les façades obéissent à un programme architectural établi par Henri IV, et que de sévères règlements ont permis de préserver jusqu'à nous. Cette régularité de forme et d'aspect était une grande nouveauté pour l'époque.

Les pavillons représentent un type particulier d'hôtel parisien entièrement en façade, comportant à l'origine peu de corps de logis portants sur la cour. Les arcades qui occupent le rez-de-chaussée permettent la libre circulation et s'ouvrent sur des boutiques. L'influence flamande est manifeste dans la construction de ces bâtiments en pierre et brique – parfois feintes – comportant un haut comble couvert d'ardoises. Des portes à décor clouté de style Henri IV subsistent encore aux n°s 1 bis, 8, 22, 23 et 24, mais aucun escalier d'origine n'a survécu. La seule modification à l'élévation d'origine réside dans les appuis et les balcons en fer forgé ajoutés par la suite pour l'agrément des propriétaires.

Porte cloutée, début XVIIe, 23, place des Vosges.

Façade restaurée du pavillon de la Reine.

Vue de la place Royale, gravure de Mariette, d'après Perelle, fin XVIIe.

Panneau néo-classique du grand salon, hôtel de Chaulnes, 9, place des Vosges.

Grand salon Louis XVI, pavillon de la Reine, 28, place des Vosges.

PLACE DES VOSGES

Chaque pavillon porte le nom d'une des familles qui l'ont occupé, et possède sa propre histoire. En faisant le tour de la place, le promeneur attentif découvrira qu'en réalité, les pavillons ne correspondent pas exactement aux hôtels : ceux-ci peuvent se composer de deux pavillons, un pavillon et demi, un seul et parfois moins (n° 23). Il est loisible de s'en apercevoir en examinant les balcons et appuis en fer forgé des fenêtres qui marquent bien les limites réelles de propriété.

☐ **N° 1 - PAVILLON DU ROI** - En 1605, Henri IV fait construire cet hôtel, qu'il n'habitera jamais, par le maître maçon Jonas Roblin. Charles de Court, peintre et valet de chambre du roi, en reçoit la conciergerie en 1607. Des locataires l'occupent durant tout l'Ancien Régime. En 1787, le dentiste Le Roy de La Faudignières s'y installe avec sa collection de tableaux. Il est vendu comme bien national en 1799. Les trois arcades du rez-de-chaussée sont rythmées par des pilastres cannelés. À l'étage, le médaillon figurant Henri IV et son monogramme ont été ajoutés ultérieurement.

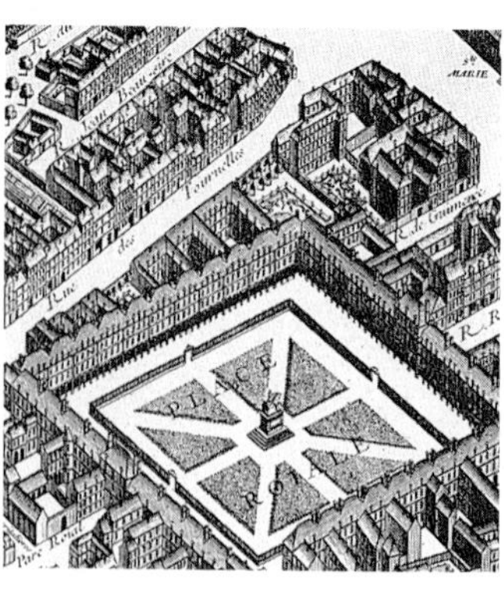

La place Royale, détail du plan dit de Turgot, 1734-1739.

☐ **N° 1 bis - HÔTEL DE COULANGES** - Construit par Philippe de Coulanges, cet hôtel formé d'un pavillon et demi a vu naître Marie de Rabutin-Chantal, future marquise de Sévigné, le 5 février 1626 (plaque).
L'hôtel offre de jolies lucarnes en brique et pierre, les seules de ce type sur la place, un beau balcon au premier étage (posé en 1721) et une porte cloutée. La cour pavée est bordée de deux ailes en brique et pierre, et possède une sortie annexe sur la rue de Birague (n° 13). À l'intérieur subsistent des plafonds peints Louis XIII et deux escaliers avec rampe en fer forgé. Cette maison est en restauration.

☐ **N° 3 - HÔTEL HUGUET DE SÉMONVILLE** - Formé de six arcades, soit un pavillon et demi, cet hôtel a été construit pour Simon Legras. Il appartient, de 1707 à 1776, aux Huguet de Sémonville. À la fin du XIXe siècle, la bibliothèque de l'Union centrale des arts décoratifs s'y installe.
La façade porte un beau balcon de 1708. À gauche, dans l'entrée, subsiste un escalier avec une rampe en fer forgé Louis XIV. La cour pittoresque est entourée de bâtiments néo-Louis XIII, dont l'une des portes, au fond, est encadrée par deux vases en fonte.

☐ **N° 5 - HÔTEL DE ROTROU** - Construit pour Louis de Caillebot, capitaine des gardes du roi, il est composé d'un seul pavillon. Les cuisines de la Compagnie des wagons-lits y étaient installées à la fin du siècle dernier. Dans cet hôtel s'est éteint, en 1899, Jules Cousin, historien de Paris, l'un des fondateurs du musée Carnavalet et de la Bibliothèque historique de la Ville.
La demeure conserve, à l'étage noble, un plafond peint daté de 1660. Dans le passage cocher, les rails et, au fond, les anciennes cuisines, datant de l'occupation industrielle, sont encore visibles.

☐ **N° 7 -** Accès arrière de l'orangerie de l'hôtel de Sully (voir pp. 116-119).

☐ **N° 9 - HÔTEL DE CHAULNES -** Formé de deux pavillons, cet hôtel a été construit par Pierre Fougeu d'Escures, un proche de Sully, qui le conserva jusqu'en 1641. C'est contre la façade qu'ont été posées les tribunes royales lors du carrousel de 1612 pour les fiançailles de Louis XIII. L'hôtel passe en 1644 à Honoré d'Albert, duc de Chaulnes, pair et premier maréchal de France. Il agrandit son domaine d'une basse-cour et commande une nouvelle décoration des intérieurs. La reine visite la demeure tant vantée le 2 avril 1646. Le troisième fils du duc, héritier de l'hôtel, fait construire, en 1676-1677, une aile neuve dans la cour par Jules Hardouin-Mansart, qui redessine aussi le jardin, jadis orné d'une statue de Louis XIV. L'hôtel est vendu en 1701 aux Nicolaï, qui en resteront propriétaires jusqu'en 1822. La célèbre tragédienne Rachel habitera l'hôtel avant sa mort, en 1858, de même que l'historien et érudit Anatole de Montaiglon, locataire de 1856 à sa mort, en 1895.
L'ensemble, qui renferme quelques décors Louis XIII, Louis XIV et surtout Louis XVI, a été restauré en 1967-1969 et abrite, entre autres, l'Académie d'architecture.
Les deux façades sont splendides. La cour pavée est bordée à droite par l'aile classique d'Hardouin-Mansart, avec son avant-corps central à fronton. À gauche, un portail dorique donne accès à la pittoresque basse-cour. Mais le jardin est toujours encombré par un affreux atelier parasite qui ruine la perspective.

☐ **N° 13 - GRAND HÔTEL DE ROHAN -** Formé de deux pavillons, il a été construit pour le conseiller d'État Jean Péricard. Il appartient de 1630 à 1648 à Antoine d'Aumont (voir pp. 72-73), et de 1680 à 1764 aux Rohan. Les appuis des fenêtres Louis XV ont un dessin très souple. La cour-jardin, bordée de pavillons Louis XIII prolongés de deux ailes Louis XV en pierre, est visible depuis la rue de Turenne (voir n° 14, p. 136). Un très bel escalier Louis XVI a été conservé.

☐ **N° 15 - PETIT HÔTEL DE ROHAN -** Ce pavillon est l'un des derniers à ne pas avoir été restauré. La façade porte un balcon Louis XIV, et les travées latérales des appuis au monogramme LB. À droite, dans la cour, très bel escalier Louis XVI, dont l'entrée est ornée de colonnes doriques.

☐ **N° 19 -** Cet hôtel, formé d'un pavillon et demi, a été donné en 1852 à l'Assistance publique par Victor Bellanger. La façade, qui date de 1923, est un bel exercice de restitution. À l'angle, une inscription de l'ancienne « rue de l'Écharpe » et une plaque rappelant la donation de 1852 sont encore visibles. L'arrière de cet hôtel a été détruit en 1913.

☐ **N° 21 - HÔTEL DE RICHELIEU -** Construit sur le terrain de la manufacture en 1609-1610 pour le financier Lumagne, l'hôtel, formé de plus de deux pavillons, passe en 1659 à Armand-Jean du Plessis, petit-neveu

Escalier Louis XVI, hôtel de Rohan, 13, place des Vosges.

du cardinal de Richelieu ; celui-ci ne l'habitera donc jamais. Son fils, l'excentrique maréchal de Richelieu, le fait agrandir en 1734.

L'hôtel possède une grande cour et un petit jardin, qui s'étend jusqu'à la rue du Foin (voir n° 7, p. 134). Ce dernier est malheureusement menacé par une construction moderne. L'escalier, d'une rare ampleur, est une merveille XVIIIe.

☐ **N° 23 - HÔTEL DE BASSOMPIERRE -** Construit en 1609 pour Claude Parfait, il abrite, sous Louis XIII, Marie Touchet, ancienne maîtresse de Charles IX. Les héritiers de celle-ci le vendent en 1665 à l'Hôtel-Dieu. Restauré en 1992, ce petit hôtel ne comporte que trois travées, à cheval sur deux pavillons. La belle porte aux vantaux cloutés d'origine conduit par un passage cocher, voûté en pierre et brique, à la cour pavée où un puits a été rétabli. Dans l'aile droite subsiste un étonnant escalier de 1638, avec rampe en bois à balustres tournés et vases de fruits sculptés aux paliers. Il a été remanié au XIXe siècle. L'intérieur renferme des plafonds à poutres et solives peintes.

Plafond peint Louis XIII,
23, place des Vosges.

☐ **N° 25 - HÔTEL SAINCTOT -** Formé d'un pavillon et demi, il a été construit pour Pierre de Sainctot en 1612. La famille Lescalopier en est propriétaire de 1694 à 1815.

La cour pavée est bordée par deux ailes de même élévation, dont le comble d'ardoises est rythmé par des lucarnes et des œils-de-bœuf en pierre, restaurés. À gauche, sous le porche, et dans l'aile droite, escaliers à rampe en fer forgé Louis XIV.

☐ **N° 6 - HÔTEL DE ROHAN-GUÉMÉNÉE -** Construit pour Isaac Arnauld, cet hôtel formé d'un pavillon passe en 1637 à Louis de Rohan, prince de Guéménée, dont la femme, célèbre précieuse, était connue pour le nombre de ses amants ; les appartements sont alors somptueusement redécorés par Le Pautre. La famille des Rohan le conserve jusqu'en 1784. De 1832 à 1848, l'hôtel est habité par Victor Hugo, dont l'appartement était situé au second étage. La Ville de Paris, propriétaire depuis 1873, a consacré l'hôtel à un musée-souvenir de l'écrivain, en 1903.

Le pavillon renferme un escalier avec sa rampe en fer forgé. La cour possédait jadis une sortie sur l'impasse Guéménée, et le grand jardin, aujourd'hui loti, s'étendait jusqu'à la rue des Tournelles (n°s 13-15 bis), perpendiculairement à l'hôtel.

☐ **N° 8 - HÔTEL DE FOURCY -** Il a été construit pour Jean de Fourcy, sieur de Chessy, surintendant des Bâtiments du roi. Théophile Gautier a habité cet hôtel de 1831 à 1833. Après ses études au lycée Charlemagne, il s'était lancé dans la peinture, qu'il apprenait rue Saint-Antoine chez un certain Rioult. Porte cloutée d'origine.

☐ **N° 10 - HÔTEL DE CHASTILLON -** Il a été construit en 1606 pour Claude de Chastillon, géographe du roi, supposé être l'auteur du dessin de la place. Il a conservé un bel escalier et une porte cochère aux vantaux XVIIIe.

☐ **Nº 12 -** Hôtel occupé depuis 1896 par une école municipale. Un beau balcon Louis XV orne la façade.

☐ **Nº 14 - HÔTEL LA RIVIÈRE -** Formé d'un pavillon et demi, il a été construit pour Pierre de Castille, et acquis en 1652 par l'abbé Louis Barbin de La Rivière, évêque de Langres en 1655. Ce dernier, favori de Gaston d'Orléans, le fait alors somptueusement redécorer par François Le Vau et Le Brun. Laurent de Villedeuil, ministre de Louis XVI, l'habite un temps avant la Révolution. Ses héritiers vendent l'hôtel en 1819 à la Ville de Paris, qui y loge la mairie de l'ancien VIIIe arrondissement, dont on distingue encore le clocheton sur le comble. L'hôtel est dévolu au logement du grand rabbin de France depuis le Second Empire, et jouxte par-derrière la synagogue du 21 bis, rue des Tournelles.
Un beau balcon, daté de 1708, et un très bel escalier Louis XIV ont été conservés. Du décor réalisé pour La Rivière subsistent deux pièces boisées et plafonnées, déposées au musée Carnavalet en 1878.

☐ **Nº 16 -** Hôtel. Un très beau balcon Louis XV souligne la façade. Dans la cour, à gauche, subsiste un grand escalier Louis XIV. Un mascaron barbu orne le passage cocher au revers du corps principal.

☐ **Nº 18 -** Hôtel. Façade redécorée à la fin du XVIIIe. Une frise orne le rez-de-chaussée. De belles lucarnes en pierre du XVIIe, noyées dans la surélévation, sont encore visibles au revers du corps de logis sur cour.

☐ **Nº 20 - HÔTEL FIEUBET -** Construit par le maître maçon Jean Fontaine pour Nicolas d'Angennes en 1607, il est acheté par Gaspard II Fieubet, riche financier qui commande des travaux d'embellissement en 1645 à l'architecte Charles Chamois. La façade porte de beaux appuis et un grand balcon Louis XIV. Si les bâtiments sur cour ont beaucoup souffert, l'ensemble a malgré tout conservé son charme.

☐ **Nº 24 - HÔTEL DE BOUFFLERS.** Cet hôtel a été construit en 1608-1609 par Nicolas Le Camus, l'un des associés de la manufacture. Il est agrandi sous Louis XIII d'un pavillon supplémentaire, au-dessus de la rue du Pas de la Mule. Ce trente-septième pavillon, de même style que les autres, mais de trois travées seulement, a été détruit en juin 1816. L'hôtel est acheté en 1768 par le financier Le Nomand de Mézières, qui le fait réparer en 1769 par Claude-Nicolas Ledoux, auteur d'un grand escalier, hélas disparu. Belle porte cloutée.

☐ **PAVILLON DE LA REINE -** Il est construit pour Jean de Moisset en 1609, quatre ans après le pavillon du Roi, dont il reprend les proportions. Mais, à la différence de ce dernier, le pavillon de la Reine n'est qu'une excroissance du pavillon voisin, l'hôtel Caulet d'Hauteville.

☐ **Nº 28 - HÔTEL CAULET D'HAUTEVILLE -** Formé d'un pavillon et demi, il a été construit en 1609. Un tripot célèbre s'y installe sous Louis XIII, mais jusqu'à la Révolution il est essentiellement habité par des gens de robe. Il est acheté en 1763 par Pierre-Nicolas Caulet d'Hauteville, qui le fait réaménager en style néo-classique. L'hôtel possédait alors un grand jardin qui s'étendait jusqu'à la rue du Foin. Il abrite aujourd'hui un hôtel de tourisme. L'ensemble a été bien rénové. La façade sur cour présente un beau rhabillage néo-classique avec des refends vermiculés et des corniches. Les vantaux de la porte cochère, ainsi que le grand escalier à gauche, sont Louis XVI. Sur la place, Caulet fait poser en 1763 un long balcon au dessin néo-classique, puis modifie assez profondément la façade du pavillon de la Reine, contrevenant aux règlements d'Henri IV. La récente restauration a dû concilier ces apports avec l'ordonnance d'origine. Dans les appartements subsistent quelques boiseries Louis XVI.

RUE DU PAS DE LA MULE

Cette petite rue, ouverte en 1606 entre la place Royale et la rue des Tournelles, a été prolongée jusqu'au boulevard Beaumarchais vers 1686-1690.

☐ **N° 2** - Petit hôtel XVIIIe remanié au XIXe siècle. La porte cochère a conservé ses vantaux Louis XV. Le passage est plafonné d'un décor au plâtre Louis-Philippe étonnant. À gauche, dans la cour, départ d'un escalier Louis XV dont la rampe en fer forgé est de toute beauté.

☐ **N° 3** - Immeuble moderne assez indigent, élevé à l'endroit où se trouvait au XVIIe siècle le célèbre cabaret de « La Fosse-aux-Lions », que fréquentaient les poètes Voiture, Saint-Amant, Blot...

☐ **N° 5** - Bon immeuble de rapport Louis-Philippe.

☐ **Nos 6-8** - À l'emplacement des communs de l'hôtel de Boufflers (voir 24, place des Vosges, p. 127) a été construit, en 1933, ce grand immeuble qui écrase le carrefour.

BOULEVARD BEAUMARCHAIS

L'enceinte de Charles V, supprimée sur décision de Louis XIV, laisse la place, dès 1670, à une longue promenade plantée d'arbres. Baptisée « boulevard de la Porte Saint-Antoine », cette large voie reçoit en 1834 le nom de l'écrivain qui s'y était fait bâtir une extraordinaire maison, en 1789-1790, par l'architecte Guillaume Lemoine. Celle-ci s'élevait à l'emplacement des actuels nos 2 à 20.
Jusqu'à la rue Jean Beausire, le boulevard forme une légère pliure correspondant à une ancienne rue, dite « du Rempart ».

☐ **N° 1** - Immeuble de rapport de la fin du XIXe siècle remplaçant un bâtiment détruit lors des combats de la Commune, en 1871.

☐ **N° 3** - Bel immeuble à loyer Louis XVI, malheureusement surélevé de deux étages au XIXe siècle. Dans le passage d'entrée subsistent deux portes avec leurs couronnements d'origine.

☐ **N° 5** - Maison Louis XVI, qui épouse la légère pliure de la voie. La façade a été surélevée d'un étage au XIXe siècle.

☐ **Nos 7-9** - Ces deux immeubles, aux façades en pierre identiques et au décor soigné, ont été construits en 1845 par l'architecte Boivin. Dans le passage d'entrée, les murs sont ornés de bas-reliefs figurant un décor de vases à l'antique.

☐ **N° 13** - Hôtel construit en 1781. Au fond, le corps de logis, qui ouvrait rue Jean Beausire, est flanqué de deux ailes aujourd'hui réunies par une grille. La façade en pierre de l'aile droite porte un balcon sur consoles. Ensemble surélevé d'un étage au XIXe siècle.

☐ **Nos 21-23** - Jardin de l'hôtel Mansart de Sagonne (voir 28, rue des Tournelles, p. 130). Il est fermé sur le boulevard par une grille reliant deux pavillons bas, construits à la fin du XVIIIe et rhabillés en style néo-Louis XV au XIXe siècle.

☐ **N° 25** - Emplacement de l'ancien théâtre Beaumarchais, construit en 1835 par Claussade. Il a été fermé en 1892 et rasé peu après.

☐ **N° 37** - Immeuble de rapport Louis-Philippe. La façade, restaurée en 1993, est de bonne facture. Emplacement du jardin de l'hôtel de Melun (voir 50, rue des Tournelles, p. 131).

□ **N° 43 -** Façade arrière de l'hôtel du 56, rue des Tournelles. Un parasite sur l'ancien jardin dissimule les bâtiments anciens.

□ **N°s 47-49 -** Ces deux immeubles de rapport de style néo-Louis XVI, construits par l'architecte Sibert, offrent des façades identiques en pierre de taille. Le décor du passage d'entrée est étonnant. Au fond, ancienne fontaine avec statue.

□ **N° 57 -** Intéressant immeuble de rapport construit par l'architecte Davrange, en 1850.

□ **N° 61 -** Immeuble de rapport Louis-Philippe. Le vantail de la porte possède une très belle grille en fonte.

□ **N° 67 -** Immeuble de rapport Second Empire. Les vantaux néo-Louis XV de la porte cochère sont surmontés d'une hure de sanglier, copiée sur celle qui orne la porte de l'hôtel d'Ecquevilly (voir 60, rue de Turenne, pp. 270-271).

□ **N°s 69-71 -** Immeubles de rapport Louis-Philippe en pierre de taille, dont les façades, décorées de pilastres et de sculptures, portent des balcons avec de belles grilles en fonte.

□ **N° 73 -** Porte avec pilastre. Beaux dessins de la grille en fonte.

□ **N°s 75-77 -** Décors sculptés des rez-de-chaussée.

RUE DES TOURNELLES

Cette longue rue, qui s'étire paresseusement vers le nord, a été ouverte à la fin du XVIe siècle et offre une suite de belles façades homogènes. Son nom rappelle le palais royal des Tournelles voisin. Cette voie s'est appelée au XVIIe siècle « rue du Devers du Rempart », car elle longeait intérieurement l'enceinte de Charles V.

□ **N° 6 -** Porte cloutée Louis XIII.

□ **N°s 13-15 -** Maisons établies à l'emplacement de l'ancien jardin de l'hôtel de Rohan-Guéménée, 6, place des Vosges.

□ **N° 21 -** Emplacement de l'ancien jardin de l'hôtel situé 12, place des Vosges.

□ **N° 21 bis -** Synagogue construite, en 1875, par l'architecte Varcollier à l'emplacement de l'ancienne cour de l'hôtel du 14, place des Vosges. La structure métallique interne apparente est due à Gustave Eiffel.

□ **N° 25 -** Corps de logis arrière de l'hôtel du 20, place des Vosges. Façade en pierre de taille Louis XV originale, dont le second étage forme deux pavillons séparés.

□ **N° 26 -** Façade du XVIIe siècle, percée d'un beau portail. Une lucarne maçonnée se détache du toit.

■ **N° 28 - HÔTEL MANSART DE SAGONNE -** (voir p. 130).

□ **N° 33 -** Petite maison à façade Louis XVI.

◇ À la hauteur de l'ancien n° 35, départ de la rue Roger Verlomme. Cette surprenante voie, d'une largeur qui tranche dans le tissu urbain du quartier, correspond à une grande rue projetée par Haussmann, la « rue

Mascaron, 36, rue des Tournelles.

HÔTEL MANSART DE SAGONNE

28, rue des Tournelles

Façade sur jardin, gravure de Mariette d'après un dessin de Chevotet, XVIIIe.

HISTORIQUE - *Cet hôtel a été construit par l'architecte Jules Hardouin-Mansart, vers 1677-1680, en partie sur une propriété que sa famille possédait depuis le début du XVIIe siècle. Mansart l'aménage dès 1683 pour son usage personnel. Au plan initial, il ajoute, vers 1687-1692, la troisième aile sur cour et charge les frères Corneille, Michel II et Jean-Baptiste, ainsi que Charles La Fosse de la décoration intérieure. Ce magnifique ensemble peint subsiste en partie, et plusieurs plafonds ont été mis au jour lors des restaurations successives aux XIXe et XXe siècles. En 1767, l'hôtel passe aux Noailles, qui engagent des travaux de réparation et de décoration extérieures, notamment pour le portique à colonnes sur cour, qui sera détruit lors de la restauration. L'hôtel a été restauré récemment, et somptueusement remeublé à l'identique par un collectionneur privé.*

Voussure du plafond peint du grand salon, par Jean-Baptiste Corneille.

ARCHITECTURE - Sur la rue des Tournelles, l'hôtel offre une façade en pierre où l'on distingue aisément, à gauche, une ancienne maison de deux travées raccordée à l'ensemble. Par la porte cochère, dont les vantaux datent de la fin du XVIIIe siècle, on accède à la cour, entourée de hautes façades en pierre coiffées chacune d'un comble brisé. L'ensemble est sobre, et seule la porte du corps de logis principal est rehaussée d'un motif sculpté. En revanche, il faut remarquer la façade dissymétrique sur le jardin, avec son soubassement à dix colonnes ioniques soutenant le grand balcon courant, et ses deux petits frontons sur la corniche. Le jardin a été restitué et s'étend jusqu'au boulevard Beaumarchais (voir n°s 21-23, p. 128).

« Étienne Marcel prolongée ». Celle-ci devait relier la rue Étienne Marcel au boulevard Beaumarchais, coupant d'est en ouest tout le Marais.

◇ Emplacement de l'ancien couvent des Hospitalières de la place Royale. Cet établissement religieux, fondé en 1624 avec l'appui d'Anne d'Autriche, abritait vingt lits pour les malades. C'est là que la veuve du poète Scarron, future Mme de Maintenon, fit retraite de 1660 à 1664, avant de commencer son illustre ascension.

Le couvent est désaffecté en 1795 et les bâtiments sont occupés par la Filature des indigents jusqu'en 1864, puis par la Direction des nourrices jusqu'en 1878. Ensemble démoli en 1906.

□ **N° 36** - Maison acquise partiellement en 1661, et totalement en 1678, par Anne Lenclos, la célèbre Ninon, courtisane et précieuse qui résidait auparavant rue Elzévir. Elle y meurt en 1705. La maison a connu de nombreuses transformations. Portail en pierre avec mascaron, mis au jour après le décoffrage d'une devanture de boutique.

□ **N° 40** - Maison remaniée en 1734 pour Voyer Paulmy, comte d'Argenson, par le maître maçon Jean Aumont sur les dessins de l'architecte Legrand. La maison renferme un bel escalier doté d'une rampe en fer forgé, dont la cage forme un avant-corps convexe sur la cour.

□ **N° 44** - Maison du XVIIIe siècle dont la façade, ornée d'appuis Louis XV, offre au rez-de-chaussée des piliers en pierre. Des lucarnes de charpente terminent l'élévation.

□ **N° 48** - Petit hôtel XVIIe-XVIIIe siècle ouvert d'une porte cochère munie de vantaux début XIXe de belle qualité. La parcelle étroite est desservie par une allée pavée. Dans la première cour subsistent, à droite, les vestiges d'une pompe à eau du XIXe, et, à gauche, un grand escalier Louis XV avec sa rampe en fer forgé, dont le départ est à claire-voie.

□ **N° 50 - HÔTEL DE MELUN**. Construit sous Louis XIV pour les Aubery, famille de magistrats à la Chambre des comptes, et remanié pour un tapissier enrichi, Grandin, vers 1780, l'hôtel présente une haute façade en pierre, ravalée sous Louis XVI, et des balcons à balustres. Du XVIIe siècle subsiste, à droite du passage, le grand escalier à vide central, bordé d'une rampe à entrelacs en bois, dont le départ est soutenu par une colonne de pierre. L'hôtel possède une cour pavée et plantée d'arbres. Le jardin s'étendait jadis jusqu'au boulevard Beaumarchais (voir n° 37, p. 128).

□ **N° 56 - MAISON GABRIEL** - Propriété de la famille Fontaine jusqu'en 1669, la maison passe ensuite à l'architecte Gabriel IV, qui avait épousé Anne Fontaine. En 1686, Gabriel est autorisé à prolonger la parcelle jusqu'au « boulevard de la Porte Saint-Antoine » (l'actuel boulevard Beaumarchais) pour y établir un jardin. La famille Gabriel en restera propriétaire jusqu'en 1715.

La porte cochère donne accès à une cour pittoresque, bordée à droite par un édifice dont on devine l'encorbellement, aujourd'hui masqué par des portes en bois. Au fond, à gauche, un pilier marque le départ à claire-voie d'un grand escalier, qui porte une admirable rampe en fer forgé Louis XIV à panneaux symétriques ; le départ est formé de deux consoles jumelles renversées. Par une arcade en pierre, on passe à travers le corps de logis dans l'ancien jardin, en contrebas du boulevard (voir n° 43, p. 129). Le revers du corps de logis et l'aile nord sont habillés de refends et décorés dans le goût Louis XVI. Une belle lucarne à potence termine l'élévation.

□ **N° 58** - Maison mortuaire de Merlin de Thionville. Député de la Législative et de la Convention, il meurt le 14 septembre 1833. Les appuis Louis XV portent le chiffre PP, pour Pierre Proustau, propriétaire en 1752.

□ **N° 60** - Maison transformée sous Louis-Philippe en immeuble de rapport. Le passage est décoré de colonnes doriques.

□ **N° 64** - Belle maison du milieu du XVIIᵉ siècle. Trois jolies lucarnes maçonnées se détachent du toit recouvert de vieilles tuiles. La porte cochère date du début du XIXᵉ. Elle est munie de vantaux et décorée de consoles feuillues.

□ **N° 68** - Façade en pierre de taille du XVIIᵉ surélevée.

□ **Nᵒˢ 70-72** - Beaux vantaux de porte cochère, avec leurs marteaux.

◇ La partie terminale de la rue, qui fait un coude pour rejoindre le boulevard, a été ouverte sous Louis XIII. Elle a porté, jusqu'en 1839, le nom de « Petite Rue Neuve Saint-Gilles ». Aucun immeuble ancien n'y est conservé.

□ **Nᵒˢ 84-86** - Immeubles de rapport Louis-Philippe. Façades en pierre de taille avec de beaux balcons. Intéressants motifs au-dessus des portes.

RUE DES MINIMES

Cette rue a été ouverte en 1605 lors de la construction de la place Royale. Elle longeait le couvent des Minimes, installé ici en 1611, et depuis porte son nom.

□ **N° 10** - Caserne de gendarmerie des Minimes. La construction de cet affligeant ensemble en briques rouges a entraîné la destruction du grand cloître des Minimes en 1926. Ses trois galeries, construites au début du XVIIᵉ siècle, offraient la particularité d'avoir été voûtées en ogives suivant la tradition médiévale.

■ **N° 12 - INFIRMERIE DES MINIMES** - (voir p. 133).

□ **Nᵒˢ 13-15** - Ces deux immeubles très transformés ont été construits au début XVIIᵉ et formaient, à l'origine, deux maisons jumelles. Le n° 15 a conservé une porte cochère munie de vantaux cloutés et un bel escalier limon sur limon avec une rampe Louis XIV en fer forgé, à droite, dans la cour.

□ **Nᵒˢ 14-16** - Emplacement de l'ancien hôtel du maréchal de Vitry, construit au XVIIᵉ siècle. Il était alors l'un des plus prestigieux hôtels du Marais. Devenu hôtel de Tonnerre au XVIIIᵉ, son jardin est loti à la fin du

Cour de l'ancienne infirmerie des Minimes, restaurée.

règne de Louis XV (voir 11-17, rue Saint-Gilles, p. 135).
Au n° 14 bis, s'étend une grande cour pavée, entourée de bâtiments disparates. Dans l'un d'eux un beau plafond à poutres et solives peintes a été conservé. L'immeuble n° 14 date de 1864.

INFIRMERIE DES MINIMES

12, rue des Minimes

HISTORIQUE - *Ce petit bâtiment est le seul vestige du couvent des Minimes. Fondé en 1611 par Marie de Médicis, le couvent achète en 1612 au maréchal de Vitry de vastes terrains entre la rue des Minimes et la rue Saint-Gilles, sur lesquels est entreprise la construction d'une église, d'un cloître et de divers bâtiments monastiques.*

L'établissement était célèbre en son temps pour sa bibliothèque et les savants, dont Pascal, qui la fréquentaient. Les pères minimes, dont l'église était restée sans façade, s'adressent en 1657 à François Mansart. L'architecte donne de magnifiques dessins pour une grande façade à colonnes et frontons, qui devait être coiffée d'un dôme destiné à être vu depuis la place Royale – il ne sera jamais construit. Le projet prévoit également deux pavillons latéraux, terminant la composition.

C'est l'un d'eux, celui de gauche, qui subsiste ici, l'autre ayant été abattu en même temps que le cloître, en 1926. Construit en 1678 par l'architecte Thevenot, ce pavillon abritait sous l'Ancien Régime l'infirmerie des moines. Après la Révolution et la disparition du couvent, il est occupé de 1810 à 1883 par l'un des internats du lycée Charlemagne, la pension Massin. Ernest Lavisse, le célèbre historien de la fin du XIXe siècle, auteur d'une monumentale Histoire de France, *y entre en 1855 alors qu'il étudiait au lycée Charlemagne.*

Devenu immeuble de rapport, et parasité au début du siècle, il a fait l'objet d'une restauration soignée en 1988.

Façade de l'église d'après le projet de François Mansart, partiellement réalisé, gravure de Marot, XVIIe.

ARCHITECTURE - La façade en pierre du pavillon est simplement décorée de deux doubles pilastres doriques ; la porte cochère a été ouverte lors de la transformation de l'édifice au début du XIXe siècle. Derrière se cache une petite cour-jardin, bordée à l'ouest par une aile de bonnes proportions et décorée d'un cadran solaire d'origine. L'escalier du XVIIe siècle, qui subsiste à l'angle des deux corps de bâtiments, est particulièrement beau. Remarquer la première volée et le palier en retour, portés par une demi-voûte appareillée, et la rampe en fer forgé.

RUE DU FOIN

Voie ouverte lors du lotissement de la place des Vosges, vers 1605. La partie comprise entre la rue des Minimes et la rue des Tournelles qui formait jadis une impasse a été élargie au XIXe et a reçu le nom du préfet de Paris R. Verlomme.

☐ **N° 6** - La façade, rhabillée au XIXe siècle, a conservé sa porte cochère munie de vantaux Louis XV moulurés.

☐ **N° 7** - Façade arrière de l'hôtel de Richelieu (voir 21, place des Vosges, p. 125).
À gauche, un haut étage d'une travée surmonte une belle arcade cochère de 1698 actuellement obturée. À droite, une petite usine occupe une partie du jardin. L'ensemble est menacé de démolition au profit d'un bâtiment moderne.

RUE DE BÉARN

Voie ouverte lors de la création de la place Royale en 1605. Autrefois appelée « rue de la Chaussée des Minimes », elle porte depuis 1867 le nom de la province natale d'Henri IV. Elle a été prolongée en 1807 entre la rue des Minimes et la rue Saint-Gilles, emportant l'église du couvent des Minimes.

☐ **N° 1** - Façade néo-gothique de l'annexe de l'école des Francs Bourgeois.
☐ **Nos 2-4** - Hôtel de la Reine (voir 28, place des Vosges, p. 127). Le jardin de l'ancienne demeure s'étendait jusqu'à la rue du Foin.
☐ **N° 6** - Bel immeuble d'angle du début du XIXe construit suivant la tradition de l'Ancien Régime. Des lucarnes en bois terminent l'élévation.

RUE SAINT-GILLES

Ouverte sous Louis XIII, elle porte, jusqu'au milieu du XIXe siècle, le nom de la « rue Neuve Saint-Gilles ».

☐ **N° 8** - (accès par le n° 6) Escalier agrémenté d'une rampe en fer forgé Louis XIV.
☐ **N° 10** - De beaux appuis Louis XV originaux ornent la façade. Dans la cour, l'aile renferme un magnifique escalier Louis XIV avec sa rampe en fer forgé.
☐ **N° 12 - COUR DE VENISE** - Cette immense parcelle est dissimulée depuis la rue par les deux immeubles des nos 10 et 14, sous lesquels un passage cocher conduit à la grande cour pavée, bordée d'édifices bas et disparates.
La cour correspond à l'emplacement de l'ancien hôtel de Venise. Construit sous Louis XIII pour un sieur Le Redde, il offrait un bâtiment flanqué de pavillons, élevé tout au fond du terrain. Les propriétaires suivants augmentent les bâtiments d'ailes encadrant une succession de cours. Au début du XIXe siècle, l'ensemble est acheté par deux entrepreneurs qui font démolir l'hôtel et utilisent le site à des fins industrielles et locatives. La cour de Venise a conservé jusqu'à nos jours ce caractère pittoresque fait d'habitations modestes et de petits ateliers. De l'hôtel de Venise proprement dit ne subsiste qu'un fragment de l'aile gauche, que l'on reconnaît dans la par-

tie basse, avec ses lucarnes en bois. L'ensemble est menacé par une opération de promotion immobilière.

□ **Nos 11-15** - Grand ensemble locatif construit en 1767 pour Jacques Brénigard, sellier-carrossier, par le maître maçon Gilles Callot. L'édifice, à usage locatif, ne comprenait à l'origine qu'un bâtiment bas d'un étage carré, et quatre portes cochères correspondant à autant d'appartements. À la suite d'une indivision entre les héritiers Brénigard, la maison est vendue en 1768 à Antoine Lelong. C'est sans doute lui qui suréleva l'édifice de quatre étages supplémentaires, le transformant en immeuble de rapport.

On reconnaît sur la façade, de proportions très fermes, la partie construite par Brénigard, correspondant au rez-de-chaussée et à l'actuel entresol : les fenêtres sont ornées de consoles. Au-dessus, la partie ajoutée sous Louis XVI est rythmée par des chaînes de refends. Le rez-de-chaussée a été remanié au XIXe, mais on voit encore au n° 13 une porte basse et au n° 13 bis une porte cochère entourée de refends. Un escalier d'origine a été conservé.

□ **N° 17** - Petit hôtel issu du lotissement de l'hôtel de Tonnerre, qui donnait sur la rue des Minimes (voir nos 14-16, p. 132). La porte cochère ouvre dans un haut mur aveugle sommé d'un fronton curviligne et conduit à une petite cour pavée.

□ **N° 22 - HÔTEL DU VAUCEL** - Ce ravissant petit hôtel est construit sur un terrain appartenant alors à l'architecte Delisle-Mansart, mort en 1710. Il passe à sa fille Marie-Madeleine, épouse d'Edme Dumanchin. En 1753, les héritiers, parmi lesquels l'architecte du roi, Ange-Jacques Gabriel, entreprennent des réparations qui durent jusqu'en 1756 et qui donnent à l'hôtel sa forme actuelle. La maison est finalement vendue en 1759 au marquis du Vaucel de Castelnau, grand maître des Eaux et

Escalier Louis XV de l'hôtel de Vaucel, 22, rue Saint-Gilles.

Forêts, qui fait refaire le portail en 1761. Livré au commerce au XIXe, l'hôtel a longtemps été occupé par la bijouterie Savart. Lors d'une récente opération immobilière, d'affreux immeubles postmodernes (nos 18, 20 et 24) ont été construits à côté, étouffant le petit hôtel Louis XV, par ailleurs mal restauré.

L'hôtel s'ouvre sur la rue par un portail surmonté d'une étrange tête de lion. La façade sur cour présente une disposition très originale : la travée centrale n'est pas traitée en avant-corps mais en renfoncement, qui se termine sous le comble par une voussure formant fronton. Celui-ci est orné d'enfants sculptés. La façade sur jardin, au contraire, offre un avant-corps convexe en rotonde. Le jardin a été curieusement restitué lors de la rénovation.

Les intérieurs étaient décorés de boiseries aujourd'hui disparues, mais le très bel escalier à rampe en fer forgé Louis XV subsiste.

RUE DE TURENNE

Cette rue, qui porte depuis 1865 le nom du maréchal de Turenne, est formée de trois anciennes rues : la « rue de l'Égout Sainte-Catherine » jusqu'à la rue des Francs Bourgeois, la « rue Saint-Louis au Marais » jusqu'à la rue de Poitou et la « rue Boucherat » jusqu'à la rue Charlot. Son tracé correspond au grand égout médiéval qui rejetait les eaux sales du quartier vers le nord dans les fossés de l'enceinte de Charles V. Couvert dès 1560, l'égout est transformé en une longue voie neuve, qui commence à se lotir sous Louis XIII.
De la rue Saint-Antoine à la rue des Francs Bourgeois, toute la rive paire a été élargie vers 1914-1916, affectant les arrières des hôtels nos 9 à 19 de la place des Vosges.

☐ **Nos 5-13 -** Immeubles de rapport élevés sous Louis XVI par l'architecte Caron lors du lotissement du prieuré Sainte-Catherine du Val des Écoliers (voir p. 138).
☐ **No 10 -** Façade de l'aile sur cour de l'hôtel de Chaulnes (voir 9, place des Vosges), construite en 1676-1677 par Hardouin-Mansart. Elle surplombait jadis la rue par un encorbellement, détruit par la mise à l'alignement.
☐ **No 14 -** Immeuble d'accompagnement récent. Par les arcades du rez-de-chaussée, on peut voir la cour-jardin du grand hôtel de Rohan (voir 13, place des Vosges, p. 125).
La façade arrière des deux pavillons a conservé son décor de brique et de pierre. Les ailes en retour de part et d'autre sont de belles constructions en pierre de taille Louis XV.
☐ **No 19 -** Intéressant ensemble néo-classique, formé de deux pavillons que sépare un portail. L'ensemble a été élevé à l'emplacement d'un terrain où étaient installées les écuries de l'hôtel de Rohan établi en face (voir 13, place des Vosges, p. 125).
☐ **Nos 20-22 -** Repoussant immeuble de 1929 construit à l'emplacement du jardin et de la galerie de l'hôtel 19, place de Vosges. Il écrase le carrefour et ruine la perspective de la rue.
☐ **No 21 -** Belle maison Louis XIV. Propriété de l'intendant Colbert de Villacerf.
☐ **No 23 - HÔTEL DE VILLACERF -** Cet hôtel a été construit vers 1660 pour Édouard Colbert de Villacerf, au lendemain de son mariage avec une parente du chancelier Le Tellier. Cousin du grand Colbert, Villacerf devient, à la mort de Louvois, en 1692, surintendant des Bâtiments du roi. Louis XIV l'affectionne particulièrement. L'hôtel, où meurt Colbert de Villacerf en 1699, reste dans la famille jusqu'en 1755. Il est acquis en 1773 par un entrepreneur des Ponts et Chaussées, Lesueur-Florent (voir 26, rue de Sévigné, p. 145). Gravement surélevé en 1931 par les établissements Pigier, alors propriétaires, il a été restauré récemment d'une manière épouvantable.
Sur la rue, une grille et deux pavillons pastiches très lourds ont été établis de toutes pièces lors de la rénovation. La façade sur la cour présente une haute élévation marquée d'un avant-corps et de deux pavillons latéraux ornés de pilastres colossaux, corinthiens puis composites, terminés par des frontons curvilignes. La façade, tout en pierre, semble d'origine mais les transformations successives lui ont ôté toute authenticité. Au rez-de-chaussée subsiste une fontaine de 1881. Sur l'ancien jardin, un perron monumental avec sa rampe en fer forgé Louis XIV est encore visible.
Des intérieurs complètement transformés ne subsiste qu'un merveilleux cabinet de boiseries peintes, qui a été remonté au musée Carnavalet.

□ **N°s 24-30 -** Maisons de rapport construites en 1669 par Robert Aubry sur un terrain ayant appartenu au couvent des Minimes. Malgré les traitements différents des façades, ces cinq maisons conservent un air de famille.

□ **N° 31 -** Amusante façade Louis XVI qui épouse la pliure de la rue.

□ **N° 34 - MAISON DE LIBÉRAL BRUAND -** Construite vers 1665 par Bruand et son beau-père, Michel Noblet, architecte ordinaire des Bâtiments du roi. La façade en pierre de taille, ornée de pilastres, a sans doute été remaniée sous Louis XVI. C'est ici que s'est éteint le célèbre architecte des Invalides, en 1697. Léon Bourgeois, un des promoteurs de la Société des Nations, brillant avocat, ministre de la Troisième République, est né le 29 mai 1851 dans cette maison.

□ **N° 35 - HÔTEL VILLEDO -** Cet hôtel a été construit par le maître maçon Michel Villedo, très actif sous Louis XIII, pour son propre usage. Sans être jamais architecte, Villedo a travaillé sur les plus grands chantiers : l'hôtel d'Aumont, la Visitation Sainte-Marie, le château de Vaux-le-Vicomte. Entrepreneur avisé, il lotira une partie du Marais et du quartier Saint-Roch. Il est mort dans cet hôtel en 1667. L'hôtel, fortement remanié aux XVIIIe et XIXe siècles, offre une belle porte cochère à vantaux cloutés Louis XIII.

□ **N° 41 - FONTAINE DE JOYEUSE.** Elle remplace depuis 1846 une fontaine de 1687 qu'alimentaient les eaux de l'Ourcq. Le petit génie en fonte est dû au sculpteur Boitel. L'hôtel de Joyeuse, qui se trouvait à côté, était occupé au début du XIXe siècle par la pension de M. Lepître, où Balzac a été élève.

□ **N° 42 -** Maison milieu XVIIe. La façade a été très altérée par des ravalements abusifs. La maison conserve cependant sur le comble une jolie lucarne à fronton, et, à droite du passage cocher, un grand escalier en bois à quatre noyaux et balustres de chêne, dont le départ est en fer forgé.

□ **N° 45 -** Très bel escalier Louis XIV.

RUE DE JARENTE

Ouverte en 1784 lors du lotissement du prieuré Sainte-Catherine du Val des Écoliers (voir place du Marché Sainte-Catherine, page 138), elle porte le nom du dernier prieur de cet établissement, l'abbé Louis-François de Jarente.

□ **N°s 1-5 -** Immeubles à loyer, élevés par l'architecte Caron vers 1787-1790, sur un modèle uniforme. Le n° 5 a conservé une porte type.

□ **N°s 2-4 -** Impasse de la Poissonnerie. Elle aboutit au fond à une fontaine néo-classique construite par Caron. Celle-ci est représentative des fontaines parisiennes d'Ancien Régime dont se plaignait Voltaire : beaucoup d'architecture pour peu d'eau ! Elle est ornée d'un décor de congélations imitant l'eau ruisselante.

□ **N° 4 -** Grande cour pavée, bordée de bâtiments pittoresques. Dans la seconde cour, à gauche, se dresse un bâtiment XVIIe avec des lucarnes maçonnées.

□ **N° 6 -** Cette très belle façade néo-classique ornée de refends a gardé sa porte cochère. Au fond de la cour, à droite, subsiste un reste de bâtiment XVIIe avec un appui en fer forgé Louis XIV. C'est le revers du bâtiment établi dans la seconde cour du n° 4.

□ **N°s 7-9 -** Façades Louis XVI, ornées de refends.

□ **N° 8 -** Pastiche médiocre de façade ancienne.

◇ Le débouché sur la rue de Sévigné a nécessité la démolition d'une maison, ce dont témoigne l'irrégularité de l'alignement.

PLACE DU MARCHÉ SAINTE-CATHERINE

La place, vue depuis la rue d'Ormesson.

Cette petite place, devenue récemment touristique, est établie à l'emplacement de l'ancien prieuré royal Sainte-Catherine du Val des Écoliers, fondé au début du XIIIe siècle à la suite du vœu des sergents d'armes de Philippe Auguste à la bataille de Bouvines en 1214.

L'établissement reste prospère tout au long de l'Ancien Régime. Sous Louis XV est élaboré un projet d'urbanisme visant à décharger la rue Saint-Antoine de son marché ouvert, gênant la circulation, pour l'établir sur une place particulière. Les jésuites ayant été expulsés en 1764, Louis XV propose de transférer le petit prieuré Sainte-Catherine dans l'ancien domaine des jésuites. Les moines du Val des Écoliers s'installent donc, en 1768, dans la maison professe (voir 14, rue Charlemagne) et prennent possession de l'église Saint-Louis, qui devient alors « Saint-Louis de la Couture ».

Dès lors, le marché pouvait être installé à la place du prieuré du Val-des-Écoliers promis à la démolition. Un plan est demandé à Soufflot, mais les choses en restent là.

C'est seulement sous Louis XVI que sera réalisée la petite opération édilitaire. Le terrain avait été acheté par un particulier, Du Colombier, qui poussait à la réalisation du projet initial. En 1778-1780, l'architecte de l'opération, Caron, aidé de l'entrepreneur Guyot, rase les bâtiments du prieuré. Un nouveau plan est élaboré par l'architecte du roi Maximilien Brébion en 1783. Il prévoit une place rectangulaire reliée aux voies anciennes du quartier par quatre nouvelles rues : les actuelles rues Caron, d'Ormesson, Necker et de Jarente, ouvertes en 1784.

Le marché lui-même, béni et inauguré en 1789, consistait en deux halles légères établies sur la place, tandis qu'une poissonnerie, isolée selon les règles de l'hygiène, disposait d'une fontaine, au fond d'une impasse. En même temps, Caron réalise un ensemble de grands immeubles à loyer, à l'architecture uniforme, achevés vers 1790 et destinés à rentabiliser les frais de l'opération. Disparu au XXe siècle, le marché a fait place à un terre-plein central pavé et planté d'arbres, qu'entourent des terrasses de restaurants.

La place est délimitée par les hauts immeubles construits par Caron. Ces « H.L.M. Louis XVI » subsistent en majeure partie, même si l'on peut déplorer quelques façades dépareillées par des ravalements égoïstes. La construction est simple et rationnelle : haute façade enduite au plâtre, porte piétonne desservant de petits escaliers sur cinq niveaux coiffés d'un comble plat.

RUE D'ORMESSON

Cette rue ouverte en 1784 lors du lotissement du prieuré Sainte-Catherine du Val des Écoliers (voir place du Marché Sainte-Catherine) s'est d'abord appelée rue « Neuve du Colombier », nom du propriétaire des terrains. Son nom actuel rappelle le prévôt des marchands en poste lors de l'ouverture du marché.

☐ **N° 3** - Façade début XIXᵉ. Porte piétonne intéressante.

☐ **N° 5** - Ensemble bien conservé, avec un pan coupé concave.

☐ **N° 13** - Emplacement de l'ancienne façade de l'église Sainte-Catherine. C'était une belle composition classique, ornée de colonnes et de statues dues au sculpteur Desjardins.

◇ Le débouché sur la rue de Sévigné correspond à l'ancien parvis et à l'entrée de l'église Sainte-Catherine, dont la rue recouvre l'exact emplacement.

Fontaine néo-classique, impasse de la Poissonnerie.

RUE CARON

Ouverte en 1784 lors du lotissement du prieuré Sainte-Catherine du Val des Écoliers (voir place du Marché Sainte-Catherine), elle porte le nom de l'architecte qui a dirigé l'opération.

☐ **N° 1** - Immeuble d'angle dénaturé par un ravalement égoïste, comme en témoignent l'utilisation de la brique et les barres en tube des fenêtres. Il a néanmoins conservé une porte piétonne type avec son imposte à barreaux.

☐ **N° 3** - Maison néo-classique avec une façade différente des immeubles Caron. Le sculpteur Auguste Préault y est né le 8 octobre 1809.

☐ **N° 5** - Cette maison de 1787, qui a perdu de son authenticité depuis un récent ravalement, a conservé des appuis géométriques intéressants (voir 88, rue Saint-Antoine, p. 115).

Immeuble à loyer modèle pour les bâtiments accompagnant le marché Sainte-Catherine. Architecte Caron, 1783.

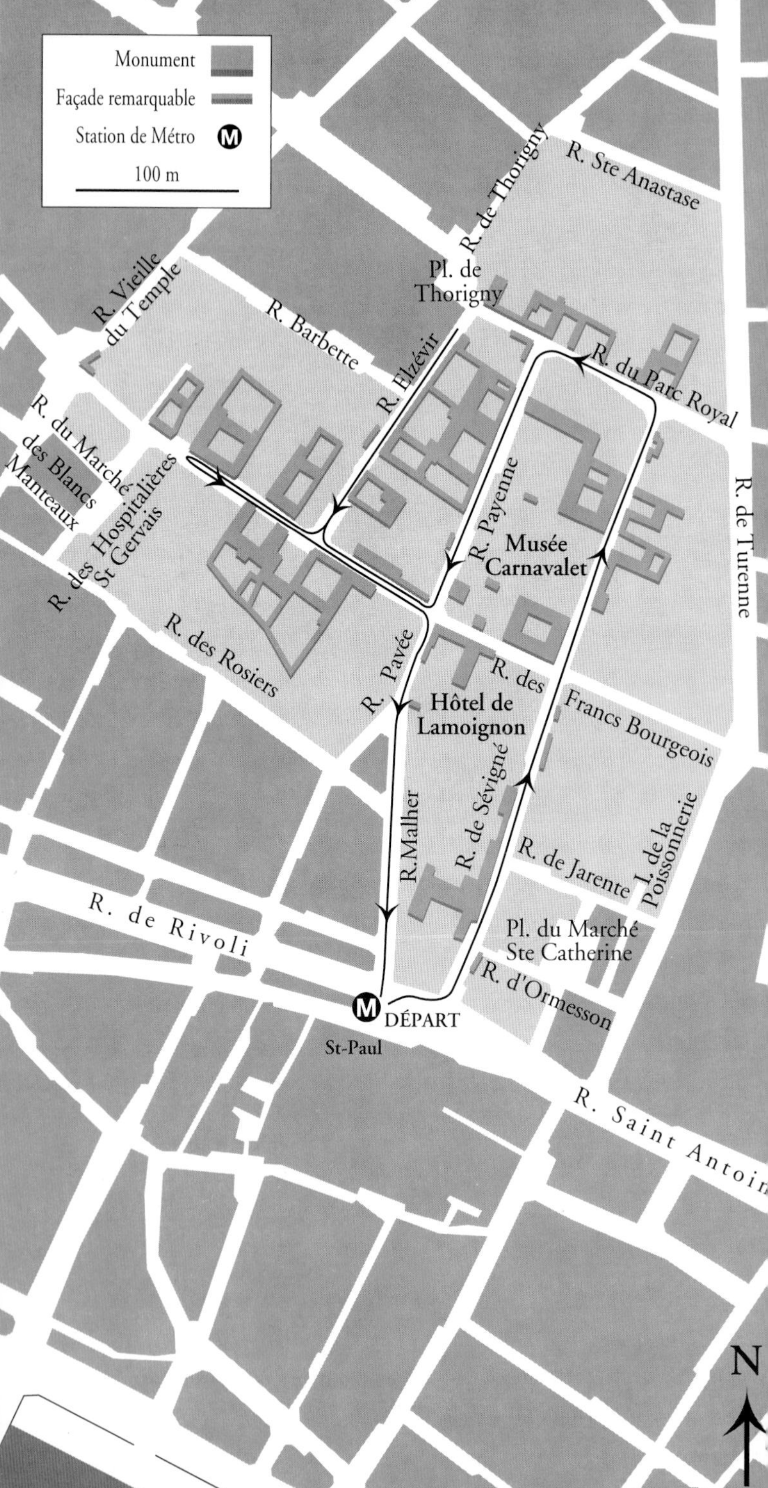

Monument
Façade remarquable
Station de Métro
100 m
R. de Thorigny
R. Ste Anastase
Pl. de Thorigny
R. Vieille du Temple
R. Barbette
R. Elzévir
R. du Parc Royal
R. du Marché des Blancs Manteaux
R. des Hospitalières St Gervais
R. Payenne
Musée Carnavalet
R. de Turenne
R. des Rosiers
R. Pavée
R. des Francs Bourgeois
Hôtel de Lamoignon
R. de Sévigné
R.Malher
R. de Jarente
I. de la Poissonnerie
R. de Rivoli
Pl. du Marché Ste Catherine
R. d'Ormesson
DÉPART
St-Paul
R. Saint Antoin
N

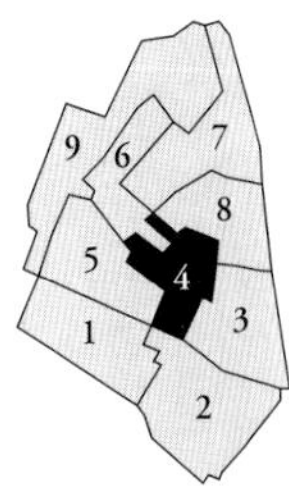

4

Promenade

La couture Sainte-Catherine

Rues de Sévigné, du Parc Royal, Payenne, Elzévir, des Francs Bourgeois (n°s 2-45). Impasse des Arbalétriers. Rues Pavée (n°s 17 bis-24), Malher.

Le prieuré de Sainte-Catherine du Val des Écoliers, fondé à la suite d'un vœu des sergents d'armes lors de la bataille de Bouvines en 1214, était établi en dehors de l'enceinte de Philippe Auguste, en bordure de la rue Saint-Antoine (voir place du Marché Sainte-Catherine, p. 138). Au nord de l'enclos s'étendait une importante couture, c'est-à-dire des terrains agricoles. En 1545, désirant accroître leurs revenus et encouragés par l'exemple de l'hôtel Saint-Pol, les moines procèdent au lotissement de cette couture. Un plan est levé, divisant le terrain en soixante parcelles desservies par de nouvelles rues droites. Les nouveaux propriétaires disposent alors de trois ans pour bâtir, mais la construction du quartier devait s'étendre sur dix ans. De part et d'autre de la rue des Francs Bourgeois s'élèvent les plus célèbres hôtels du Marais, dont Carnavalet, qui abrite aujourd'hui le Musée historique de la Ville de Paris.

RUE DE SÉVIGNÉ

Cette rue, qui traverse la couture du prieuré Sainte-Catherine du Val des Écoliers, s'appelait jusqu'en 1867 « rue de la Couture Sainte-Catherine ». Elle porte depuis le nom de la marquise de Sévigné, qui habita l'hôtel Carnavalet de 1677 à 1696.

La partie comprise entre la rue Saint-Antoine et le débouché de la rue d'Ormesson formait à l'origine un cul-de-sac, ouvert au Moyen Âge pour desservir l'église Sainte-Catherine. Un petit cimetière y avait été établi. Lors du lotissement de 1545, le cul-de-sac a été prolongé au nord par une voie neuve rectiligne. Les premières maisons jusqu'au n° 7 présentent un alignement différent du reste de la rue. C'est la conséquence d'une décision du cardinal de Richelieu, qui fit démolir les maisons existantes et fixa un nouvel alignement pour dégager la vue sur la façade de l'église Saint-Louis des Jésuites, alors en construction.

□ **N° 5** - Grande maison du milieu du XVIIe, propriété de Nicolas Pinon, premier président des Trésoriers de France au Bureau des finances de la généralité de Paris. François-Vincent Raspail y a exercé ses talents de médecin populaire de 1840 à 1848 (plaque). La porte cochère, la lucarne maçonnée du comble ainsi que le beau balcon Louis XV donnent son cachet à la façade de la maison.

□ **N° 6** - Au-dessus de la porte piétonne subsiste un vestige de l'imposte, appartenant à l'ancienne porte cochère cloutée Louis XIII, recoupée au siècle dernier pour agrandir la boutique.

■ **N° 7-9 - HÔTEL BOUTHILLIER DE CHAVIGNY** - (voir p. 144).

□ **N° 11 - THÉÂTRE DU MARAIS** - Fondé par Langlois-Courcelles avec le soutien de Beaumarchais, ce petit théâtre de mille cinq cents places a été construit en 1791 par l'architecte Guillaume Trepsat, et inauguré la même année. Il ferma sur ordre de Napoléon en 1808. La salle a été détruite au siècle dernier, et un établissement de bains l'occupait il y a peu encore.

Au fond de la cour, un haut mur séparait la parcelle de la prison de la Force. La façade de Trepsat subsiste dans ses grandes lignes. Elle est traitée dans un goût ogival précoce, avec des appuis « à la cathédrale » et des pilastres ornés de chapiteaux étranges. C'est un bon témoignage de la diversité des goûts architecturaux à la fin du règne de Louis XVI.

□ **N° 12** - Maison du XVIIe siècle, de belles proportions. La façade, ornée d'arcades au rez-de-chaussée, porte d'élégants appuis de fer forgé. La porte cochère a conservé ses vantaux sculptés, ornés de coquilles. La maison renferme aussi un très bel escalier avec une rampe en fer forgé du XVIIe.

□ **N° 13 - PETIT HÔTEL POULLETIER** - Ce bel édifice est établi à l'emplacement de l'ancienne grange du prieuré de Sainte-Catherine du Val des Écoliers, dont les traces sont encore visibles dans la cave (XIVe siècle). Ce bâtiment est acquis par Bouthillier de Chavigny en même temps que son hôtel du n° 7 (voir p. 144).

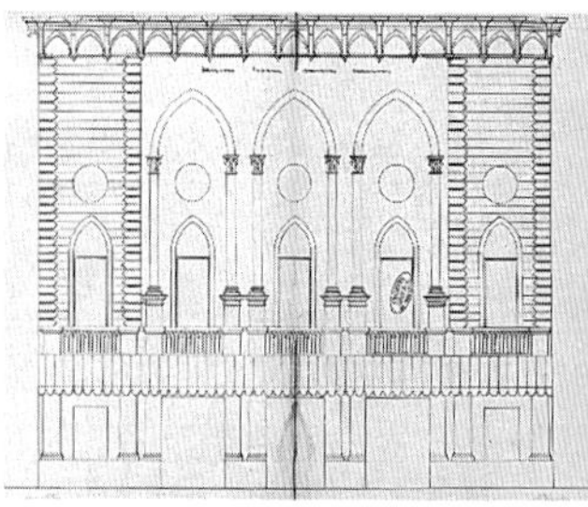

Élévation originale de la façade du théâtre du Marais, 11, rue de Sévigné.

Aile gauche sur cour de l'hôtel Carnavalet.

HÔTEL BOUTHILLIER DE CHAVIGNY

7-9, rue de Sévigné

HISTORIQUE - *Blotti dans un coude de l'enceinte de Philippe Auguste, un premier hôtel avait été construit ici au* XIIIe *siècle pour le frère de saint Louis, Charles d'Anjou, roi de Sicile. L'hôtel est par la suite agrandi, et devient au* XVIe *siècle la propriété du cardinal de Meudon, puis de René de Birague, chancelier d'Henri III, cardinal et mécène. L'hôtel, reconstruit vers 1580, avait alors son entrée rue du Roi de Sicile.*
Après avoir appartenu au comte de Saint-Paul, la demeure est achetée en 1635 par Claude II Bouthillier de Chavigny, chancelier de Gaston d'Orléans et proche de Richelieu. Il agrandit son domaine vers l'hôtel Lamoignon en 1637, et jusqu'à la rue de Sévigné en 1641. Il demande alors à François Mansart de remanier et d'augmenter les bâtiments du XVIe *siècle. Mansart juxtapose à la façade Renaissance un second corps de logis, auquel répond un grand jardin qui s'étend jusqu'à l'hôtel Lamoignon. Ce jardin était fermé sur la rue de Sévigné par une galerie à arcades reliant l'hôtel à l'orangerie établie au fond.*
Disgracié peu après la fin des travaux, Bouthillier meurt en 1652 sans avoir pu réellement profiter de sa demeure. L'hôtel est divisé en deux lots entre ses deux filles. Après plusieurs partages et ventes, la moitié édifiée par François Mansart revient à un financier, Jacques Poulletier. Ce dernier fait entreprendre, vers 1700, des travaux d'accommodements devenus nécessaires du fait de la division. Une porte cochère est alors ouverte au 7, rue de Sévigné. Ces travaux sont confiés aux architectes Bullet et Gabriel V.
Acheté par la Ville de Paris après la Révolution, l'hôtel abrite depuis 1812 une caserne de pompiers.

ARCHITECTURE - De ce grand hôtel, seule subsiste la partie édifiée en 1642-1643 par François Mansart. La cour, accessible depuis un portail à fronton, ne présente plus d'intérêt. En revanche, la façade sur l'ancien jardin est décorée tout en finesse de pilastres ioniques, et s'organise en décrochements multiples et savants, qui répondaient à la façade du XVIe siècle, aujourd'hui disparue. L'intérieur ne renferme plus que des vestiges dont un plafond peint XVIIe. Un plafond peint XVIIe a été remonté au musée Carnavalet.

Façade de Mansart sur l'ancien jardin.

En 1704, le nouveau propriétaire, Jacques Poulletier, aménage un étage carré pour en faire un petit hôtel annexe. La porte cochère ouverte à cette époque possède des vantaux plus anciens, probablement remployés, sur lesquels était inscrite la lettre B pour Bouthillier, transformée au siècle dernier en D pour Alexandre Dugour, alors propriétaire.

Détaché de l'hôtel de Chavigny comme le n° 11 à la Révolution, il est acquis par Langlois-Courcelles, directeur du théâtre voisin et du Boudoir des Muses, autre théâtre établi dans le couvent des Filles du Calvaire. Quelques morceaux de pierre tombale provenant de ce couvent ont d'ailleurs été retrouvés lors de la rénovation du bâtiment.

L'hôtel offre une belle façade en pierre. Les boiseries de l'appartement noble ont hélas été détruites dans un incendie en 1974. À droite, dans la cour pittoresque, se dresse l'ancienne orangerie de l'hôtel Bouthillier, très surélevée au siècle dernier.

□ **N°s 15-21** - Immeubles de rapport établis sur l'ancien jardin de l'hôtel Lamoignon (voir pp. 166-167). L'immeuble du n° 15, construit en 1774 par l'architecte Leboursier, alors propriétaire de l'hôtel Lamoignon, renferme un escalier dont la rampe offre un dessin original. Les autres immeubles sont Louis-Philippe. Le n° 21 conserve au rez-de-chaussée un beau décor peint de boulangerie XIXe.

■ **N° 23 - HÔTEL CARNAVALET** - (voir pp. 147-149).

□ **N° 24** - Amusante façade de la fin du XIXe de la Société des marchands et débitants de vin (inscription).

□ **N°s 25-27** - Emplacement de l'ancien couvent des Annonciades Célestes (dites les Filles Bleues), supprimé à la Révolution. Cette congrégation, qui faisait l'admiration de Mme de Sévigné, s'était installée en 1621 dans l'ancien hôtel de Damville, propriété des Montmorency au XVIe siècle.

Le n° 25 a été acheté par la Ville de Paris, en 1894, pour agrandir le musée Carnavalet. Aile pastiche discrète en pierre de l'architecte Foucault.

Le n° 27 est acquis par l'État, qui y installe le lycée Victor Hugo fondé en 1895. Les vilains bâtiments ont été construits par Anatole de Beaudot, élève de Viollet-le-Duc.

□ **N° 26 - MAISON LESUEUR-FLORENT** - Très belle maison Louis XVI, élevée en 1780-1781 pour Lesueur-Florent, entrepreneur des Ponts et Chaussées. Il possédait également l'hôtel Colbert de Villacerf, situé juste derrière (voir 23, rue de Turenne, p. 136), dont il détacha une partie du jardin pour agrandir celui de cette maison.

La façade, ornée de refends, est soulignée par un léger avant-corps. Au premier étage, les fenêtres, sommées d'une corniche sur consoles, portent des appuis au chiffre LF. Si la cour a été dénaturée, un bel escalier avec sa rampe en fer forgé Louis XVI subsiste.

■ **N° 29 - HÔTEL LE PELLETIER DE SAINT-FARGEAU** - (voir p. 150).

□ **N° 30** - Façade Louis XIV décorée d'appuis Louis XV. Au-dessus de la corniche, deux lucarnes l'une sur l'autre

Devanture de boulangerie,
21, rue de Sévigné.

terminent l'élévation. Bel escalier.

☐ **N° 38** - Maison Ancien Régime habitée par le poète André Chénier de 1774 à 1787. Elle a été surélevée et redécorée au XIXe siècle dans un goût Louis XV. Son ravalement polychrome date de 1993-1994.

☐ **N° 40 - PETIT HÔTEL CAUMARTIN** - Cette maison a été construite en 1734 par l'architecte Louis-Claude Boullée, père d'Étienne-Louis Boullée. La puissante façade en pierre de taille a conservé de beaux appuis en fer forgé ainsi que sa porte cochère aux consoles sculptées. Comprenant à l'origine deux étages, la maison a été surélevée en 1924 de deux autres étages carrés dont les oriels se greffent sur la façade ancienne. L'intérieur a été entièrement transformé. À gauche, la porte piétonne néo-Louis XV date de 1924.

☐ **N° 42** - Façade néo-classique ornée de refends. Une lucarne à poulie se détache du toit.

☐ **N° 44** - Cette maison du XVIIe siècle, rhabillée sous Louis XVI, offre une très belle petite façade en pierre néoclassique, ornée de refends et décorée d'une corniche à modillons. L'escalier Louis XIV a conservé sa rampe en fer forgé à panneaux symétriques attachés par des colliers.

☐ **N° 46** - Hôtel datant du milieu du XVIIIe siècle. La cour pavée est bordée à droite par une aile d'origine qui possède de beaux appuis. L'aile gauche est un parasite. Le corps de logis du fond, jadis entre cour et jardin, est coiffé d'un grand comble brisé recouvert d'ardoises et de tuiles ; sa façade, ornée de puissants refends au rez-de-chaussée, a malheureusement été altérée par un rajout.

☐ **N° 48** - Ce petit hôtel Louis XIII, propriété de la Ville de Paris depuis 1879, a fait l'objet d'une restauration en 1993. Le corps de logis entre cour et jardin est flanqué d'une aile à gauche. À l'angle des deux bâtiments, une belle tour coiffée de lucarnes accolées renferme un escalier en bois à quatre noyaux, dont le départ en fer forgé a sans doute été refait au XVIIIe siècle. La restauration a mis au jour, en 1993, un magnifique plafond à poutres et solives peintes Louis XIII.

Le vigoureux bas-relief de la façade sur rue représentant *la Charité*, sculpté par Fortin, provient d'une fontaine de 1808, de la rue Popincourt, détruite en 1860. Le traitement large et ferme de ce morceau en fait un petit chef-d'œuvre.

☐ **N° 52** - Emplacement de l'ancien hôtel de Flesselles. Cet hôtel Louis XIV tout en pierre de taille avait été construit par l'architecte Delisle-Mansart en 1682. Il est loué, puis acheté par la Compagnie de distribution d'électricité parisienne, qui le fait démolir en 1908 pour faire place à une centrale. En 1968-1969, l'hôtel est reconstruit en « faux ancien », mais le résultat est plutôt navrant : seul le portail évoque l'ancienne demeure. Des intérieurs, seul un beau plafond peint des années 1730 a pu être sauvé en 1908 par Maurice Fenaille ; il a été remonté au musée des Arts décoratifs.

Bas-relief de la *Charité* remonté au 48, rue de Sévigné.

HÔTEL CARNAVALET

23, rue de Sévigné

Façade sur rue remaniée par Mansart, gravure de Mariette, XVIIIe.

HISTORIQUE - *En 1545, Jacques des Ligneris, Premier président au parlement de Paris, achète cinq parcelles de la couture Sainte-Catherine et se fait construire un hôtel par le maître maçon Dupuis, peut-être sur des dessins de Pierre Lescot. La décoration est confiée à des artistes travaillant dans l'atelier de Jean Goujon, et auxquels on doit les célèbres* Quatre Saisons *de la façade principale sur cour. À la mort du président des Ligneris, l'hôtel, tout juste achevé, passe à sa veuve, puis à ses enfants. En 1572, il est acheté par M. de Kernevenoy. L'appellation Carnavalet vient d'une déformation savoureuse de son nom. Sa belle veuve le conserva jusque sous Henri IV.*

L'hôtel est acquis en 1605 par Florent d'Argouges, trésorier de la reine Marie de Médicis. En 1660-1661, un nouveau propriétaire, Claude Boislève, intendant de Nicolas Fouquet, demande à François Mansart d'agrandir l'hôtel. L'habile architecte, tout en respectant l'œuvre de son prédécesseur, y glisse son art. Après l'arrestation de Fouquet, l'hôtel est saisi et donné par le roi à Gaspard de Gillier, conseiller au Parlement. Ce dernier le loue en octobre 1677 à Mme de Sévigné, qui y résidera jusqu'à sa mort, en 1696. Dès 1694, le receveur des Finances Brunet de Rancy en devient propriétaire et fera plus tard embellir l'intérieur .

Converti en clinique sous la Révolution, en siège des Bureaux de la librairie sous l'Empire, l'hôtel Carnavalet abrite, en 1815, l'École des ponts et chaussées, dirigée alors par Prony. Elle est ensuite remplacée par une institution fondée là en 1829 et dirigée à partir de 1836 par M. Verdot. La Ville de Paris acquiert la demeure en 1866 et la fait restaurer en 1868-1870 par Parmentier et Lainé pour en faire son Musée historique, fondé grâce aux dons de l'infatigable historien de Paris Jules Cousin.

HÔTEL CARNAVALET

23, rue de Sévigné

ARCHITECTURE - La restauration de l'hôtel Carnavalet, réalisée en 1868-1870, a été conduite dans une ignorance parfaite de la logique historique des bâtiments. L'hôtel tel qu'on le voit est un compromis bâtard entre l'état Renaissance et l'état Mansart de 1661. À l'origine, le corps de logis principal, flanqué de deux petits pavillons renfermant les escaliers – le grand à droite, le petit en vis à gauche –, apparaissait plus isolé. En effet, l'aile gauche se composait alors uniquement d'un rez-de-chaussée traité en loggia ouverte et d'un étage sous comble qui renfermait la galerie, tandis qu'à droite régnait seulement un mur bas dissimulant la basse-cour. Sur la rue, deux pavillons latéraux encadraient une terrasse surmontant le portail comme à l'hôtel de Sully (voir pp. 116-119). On remarque que les pavillons des escaliers étant inégaux, la façade sur cour est plus petite que la façade sur jardin. C'est le premier exemple de « plan désaxé » qui intègre déjà une basse-cour secondaire à côté de la cour – trait d'une grande modernité pour le XVIe siècle et qui deviendra courant au siècle suivant.

Façade principale sur cour, *Le Printemps*, atelier de Jean Goujon.

Mansart, chargé d'agrandir l'hôtel tout en préservant la structure d'origine, fait construire l'aile droite et redresser l'aile gauche. Il orne ces deux ailes de grandes figures allégoriques. Sur l'aile gauche se trouvent les *Quatre Éléments* sculptés par Van Obstal. L'aile droite porte les figures d'Hébée, de Diane, de Junon et de Flore, surmontées des symboles des *Quatre Vents*. Pour unifier l'ensemble, Mansart coiffe alors les bâtiments de combles brisés.

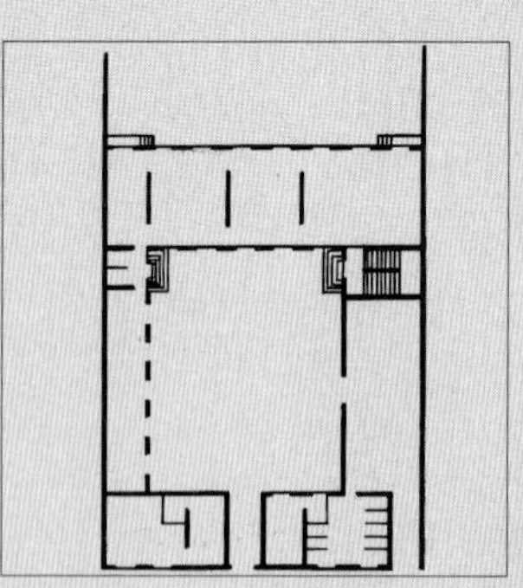

Restitution du plan de l'hôtel au XVIe.

Il remanie enfin la façade sur rue, en conservant le beau portail Renaissance qu'il intègre dans une composition magistrale. Sous le Second Empire, l'architecte Parmentier a tenté de restituer les toitures Renaissance avec les lucarnes et les cheminées sur le corps de

Heurtoir, lyre et serrure, début XVIIIe, du portail principal.

logis, d'après une gravure inexacte de Marot – la balustrade dont il affuble le corps de logis n'ayant jamais existé. Il détruit donc les combles de Mansart ; mais comme les ailes n'existaient pas au XVIe siècle, il les coiffe non de combles Renaissance mais de terrasses. Malgré cela, la cour de l'hôtel Carnavalet demeure l'un des joyaux du Marais.

La façade sur jardin, entièrement refaite par Parmentier, n'offre plus aucun intérêt. Le jardin lui-même a été diminué par de navrantes constructions néo-Renaissance, dans lesquelles ont été intégrés des vestiges de monuments détruits par Haussmann ou ses successeurs : on reconnaît sur la rue des Francs Bourgeois *l'arc de Nazareth*, datant du XVIe siècle, provenant de l'île de la Cité ; en face se dresse le pavillon de l'hôtel des Marets, de style Louis XV, qui était situé dans le quartier du Louvre ; vers la rue Payenne, enfin, on distingue le pavillon des Drapiers, construit en 1660 par Jacques Bruand.

Des intérieurs ne subsistent que l'escalier de Mansart, fortement restauré, et la galerie de Mme de Sévigné, située à l'étage de l'aile gauche. Au milieu de la cour se dresse une très belle statue de Louis XIV sculptée par Antoine Coysevox et fondue en bronze. Elle ornait jusqu'en 1870 l'une des cours de l'Hôtel de Ville. C'est l'une des rares statues royales en bronze à ne pas avoir été détruites à la Révolution.

Pavillon de la corporation des Drapiers (1660), autrefois rue des Déchargeurs aux Halles.

HÔTEL LE PELLETIER DE SAINT-FARGEAU

29, rue de Sévigné

HISTORIQUE - *Michel Le Pelletier de Souzy, intendant des Finances et directeur général des Fortifications, achète en 1686 le vieil hôtel de Lhuillier d'Orgeval ainsi qu'un terrain qui faisait partie du Petit Arsenal de la Ville, établi à côté depuis le* XVI*e* *siècle. Il fait alors construire par l'architecte Pierre Bullet un grand hôtel entre cour et jardin qui restera dans la famille jusqu'en 1811. Louis-Michel Le Pelletier de Saint-Fargeau, député de la noblesse aux États généraux, est le plus célèbre descendant de cette famille. Il avait voté la mort de Louis XVI, et fut assassiné par Pâris, garde du corps du roi, au Palais-Royal en janvier 1793. Vendu en 1811, l'hôtel est ensuite occupé par la célèbre pension Jauffret. La Ville de Paris l'achète en 1897 pour y installer sa Bibliothèque historique, transférée en 1968 à l'hôtel Lamoignon (**voir pp. 166-167**). De cette époque datent l'étage de l'aile droite sur cour, le bâtiment pastiche sur le square Léopold Achille, et le bâtiment au-dessus du portail. L'hôtel, restauré en 1984-1986, abrite aujourd'hui une annexe du musée Carnavalet, accessible depuis le musée par une galerie passant dans les combles du lycée Victor Hugo. Il renferme de nombreuses salles consacrées à l'histoire de Paris depuis la Révolution.*

Façade sur le jardin (square Georges Cain).

ARCHITECTURE - La cour, aux façades très sobres, s'ouvre par un beau portail sur la rue. Un bâtiment pastiche, élevé à la fin du XIXe siècle et conservé lors de la restauration, encombre la terrasse qui reliait jadis les ailes, comme à l'hôtel de Sully. De son décor d'origine, l'hôtel conserve un petit cabinet Louis XVI aux élégantes boiseries, ainsi que l'escalier d'honneur avec une curieuse rampe en fonte Louis XIV, considérée à tort comme une rampe du XIXe siècle à cause de son matériau rarement utilisé avant 1840.

Chiffre de Le Pelletier de Mortefontaine.

RUE DU PARC ROYAL

Appelé au XVIIe siècle « rue du Parc au Roi », cet ancien chemin régularisé en 1545 menait au parc des Tournelles. Il est bordé au nord par une série d'hôtels issus du lotissement des jardins du sieur Jacquelin en 1618. Cette rive devait être détruite par le percement de la « rue Étienne Marcel prolongée » (voir pp. 129-131). La rive sud a été détruite en 1908 au profit d'un square public qui s'étend au pied de l'hôtel Le Pelletier de Saint-Fargeau.

☐ **N° 4 - HÔTEL DE CANILLAC** - Cet hôtel, construit en 1620-1621 par le maître maçon Jean Thiriot pour Jacques Berruyer, conseiller du roi, restera dans la famille Berruyer jusqu'en 1657. Il appartient de 1752 à 1778 au marquis de Canillac, militaire distingué.
Les façades en brique et pierre sont caractéristiques du style Louis XIII. Le comble d'ardoises et ses belles lucarnes en pierre ont disparu en 1908 au profit d'une vilaine surélévation. Cet hôtel renferme encore un très bel escalier, dont la rampe en chêne est formée de petits aigles aux ailes déployées. Au rez-de-chaussée subsiste un beau plafond à poutres et solives peintes. Un petit jardin a été reconstitué.

☐ **N° 6 - ANCIEN HÔTEL D'ORLÉANS** - Construit au XVIIe siècle et entièrement remanié sous Louis-Philippe, cet hôtel conserve sur rue une jolie porte cochère aux vantaux cloutés Louis XIII, et sur cour une porte piétonne Louis XIV.

☐ **N° 8 - HÔTEL DURET DE CHEVRY** - Ce grand hôtel, qui en formait deux à l'origine, a été bâti en brique et pierre en 1618-1619 par Jean Thiriot pour Charles Duret de Chevry, riche financier. L'hôtel abrite comme locataires de 1662 à 1690 Philippe-Emmanuel de Coulanges, le cousin poète burlesque et chansonnier de Mme de Sévigné, puis le chancelier Voysin. La demeure appartient sous Louis XVI à Auget de Montyon, célèbre philanthrope, et au XIXe siècle au sculpteur et fondeur Crozatier, qui y meurt en 1855. L'hôtel est ensuite dénaturé par l'industriel Graux-Marly, nouveau propriétaire. En 1933, la société Saint-Raphaël achète l'hôtel et y installe son siège social. L'hôtel vient de faire l'objet d'une importante restauration pour le compte de l'Institut historique allemand.
Le corps de logis entre cour et jardin a été fortement remanié en 1859 dans un style néo-Louis XIII. Au même moment, le grand étage des deux ailes, seul vestige de l'hôtel d'origine, est recoupé pour former deux niveaux. Le revêtement ocre des murs a remplacé, en 1951, un beau décor de briques feintes. Les pilastres d'angle, en pierre de taille, ont été peints en blanc.

■ **N° 10 - HÔTEL DE VIGNY** - (voir p. 152).

☐ **N° 12 - HÔTEL DE CROISILLES** - Cet hôtel a été construit vers 1620 pour Nicolas de Croisilles, conseiller du roi. Il passe en 1647 à un riche brasseur d'affaires, Étienne Macquart, puis, sous Louis XIV, à la famille Potier de Novion. Vendu en 1896 à une société immobilière, il faillit alors disparaître. Il abrite ensuite un foyer de jeunes filles « pauvres et vertueuses », le cercle Amiticia. Après diverses affectations au cours du siècle, il est attribué au ministère de la Culture. Radicalement restauré en 1988, il abrite depuis la bibliothèque et les archives de la direction du Patrimoine. La façade sur rue, avec son grand fronton rhabillé en style néo-classique, conserve son portail clouté Louis XIII. Les façades sur cour, décorées simplement par des bandeaux plats

HÔTEL DE VIGNY

10, rue du Parc Royal

HISTORIQUE - *Cet hôtel a été construit en 1618 pour Charles Margonne, receveur général des Finances, par Jean Thiriot. La demeure d'origine ne comportait qu'un corps de logis entre cour et jardin, flanqué à gauche d'un pavillon pour l'escalier. Embellie et agrandie pour Jacques Bordier, propriétaire en 1627, elle reçoit bientôt les deux ailes sur cour. Dans celle de gauche est aménagé l'un des premiers escaliers avec une rampe en fer forgé du Marais. L'hôtel est ensuite occupé durant près d'un siècle par la famille Villier de la Cour des Bois, qui fait refaire l'intérieur. On lui doit l'extraordinaire plafond au premier étage. De 1764 à la Révolution, l'hôtel est la propriété des Vigny de Courquetaine.*
Au XIXe siècle, Roullet, un fabricant d'automates, y installe son atelier. Acheté par le ministère de l'Éducation nationale, l'hôtel devait être démoli au profit d'une école. Il est sauvé de justesse grâce à l'équipe de Michel Raude, qui met au jour en 1961 de beaux plafonds à poutres et solives peintes au rez-de-chaussée, datant du règne de Louis XIII.
*Peu après, l'hôtel est affecté au ministère de la Culture. Péniblement restauré entre 1974 et 1982, il abrite aujourd'hui les services de l'*Inventaire général des richesses d'art de la France*, créé en 1964 par André Malraux.*

ARCHITECTURE - Un austère portail donne accès à la cour pavée. Au fond, le corps de logis de Thiriot est décoré au rez-de-chaussée d'un beau portique à pilastres ioniques, qui rythme aussi la façade du jardin. L'ancien pavillon de l'escalier sur cour, à gauche, a gardé des traces de brique et de pierre, qui rappellent les façades d'origine.
Des intérieurs subsistent, au rez-de-chaussée, une remarquable série de plafonds à poutres et solives peintes Louis XIII, et, à l'étage, un magnifique plafond à l'italienne de l'ancienne chambre, peint vers 1669 par Jacques Gervaise et Nicolas Loir. Il se compose d'un cercle central entouré d'un décor de stucs dorés. Dans celui-ci s'inscrivent quatre médaillons en camaïeu représentant les *Éléments* et quatre scènes peintes figurant les *Saisons*. L'hôtel renferme également, dans l'aile gauche, un très bel escalier avec sa rampe en fer forgé à panneaux symétriques. Le petit escalier, dans l'aile droite, a été hélas abîmé lors de la restauration. Le jardin, jadis en parterres et orné d'un bassin, a été amputé il y a peu.

Détail du plafond de l'ancienne chambre, *L'Automne*.

entourant les baies, ont été traitées en ocre jaune lors de la restauration ; couleur surprenante aujourd'hui, mais sans doute proche du goût du début du XVIIe siècle où l'on aimait les couleurs fortes. Le toit est recouvert de tuiles anciennes, roussies par le temps. À droite, l'escalier, refait sous Louis XV, est muni d'une rampe en fer forgé d'un dessin gracieux et se termine par un plafond voûté en arête très original. L'intérieur a été entièrement vidé et modernisé. Le jardin, encore intact en 1924, a été fortement amputé depuis : une salle de conférences, éclairée par des dalles de verre, ayant été installée sous une partie du jardin.

◇ En face de ces trois hôtels s'ouvre le square Léopold Delisle, aménagé en 1908. Contre le mur du fond (façade arrière de l'orangerie de l'hôtel Le Pelletier de Saint-Fargeau) a été remontée l'arcade de la porte principale de l'ancien Hôtel de Ville, incendié en 1871. Sa voussure est ornée d'une salamandre, armes de François Ier.

☐ **N° 16 - HÔTEL GUILLOTEAU** - Cet hôtel a été construit vers 1792 par l'architecte Leclere pour André Guilloteau, à l'emplacement d'un ancien hôtel élevé là au XVIIe siècle. Connu sous le nom de Bonneval, propriétaire décédé en 1789, l'hôtel Guilloteau reste dans la famille jusqu'en 1821. Sous Louis-Philippe, il est envahi par l'industrie. Le corps de logis entre cour et jardin est entièrement dénaturé et surélevé en 1860. Il a fait l'objet d'une reconstruction néo-Louis XVI prétentieuse en 1978-1980, dans le cadre d'une opération immobilière qui a affecté tout l'îlot. De l'hôtel Guilloteau subsistent les deux pavillons encadrant le curieux portail à gradin fermé d'une grille, et dans la cour, à gauche, l'aile renfermant le grand escalier. Celui-ci offre deux traits originaux : sa rampe est en acier poli, et les marches sont disposées sans limon, selon une technique qui deviendra courante au cours du XIXe siècle. Il est coiffé d'une calotte ornée d'une grande peinture représentant un temple grec au milieu d'une luxuriante végétation. Cet ensemble, d'inspiration rousseauiste, a été bien restauré lors de la rénovation.

Du corps de logis principal de Guilloteau, seul un fragment du rez-de-chaussée de la façade sur jardin a été conservé. Il a été remonté dans un immeuble neuf édifié au fond de l'ancien jardin.

RUE PAYENNE

Ouverte en 1545 lors du lotissement de la couture Sainte-Catherine, elle rappelle le nom du notaire Guillaume Payen, qui instrumenta la vente des parcelles. Elle offre une jolie vue au sud sur la tourelle de l'hôtel Lamoignon, et, au nord, sur le grand fronton néo-classique de l'hôtel de Croisilles.

☐ **Nos 1-3** - Immeuble de rapport construit à l'emplacement du couvent des Petites Cordelières (voir 20, rue des Francs Bourgeois, p. 158).

☐ **Nos 2-4** - Bâtiments pastiches de la fin du XIXe du musée Carnavalet. Le n° 2 correspond à l'arrière du pavillon des Drapiers construit en 1660 par Jacques Bruand aux Halles et remonté dans le jardin de l'hôtel au XIXe siècle.

☐ **N° 5 - MAISON MANSART** - Sur une parcelle que lui avait cédée, en 1642, Henri de Guénégaud, l'un de ses clients, François Mansart s'était construit peu après une maison pour son propre usage. La demeure, d'une architecture simple, était richement

décorée à l'intérieur et possédait côté jardin un petit donjon de deux étages où l'architecte avait installé son cabinet de travail. Mansart s'est éteint dans cette demeure le 23 septembre 1666. Ses héritiers conservent la maison jusqu'au milieu du XVIIIe siècle.
En 1903, la maison est transformée en « chapelle de l'Humanité » et dénaturée par les adeptes de la religion positiviste d'Auguste Comte. C'est ici, en effet, que serait morte en 1845 Clotilde de Vaux, égérie du philosophe. La façade dépouillée a été surélevée et bien étrangement décorée : entre les deux fenêtres du premier étage, le buste du philosophe, disparu en 1992, trônait sous une petite voûte ogivale sommée de la devise du positivisme.
□ **N° 9** - Jardin de l'hôtel de Donon. Contrairement à ses voisins, cet hôtel ouvre sur la rue Elzévir, et son jardin sur la rue Payenne. Celui-ci, disparu en 1931 sous un affreux garage, a été reconstitué en 1992 lors de la restauration.
□ **N° 11 - HÔTEL DE MARLE** - (voir p. 155).
□ **N° 8 - SQUARE GEORGES CAIN** - Créé en 1931, ce petit square occupe l'emplacement de l'ancien jardin de l'hôtel Le Pelletier de Saint-Fargeau (voir 29, rue de Sévigné, p. 150). Celui-ci avait disparu au XIXe siècle au profit de bâtiments parasites abritant un temps une usine de factage. Le fond du square est dominé par la grande façade de l'hôtel, dont se détache un avant-corps de deux travées, coiffé d'un fronton. Son tympan est orné d'une statue de vieillard barbu symbolisant le *Temps*.
À gauche est établi un magnifique édifice bas à arcades : il s'agit de l'ancienne orangerie de l'hôtel. Construite également par Bullet, elle est décorée d'un petit fronton où la *Vérité* tourne sans pitié son miroir vers le *Temps* du fronton de l'hôtel, dans un fascinant dialogue de pierre.
Ce petit square, romantique et calme, est parsemé de vieilles pierres appartenant au dépôt lapidaire des collections archéologiques de la Ville. Contre le mur de droite, le fronton du palais des Tuileries, détruit en 1882, a été posé sur deux colonnes entre lesquelles a été remonté un groupe sculpté sous Louis XIV provenant de la porte du château de Saint-Germain-en-Laye.
■ **Nos 13-13 bis - HÔTEL DE CHÂTILLON** - (voir p. 156).
□ **N° 15** - Belle maison d'angle en pierre du XVIIe siècle. De sobres lucarnes se détachent du comble.

RUE ELZÉVIR

Ancien chemin médiéval, cette rue a été élargie et régularisée lors du lotissement de la couture Sainte-Catherine en 1545. D'abord appelée « rue Diane », puis « rue des Trois Pavillons », elle porte depuis 1867 le nom d'une célèbre famille d'imprimeurs.

□ **Nos 1-3** - Grand immeuble de rapport construit en 1825 (voir p. 161).
□ **N° 2** - Emplacement de l'ancien hôtel des Trois Pavillons, construit au début du XVIIe siècle. Ce surnom populaire lui vient des trois pavillons qui composaient son corps de logis. Détruit en 1932, au profit d'un vilain dispensaire, il n'en subsiste que l'ancienne aile sur jardin (voir 22, rue des Francs Bourgeois, p. 159).
□ **N° 4 - HÔTEL DE SAVOURNY** - Derrière un bel immeuble néo-classique sur rue se cache l'hôtel construit en 1586 par les maîtres maçons Noël Crécy et Nicolas Aubeau pour un gentilhomme italien, Charles de Savornini qui francisa son nom en Savourny. En

HÔTEL DE MARLE

11, rue Payenne

Mascaron sculpté à la clef du portail.

HISTORIQUE - *Cet hôtel, construit dans la seconde moitié du XVIe siècle pour René de Sainctbon, passe ensuite à Hector de Marle, seigneur de Versigny, conseiller au Parlement, qui l'amplifie vers 1572. Acheté par Duret de Chevry en 1609, il est redécoré et agrandi par son fils vers 1639. Mme de Polignac, favorite de la reine Marie-Antoinette et gouvernante des enfants de France, en hérite en 1761. À partir de 1821, l'hôtel est occupé par une institution, puis par un marchand de meubles. En 1969-1971, le gouvernement suédois le fait intelligemment restaurer pour y installer son centre culturel, l'Institut Tessin, du nom de l'architecte suédois qui avait constitué une belle collection de dessins français à la fin du XVIIe siècle. Les façades ont fait l'objet d'un nouveau ravalement en 1993.*

ARCHITECTURE - L'hôtel s'ouvre sur la rue Payenne par un mur bas percé d'un portail Louis XV orné d'un beau mascaron ; les vantaux datent de 1774. Le corps de logis principal, aux fenêtres irrégulièrement disposées, est coiffé d'un étonnant toit dit en « carène de navire renversé », selon une technique mise au point par Philibert de l'Orme. Ce toit a été découvert, lors de la restauration, sous un comble brisé qui le dissimulait sans doute depuis la construction des deux ailes sur cour, vers 1639. La façade sur jardin a conservé ses deux petits pavillons latéraux, également couverts en carène : ceux-ci reposent sur des arcades jadis ouvertes à claire-voie au rez-de-chaussée. Le jardin s'étend jusqu'à la rue Elzévir. Des intérieurs anciens subsistent, dans l'aile gauche, l'escalier d'honneur reconstruit en 1775 et, dans l'aile droite, un petit escalier du milieu du XVIIe siècle. Le corps de logis principal renferme deux plafonds à poutres et solives peintes. Celui du premier étage est remarquable. Réalisé à la fin du XVIe siècle, il n'en a pas moins gardé toute sa fraîcheur ; on y lit encore le chiffre HM pour Hector de Marle.

Façade sur jardin avec un pavillon.

HÔTEL DE CHÂTILLON

13-13 bis, rue Payenne

HISTORIQUE - *Cet hôtel existait déjà en 1619, mais sa construction remonte probablement à la fin du XVIe siècle. Acheté en 1629 par Jacques Berruyer, il passe à Éléonore Du Gué, qui le cède en 1670 à sa sœur Françoise. Celle-ci entreprend, dès 1671, d'importants travaux d'agrandissement qui seront réalisés par l'architecte Antoine Bricart. À la fin du XVIIe siècle, l'hôtel est loué à Mme du Lude, veuve d'Henri du Lude, maréchal et maître de l'artillerie, puis au magistrat Maupeou. Sous Louis XVI, l'hôtel est habité par Florent d'Argouges, propriétaire de l'hôtel de Marle voisin. En 1783, Mme Hocquart l'achète et le fait redécorer. Au XIXe siècle, l'hôtel est livré au commerce ; un bronzier et un marchand de luminaires l'occupent successivement. Le corps de logis et les pavillons sont alors surélevés tandis que le jardin se couvre d'ateliers.*

ARCHITECTURE - L'hôtel d'origine ne comportait qu'un corps de logis entre cour et jardin, flanqué, à gauche sur cour, d'un pavillon renfermant l'escalier. La façade comprenait alors cinq travées. Lors des travaux d'agrandissement en 1671, l'architecte Bricart rajouta deux ailes, qui ont conservé leur comble brisé et leurs belles lucarnes en pierre. L'aile de gauche fut alors adossée au pavillon ancien. Mais, à droite, où n'existait qu'un mur séparant la cour de la basse-cour (n° 13 bis), il fallut construire, en plus de l'aile, un pavillon abritant un nouvel escalier. À cette occasion, l'étage ancien a été surmonté d'un attique couronné d'un grand fronton. Le grand escalier de 1671, type parfait de l'escalier dit « suspendu », est un chef-d'œuvre méconnu. En pierre de taille jusqu'au premier étage, ses volées sont portées par des voûtes appareillées. La rampe en fer forgé, à motif géométrique et frise de postes, a conservé sa gaine de départ. Lors des surélévations successives de l'hôtel, cette rampe a été prolongée à l'identique. À gauche du vestibule est déposée une très belle grille ancienne, rapportée, avec un médaillon orné de clefs.

Grille ancienne (sans doute rapportée), vestibule du grand escalier.

1636, les religieuses du couvent voisin (voir 20, rue des Francs Bourgeois, p. 158) achètent l'hôtel et le mettent en location. Elles construisent au bout du jardin un immeuble à loyer formant l'actuel 3, rue Payenne. Vendu à la Révolution, l'hôtel est gravement altéré aux XIXe-XXe siècles par une occupation industrielle intensive tant sur cour que sur jardin.

Compris dans le secteur opérationnel de restauration du Marais, l'hôtel a été rénové en 1970-1971. La façade sur jardin, entièrement dénaturée, est alors soigneusement ravalée. Le comble d'ardoises, détruit lors d'une surélévation, est restitué et retrouve ses lucarnes en pierre à fronton curviligne.

À l'intérieur, un plafond à poutres et solives peintes au chiffre de Savourny et de belles cuisines en pierre en sous-sol ont été mis au jour. Parfaitement rénové, l'ensemble souffre seulement du ravalement de la façade sur cour, repeinte en rose.

□ **N° 5** - Cette maison Louis XIV offre une façade en pierre de taille soignée. La porte cochère est ornée d'un mascaron féminin. Un bel escalier avec sa rampe en fer forgé dessert les étages.

□ **N° 7 - HÔTEL DE GOUSSAINVILLE** - Construit au XVIIe siècle, il porte le nom de la famille qui en était propriétaire au XVIIIe siècle. Par un portail découronné de son linteau, on accède à une cour assez mélancolique. Au premier étage subsiste un intéressant plafond à poutres et solives peintes Louis XIII.

□ **N° 8 - HÔTEL DE DONON** - (voir p. 160).

□ **N° 10** - Jardin de l'hôtel de Marle (voir 11, rue Payenne, p. 155).

□ **N° 12** - Petit bâtiment pastiche sans intérêt, construit sur l'ancien jardin de l'hôtel du 13, rue Payenne.

□ **N° 14** - Belle maison en pierre construite pour Claude Gueston, vers 1660, à l'emplacement d'un jeu de paume. Mme de Sévigné y réside de 1672 à 1677. Sur la cour, la façade est sommée d'une lucarne à fronton curviligne. À gauche, l'aile renferme un escalier d'origine dont le départ est à claire-voie.

□ **N° 16 - MAISON BAILLY** - Construite en 1759-1760 pour la veuve Bailly, cette maison ne comprenait, à l'origine, que deux étages. La surélévation du XIXe siècle en a ruiné les proportions. Remarquer le décor du portail et l'ancienne inscription du nom de rue à l'angle.

RUE DES FRANCS BOURGEOIS

Cette rue regroupe depuis 1851 sous cette appellation quatre anciennes rues. Entre la place des Vosges et la rue de Turenne, la « rue de l'Écharpe », percée en 1605 au moment de la construction de la place Royale. Puis, jusqu'à la rue de Sévigné, la « rue Neuve Sainte-Catherine », ouverte en 1549. La rue des Francs Bourgeois proprement dite s'étendait de l'hôtel d'Albret à la rue Vieille du Temple, et formait un chemin extérieur à l'enceinte de Philippe Auguste. Son nom lui vient d'une maison d'aumône, construite par un bienfaiteur pour y loger des pauvres bourgeois, « francs d'impôts ». Elle était située approximativement aux nos 30-36.

Lors du lotissement de la couture Sainte-Catherine en 1545, cette partie médiévale a été prolongée jusqu'à l'actuelle rue de Sévigné, permettant ainsi le raccordement du vieux réseau urbain aux nouvelles rues du quartier. Au-delà de la rue Vieille du Temple s'étirait la « rue de Paradis » (voir p. 212).

□ **N° 2** - Maison Ancien Régime. La façade, rhabillée de refends, conserve de beaux appuis Louis XV et une porte cochère avec ses vantaux d'origine. Au fond du passage, à gauche, subsiste un grand escalier avec une rampe en fer forgé Louis XV ouvragée, ainsi que des portes palières Louis XVI à fronton.

☐ **N° 3** - Maison Louis XIV, propriété de Colbert de Villacerf (voir 23, rue de Turenne, p. 136).

☐ **N° 5** - Petite maison de la fin du XVIe siècle. Elle abritait aux XVIIe et XVIIIe siècles le célèbre cabaret de l'Écharpe. Elle renferme un bel escalier en vis, rare dans le Marais.

☐ **N° 8 - HÔTEL D'ARGOUGES** - Construit au XVIIe siècle, ce grand hôtel appartient jusqu'à la Révolution à la famille d'Argouges, propriétaire de l'hôtel Carnavalet (1605-1654). Une plaque rappelle le séjour du docteur Bauperthuis.

Derrière la façade, rhabillée à la fin du XVIIIe siècle, se cache une cour pavée entourée à droite et au fond de bâtiments parasites. À gauche, l'aile ancienne renferme le grand escalier à vide central dont les marches, sans limon, portent une rampe en fer forgé d'un dessin rare.

☐ **N° 9** - Maison construite en 1638 par le maître menuisier Louis Tortebat. Son fils François, reçu à l'Académie de peinture en 1663, gendre de Simon Vouet, reste connu comme portraitiste.

☐ **N° 17** - Belle façade Louis XVI dessinée vers 1774. Immeuble rénové en 1992.

☐ **N° 19** - Maison début XVIIe. Dans la cour pavée, à gauche et au fond, deux escaliers en bois limon sur limon à balustres tournés ont été conservés. Bernard-François Balzac, père du romancier, habitait ici pendant la Révolution.

☐ **N° 20** - Grand immeuble locatif construit en 1792 par l'architecte Signy pour Antoine Migeon. Emplacement de l'ancien couvent des Petites Cordelières, établi là de 1632 à 1686. Les bâtiments se composaient d'un corps de logis sur chaque rue construits en 1634, sa chapelle étant établie à l'angle. C'était auparavant les écuries de Mario Bandini, propriétaire de l'hôtel d'Albret situé en face (voir pp. 162-163).

Porte, 20, rue des Francs Bourgeois.

Profitant sans doute des désordres politiques, Migeon a fait ses travaux sans se conformer aux règlements : son immeuble est trop haut pour la rue et n'offre pas de pan coupé au carrefour conformément à la disposition de l'édit de 1783. Dans le balcon, au-dessus de la porte cochère, on distingue le millésime 1792 et le chiffre AMLB pour Antoine Migeon et Louise Boutillier, sa femme. L'ensemble a été mal ravalé en 1993.

Cet immeuble a fait partie du « secteur opérationnel » du Marais, lancé par Malraux en 1969. Sous les cours parasitées, les architectes Nicole et Michel Autheman ont aménagé un parking souterrain parfaitement intégré, et au-dessus, un jardin semi-privé mettant en valeur les façades restaurées. Malheureusement, cette opération de curetage et de rénovation s'est accompagnée de la construction de petits immeubles cubiques modernes parasitant à nouveau une partie du jardin.

□ **N° 21** - Ancienne devanture de boulangerie du XIXe, dont seul le décor subsiste.

□ **N° 22** - Aile sur jardin de l'ancien hôtel des Trois Pavillons (voir 2, rue Elzévir, p. 154). La façade XVIIIe porte de beaux appuis. Du comble se détache une lucarne à foin.

◇ Du n° 24 au n° 36 s'étendait au XVIe siècle un jardin appartenant au cardinal Bertrand. Du lotissement de ce terrain sont nés les actuels hôtels de Sandreville, d'Alméras et Poussepin.

■ **N° 26 - HÔTEL DE SANDREVILLE** - (voir p. 161).

□ **N° 28** - Emplacement de l'hôtel de Livry, remanié en 1708 par Germain Boffrand. Après avoir abrité une caserne de gendarmerie sous la Restauration, il a été détruit en 1865 au profit d'un petit immeuble industriel des Eaux de Vichy.

□ **Nos 29** - Ancienne devanture de boulangerie du XIXe. Le décor subsiste, l'âme s'en est allée...

■ **Nos 29 bis-31 - HÔTEL D'ALBRET** - (voir pp. 162-163).

□ **N° 30 - HÔTEL D'ALMÉRAS** - Pierre d'Alméras, sieur de La Saussaye, achète en 1611 un grand terrain à Jean de Fourcy, et fait construire l'année suivante un hôtel en brique et pierre par Louis Métezeau, architecte du roi. Il l'agrandit d'une parcelle voisine en 1625. À sa mort, en 1637, l'hôtel revient à son frère, qui le vend en 1655. Langlois de La Fortelle en devient propriétaire en 1699, puis la demeure passe en 1719 à son fils, auquel on doit les vantaux du portail Régence et le décor intérieur. Au XIXe siècle, l'hôtel, dénaturé par le commerce, est affublé de bâtiments parasites. Il a fait l'objet d'une restauration en 1981-1983. La façade sur rue est composée d'un bâtiment bas dans lequel s'ouvre un élégant portail. Très maniériste, il est surmonté d'un fronton avec une niche centrale soutenue par des têtes de bélier et des guirlandes. La menuiserie Régence de la porte et le chiffre de l'imposte pour Robert Langlois de La Fortelle sont en parfaite harmonie avec l'architecture d'origine.

Sur la cour, le corps de logis en brique et pierre, avec ses lucarnes en chapeau de gendarme, est flanqué de deux pavillons ; celui de gauche est prolongé par une aile sur arcade qui renferme le grand escalier en fer forgé. L'ensemble des façades en brique et pierre est très harmonieux et d'une unité remarquable. Un beau jardin moderne a été créé. Des intérieurs subsistent deux chambres aux boiseries Régence.

Portail de l'hôtel d'Alméras.

□ **N° 33 - HÔTEL GUILLAUME BARBES** - Construit pour Guillaume Barbes, trésorier des gardes françaises, cet hôtel a été élevé sur une parcelle artificiellement créée au XVIIe siècle, absorbant le débouché de la « ruelle médiévale de la Lamproie ». En 1700, l'hôtel est

HÔTEL DE DONON

8, rue Elzévir

HISTORIQUE - *Cet hôtel a été construit vers 1575 sur deux parcelles issues du lotissement de 1545 pour Médéric de Donon, surintendant des Bâtiments du roi. Agrandi au XVII*^e^ *siècle, mis au goût du jour sous Louis XV, l'hôtel est livré au commerce au siècle dernier, tandis que le jardin est parasité par un garage en 1931 (**voir 9, rue Payenne, p. 154**).*
*En 1975, un particulier tente une restauration de la maison, mais renonce aussitôt après avoir enlevé portes, fenêtres et toiture. Cet abandon précipite l'hôtel dans un état de semi-ruine. Devenu entre-temps propriété de la Ville de Paris, il est finalement restauré en 1991-1992 et abrite depuis le musée Cognacq-Jay. Ce musée, fondé par Ernest Cognacq et son épouse Louise Jay, renferme de riches collections d'art français du XVIII*e *siècle.*

ARCHITECTURE - L'hôtel du XVIe siècle, établi entre cour et jardin, offre des façades de pierre totalement dépouillées. L'architecte a obtenu un effet pyramidal – à peine sensible à l'œil – par la diminution progressive des fenêtres de bas en haut. Sur le haut comble d'ardoises « à la française » se détache une grande lucarne double à fronton de pierre. Le corps de logis est construit sur un étage demi-enterré abritant les communs et la cuisine, ce qui explique la hauteur du rez-de-chaussée par rapport au jardin, accessible à l'origine par un petit pont-escalier. Le corps de logis est flanqué de pavillons renfermant, sur cour, les escaliers et, sur jardin, de petits cabinets. La cour actuelle est bordée d'ailes à arcades du XVIIe siècle et fermée sur la rue Elzévir par un charmant petit bâtiment Louis XIV, dont le fronton sur rue est orné d'une coquille. La porte cochère a conservé ses beaux vantaux. Des intérieurs d'origine subsistent quelques éléments dont le magnifique escalier Louis XIV avec sa rampe en fer forgé et un beau plafond à poutres et solives peintes au rez-de-chaussée, curieusement dissimulé aux visiteurs par un vélum (!) ; au sous-sol, les anciennes cuisines pavées et voûtées ont également été conservées. Mais la pièce la plus exceptionnelle est sans conteste le comble, où l'on peut admirer un exemple unique de charpente construite suivant le modèle mis au point par Philibert de l'Orme. L'ensemble a été très restauré.

La cour après restauration.

HÔTEL DE SANDREVILLE

26, rue des Francs Bourgeois

Façade XVIe sur jardin, après restauration.

HISTORIQUE - *Claude Mortier, seigneur de Soisy, fait construire vers 1585 sur une parcelle qui englobait les actuels n°s 24 et 26 une magnifique demeure. À sa mort, en 1604, ses héritiers coupent la maison en deux parties. Celle de droite sera détruite en 1825 au profit d'un immeuble de rapport, l'actuel n° 24. L'autre moitié appartient en 1635 à M. de Sandreville, puis de 1638 à 1653 à Guillaume Cornuel. L'hôtel est vendu en 1698 aux Vallée, famille de parlementaires dont les héritiers Le Mayrat entreprennent en 1767 des travaux d'agrandissement et d'embellissement. Au XIXe siècle, l'hôtel abrite le siège de l'école des Francs Bourgeois fondée en 1843 par le frère Joseph. À cette époque, il est dépouillé de ses décors intérieurs. Une aile parasite est élevée dans la cour et des ateliers sont bâtis sur le jardin, tandis que deux étages sont ajoutés à la fin du siècle. Les copropriétaires actuels ont engagé une remarquable restauration de la maison, partiellement classée, en 1986-1992.*

ARCHITECTURE - La façade sur rue, bel exemple de style Louis XVI, est rythmée de pilastres colossaux et porte une corniche à consoles décorée de linges suspendus. La porte cochère conserve une belle menuiserie. Cette façade, à l'échelle de la parcelle issue du partage de 1604, dissimule la moitié gauche subsistante de l'hôtel de 1585. Les façades sur cour jadis très décorées ont été asséchées, mais conservent les forts bossages des arcades du rez-de-chaussée. Les lucarnes sont noyées dans un étage de surélévation. Cette mise au goût du jour, opérée en 1767, s'est accompagnée de la construction, dans l'aile gauche, d'un grand escalier d'honneur avec une rampe en fer forgé, d'un dessin très ferme, et munie d'une belle boule de départ. En traversant le corps de logis principal, on accède au petit jardin, théâtre d'une confrontation spectaculaire : un édifice moderne avec une façade en métal et verre, situé au fond, fait face à la merveilleuse façade Renaissance, dont la modénature très soignée (clefs, bossages, ressauts multiples) a pu être restituée lors des travaux de restauration grâce à de nombreux témoins décoratifs restés en place. De ce côté, les surélévations ont pu être détruites, et le grand comble d'ardoises restitué. À l'extrémité droite de cette façade se dresse un ravissant petit pavillon avec son toit indépendant orné d'épis de faîtage. Avec un peu d'imagination, on peut restituer toute la façade Renaissance avant sa partition malheureuse.

HÔTEL D'ALBRET

29 bis-31, rue des Francs Bourgeois

Portrait de Henri Duplessis de Guénégaud, gravure de Nanteuil, XVIIe.

HISTORIQUE - *Cet hôtel, construit dans la seconde moitié du XVIe siècle, ouvrait à l'origine sur la « ruelle de la Lamproie », aujourd'hui condamnée (voir n° 33). Il est acquis en 1563 par le connétable de Montmorency. Il passe ensuite à son fils, Guillaume de Montmorency-Thoré, puis, à la fin du siècle, à un financier italien, Mario Bandini, dont la ruine entraîne la saisie des biens. L'hôtel vient alors à un autre financier, Pierre Le Charron.*

En 1630, Gabriel de Guénégaud, trésorier de l'Épargne, en devient propriétaire et entreprend des travaux dont subsiste un escalier, daté de 1638. Son fils, Henri Duplessis de Guénégaud, confie la suite des travaux à François Mansart, qui établit, dans l'aile gauche, un nouvel escalier d'honneur. C'est dans cet hôtel que Mme Scarron, future Mme de Maintenon, rencontre Mme de Montespan. Cette dernière lui confie l'éducation de son fils, le duc du Maine, bâtard du Roi-Soleil. Duplessis de Guénégaud laisse l'hôtel à sa sœur, épouse du maréchal d'Albret. En 1740, la demeure est vendue à Charles du Tillet, qui commande à l'architecte J.-B. Vautrin le remaniement de la façade sur rue. Aux XIXe et XXe siècles, l'hôtel subit les assauts du commerce et de l'industrie. Lorsqu'il est acheté par la Ville en 1975, il est dans un état épouvantable. Les extérieurs sont restaurés entre 1982 et 1989, tandis que les intérieurs sont vidés de toute trace ancienne. L'hôtel abrite depuis, dans un décor ultracontemporain, la Direction des affaires culturelles de la Ville de Paris.

Façade sur cour, après restauration.

ARCHITECTURE - La façade Louis XV est très caractéristique du style rocaille. L'avant-corps central est souligné par un balcon ondulant, soutenu par deux consoles à têtes de lion, et un fronton brisé à l'étage. La porte cochère a conservé des vantaux admirablement sculptés sur un dessin de Courtonne le Jeune. On distingue sur le linteau le mascaron d'Hercule coiffé de la peau du lion de Némée et au-dessus, dans le cartouche en pierre, la frimousse d'un chat. Cette aile sur rue, destinée à la location, est desservie par un petit escalier de fer forgé visible à gauche sur cour. À l'angle du corps de logis principal et de l'aile gauche était situé le grand escalier de Mansart, détruit au XIXe siècle mais dont subsistent le perron et l'arcade du rez-de-chaussée. L'aile droite conserve encore les trois arcades des remises. Au fond s'élève le corps de logis entre cour et jardin datant du XVIe siècle. Il est précédé d'un fossé éclairant l'étage des communs semi-enterrés. À droite se dresse le pavillon renfermant l'escalier ; celui-ci a été refait en 1638, en bois limon sur limon à balustres carrés, sans doute à la place de l'escalier du XVIe siècle. Lors de la restauration, on a découvert qu'une fenêtre sur deux était d'origine, les autres ayant été ouvertes au XVIIe siècle pour rendre les pièces plus lumineuses. Au-dessus de la corniche à modillons, le comble d'ardoises est agrémenté de belles lucarnes en pierre à fronton et d'oculi.

Escalier en bois de 1638.

Avant-corps de la façade sur rue.

Des intérieurs ne subsistent que les sous-sols voûtés abritant l'ancienne cuisine.

L'hôtel possédait un jardin qui s'étendait en arrière jusqu'à la muraille de Philippe Auguste. Une des tours de l'enceinte avait été conservée et aménagée en chapelle au XVIIe siècle. Elle subsiste toujours, mais sa restauration est devenue nécessaire (voir 10-12, rue des Rosiers, p. 173). Le grand jardin n'a été que partiellement reconstitué.

remanié et agrandi par François-Joseph de Serré, alors propriétaire. Au XIXe siècle, l'hôtel est livré au commerce. La partie sur rue est remplacée en 1866 par un triste immeuble de rapport.
Au fond de la cour s'élève le petit corps de logis, avec d'élégantes façades en pierre de taille. À la jonction du corps de logis et de l'aile droite, l'architecte a dessiné un pan concave permettant l'ouverture d'une arcade à claire-voie qui conduit au grand escalier.
À gauche, au-dessus du mur mitoyen, se détache le haut du pavillon de l'hôtel d'Albret (voir pp. 162-163).
Le jardin s'étend jusqu'à l'enceinte de Philippe Auguste. À l'intérieur d'un atelier parasite, appuyé contre la muraille, on aperçoit le parement extérieur de la tour du jardin de l'hôtel d'Albret.

□ **N°s 34-36 - HÔTEL POUSSEPIN** - Il a été construit en 1603 pour Jean d'Alméras, dont la famille le conserve jusqu'en 1688. À cette date, Pierre et René Poussepin rachètent l'hôtel pour l'habiter. Le petit hôtel, surélevé au XIXe siècle, a néanmoins conservé une petite cour pittoresque. À l'angle du corps de logis et de l'aile s'élève une tourelle carrée en encorbellement sur consoles, dont la porte est ornée d'un mascaron. Dans la porte en bois, à droite, est inscrit le chiffre C pour Georges Coutelas, propriétaire de l'hôtel au XIXe siècle. Il y avait fondé la célèbre « pharmacie du Bon Pasteur », dont subsiste le magasin sur rue.
Les intérieurs conservent, au premier étage, de très beaux plafonds peints Louis XIII et Louis XIV. Une partie de l'hôtel est aujourd'hui occupée par le Centre culturel suisse.

□ **N°s 35-37 - HÔTEL DE COULANGES** - Cet hôtel, construit sous Louis XIII par Scarron de Saintry, devient en 1640 la propriété de Philippe II de Coulanges. Il y héberge sa nièce, la future Mme de Sévigné, et son frère Christophe, l'abbé de Livry dit « le Bien Bon ». Après les Coulanges, l'hôtel passe au chancelier Le Tellier, qui en fait l'annexe de son hôtel voisin. Acheté en 1703 par un fermier général, Beaugier, l'hôtel est unifié et modernisé. Sous Louis XVI, il appartient à Puy de Vérine qui, bien qu'aveugle, sourd et âgé de soixante-treize ans, fut guillotiné sous la Terreur. L'hôtel, envahi par le commerce en 1821, a été dénaturé par la surélévation des corps de logis et la construction de bâtiments industriels dans le jardin. Sauvé de la destruction en 1961 grâce à une pétition d'associations, il est racheté en 1978 par la Ville de Paris, et abrite aujourd'hui après rénovation la Maison de l'Europe.
Une restauration trop énergique a fait perdre à l'hôtel tout son caractère. Le portail sur la rue est surmonté d'une tête d'homme couronnée de lauriers. Dans la cour – de bonnes proportions – les arcades des ailes sont sommées d'intéressants mascarons. L'aile droite renferme un grand escalier du début du XVIIIe siècle. Le vaste jardin, reconquis sur les parasites industriels et agréablement aménagé en 1993, s'étend jusqu'au mur de l'enceinte de Philippe Auguste.

Cour de l'hôtel Poussepin,
34-36, rue des Francs Bourgeois.

☐ **N°s 39-45** - Emplacement de l'ancien grand hôtel Le Tellier. Cet hôtel avait appartenu à Michel Le Tellier, chancelier de France, puis à son fils, l'archevêque de Reims, frère du ministre Louvois. De 1823 à 1849, l'hôtel abrita la mairie de l'ancien VIIe arrondissement. L'ensemble a été démoli et loti de 1885 à 1912 au profit des actuels immeubles. Le n° 39 a été construit en 1885 par l'architecte Allard pour la Société des cendres, fondée en 1859 ; cet établissement est un précieux témoin de l'activité industrielle du quartier au siècle dernier. Dans la cour se dresse encore l'immense cheminée en brique des fourneaux.

IMPASSE DES ARBALÉTRIERS

Ce cul-de-sac médiéval, avec ses pavés inégaux et ses vieilles bornes, formait à l'origine une voie secondaire desservant l'hôtel Barbette, dont l'entrée principale était rue Vieille du Temple. Son nom lui vient du « champ des Arbalestriers », situé de l'autre côté de la rue, où les soldats venaient s'entraîner au tir.

RUE PAVÉE

La partie haute de cette rue, ouverte en 1545, formait à l'origine le prolongement de la rue Payenne. Ce tronçon permettait de raccorder la voirie du lotissement de la couture à la rue Pavée qui existait déjà au XIIIe siècle (voir p. 170).

☐ **N°s 17 bis-23** - Immeubles de rapport de la fin du XIXe siècle, construits à l'emplacement de l'ancienne basse-cour de l'hôtel Lamoignon.
L'étroite parcelle du n° 17 bis, occupée par un immeuble bas, recouvre l'emplacement du débouché de la « ruelle de la Lamproie ».

■ **N° 24 - HÔTEL LAMOIGNON** - (voir pp. 166-167).

RUE MALHER

Cette rue a été ouverte en 1851-1852 sur l'emplacement de la prison de la Force (voir p. 172). Elle porte le nom d'un sous-lieutenant tué lors des émeutes du 24 juin 1848.
Elle est bordée d'immeubles de rapport rendant la transition insensible entre le style rambutéen et le style haussmannien. Cet ensemble homogène a néanmoins souffert de constructions modernes incongrues, notamment aux n°s 9 et 22.
La portion de la rue comprise entre la rue du Roi de Sicile et la rue de Rivoli recouvre approximativement l'ancienne « rue des Ballets », où était située l'entrée principale de la prison de la Force.

☐ **N° 4** - Belle façade en pierre de taille. Au rez-de-chaussée une devanture de boucherie a été conservée.

☐ **N° 5** - Façade en pierre au décor soigné. Le balcon terminal est soutenu par une frise de fleurs et de feuilles.

HÔTEL LAMOIGNON

24, rue Pavée

HISTORIQUE - *Sur cinq parcelles issues du lotissement de 1545, et à l'emplacement de l'ancienne porcherie du Petit Saint-Antoine (voir 20, rue du Roi de Sicile, p. 181), un premier hôtel avait été construit vers 1562 pour l'abbé François de Pisseleu. Cette demeure est achetée en 1584 par Diane de France, duchesse d'Angoulême, fille légitimée d'Henri II et de Philippa Duca. Diane entreprend alors de grands travaux, mais, devant quitter Paris pour fuir les guerres de Religion, elle laisse l'hôtel en chantier. Revenue à Paris sous Henri IV, elle fait terminer le grand corps d'hôtel en 1611-1612, suivant le dessin d'origine, qui est peut-être dû à l'architecte Thibaut Métezeau. Les nombreux attributs cynégétiques des façades rappellent la passion de Diane de France pour la chasse. En 1619, elle meurt en léguant l'hôtel à son neveu, Charles de Valois, fils naturel de Charles IX et de Marie Touchet. Celui-ci devait l'habiter jusqu'à sa mort, en 1650. Il confie à l'architecte Jean Thiriot la construction de l'aile gauche sur cour et d'un nouvel escalier.*

En 1658, le président Guillaume de Lamoignon en devient locataire. Homme de grande intégrité, comme il le montra lors de l'inique procès de Fouquet, Lamoignon tenait chez lui chaque semaine un salon que fréquentaient Racine, Bourdaloue, Regnard et Boileau. Lamoignon avait aussi réuni une très belle bibliothèque, dont le savant Antoine Baillet était responsable.

Son fils, Chrétien-François, achète l'hôtel en 1688. Il le fait remanier à l'aube du XVIIIe siècle, peut-être par Robert de Cotte, qui modifie la façade sur jardin. Sa veuve fait édifier en 1718 le beau portail. Lamoignon de Malesherbes, futur avocat de Louis XVI (rôle qu'il paya de sa vie) y voit le jour en 1721 ; mais la famille quitte l'hôtel en 1750 lors de la nomination de Lamoignon de Blanc Mesnil à la chancellerie. Il est alors loué à Antoine Moriau, procureur du roi et de la Ville. Cet érudit passionné y réunit une bibliothèque consacrée à l'histoire de Paris, qu'il légua en mourant à la Ville, à charge pour elle de la rendre publique. C'est en 1774 que s'ouvrent les portes de cette première « Bibliothèque historique », qui resta à Lamoignon jusqu'en 1784. Tombé en roture dès 1774, l'hôtel est loué au XIXe siècle tandis que le jardin est loti sous Louis-Philippe. Alphonse Daudet en est locataire de 1867 à 1874 ; son fils Léon, écrivain et député monarchiste, y naît en 1867. L'hôtel est acheté en 1928 par la Ville de Paris, qui le fait restaurer en 1943-1967 par l'architecte J.-P. Paquet, pour y installer en 1968 le siège de sa Bibliothèque historique.

L'actuelle bibliothèque est la troisième de la Ville : celle de Moriau avait été donnée en 1795 à l'Institut. La deuxième fut détruite lors de l'incendie de l'Hôtel de Ville par les communards : elle renfermait deux cent mille volumes. Au lendemain du sinistre, l'historien Jules Cousin donna sa propre bibliothèque qui forme toujours le noyau du fonds actuel.

Portail de 1718, détail du fronton.

ARCHITECTURE - Sur la rue, l'hôtel s'ouvre par un beau portail Régence, construit sans doute par Jean-François Blondel en 1718. Il est couronné d'un fronton où sont sculptés deux *putti* illustrant la *Vérité* et la *Prudence*, vertus du bon magistrat. La grande façade sur cour est rythmée par de remarquables pilastres corinthiens d'ordre colossal, qui passent pour avoir été les premiers employés à Paris. Au centre, la travée soulignée d'un fronton abritait le grand escalier à mur d'échiffre, « à l'italienne », disparu dès le XVIIIe siècle. Les grandes lucarnes passantes et les frontons courbes des pavillons latéraux sont chargés de sculptures cynégétiques. L'aile gauche, construite par Jean Thiriot sous Louis XIII, s'harmonise parfaitement avec l'hôtel Renaissance. Elle porte, à l'angle de la rue Pavée et de la rue des Francs Bourgeois, une belle tourelle encorbellée sur trompes.

Des intérieurs subsistent au rez-de-chaussée : dans l'actuelle salle de lecture, un grand plafond à poutres et solives peintes – il s'agit en réalité de l'assemblage de toutes les poutres peintes trouvées dans l'hôtel durant la rénovation ; un petit escalier Louis XV dans le pavillon de droite ; à l'étage un salon aux boiseries XVIIe provenant de l'aile gauche et remonté là lors des travaux ; enfin une partie des cuisines en sous-sol. L'installation de la bibliothèque en 1968 a nécessité la construction de bâtiments en pierre de taille qui tentent, en vain, de concilier l'ancien et le moderne. Ils sont établis sur l'ancienne basse-cour, détruite en 1942.

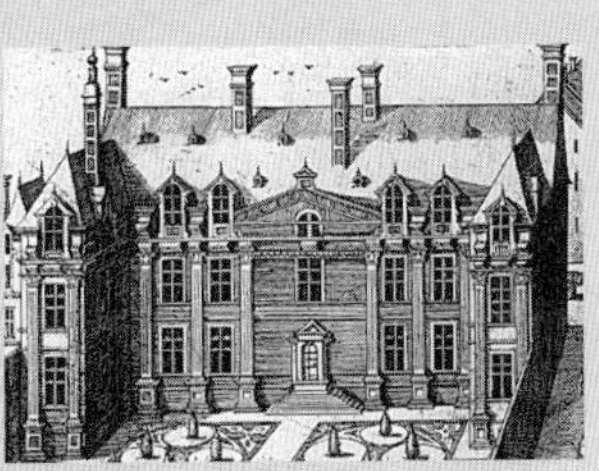

Vue de l'ancienne façade sur jardin, gravure de Chastillon, XVIIe.

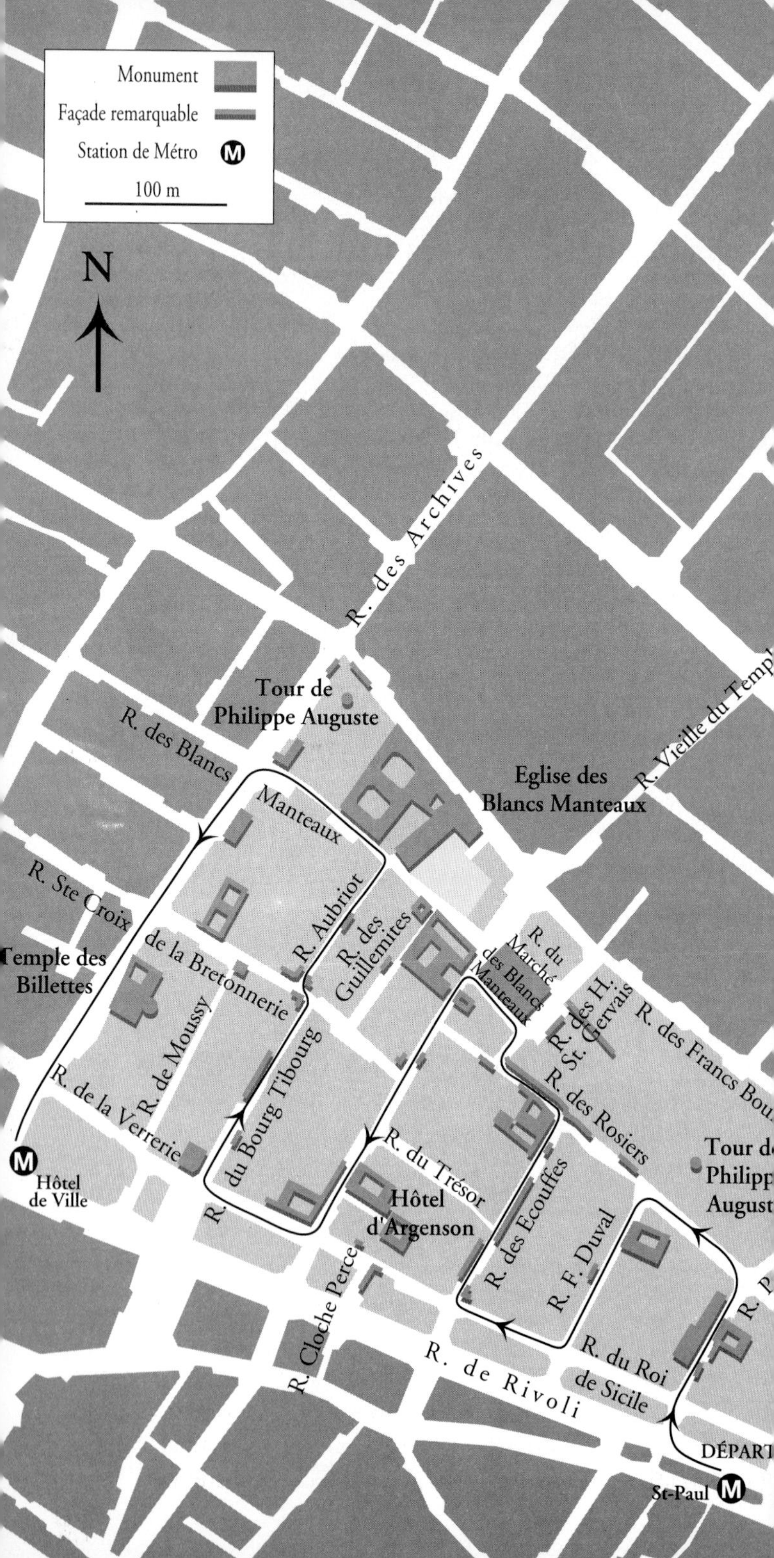
Monument
Façade remarquable
Station de Métro
100 m
N
R. des Archives
Tour de Philippe Auguste
R. des Blancs Manteaux
Eglise des Blancs Manteaux
R. Vieille du Temple
R. Ste Croix de la Bretonnerie
Temple des Billettes
R. Aubriot
R. des Guillemites
R. du Marché des Blancs Manteaux
R. des H. St. Gervais
R. des Francs Bou
R. de Moussy
R. du Bourg Tibourg
R. de la Verrerie
R. des Rosiers
Hôtel de Ville
R. du Trésor
Hôtel d'Argenson
R. des Ecouffes
R. F. Duval
Tour de Philipp August
R. Cloche Perce
R. de Rivoli
R. du Roi de Sicile
DÉPART
St-Paul

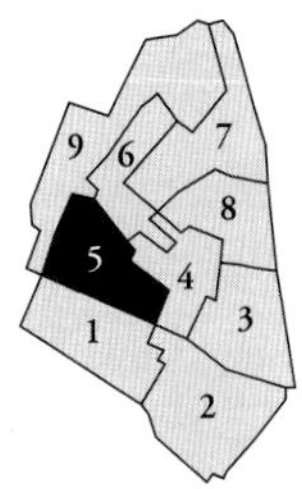

5

Promenade

Le quartier des Blancs Manteaux et le « Pletzl » (quartier juif)

Rues Pavée, des Rosiers, Ferdinand Duval, des Écouffes, des Hospitalières Saint-Gervais, Vieille du Temple (nos 11-48), du Roi de Sicile, Cloche Perce, de la Verrerie, des Mauvais Garçons, de Moussy, du Bourg Tibourg, Sainte-Croix de la Bretonnerie. Square Sainte-Croix de la Bretonnerie. Rues Aubriot, des Guillemites, des Blancs Manteaux, Pecquay, des Archives (nos 10-54).

Le quartier compris entre la rue de Rivoli au sud, l'ancienne enceinte de Philippe Auguste au nord, la rue Pavée à l'est, et la rue des Archives à l'ouest est formé de petites rues étroites et sinueuses, bordées de maisons basses aux cours peu profondes. Deux parties séparées par la rue Vieille du Temple sont à distinguer : à l'ouest, le quartier des Blancs Manteaux et de Sainte-Croix de la Bretonnerie, meurtri par l'ouverture de la rue des Archives et, à l'est, le quartier juif, le « Pletzl », ce qui signifie la place en yiddish. Au XIIIe siècle, une petite colonie juive s'était établie autour de l'actuelle rue des Rosiers. Elle a été dispersée lors de la grande expulsion en 1394. Au XIXe siècle, de nombreux Juifs d'Europe de l'Est fuyant les pogroms russes et polonais s'y sont de nouveau installés. Il y règne aujourd'hui, malgré un recul des boutiques traditionnelles, une atmosphère très caractéristique.

RUE PAVÉE

Ouverte vers 1250, cette rue s'est tout d'abord appelée « rue du Petit Marivaux ». Elle a été pavée au milieu du XVᵉ siècle et depuis justement baptisée.

□ **N° 6** - Très belle façade en pierre avec appuis Louis XVI. La porte cochère a conservé des vantaux de la même époque.

□ **N° 10** - Synagogue construite par Hector Guimard, en 1913, pour une association israélite, Agoudas Hakekilos. La façade ondulante est composée de pierres agglomérées creuses, qui reposent sur une armature de béton.

□ **Nos 9-13** - Emplacement de l'ancien hôtel de Lorraine. L'origine de ce domaine remonte à la maison de Raoul de Lorraine, donnée en 1336 par le roi Philippe VI. L'hôtel est rasé à la suite d'une querelle avec l'Université en 1404, et, la famille de Lorraine n'obtiendra l'autorisation de le reconstruire qu'en 1517. Il sort quelques années de la famille, qui le rachète en 1560. Charles III, cardinal de Lorraine, l'agrandit encore et en fait l'un des plus beaux hôtels de Paris, pourvu de grands jardins dont l'un était établi à l'angle de la rue du Roi de Sicile à l'emplacement des nos 5 et 7.

En 1681, l'hôtel est acheté par la veuve du comte Demarets, Grand Fauconnier de France. Ses petits-enfants morcellent, en 1685, le vaste domaine. De cette division sont nés les actuels hôtels sis aux nos 9-11 et 13.

L'hôtel, aux nos 9-11, date sans doute des travaux entrepris vers 1634 par Nicole de Lorraine, qui y meurt en 1657. Il conserve une façade XVIIᵉ, avec une belle porte cochère Louis XIII cloutée. Un motif sculpté décore le haut de l'arcade.

Au n° 13 s'élève l'hôtel d'Herbouville. Il a été reconstruit en 1737 par l'architecte Mansart de Jouy. Le corps de logis établi sur la rue ne comportait à l'origine qu'un étage.

La porte cochère, surmontée d'un mascaron d'homme barbu et d'un écusson de marbre noir où est gravé le nom de l'hôtel, ouvre sur la cour, parasitée par une haute construction industrielle rénovée en 1993.

□ **N° 12 - PETIT HÔTEL DE BRIENNE** - Il a été construit vers 1660 pour Henriette Bouthillier de Chavigny, qui avait épousé Louis Loménie de Brienne en 1656. L'hôtel reste dans la famille jusqu'en 1784, date à laquelle il est acquis par François-Denis Tronchet, qui sera l'un des trois avocats de Louis XVI, avec Lamoignon de Malesherbes et Romain de Sèze. Il y meurt en 1806.

La façade en pierre est ornée d'élégants appuis en fer forgé Louis XV. Une grande lucarne aveugle, située au centre du comble, termine l'élévation. Dans la cour, au fond, s'élève le bâtiment reconstruit en 1752 par le maître maçon Catherine sur les dessins de l'architecte Duchêne. Ce dernier a également remanié le grand escalier du XVIIᵉ situé à gauche : il l'a fait reconstruire en pierre jusqu'au premier étage, avec une rampe dont le motif volontairement archaïsant a été dessiné en harmonie avec la rampe en fer forgé XVIIᵉ conservée au second étage. À droite, une amusante tourelle, soutenue par un poteau de bois, abrite un ravissant petit escalier Louis XV, dont le départ est à claire-voie. Un puits est encore visible dans le mur mitoyen.

□ **N° 14** - Vieille maison. Remarquer la plaque en émail « La Lutèce, dégât des eaux ».

■ **Nos 16-20 - ANCIENNE PRISON DE LA FORCE** - (voir p. 172).

■ **N° 24 - HÔTEL LAMOIGNON** - (voir pp. 166-167).

Cour du petit hôtel de Brienne, 12, rue Pavée.

PRISON DE LA FORCE

« Je ne puis décrire ce que j'éprouvais à cet horrible spectacle. Un monceau de corps s'élevait contre la muraille, formé de membres et de vêtements sanglants de ceux qui avaient été massacrés. Une multitude d'assassins l'entouraient. Deux hommes étaient montés dessus, armés de sabre et couverts de sang. C'étaient eux qui exécutaient les prisonniers. On jetait les corps sur les précédents et c'est ainsi que s'élevait l'horrible montagne. »
Mme de Tourzel, *Mémoires*.

HISTORIQUE - *En 1780, le gouvernement de Louis XVI décide de créer dans l'hôtel de la Force une prison d'un type nouveau, réservée aux prisonniers pour délits et dettes civiles, où les détenus bénéficieraient d'un traitement plus conforme aux idéaux des Lumières. À côté de cette « Grande Force » est créée, pour les femmes de mauvaise vie, la « Petite Force ». L'architecte Pierre Desmaisons est chargé de la construction des bâtiments neufs de 1785 à 1790.*

Cette prison, loin des pensées généreuses de Louis XVI, sert de cadre aux horrifiques massacres de Septembre, par lesquels le gouvernement révolutionnaire signait sa prise de pouvoir dans la capitale. Les 2 et 3 septembre 1792 sont massacrées plus de cent cinquante personnes ; la plus illustre victime est la princesse de Lamballe, seule femme assassinée à la Force. Les assassins, retrouvés par la suite, ont été amnistiés par un vote de la Convention du 26 octobre 1795. Cette prison sert ensuite aux détenus de droit commun. Le général Malet, lors de la conspiration de 1812 contre Napoléon, y fait enfermer le ministre de la Police Savary et le préfet Frochot. L'ensemble a été démoli en 1851 pour le percement de la rue Malher, dont le tracé avait été imaginé dès le Consulat par l'architecte Giraud. La Ville de Paris divisa le terrain en lots qu'elle revendit le 27 octobre 1852. Il subsiste de la Petite Force un fragment de mur à bossage vermiculé. Ce vestige a été dégagé en 1909 lors de la démolition d'un édifice voisin situé alors à l'emplacement de l'actuel 22, rue Malher. Il est pris aujourd'hui dans les bâtiments neufs de la Bibliothèque historique.

Élevation de la façade.de Desmaisons, dessin fin XVIIIe.

RUE DES ROSIERS

Cette rue au nom champêtre longeait intérieurement l'enceinte de Philippe Auguste. Ouverte sans doute au XIIIe siècle, elle s'étendait de la rue Vieille du Temple à l'actuelle rue Ferdinand Duval, et se terminait au-delà par un cul-de-sac, l'« impasse Coquerel », où se trouvait une synagogue, détruite au début du XVe siècle. Sous Louis-Philippe, la rue des Rosiers a été prolongée jusqu'à la rue Pavée, emportant sur son tracé la petite impasse.

☐ **N° 4** - Cet ancien hammam du XIXe siècle a été vidé et converti en boutique de luxe en 1991.

☐ **N° 4 bis** - Immeuble Louis-Philippe abritant depuis 1865 l'École du travail, fondée en 1852. Auparavant établie « rue des Singes » (actuelle rue des Guillemites), cette institution se chargeait de dispenser un enseignement manuel aux Juifs défavorisés.

☐ **N° 5** - Ce minuscule immeuble matérialise le passage de sortie que possédait le 20, rue Ferdinand Duval sur l'ancienne « impasse Coquerel ».

☐ **N°s 10-12** - Immeubles de rapport Louis-Philippe, dont le revers jouxte l'ancien jardin de l'hôtel d'Albret (voir pp. 162-163). Derrière ces immeubles subsiste une tour de l'enceinte de Philippe Auguste, qui a longtemps servi de château d'eau à un lavoir de quartier récemment démoli.

☐ **N°s 14-16** - Lourd immeuble de rapport construit en 1903 à l'emplacement de deux anciennes maisons. Dans la cour subsistent, au fond, les vestiges de l'hôtel de Pontcarré, du XVIIe siècle.

☐ **N°s 18-20** - Maison basse du début du XVIIe. La façade a conservé une arcade de la porte cochère et de solides lucarnes maçonnées sur le comble. La porte piétonne, à gauche, donne accès à un escalier en bois limon sur limon à balustres tournés.

☐ **N° 23 - HÔTEL D'ÉPINAY** - Construit sous Louis XV sur une parcelle étroite, l'hôtel a conservé un beau portail en pierre, disposé en léger renfoncement pour faciliter les manœuvres des carrosses. Une agrafe sculptée orne l'arcade. La cour, parasitée par une verrière, dessert le corps de logis relié à la petite aile du fond par une tourelle en quart de cercle renfermant l'escalier ancien.

☐ **N° 25** - Cette façade Louis XV porte de beaux appuis en fer forgé.

☐ **N° 30** - Belle porte piétonne possédant un vantail en bois Louis XV légèrement sculpté.

☐ **N° 27** - Maison début XVIIe. Les parties hautes de cette façade irrégulière ont été altérées par une surélévation, mais on devine l'ancienne disposition : de grandes lucarnes à fronton au-dessus d'une corniche à modillons dont un fragment est encore visible à l'extrémité gauche de la façade. La maison a conservé sur cour un escalier en bois limon sur limon à balustres carrés. L'ensemble a été restauré en 1992.

☐ **N° 44** - Façade Louis XVI. La porte cochère a gardé ses vantaux d'origine.

Détail du portail de l'hôtel d'Épinay, 23, rue des Rosiers.

RUE FERDINAND DUVAL

Ouverte au XIIIe siècle, cette voie médiévale s'est appelée jusqu'en 1900 « rue des Juifs ». Elle offre un bel ensemble de façades anciennes.

☐ **N° 8** - Vieille maison. Les appuis en fer forgé du premier étage portent le chiffre JB pour Jean-Baptiste Bouillot, célèbre maître serrurier, qui avait acheté cette maison en 1734.

☐ **N° 11** - Emplacement de l'ancien hôtel Acarie, où habitaient à la fin du XVIe siècle Simon Acarie et sa femme Barbe Avrillot, célèbre introductrice des carmélites en France, plus connue sous le nom de « Bienheureuse Marie de l'Incarnation ».

☐ **N° 13** - Derrière un immeuble sur rue sans intérêt se cache au fond de la cour le petit hôtel de Chiffreville. Construit sous Louis XIV, il conserve une façade en pierre de taille et un bel escalier à rampe en fer forgé.

☐ **N° 14** - Maison à l'enseigne du « Plat d'Étain », dont la porte offre une belle imposte en fer forgé.

☐ **N° 15** - Immeuble formé de deux maisons anciennes, réunies en 1715 par Robert Fauvel, bourgeois de Paris. La maison de gauche, jadis à l'enseigne de « La Herce », possède une belle façade Louis XIV ornée d'appuis. Une seule porte cochère conduit à la cour pavée, encadrée de deux ailes renfermant chacune un escalier avec une rampe en fer forgé Louis XIV.

☐ **N° 16** - Maison construite à l'emplacement de deux anciennes demeures, à l'enseigne de « La Croix de Lorraine » et de « L'Image Saint-Claude ». Elle offre une agréable façade Louis XV, ornée de gracieux appuis, et une porte cochère avec ses vantaux d'origine. Derrière la maison, un petit jardin a été restitué ; il servait au XVIIIe siècle de cadre à un jeu de boules.

☐ **N° 17** - Belle façade Louis XV.

☐ **N° 18** - Façade Louis XVI.

☐ **N° 20 - HÔTEL DE CORMERY** - Cet hôtel, formé de deux maisons réunies en 1647, est parfois désigné sous le nom de « Cour des Juifs », sans qu'on puisse en expliquer l'origine. Il appartient au XVIIIe siècle à la famille Biberon de Cormery, qui fait alors refaire le corps de logis sur rue.

La grande façade Louis XV, rhabillée de refends à la fin du XVIIIe siècle, a conservé sa porte cochère aux vantaux sculptés et ses appuis en fer forgé. L'escalier à droite et le passage, orné de colonnes carrées, ont été remaniés au XIXe siècle. La grande cour pavée, qu'un jardin bordait à gauche, est dominée par le revers du corps de logis aux traits Louis XV. Au fond, à droite, se dresse un ravissant petit hôtel Renaissance, dont l'histoire reste à faire. Les façades sont rythmées par de petits pilastres doriques au rez-de-chaussée, et composites à l'étage. Les combles sont agrémentés de lucarnes en pierre à fronton, dans le goût de la seconde moitié du XVIe siècle.

Une sortie longeant le mur du fond, soit le revers de l'hôtel d'Herbouville, 13, rue Pavée, aboutissait « impasse Coquerel » (actuel 5, rue des Rosiers).

Petit hôtel Renaissance,
20, rue Ferdinand Duval.

RUE DES ÉCOUFFES

Cette rue a été ouverte par les Templiers au XIIIe siècle. L'écoufle (ou l'escoufle) désignait au Moyen Âge un oiseau de proie, plus connu aujourd'hui sous le nom de milan.

☐ **N°s 4-10** - Emplacement de l'ancien jeu de paume de Rome, installé là dès le début du XVIIe. Sous Louis XVI, c'était encore l'un des plus fréquentés de Paris.

☐ **N° 5** - Ensemble construit au XVIIIe siècle à l'emplacement de trois maisons, dont l'une a été habitée par l'érudit Charles Du Cange, brillant avocat originaire d'Amiens. Considéré comme « l'homme le plus savant de son époque », il est l'auteur du célèbre *Glossaire de la moyenne et de la basse latinité.* La façade asséchée conserve des appuis Louis XVI. Par la porte cochère, on accède à deux vieilles cours typiques du Vieux Paris.

☐ **N° 13** - Façade Louis XV en pierre de taille. Au-dessus de la boutique, on distingue encore un numéro peint, « 15 », correspondant à l'ancienne numérotation de la rue.

☐ **N° 18** - Au rez-de-chaussée, la boutique abrite une petite synagogue, fondée en 1931 à la mémoire de Roger Fleischman.

☐ **N° 20** - Immeuble Louis-Philippe, construit à l'emplacement de la maison où Philippe de Champaigne est mort le 14 août 1674 (plaque). Il a été enterré à Saint-Gervais dans la chapelle de la Communion (voir pp. 54-57).

☐ **N° 22** - Maison Louis XV. La façade, ravalée en 1992, porte de beaux appuis.

☐ **N° 23** - Très belle porte aux vantaux cloutés Louis XIII. Au fond de la cour pavée s'élève un petit hôtel à perron. Ensemble rénové récemment.

☐ **N° 25** - Sous une façade dénaturée par le ravalement s'ouvre une porte cochère conduisant à un petit hôtel Louis XV. Construit en fond de parcelle pour le marquis de Brulard au début du XVIIIe siècle, il présente une façade en pierre de taille très équilibrée, au décor soigné : refends, moulures des fenêtres, appuis en fer forgé et fronton.

☐ **N° 27 - HÔTEL D'ÉPINAY** - (voir 23, rue des Rosiers, p. 173).

RUE DES HOSPITALIÈRES SAINT-GERVAIS

Ouverte en 1817 lors de l'achèvement du marché des Blancs Manteaux, cette rue porte le nom de la congrégation religieuse installée là de 1655 à 1795.

☐ **N° 5** - Façade arrière du marché des Blancs Manteaux, remaniée sous la Troisième République (voir 48, rue Vieille du Temple, p. 180). Cette partie a longtemps abrité un laboratoire d'analyse de l'eau de Paris.

☐ **N°s 4-10** - École primaire (ancienne école primaire de garçons israélites). Elle est installée, depuis 1843, dans les anciennes boucheries du marché des Blancs Manteaux, construites en 1825 par Jules Delespine. Le bâtiment en pierre à arcades a été surélevé d'un étage sous Louis-Philippe (1844) pour les besoins de l'école. Des fontaines qui ornaient cette façade ne subsistent que les deux têtes de taureau en bronze, réalisées dans un style néo-assyrien, d'après les modèles d'Edme Gaulle. Une plaque rappelle le dévouement de l'un des instituteurs, qui a sauvé pendant l'Occupation de nombreux enfants de la déportation.

Dans la cour, à gauche, le mur enduit est un vestige de l'enceinte de Philippe Auguste.

◇ Au-delà du tracé de l'enceinte, la rue des Hospitalières Saint-Gervais recouvre le début de l'impasse des Arbalétriers. Une petite porte ouverte dans la muraille permettait aux occupants de l'hôtel Barbette de disposer d'un accès privé à la ville. C'est dans les parages, en sortant de l'hôtel Barbette où logeait la reine Isabeau de Bavière, que Louis Ier d'Orléans, frère de Charles VI, a été assassiné par les hommes du duc de Bourgogne en 1407. Paris et une partie du pays se déchiraient alors entre Armagnacs et Bourguignons.

RUE VIEILLE DU TEMPLE

Cette rue, l'une des plus anciennes de la rive droite, existait sans doute dès le XIIe siècle. Elle s'appelait jusqu'au début du XIXe siècle « Vieille Rue du Temple », avant que l'inversion des mots ne se fasse insensiblement.

☐ **N° 11** - Façade Louis XV en pierre de taille. L'arcade centrale du rez-de-chaussée est décorée d'un intéressant mascaron sculpté, représentant un homme barbu, au regard oblique.

☐ **N° 15 - HÔTEL DE SCHÖMBERG** - Construit sans doute sous Louis XIII, cet hôtel a été entièrement remanié par le maître maçon Guillaume de La Vergne, en 1699, pour Aymé Severt, avocat au Parlement. De ces travaux datent le portail bas avec sa porte cochère, les ailes encadrant la cour pavée, et au fond à gauche l'escalier en fer forgé, dont le vestibule forme une tourelle en saillie dans la cour. Au rez-de-chaussée du corps de logis principal, les fenêtres ont conservé des menuiseries chantournées Louis XV et de très beaux appuis en fer forgé, que l'on retrouve aussi à l'entresol de l'aile droite. L'ensemble a été bien restauré par un promoteur privé. À l'angle extérieur, une devanture de boucherie chevaline des années 30 a été préservée.

☐ **N° 20 - IMPASSE ET HÔTEL D'ARGENSON** - Cette vieille impasse médiévale pavée conduit à la cour de l'hôtel d'Argenson. Construit sous Louis XIV, l'hôtel reste jusqu'en 1746 dans la famille d'Argenson qui a donné à l'Etat plusieurs grands commis, dont Marc-René Voyer de Paulmy d'Argenson. Ce dernier hérita de l'hôtel en 1693. Né en 1652, Marc-René est célèbre pour avoir été lieutenant général de police de Paris (1697-1718), puis garde des Sceaux en 1719. Il avait fait exécuter au printemps 1720 quelques travaux, sous la conduite du maître maçon Guillain. C'est dans cet hôtel qu'il meurt en 1721.

La demeure a conservé de sobres façades en pierre de taille et, à droite, un grand escalier en bois à quatre noyaux et balustres carrés.

☐ **N° 21 - MAISON GILETTE** - Cette maison a été construite vers 1771 pour Jean-Thomas Gilette, dont le chiffre (JTG) est inscrit dans l'imposte en fer forgé de la porte. La façade Louis XVI, très sobre, est ornée seulement de trois guirlandes sculptées au dernier étage.

☐ **N° 22** - Haute façade en pierre de taille fin XVIIIe.

☐ **N° 23** - La maison sur rue ayant été détruite, on entre tout de suite par la cour, au fond de laquelle se dresse un bâtiment XVIIIe très restauré. À droite subsiste un escalier au mouvement intéressant.

☐ **N° 24 - MAISON VARIN** - Cette maison est acquise en 1791 par l'archi-

Cour de l'hôtel de Schömberg,
15, rue Vieille du Temple.

tecte-spéculateur Bénigne-Joseph Varin qui l'a fit rebâtir en 1792 avant de la revendre un an plus tard. C'est un sévère exemple d'architecture néo-classique fin Louis XVI. La façade, d'un dessin novateur, offre une élévation lisse, soulignée au premier étage par un grand balcon. La porte cochère en position centrale est surmontée d'une imposte ornée de deux griffons ailés. Ceux-ci s'appuient sur des blasons où se lit le chiffre VD (pour Varin et Alexandrine Dutrou son épouse). Le passage cocher est couvert d'une voûte ornée de caissons, et son débouché côté cour gardé par deux colonnes doriques sans base. Une aile, à droite, relie la partie locative sur rue au corps de logis principal, construit au fond de la cour pavée. Surélevé au XIXe, ce bâtiment ne comptait à l'origine que deux étages. Au rez-de-chaussée, les portes latérales sont couronnées par deux petits bas-reliefs en plâtre, protégés par une verrière parasite et produits sur le même modèle que ceux de la maison Guérard située au 1, rue de Bretagne. Seul l'escalier de la partie sur rue, à droite du passage, subsiste : c'est un exemple précoce d'escalier en pierre sans limon avec barreaux en fer forgé ronds.

□ **N°s 26-28** - Emplacement de l'ancien hôtel d'Effiat. Construite sous Louis XIII, cette belle demeure a été vendue en 1654 à Marie de Fourcy, veuve du marquis d'Effiat. L'hôtel passe ensuite en 1696 aux Le Pelletier, qui le conservent jusqu'à la Révolution. Lorsqu'il est détruit en 1882, l'ensemble était encore intact. De cet ensemble, seul subsiste un bas-relief attribué à Jacques Sarrazin, aujourd'hui conservé au Louvre. Sur le terrain libéré a été construit un ensemble d'immeubles de rapport identiques, qui se développent autour de la rue du Trésor, ouverte à la même époque. Celle-ci doit son nom à la découverte, par des ouvriers terrassiers, d'un trésor de monnaies du XIVe.

Au fond de l'impasse a été construite, à la même époque, une grande fontaine dans un style néo-baroque, dont le couronnement a été détruit.

□ **N° 30 - MAISON PARFAIT** - Derrière un immeuble de rapport Louis-Philippe se dresse un ancien hôtel particulier, dont la formation est assez complexe. À l'origine se trouve la maison aménagée en 1621 par le maître maçon Mathurin Mesureur pour Guillaume Parfait, conseiller du Roi, acquéreur en 1619. Elle était dotée d'un immense jardin suspendu, au quel on accédait par un grand escalier. L'actuel hôtel est formé de deux parties de style différent : à gauche, dans la cour, se dresse un corps de logis en pierre de taille, construit sous Louis XIV, qui renferme un grand escalier avec sa rampe en fer forgé. La porte est surmontée d'un amusant vitrail du XIXe. À l'angle, vers l'ancien jardin, subsiste la maison Parfait, reconnaissable à sa façade enduite et à ses lucarnes Louis XIII. Le jardin, qui avait entièrement disparu sous des ateliers, a été dégagé en 1991, mais immédiatement écrasé sous un grand ensemble postmoderne en béton.

Revers du portail de la maison Varin, 24, rue Vieille du Temple.

□ **N° 33 - MAISON RODOT** - Construite en 1735 par le maître maçon Grand-Homme pour Antoine Rodot, cette maison présente de sobres façades en pierre.
À l'angle, on reconnaît de vieilles inscriptions de rues.
□ **N° 34** - Immeuble de rapport Louis-Philippe. La porte possède de belles grilles en fonte.
□ **N° 36** - Construit au XVIIe siècle, cet hôtel a été sauvé *in extremis* de la démolition dans les années 60. Il a été lourdement restauré et mal ravalé en 1993. Sur la rue, le corps de logis présente une haute façade, bombée par l'âge. Elle a reçu sous Louis XV une porte cochère d'une belle venue, ornée d'un mascaron féminin. L'hôtel renferme une jolie cour. Escalier tournés à balustre.
□ **N°s 37-39** - La façade, asséchée au ciment, a gardé sa porte cochère avec de beaux vantaux cloutés Louis XIII.
□ **N° 41** - Maison milieu XVIIe. La façade en pierre est couronnée de deux lucarnes de maçonnerie à fronton. On accède par une porte piétonne début XIXe à un escalier curieux, à noyau de maçonnerie ovale.
□ **N° 42** - Cette maison XVIIe offre une façade ornée d'appuis Louis XV. L'ancienne porte cochère, décorée de refends, a été divisée en une porte piétonne et une boutique. À l'intérieur du passage subsiste un grand escalier en bois à balustres carrés.
□ **N° 43** - Ancien « passage des Singes ». Ouvert au travers d'une maison particulière au début du XIXe siècle, ce pittoresque passage reliait la rue Vieille du Temple à la « rue des Singes », actuelle rue des Guillemites. Il a été supprimé au profit d'un triste immeuble néo-Marais, qui ne suit même pas l'alignement ancien.
□ **N° 44 - MAISON LE TELLIER** - Ce bel ensemble locatif a été construit en 1732 par le maître maçon Louis Le Tellier. Devenu architecte du roi, il devait acheter, en 1759, l'hôtel Amelot de Bisseuil, situé juste en face. La façade sur rue, construite en pierre de taille, offre deux étages carrés. Deux arcades, ornées de refends, encadrent la porte cochère en position centrale. Celle-ci conserve une belle menuiserie. Un mascaron figurant un homme barbu décore l'arcade centrale, et un blason d'azur à l'étoile d'argent couronne la fenêtre centrale du premier étage.
Dans la cour pavée, l'aile gauche abrite le grand escalier, dont le départ est à claire-voie. Il conserve sa boule de départ et sa rampe en fer forgé. La façade a été ravalée en 1993.
□ **N° 45 - MAISON MOREAU** - Construite en 1730 par l'architecte Jean-François Blondel pour un maître gantier, Didier Moreau, cette maison présente une haute et élégante façade dont le soubassement est formé de deux arcades que séparent une porte piétonne et un œil-de-bœuf. Le haut de la porte est décoré de motifs rocaille sculptés.
Les lucarnes en pierre de taille sont reliées entre elles suivant une disposition qui forme un faux étage carré. L'ensemble a été restauré, sinon reconstruit, en 1985, en même temps que le n° 43.
■ **N° 47 - HÔTEL AMELOT DE BISSEUIL** - (voir pp. 182-184).

Mascaron Louis XV,
44, rue Vieille du Temple.

Méduse, détail de la porte,
de l'hôtel Amelot de Bisseuil.

☐ **N° 48 - MARCHÉ DES BLANCS MANTEAUX** - Il est établi à l'emplacement de l'ancien hôtel d'O. Ce célèbre hôtel, construit au milieu du XVIe siècle sur le terrain de l'hôtel de Tancarville, aliéné par François Ier en 1543, avait été acquis en 1574 par un Italien, Ludovico Jaquetti da Diaceto, dit Adjacet. Il l'avait fait somptueusement décorer par les meilleurs sculpteurs de l'époque. Acheté en 1655 par les Dames hospitalières de Saint-Gervais, cet hôtel abrita jusqu'en 1795 leur hôpital. En 1813, Napoléon Ier décide l'ouverture d'un marché public couvert, et confie à l'architecte Éloi de La Barre sa construction. L'hôtel d'O est rasé immédiatement. Mais, faute d'argent, les travaux sont interrompus et ne reprennent qu'en 1816 sous la direction de Jules Delespine. Le marché est inauguré en 1819. En même temps sont ouvertes les deux rues latérales et la rue des Hospitalières Saint-Gervais. Désaffecté depuis 1912, le marché a été entièrement rénové en 1992 par la Ville de Paris, qui en a fait un « espace d'animation ». À la différence des autres marchés néo-classiques de Paris, construits avec des portiques à arcades, le marché des Blancs Manteaux est formé d'une grande halle, aux murs en pierre de taille, couverte d'un toit qui reposait à l'origine sur une charpente en bois, remplacée en 1837-1839 par une structure métallique. Les armoiries sculptées de la Ville ornent le dessus de la porte principale.

☐ **N° 50** - Emplacement de deux hôtels du XVIIe siècle rasés en 1939 au profit d'un immeuble de rapport construit en 1940 pour une compagnie d'assurances. Ce bâtiment, en brique et béton, est sans doute l'un des plus laids du Marais. La partie droite du n° 50 recouvre l'hôtel Le Noirat, datant du règne de Louis XIV, et dont seul le fronton a pu être sauvé (voir 80, rue de l'Hôtel de Ville, p. 59). Sur la partie gauche, à l'angle, s'élevait l'hôtel de Livry, bâti en 1608. Il était composé d'un gros pavillon à comble pointu, avec des façades en brique et pierre. Il a été souvent confondu avec l'hôtel d'O.

Fontaine des Boucheries,
marché des Blancs Manteaux.

RUE DU ROI DE SICILE

Cette voie remonte au haut Moyen Âge et doit son nom à Charles d'Anjou, roi de Sicile, qui y possédait un hôtel au XIIIe siècle. À l'origine, elle se détachait de la rue Saint-Antoine au niveau de l'ancienne « place de Birague ». Mais la construction de l'enceinte de Philippe Auguste l'obligea à un coude qui prit le nom de « rue des Ballets » et qui a été effacé par la rue Malher. Toute la rive impaire, ou presque, a été emportée par le percement de la rue de Rivoli en 1854-1856.

□ **N° 10** - Immeuble de rapport XIXe construit à l'emplacement du jardin de l'hôtel de Savoisy, puis de Lorraine (voir 9-13, rue Pavée, p. 170).

□ **N° 12** - Maison Ancien Régime avec lucarne maçonnée et appuis Louis XVI au premier étage.

□ **N° 20** - Emplacement de la porcherie du Petit Saint-Antoine, construite sur un terrain acheté en 1373. À la suite de l'interdiction de posséder des pourceaux intra-muros, le terrain est loué et bâti dès 1485. On y trouvait au XVIe siècle un hôtel appartenant à Louis de Harlay, sieur de Beaumont. L'angle était décoré d'une niche abritant une statue de la Vierge, mutilée en février 1528 par un huguenot. Elle est alors transportée en procession en juin 1528 à l'église Saint-Gervais, qu'elle n'a plus quittée depuis (voir pp. 54-57). François Ier la fait remplacer par une statue d'argent, volée en 1545 ; on finit par y placer une statue de pierre qui n'a guère plus de chance, puisqu'elle est mutilée à son tour par un protestant en 1551.

◇ En face s'ouvrait la façade arrière du Petit Saint-Antoine. Un passage avait été percé au travers des bâtiments désaffectés en 1806, pour rejoindre la rue Saint-Antoine, aujourd'hui rue François Miron.

□ **N° 25** - Maison Louis XV. Même maison qu'au 16, rue Cloche Perce.

□ **N° 26** - Une porte aux vantaux cloutés Louis XIII, trop restaurée, donne accès à un ancien petit hôtel surélevé au XIXe siècle.

□ **N° 27** - Maison formant l'angle de la rue du Roi de Sicile et de la rue Cloche Perce. Construite vers 1737 par le maître maçon Gillet pour Louis Bertin de Blagny, receveur général des Parties Casuelles, elle a été dénaturée par une surélevation de deux étages au XIXe siècle.

□ **Nos 29-31** - Les façades Louis-Philippe portent un balcon de qualité et des appuis en fonte typique.

□ **N° 30** - Petite maison début XVIIe. Ses deux lucarnes passantes, son toit de vieilles tuiles et son ancienne boulangerie lui confèrent une saveur particulière. Remarquer, à droite, la travée décalée de la cage d'escalier

Maison début XVIIe,
30, rue du Roi de Sicile.

HÔTEL AMELOT DE BISSEUIL

47, rue Vieille du Temple

HISTORIQUE - *Un premier hôtel, construit au* XIV*e* *siècle et dans lequel habitait Jean de Rieux, compagnon de Du Guesclin, s'élevait jadis à cet emplacement, mais son entrée principale était rue des Guillemites, ancienne « rue des Singes ». En 1650, Denis Amelot de Chaillou, intendant des Finances, entreprend la reconstruction de l'hôtel. L'ensemble est remanié et achevé pour son fils Jean-Baptiste Amelot de Bisseuil par l'architecte Pierre Cottard, en 1657-1660, avec une nouvelle entrée, cette fois rue Vieille du Temple.*

Vue de la seconde cour : le mur renard.

Le nouvel hôtel, « si beau, si riche, si orné » suivant le mot de La Bruyère, devient en 1759 la propriété de l'architecte du roi Louis Le Tellier qui, tout en préservant l'œuvre de Cottard, remanie les décors intérieurs et supprime le grand escalier. Locataire d'octobre 1776 à 1788, Caron de Beaumarchais, écrivain, homme d'affaires et négrier, y fonde la société Rodriguez-Hortalez et Cie destinée à livrer des armes aux Insurgents d'Amérique. C'est à l'hôtel de Bisseuil qu'il écrit le sulfureux Mariage de Figaro *en 1778.*
Très dégradé au XIX*e* *siècle et envahi par le commerce, l'hôtel, classé monument historique, est acheté en 1924 par le colonel Brenot, qui entreprend avec passion sa restauration en 1926-1938, aidé par l'architecte Robert Danis, spécialiste de l'architecture du* XVII*e* *siècle. Depuis, la restauration se poursuit, toujours conduite par des propriétaires privés. L'hôtel abrite aujourd'hui la fondation Paul-Louis Weiller.*

Détail de la porte.

Élevation sur rue,
d'après Cottard, XVIIe.

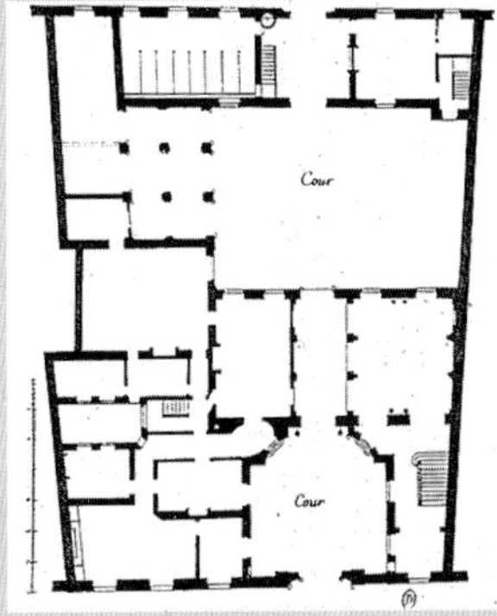

Plan du rez-de-chaussée,
gravure de Jean Marot, XVIIe.

Coupe transversale sur la seconde cour,
gravure de Jean Marot.

HÔTEL AMELOT DE BISSEUIL

47, rue Vieille du Temple

ARCHITECTURE - Le portail sur rue est l'un des plus beaux du Marais : ses vantaux à quatre compartiments sont décorés de masques, d'angelots, de lions et de méduses, ainsi que du chiffre des Amelot. Le sculpteur Thomas Regnaudin a participé à sa conception. Dans un souci de richesse, les vantaux sur cour ont également été décorés ; le fronton au revers du portail a été sculpté par Regnaudin – la scène représente Romulus et Rémus découverts par le berger Faustulus. La travée centrale de la façade sur la première cour présente un fronton soutenu par quatre angelots. Les deux ailes sont ornées de cadrans solaires peints en grisaille, dus au frère carmélite Sébastien Truchet (1657-1729). Par un passage sous le corps de logis, on accède à une seconde cour. À gauche y sont établies les remises à carrosses, surmontées d'une terrasse avec un balcon en fer forgé ; à droite, en revanche, pour masquer le mur mitoyen, Cottard a construit un placage en pierre de taille, orné de pilastres corinthiens et d'une peinture, aujourd'hui effacée. L'intérieur de l'hôtel a conservé de belles pièces, dont la galerie de Psyché, décorée par Michel II Corneille, et la chambre « à l'italienne ». Toutes deux ont été restaurées.

Première cour avant restauration.

Revers de la porte cochère, détail.

qui a conservé une authentique fenêtre à petits bois au deuxième étage.

□ **N° 32** - Immeuble postmoderne avec un oriel métallique, dont la couleur rouge détonne dans la rue.

□ **N° 35** - Belle maison XVIIe formant l'angle de la rue du Roi de Sicile et de la rue Vieille du Temple. Elle offre à l'angle une élévation de caractère avec des refends et des lucarnes maçonnées. Beaux piliers de pierre au rez-de-chaussée.

Entre les rues Vieille du Temple et du Bourg Tibourg, la voie était divisée en deux dans sa largeur par un pâté de maisons élevé au centre, formant, à droite, la « rue de la Croix Blanche » et, à gauche, la minuscule « rue de Bercy ». L'ensemble a été détruit au XIXe siècle.

□ **N°s 38-40** - Maison acquise en 1700 par d'Argenson pour agrandir son hôtel du 20, rue Vieille du Temple.

□ **N°s 50-52** - Façade en pierre Louis-Philippe de bonne facture.

□ **N° 58** - Immeuble construit en 1925 par l'architecte Pradelle. Il est établi sur le jardin de l'hôtel de Schömberg (voir 15, rue Vieille du Temple, p. 176).

RUE CLOCHE PERCE

Cette rue médiévale, coupée en deux par la rue de Rivoli, porte depuis le XVIIe siècle le nom d'une enseigne représentant une cloche.

□ **N° 12** - Emplacement d'une maison occupée par François Vidocq de 1833 à 1836. Le célèbre policier de Napoléon y avait installé son « bureau de renseignements dans l'intérêt du commerce », destiné à protéger les commerçants contre les vols.

□ **N° 14** - Façade rhabillée sous Louis XVI avec son portail cocher, dont les vantaux ont conservé leurs mauclairs.

□ **N° 16** - Propriété de l'Hôtel-Dieu, cette maison a été reconstruite en 1736-1737 par l'architecte Voisin. L'accès se fait par le 25, rue du Roi de Sicile.

Façade Louis XV,
16, rue Cloche Perce.

RUE DE LA VERRERIE

Cette voie du haut Moyen Âge prolonge naturellement la rue du Roi de Sicile. Son nom lui vient des nombreux verriers qui y étaient établis, suivant l'habitude médiévale de regroupement géographique des métiers.

□ **N° 2 - MAISON DE LA FABRIQUE SAINT-JEAN** - Maison à loyer construite en 1727-1728 par le maître maçon Jean Fauvel sur les dessins de l'architecte Jean-François Blondel pour la fabrique de l'église Saint-Jean en Grève. Très belle façade en pierre de taille, aux ouvertures régulières qui ont conservé leurs appuis en fer forgé. La porte piétonne a été refaite au XIXe siècle, mais conserve le décor de son imposte.

Lors du percement de la rue de Rivoli, le sol des environs a été abaissé, découvrant une partie des fondations de la maison. Il a alors fallu reprendre le rez-de-chaussée pour l'amener au bon niveau. Ce réajustement a faussé les proportions de l'ensemble.

☐ **N°s 4-6** - Immeuble d'accompagnement de style néo-Marais.

☐ **N° 9** - Belle façade XVIIe avec deux lucarnes à fronton jumelles.

☐ **N° 18** - Maison Louis XV. Cette belle façade en pierre de taille offre une jolie porte cochère et porte de beaux appuis. Au fond de la cour se dresse un étonnant bâtiment élevé en 1876 par l'architecte Harouard pour le directeur du Bazar de l'Hôtel-de-Ville, Ruelle. Ce généreux philanthrope y avait créé une « Pension alimentaire pour les classes laborieuses », offrant quatre cent vingt places assises.

La façade en pierre de taille avec un fronton dissimule une salle avec une structure en fonte de type Baltard. L'ensemble a été rénové en 1991.

☐ **N° 20** - Façade néo-classique. Cette maison a été réunie en 1784 au n° 18 par Augustin-Jacques L'Héritier, qui l'a fait reconstruire à neuf.

☐ **N° 24** - Très belle façade en pierre milieu XVIIe avec quatre lucarnes à fronton, dont la réunion forme un étage supplémentaire.

Maison à loyer, 2, rue de la Verrerie, élévation originale, 1727.

RUE DES MAUVAIS GARÇONS

Cette petite rue médiévale, coupée et réduite lors du percement de la rue de Rivoli, allait jusqu'à la « rue de la Tixanderie », supprimée lors de la construction de la caserne Napoléon.

☐ **N° 6** - Haute et étroite maison Louis XV, dont le premier étage conserve deux beaux appuis en fer forgé.

RUE DE MOUSSY

Cette voie médiévale, qui a conservé son étroitesse jusqu'à la fin du XIXe siècle, a été complètement sinistrée par des reconstructions modernes. Elle s'appelait aussi au Moyen Âge rue du « Franc Mûrier ».

☐ **N°s 2-6** - Crèche et immeuble municipal en style d'accompagnement. Emplacement de cinq maisons appartenant à l'église Saint-Jean en Grève. Le cimetière de la paroisse, établi là au XIVe siècle et fermé en 1793, se trouvait derrière. Il était surnommé le « cimetière vert ».

☐ **N° 7** - Immeuble à usage industriel bâti sous la Troisième République à l'emplacement de l'ancien hôtel des Évêques de Beauvais. C'est grâce à un don royal que les évêques de Beauvais avaient pu s'établir à cet endroit au XIIIe siècle. Ils conserveront le domaine, agrandi par trois acquisitions, jusqu'au XVIe siècle. Quatre maisons le remplacent ensuite. Propriété sous Louis XV de Prévôt de Saint-Cyr, l'une de ces maisons est louée de 1725 à 1728 au père de la future Mme de Pompadour. Il était « haut-le-pied », c'est-à-dire conducteur de chevaux pour la fourniture de vivres, mais devait rapidement s'enrichir par la spéculation. Lors de la démolition de l'ensemble en 1895, il subsistait encore un portail Louis XIII d'un grand intérêt.

☐ **N° 10** - Emplacement de l'hôtel de Vendôme, qui possédait une sortie au 33, rue du Bourg Tibourg. Il a fait place à un immeuble d'une grande indigence, construit en 1965 par la Poste.

Plan dit de Turgot, place du cimetière Saint-Jean.

RUE DU BOURG TIBOURG

Cette voie médiévale, presque intacte, doit sans doute son nom à un riche habitant du bourg, Tibourg, qui y résidait au XIIIe siècle.

Entre les rues de Rivoli et de la Verrerie, la rue du Bourg Tibourg forme une place piétonne, plantée de quelques arbres. Elle appartenait, comme la place Baudoyer (voir p. 59) dont elle est séparée par la rue de Rivoli, à l'ancienne « place du Marché Saint-Jean ».

☐ **N° 14** - Sage façade de pierre de taille Louis XV. Sur le toit prospère un étonnant jardin.

☐ **N° 18** - Façade Louis XVI.

☐ **N°s 25-31 - MAISONS NICOLAÏ** - Ensemble à usage locatif, formé de trois maisons aux façades identiques. Elles ont été construites en 1665-1666 pour la présidente de Nicolaï, par le maître maçon Richard Brissart sur les dessins de l'architecte Duval. Le rez-de-chaussée à arcades est orné de refends, d'un dessin très ferme. L'élévation, sur douze travées, est bien conservée. C'est un exemple précoce d'immeuble de rapport édifié pour un particulier. Le système de l'arcade embrassant l'entresol de manière régulière était alors nouveau.

☐ **N° 28** - Cette maison renferme un très bel escalier en bois Louis XIII, à balustres tournés sur un plan semi-ovale.

☐ **N° 33** - Immeuble d'accompagnement (voir 10, rue de Moussy).

☐ **N° 35** - Cette jolie façade Louis XV a conservé sa porte cochère.

☐ **N° 39** - Haute maison locative, propriété, avant la Révolution, de l'hôpital du Saint-Esprit. Rebâtie en pierre vers 1754, elle est surtout remarquable par ses grandes arcades du rez-de-chaussée, où est installé le Centre d'études catalanes.

RUE SAINTE-CROIX DE LA BRETONNERIE

Ouverte sans doute au XIIIe siècle, cette rue s'est d'abord appelée « rue de Lagny » ou du « Champ au Breton », du nom d'un ancien fief. Elle porte depuis le début du XIVe siècle le nom du prieuré Sainte-Croix de la Bretonnerie, installé jadis dans la rue.

□ **N° 3** - Maison Louis XV. La façade ornée d'appuis se termine par un comble d'où se détache une belle lucarne avec auvent et balcon, d'origine. La porte cochère a conservé de beaux vantaux Louis XIII cloutés. La maison renferme une cour pavée pittoresque et, à droite, un bel escalier dont le départ est à claire-voie.

□ **N° 5** - Derrière un immeuble sur rue du XIXe siècle sans intérêt s'élève un bâtiment XVIIe dont la façade est dénaturée par un parasite de 1930. Il a cependant conservé un bel escalier en bois à balustres carrés et vide central, dont le départ en pierre représente une sphinge.

À droite, entre la cour et l'ancien jardin aujourd'hui parasité, subsistent les vestiges d'un hôtel du XVe siècle dont l'histoire reste à faire. Les façades conservent des traces de baies moulurées caractéristiques (portes et fenêtres).

□ **N° 13** - La façade porte au premier étage des appuis de fenêtres bombés Louis XV. La maison renferme dans la cour, à droite, un bel escalier en bois à quatre noyaux et balustres carrés.

□ **N° 15** - Façade Louis XV en pierre de taille.

□ **N° 16 - MAISON LE RAGOIS** - Cette petite maison d'angle très simple a été construite en 1776 pour le négociant Denis Le Ragois. Le passage cocher conduit au vestibule de l'escalier, qui s'organise autour d'un noyau évidé et dont l'entrée est gardée par deux fortes colonnes doriques. À l'angle, pan coupé avec l'inscription *Ecce mater Tua*. La maison possède sur la rue Aubriot une jolie lucarne à foin.

□ **N° 17** - Maison Louis XV, construite par l'architecte Buron pour son usage personnel.

□ **N° 18** - Petit hôtel construit en 1785-1786 par l'architecte Boucher pour Foullon, procureur au Châtelet. Le portail, surmonté d'un fronton, est fermé par de beaux vantaux néo-classiques.

□ **N° 19 - MAISON BONNIN** - Très belle maison élevée en 1734-1735 par l'architecte Henri-Quentin Desbœufs pour Jacques Bonnin, avocat au Parlement. La façade en pierre de taille, très soignée et de belles proportions, est ornée d'élégantes sculptures. À l'angle subsiste une ancienne inscription d'un nom de rue, très abîmée.

□ **N° 20** - Emplacement de l'ancien hôtel Le Pelletier de Mortefontaine. Cet hôtel avait été construit en 1696 pour un fermier général, et était habité

Portail de l'ancien hôtel Le Pelletier de Mortefontaine (détruit), 20, rue Sainte-Croix de la Bretonnerie.

au XVIIIe siècle par Le Pelletier de Mortefontaine. Acquis par la Ville en 1838, la demeure a abrité la mairie de l'ancien VIIe arrondissement de 1849 à 1860, puis celle du IVe jusqu'en 1867.

L'ensemble a été démoli en 1930 au profit d'un immeuble industriel dû à l'architecte Gumpel.

□ **N° 22** - Défiguré par un garage, ce petit hôtel Louis XV conserve cependant de beaux appuis.

□ **N° 24 - MAISON DAY** - Sur une ancienne maison, qu'il avait achetée peu avant, Nicolas-Louis Day s'est fait aménager un petit hôtel en 1737-1738 par le maître maçon Nicolas-Antoine Perrard. Vendu en 1745 à Nicolas Mobert, marchand de vin, l'hôtel reste dans la famille de ce dernier jusqu'au XIXe siècle.

Conservée par l'architecte, la maison sur rue, datant du XVIIe siècle, a été simplement refaçadée. D'agréables proportions, elle est décorée de refends et d'appuis ; la porte cochère a gardé de beaux vantaux sculptés.

Dans le passage subsistent encore des rails datant de l'occupation industrielle. L'aile gauche renferme deux escaliers en fer forgé, le premier, à gauche, Louis XIV, et le second, au fond, Louis XV. Le corps de logis du fond, jadis entre cour et jardin, date de 1738. Il possède de beaux appuis et une lucarne à foin. Le rez-de-chaussée a été remanié au XIXe.

□ **N° 26** - Cette maison a été réunie au n° 24 par Nicolas-Louis Day en 1737. Elle porte de beaux appuis Louis XV.

□ **N° 35** - Maison néo-classique à loyer, construite à la fin du XVIIIe siècle à l'emplacement du prieuré de Sainte-Croix de la Bretonnerie. Fondé sous saint Louis, ce couvent est tombé en décadence au XVIIIe siècle et sa fermeture a été décidée dès le règne de Louis XVI. De 1760 à la Révolution, un bâtiment du couvent a servi de dépôt public aux minutes du Conseil privé du roi. La façade, ornée au premier étage d'appuis en pierre à balustres ronds, se termine par une corniche à denticules. L'angle de la maison dessine un bel arrondi.

□ **N° 36** - Façade avec appuis Louis XVI. La porte cochère est munie de très gracieux vantaux sculptés Louis XV. De jolies lucarnes terminent l'élévation.

Fontaine néo-classique
du couvent Sainte-Croix.

□ **N° 37** - Immeuble de rapport de 1851, élevé à l'emplacement de l'église Sainte-Croix de la Bretonnerie détruite sous la Révolution.

□ **N° 46** - Façade néo-classique avec ses appuis. La porte, qui date du XIXe siècle, a conservé un amusant heurtoir en forme de main.

SQUARE SAINTE-CROIX DE LA BRETONNERIE

Ce square a été aménagé en, 1909, sur le passage ouvert lors du lotissement du couvent Sainte-Croix de la Bretonnerie.

☐ **N° 8** - Immeuble de rapport néo-classique d'époque révolutionnaire.

☐ **N° 11** - Grille fin XIXe.

☐ **N° 13** - Immeuble de rapport néo-classique. Le traitement particulier de l'angle trahit l'existence du débouché de l'ancien « cul-de-sac Agnès la Buchère » (voir 20, rue du Temple, p. 278).

RUE AUBRIOT

Ouverte au XIIIe siècle, cette rue s'appelait jusqu'en 1867 « rue du Puits au Marais ». Elle porte depuis le nom d'Hugues Aubriot, l'efficace prévôt royal de Charles V, qui a fait construire la Bastille. C'est l'une des plus belles rues du Marais.

☐ **N° 3** - Derrière une grande porte cochère se cache une ancienne cour, typique du Vieux Paris.

☐ **N° 9** - Cette vieille porte cochère XVIIe, ornée de cuirs et munie de panneaux sculptés, ouvre sur une charmante petite cour.

☐ **N° 10 - HÔTEL HAVIS** - Il a été construit vers 1705 pour Louis Havis, contrôleur général des rentes de l'Hôtel de Ville. De proportions très fermes, c'est un bel exemple de style fin Louis XIV. Au centre du comble se détache une lucarne de pierre à fronton courbe. L'hôtel abrite, derrière sa puissante façade en pierre et sa porte cochère aux vantaux anciens, un escalier soigné. La porte de la cave est surmontée d'un écusson représentant des armes parlantes : trois vis et un oiseau (*avis* en latin).
L'ensemble a été bien rénové.

☐ **N° 12** - Belle porte cochère XVIIIe.

RUE DES GUILLEMITES

Ouverte au XIIIe siècle, cette rue s'appelait jusqu'en 1868 « rue des Singes ». Son nom actuel rappelle l'ordre des Guillemites, installé dans le couvent des Blancs Manteaux voisin, du XIVe siècle à la Révolution.

☐ **N° 5** - Cette porte cochère a conservé de beaux vantaux cloutés Louis XIII.

☐ **Nos 6-8** - Vilain bâtiment pastiche construit en 1985, à l'emplacement de l'ancien débouché du « passage des Singes » (voir 43, rue Vieille du Temple, p. 179).

☐ **N° 9 - MAISON BAILLY** - Cette maison ancienne, remaniée en 1769-1770 pour le maître peintre et doreur Jean Simon Bailly, ancien directeur de l'Académie de Saint-Luc, possède un beau portail.

☐ **N° 10** - Corps de logis arrière de l'hôtel Amelot de Bisseuil (voir pp. 182-184).
Jusqu'aux travaux des Amelot, l'hôtel du maréchal de Rieux avait ici son entrée principale. La façade sans décor est en mauvais état.

RUE DES BLANCS MANTEAUX

Le nom de cette rue, ouverte au Moyen Âge, rappelle les manteaux blancs des Serfs de la Vierge Marie, installés dans dans l'église Notre-Dame des Blancs Manteaux par saint Louis.

☐ **N°s 1-9** - Maisons à loyer construites vers 1666-1670 pour le grand Bureau des pauvres, à l'emplacement de deux maisons et d'un jeu de paume, à l'enseigne de la « Pomme rouge ».
Elles présentent des façades identiques d'une grande simplicité, et de belles proportions. Les n°s 5 et 7 ont conservé leurs portes piétonnes jumelles avec piliers en pierre, et leurs escaliers d'origine en bois à balustres tournés.

■ **N° 12 - ÉGLISE NOTRE-DAME DES BLANCS MANTEAUX** - (voir pp. 192-193).

☐ **N° 13** - Porte piétonne avec une belle imposte en fer forgé.

☐ **N° 16 - MONT-DE-PIÉTÉ** - Cette façade, aujourd'hui secondaire, était à l'origine l'entrée principale du Mont-de-Piété, fondé en 1777 (voir 55-57, rue des Francs Bourgeois). Construits en 1779-1780 à l'emplacement d'un hôtel ayant appartenu à la famille Le Lièvre de La Grange, ces bâtiments sont l'œuvre de l'architecte Joseph Payen. La façade est une grande page

Élévation de la façade du Mont-de-Piété, dessin original de Payen, 1779.

néo-classique ferme et élégante. Le portail est couronné d'un fronton soutenu par des consoles à guirlandes de feuilles. Cette noble façade est encadrée par de navrantes constructions Troisième République.

☐ **N° 17** - Des traces de moulurations médiévales subsistent au premier étage de cette façade très remaniée.

☐ **N° 22** - Emplacement de l'ancien hôtel de Nouveau. Cet hôtel se composait sur rue d'un corps de logis reconstruit sous Louis XIV pour la famille de Cussé, propriétaire durant tout le XVIIIe siècle. Il renfermait sur cour un magnifique petit édifice Louis XIII, construit pour Arnould de Nouveau, surintendant des Postes et Relais. Appelé par erreur hôtel de Novion, il a été détruit en 1885 par le Mont-de-Piété. Seule une travée de la façade en pierre, de même style que l'hôtel d'Aumont, a été sauvée et remontée au 59, rue des Francs Bourgeois.

☐ **N° 24** - Ce petit hôtel XVIIe, très ravalé, présente une façade ornée de beaux appuis. Trois lucarnes en pierre terminent l'élévation (voir 46, rue des Archives, p. 195).

☐ **N° 25** - Emplacement de l'ancien cabaret de « l'Homme armé ». Il possédait une belle enseigne, aujourd'hui à Carnavalet. La maison renfermait l'un des plus beaux escaliers du Marais, en pierre à quatre noyaux.

☐ **N° 28** - Ancienne boulangerie. La grille est ornée de motifs originaux et d'épis de blé. Le chiffre LG reste à identifier.

☐ **N° 30** - Le rez-de-chaussée de cette façade Louis XV se compose d'une grande arcade de boutique et d'une porte piétonne.

☐ **N° 32** - Belle façade Louis XV en pierre de taille, avec appuis au dessin léger.

☐ **N° 35 - HÔTEL LA GRANGE TRIANON** - Construit sous Louis XIV, cet hôtel

ÉGLISE NOTRE-DAME DES BLANCS MANTEAUX

12, rue des Blancs Manteaux

HISTORIQUE - *En 1258, les Serfs de la Vierge Marie, ordre mendiant au manteau blanc, sont installés dans ce lieu par saint Louis. L'ordre des « Blancs Manteaux », qui avait fait construire une église et un petit couvent, à l'abri de l'enceinte de Philippe Auguste, est supprimé en 1274, comme la plupart des ordres mendiants, et remplacé par les ermites bénédictins de Saint-Guillaume de Malval ou « guillemites ». Malgré leur manteau noir, le surnom de leurs prédécesseurs leur resta. En 1618, les guillemites sont réformés par les bénédictins de Saint-Maur. Le développement de leur ordre, qui avait établi là son noviciat, autant que la vétusté des lieux les obligent à reconstruire le monastère dès 1685 sur un plan plus vaste. Ces travaux entraînent la disparition de l'enceinte de Philippe Auguste. L'église est rebâtie sous la direction de Dom Antoine de Machy, et le couvent par l'architecte Charles Duval, qui y travaillait encore en 1720.*

Fermé à la Révolution, après avoir abrité une caserne, l'ensemble est vendu à des particuliers. L'église est ensuite rachetée par la Ville de Paris et devient paroisse en 1802, tandis que les bâtiments conventuels, transformés en immeubles de rapport, sont rasés en 1929 au profit d'un énorme immeuble en béton, détruit en août 1944 lors du bombardement allemand. Un square recouvre aujourd'hui l'emplacement des bâtiments conventuels, dont il ne subsiste que la partie abritant le presbytère, adossée contre le chevet de l'église sur la rue des Francs Bourgeois.

Chaire allemande, XVIIIe.

Vue de la nef en perspective, gravure de Levesque, fin XVIIe.

ARCHITECTURE - La façade actuelle de l'église n'est pas celle d'origine. Rescapée des démolitions d'Haussmann, elle a été remontée ici par l'architecte Baltard en 1863. Il s'agit d'une belle œuvre de Sylvain Cartaud de 1703, exécutée pour l'église Saint-Éloi des Barnabites dans l'île de la Cité. Coiffée d'un fronton, elle est cependant un peu grande pour l'église.

Le flanc est, sur le square, formait le quatrième côté du cloître, d'où le décor d'arcades au rez-de-chaussée. Il a été enlaidi par l'adjonction d'une chapelle latérale en excroissance, œuvre de Baltard. Sur son mur a été remontée la fontaine du couvent des Blancs Manteaux, construite par Jean Beausire en 1719. Le clocher Louis XIV était jadis coiffé d'un petit dôme à « l'impériale », supprimé par la surélévation au début du XIXe siècle.

L'intérieur de l'église est composé d'une nef centrale à huit travées, qui se termine par une simple abside sans déambulatoire. Les arcades sont rythmées par des pilastres corinthiens et couronnées par une frise ornée de médaillons sculptés représentant des scènes de l'Ancien et du Nouveau Testament. La voûte surbaissée, a été restaurée en 1993.

Du mobilier subsiste la splendide chaire d'origine allemande, œuvre de 1749 achetée pour la paroisse au siècle dernier. Les parois de l'escalier sont ornées de marqueteries remarquables. Un beau tableau de Claude II Audran, *La Multiplication des pains*, daté de 1683, est conservé dans le bas-côté droit. L'orgue, l'un des meilleurs instruments de la capitale, a été restauré en 1968. Le buffet de 1864 repose sur de belles colonnes en bois du XVIIIe, provenant de l'orgue de Saint-Victor, abbaye disparue de la rive gauche.

Vue de l'église depuis le square Victor Langlois.

a appartenu aux La Grange Trianon jusqu'en 1754. Inscrit dans la haute élévation, le portail ouvre sur une jolie cour. Le bel escalier refait au XVIIIe a été conservé.

☐ **N° 36** - Haute maison d'angle construite en 1769-1770 pour Jean Chiboust.

☐ **N° 38** - Ancien hôtel XVIIe. La porte cochère a conservé de beaux vantaux. À droite du passage, après un vestibule en pierre à claire-voie, subsiste un grand escalier Louis XIV avec sa rampe en fer forgé.

☐ **N° 40** - Cette porte cochère avec ses vantaux XVIIIe ouvre sur une vaste cour pavée.

☐ **N° 41 - MAISON BOUCHER** - Construite en 1646-1647 pour Claude Boucher par le maître maçon Antoine Amelot, à l'emplacement de deux maisons réunies. Si la façade a été asséchée et la porte cochère supprimée, l'aile à gauche dans la cour renferme un très bel escalier avec sa rampe en fer forgé milieu XVIIe à panneaux symétriques à colliers. Les fenêtres de la cage ont conservé leurs menuiseries coulissantes à petits bois.

☐ **N° 45** - Façade ancienne ornée d'appuis fin XVIIIe. La porte piétonne possède un très beau vantail néo-classique. L'escalier, de facture simple, a conservé sa boule de départ.

☐ **N° 47** - Ce petit hôtel, très étroit, a été surélevé au XIXe siècle. La porte cochère est ornée de refends.

RUE PECQUAY

Formant à l'origine un cul-de-sac, cette rue a été prolongée sous Louis-Philippe jusqu'à la rue Rambuteau lors de son ouverture. Lavoisier y est né en 1743.

☐ **N° 6** - Cette petite maison offre une façade d'une travée, ornée de refends et sommée d'un fronton, dans le goût de la fin du XVIIIe siècle. Elle est ornée au premier étage de très beaux appuis en fer forgé Louis XIV. Au deuxième étage, en revanche, les appuis sont Louis XV.

☐ **N° 7** - Haute façade simple, avec une grande arcade charretière en pierre au rez-de-chaussée. C'est dans cette maison que Wilhem aurait créé l'Orphéon en 1833 (plaque).

Façade rhabillée au XVIIIe, détail, 6, rue Pecquay.

RUE DES ARCHIVES

Cette partie de la rue, ouverte en 1889, recouvre deux anciennes rues : la « rue des Billettes », entre les rues de la Verrerie et Sainte-Croix de la Bretonnerie, et la « rue de l'Homme Armé », jusqu'à la rue des Francs Bourgeois. La rive ouest est entièrement bordée d'immeubles d'une architecture vulgaire construits dans les années 1880.

□ **N° 10** - Cette maison ancienne renferme un curieux escalier à quatre noyaux, unique par son étroitesse. À cet endroit, le tracé de l'ancienne « rue des Billettes » forme une sorte de place.

□ **N°s 13-15** - Emplacement de l'ancienne entrée principale du couvent Sainte-Croix de la Bretonnerie.

■ **N°s 22-26** - Église et cloître des Billettes (voir pp. 196-197).

□ **N° 40 - MAISON DE LA FAMILLE CŒUR**. Découverte fortuitement en 1975 lors d'un ravalement, cette magnifique façade de brique est un vestige d'une maison ayant appartenu à la petite-fille de Jacques Cœur, célèbre argentier de Charles VII. Elle peut être datée de la fin du XVe siècle. Elle appartient sous Louis XV à Pierre André, maître de la Chambre des comptes, qui fait aménager le portail rocaille visible à gauche, et dont les vantaux d'origine ont malheureusement disparu. Achetée par la Ville de Paris, la maison Cœur, restaurée et classée, abrite une école municipale. La façade en briques rouges traversée par des diagonales de briques noires vernissées est typique du XVe siècle français. Rythmé par des fenêtres en pierre à meneaux, l'ensemble dégage une gaieté et un jeu de coloris que l'on retrouvera deux siècles plus tard dans le style Henri IV. Les éléments Louis XV s'y marient assez bien : le portail et la fenêtre du premier étage sont couronnés de motifs sculptés en clef.

□ **N° 46** - Façade arrière du 24, rue des Blancs Manteaux, rythmée par des fenêtres à petits bois et des lucarnes superposées. Un fronton encore visible au début du siècle marquait l'entrée de la cour.

□ **N° 54** - Maison construite en 1784 pour Maurice Ducrest, et dont l'accès principal était au 59, rue des Francs Bourgeois (voir p. 213).

◇ L'enceinte de Philippe Auguste passait entre cette maison et le n° 52. C'est devant cette façade que s'élevait la poterne du Chaume. Lors de la construction de l'enceinte à la fin du XIIe siècle, il n'y avait pas d'accès à cet endroit. C'est en 1288 qu'à la demande des Templiers, une porte fut ouverte à cet emplacement, pour faciliter la liaison entre la capitale et la « ville neuve » qu'ils entreprenaient alors de lotir au nord de l'enceinte.

Façade de la maison de la famille Cœur, 40, rue des Archives.

ÉGLISE ET CLOÎTRE DES BILLETTES

22-26 rue des Archives

HISTORIQUE - *À cet emplacement s'élevait, à la fin du XIIIe siècle, la maison du Juif Jonathas qui, en avril 1290, aurait profané une hostie en la jetant dans une marmite, puis en la poignardant – l'hostie avait saigné ! Cette profanation lui coûta la vie, et ses biens furent confisqués. Un culte se développa à l'emplacement de la maison de la rue « où Dieu fut bouilli » dès 1294, et, cinq ans plus tard, la communauté hospitalière des Frères de la Charité Notre-Dame s'y installait. Suivant la règle de saint Augustin depuis le milieu du XIVe siècle, la communauté prospèra rapidement grâce à des dons et à la protection royale. Une nouvelle église fut consacrée en 1408, et la construction d'un cloître, entreprise après 1427.*

Vue du cloître vers l'ouest.

En 1631, une autre communauté, les Carmes réformés, dits Carmes-Billettes, reprit les lieux. Elle fit reconstruire en 1756-1758 l'actuelle église et les bâtiments qui l'entourent par un architecte de la compagnie, frère Claude, auteur de la façade de l'église de Saint-Thomas d'Aquin au faubourg Saint-Germain.

Vendus à la Révolution séparément, l'église et le couvent furent rachetés par la Ville de Paris en 1800. En 1812, l'église fut affectée au culte luthérien d'Augsbourg. Les bâtiments annexes abritent depuis la fin du XIXe siècle, une école. Dernier cloître médiéval de la capitale, il a été restauré assez lourdement en 1885, et encore en 1969 par des bénévoles. Il est régulièrement ouvert lors de manifestations artistiques.

Rotonde du chœur de l'église sur l'ancien jardin.

Clef de voûte,
ornée d'anges portant un blason.

ARCHITECTURE - Sur la rue, le cloître est protégé par un noble édifice percé de deux portes basses latérales. Les lucarnes, altérées par une réfection très sèche, étaient jadis couronnées de souples frontons curvilignes. Des quatre galeries du cloître, seules trois sont d'origine. L'architecture ogivale, ici simple et dépouillée, est ornée de quelques clefs de voûtes sculptées. Un triste pavage a remplacé le jardin et la fontaine du cloître, qu'assombrissent d'horribles surélévations. La façade de l'église, très abîmée, est d'un classicisme serein, déjà un peu passé de mode en 1756. Elle est ornée de pilastres doriques, puis ioniques, et coiffée d'un fronton dans le tympan duquel s'épanouit un motif sculpté avec grâce. L'originalité réside, en fait, dans la fusion de la façade du monument avec celle de la maison voisine (n° 22, Centre culturel luthérien), qui renferme un bel escalier. La transition est habilement suggérée par les volutes renversées et les pots à feu sculptés en amortissement. L'intérieur de l'église, d'une grande sobriété, est rythmée seulement par des pilastres ioniques finement cannelés. Les tribunes sont portées par des voûtes plates en pierre assez audacieuses. Le grand orgue a été reconstruit en style XVIIIe en 1978-1983.

Détail de la façade Louis XV.

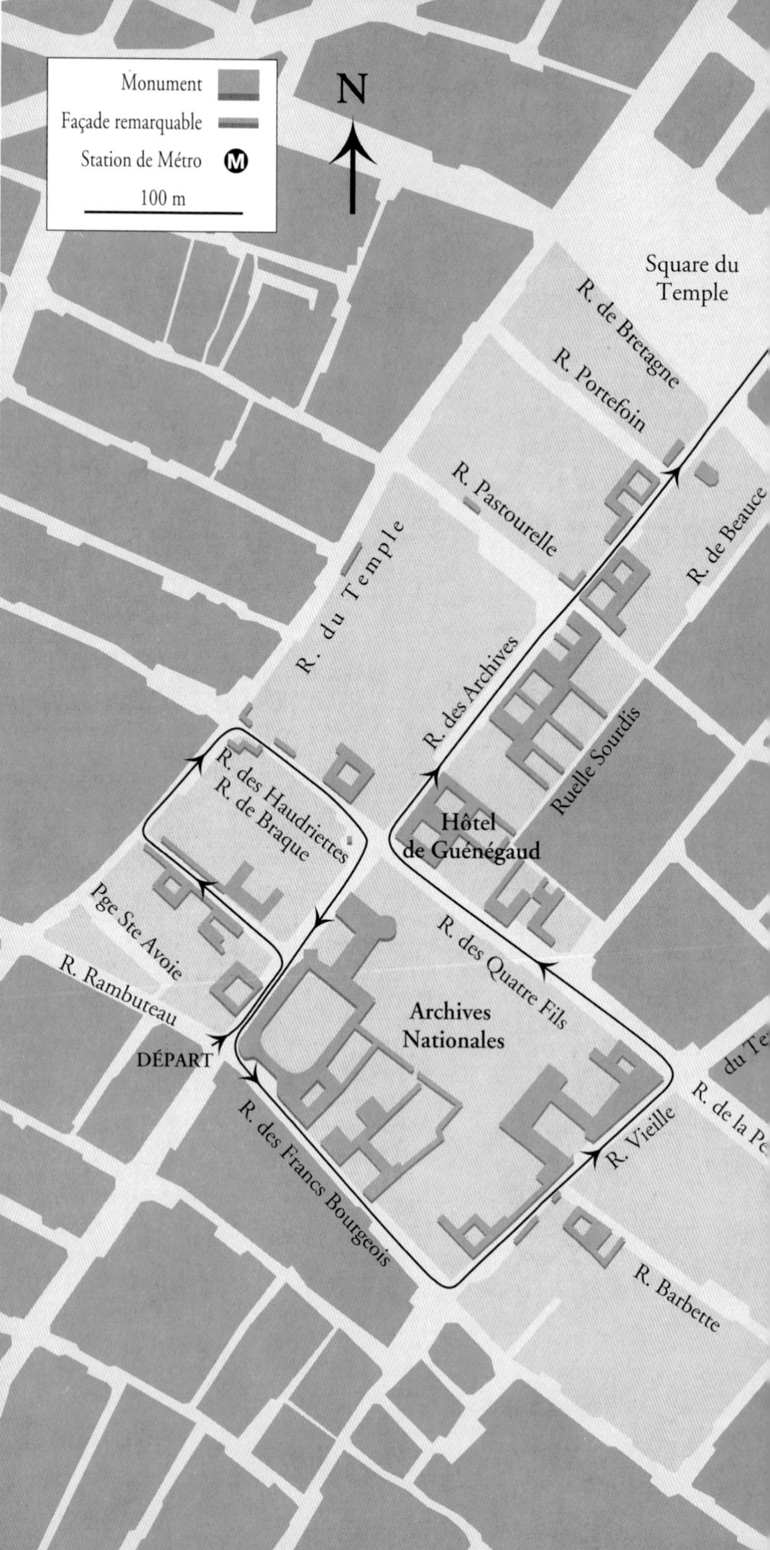
Monument
Façade remarquable
Station de Métro
100 m
N
Square du Temple
R. de Bretagne
R. Portefoin
R. Pastourelle
R. de Beauce
R. du Temple
R. des Archives
Ruelle Sourdis
R. des Haudriettes
R. de Braque
Hôtel de Guénégaud
Pge Ste Avoie
R. Rambuteau
R. des Quatre Fils
Archives Nationales
DÉPART
R. des Francs Bourgeois
R. Vieille
R. Barbette

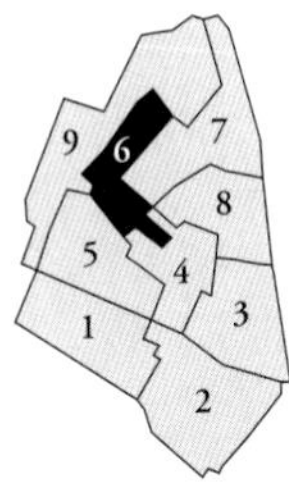

6

Promenade

La « ville neuve » du Temple

Rues des Archives, (nos 45-90) Portefoin, Pastourelle (nos 20-44), des Haudriettes, de Braque, des Francs Bourgeois (nos 48-60), Vieille du Temple (nos 54-87), Barbette, des Quatre Fils.

Le Temple, ordre chevaleresque fondé en 1119 pour protéger les pèlerins en Terre sainte, avait établi au XIIe siècle sa commanderie parisienne au nord de l'enceinte de Philippe Auguste, au milieu de vastes terres maraîchères. À la suite d'un accord avec le roi Philippe III le Hardi en 1279, les Templiers fondent une ville neuve entre leur commanderie et l'enceinte percée d'une porte en 1288. Compris entre les rues du Temple et Vieille du Temple, ce nouveau quartier s'organise autour d'un réseau de rues orthogonales bordées de parcelles régulières. Grâce à des exemptions fiscales attrayantes, cette petite ville se peuple rapidement et connaît un essor remarquable, que n'arrêta pas la chute des Templiers sous Philippe le Bel. Elle est finalement englobée dans Paris lors de la construction de l'enceinte de Charles V, à la fin du XIVe siècle.

RUE DES ARCHIVES

La section comprise entre les rues des Francs Bourgeois et Portefoin a été ouverte vers 1290, et constituait la voie centrale du lotissement des Templiers. D'abord appelée rue « Neuve du Temple », elle a été par la suite divisée en trois : elle devient la « rue du Chaume », de la rue des Francs Bourgeois jusqu'à la rue des Haudriettes ; puis, « du Grand Chantier » jusqu'à la rue Pastourelle ; enfin, des « Enfants Rouges » jusqu'à la rue Portefoin. Ces trois tronçons ont été réunis en 1874 sous le nom de rue des Archives.

□ **N° 45 - COUVENT DE LA MERCI -.** L'ordre religieux des Pères de la Merci, fondé en 1218, se consacrait au rachat des chrétiens capturés par les Barbaresques. En 1613, Marie de Médicis les installe dans le Marais, à l'emplacement occupé depuis 1348 par l'hospice et la chapelle d'Arnould de Braque. Les Pères de la Merci en deviennent propriétaires en 1641. Les premiers bâtiments conventuels sont construits, sans doute, par l'architecte Charles Chamois, appelé en 1646 pour achever l'église des Pères. Moins d'un siècle plus tard, en 1727-1731, de nouveaux bâtiments sont entrepris par l'architecte Godot.
Vendu en 1799, le couvent est converti en immeuble de rapport et de commerce ; un parasite a longtemps défiguré la cour, mais une intelligente restauration lui a rendu sa superbe.
Établis sur un plan en U fermé sur la rue par un grand portail à fronton, comme un hôtel particulier, les bâtiments offrent une architecture simple et puissante. La façade de l'aile droite porte un beau cadran solaire.

□ **N° 47** - Emplacement de l'ancienne église de la Merci. Commencée en 1631, incendiée en 1654 et laissée inachevée au-dessus du premier ordre, elle est terminée par Germain Boffrand, en 1709, à la demande des Rohan-Soubise, établis de l'autre côté de la rue.
Détruite à la Révolution, l'église a laissé place à un médiocre immeuble de rapport, élevé en 1877.

■ **N° 58 - HÔTEL DE CLISSON** - (voir p. 202)

□ **N° 67** - Emplacement de l'ancien hôtel Caumartin, construit sous Louis XIII et détruit en 1949. Seul un plafond peint Louis XIII a pu être sauvé : il a été remonté à l'hôtel de Sully, dans le pavillon occidental sur rue.

■ **N° 60 - HÔTEL GUÉNÉGAUD DES BROSSES** - (voir pp. 204-205).

□ **N° 62 - HÔTEL DE MONTGELAS-** Cet hôtel a été construit en 1705 pour Romain Dru, seigneur de Montgelas, par l'architecte Nicolas Liévain et presque aussitôt revendu à Michel d'Olivier, secrétaire du roi. Après avoir longtemps abrité la bijouterie Murat, l'hôtel est aujourd'hui propriété de la Guilde des orfèvres.
La façade sur rue, surélevée au XIXe siècle, a conservé son beau portail Louis XIV. La façade principale, elle, est ornée d'un fronton qu'un parasite dans la cour rend aujourd'hui invisible. Le grand escalier, qui prenait naissance dans l'aile droite sous une arcade à claire-voie, a disparu, mais le petit escalier, en face, a conservé sa belle rampe en fer forgé Louis XIV. Le jardin est encore recouvert d'un atelier, appelé à disparaître.

□ **N° 63** - Central téléphonique des Archives. Façade construite en 1932 sans doute par François Lecœur (voir aussi 106, rue du Temple, p. 287).

□ **N° 64** - Emplacement de l'ancien hôtel de La Michodière, du milieu XVIIe siècle, détruit en 1969 au profit d'un horrible bâtiment.

□ **N° 66** - Emplacement de l'ancien hôtel Le Juge. Sans doute parmi les plus belles demeures du Marais, cet hôtel avait été construit par Robert

Tourelles de l'hôtel de Clisson,
58, rue des Archives.

HÔTEL DE CLISSON

58, rue des Archives

HISTORIQUE - *Olivier de Clisson, connétable de France sous Charles V, s'installe, en 1371-1375, au Marais du Temple où résident déjà Jean le Mercier de Nouvion et Bureau de La Rivière, conseillers du roi. Il se fait construire un hôtel, ouvrant sur la rue du Chaume par une grande porte fortifiée, qui subsiste aujourd'hui.*

L'hôtel passe en 1556 aux Guise, qui le décorent fastueusement. La chapelle, au premier étage, reçoit alors une voûte peinte par Nicollo dell' Abate. Sous les derniers Valois, l'hôtel est l'un des hauts lieux de la Ligue. Tombé en désuétude, il est habité par plusieurs « protégés » du propriétaire, dont le collectionneur Roger de Gaignières et Pierre Corneille – ce dernier y trouve asile en 1662-1664. L'hôtel devient en 1700 la propriété des Soubise, qui entreprennent alors de grands travaux ; leur architecte, Delamair, conserve cependant l'ancienne porte de l'hôtel de Clisson, qui témoignait de l'ancienneté, donc du prestige de la demeure (voir 60, rue des Francs Bourgeois, pp. 217-219).

La cour de l'hôtel, aquarelle, début XIXe.

ARCHITECTURE - Unique témoin de l'architecture civile de la fin du XIVe à Paris, le portail gothique est défendu par deux tours en encorbellement, coiffées de leurs toits en poivrière. Sur l'arcade on distingue deux médaillons sculptés aux armes de Clisson, datant de la restauration de 1847. Le portail de l'hôtel est disposé en renfoncement, car il formait à l'origine l'angle de la rue du Chaume et de la « ruelle Roche », aujourd'hui englobée dans les Archives nationales. Une porte cochère située juste à droite de la porte médiévale marque le débouché de cette ancienne ruelle. L'hôtel établi entre cour et jardin était séparé de la rue par un mur bas. La cour, dite des Marronniers, a été refaite au XIXe siècle. Seule, sur le mur, la « porte aux fruits » rappelle les travaux effectués sous Louis XIII pour embellir la demeure.

À gauche, les lourds bâtiments aveugles des Archives nationales prennent la place du mur de la cour de l'hôtel (1878-1880) et de l'aile des petits appartements Soubise (1875-1878).

de Cotte et décoré par Antoine Coysevox et Charles de Lafosse. L'ensemble a été dépouillé de ses décors classés, et détruit en 1897 pour laisser place à l'immeuble des Nouvelles Galeries.

□ **N° 67** - Emplacement d'un ancien hôtel démoli vers 1945, et dont seul subsiste un plafond à poutres et solives peintes, remonté à l'hôtel de Sully.

□ **N° 68 - HÔTEL DE REFUGE** - Cet hôtel, construit en 1649 pour Christophe de Refuge, est dissimulé par un immeuble industriel de 1935, établi sur la rue. Il offre une jolie façade en pierre et renferme un escalier en position centrale avec sa rampe en fer forgé XVIIe. La façade sur jardin, parasitée, est visible depuis la ruelle Sourdis (voir p. 231).

□ **N° 69** - De beaux appuis Louis XIV ornent la travée de gauche.

■ **N°s 70-72 - HÔTELS DE MONTESCOT ET DE VILLEFLIX** - (voir p. 208).

■ **N°s 74-76 - HÔTELS CHAILLOU DE JONVILLE ET LE PELLETIER DE SOUZY** - (voir p. 209).

□ **N° 78 - HÔTEL AMELOT DE CHAILLOU** - Cette belle demeure a été construite en 1702 pour Pierre Amelot de Chaillou, fils d'Amelot de Bisseuil, par l'architecte Pierre Bullet, très actif sous Louis XIV. En 1722, l'hôtel est vendu au maréchal de Tallard. Livré au commerce, il connaît au XIXe siècle une grave dégradation. Un promoteur privé a pu le restaurer énergiquement en 1980-1981.

L'hôtel présente un plan ouvert sur carrefour, avec une cour d'honneur comportant une seule aile. Un magnifique portail, muni d'une imposte sculptée de deux génies, mène à la cour. Les façades en pierre sur la cour d'honneur portent encore des lucarnes. L'aile gauche cache la bassecour, fermée sur la rue des Archives par un bel immeuble rhabillé au début du XIXe. La façade sur jardin est ornée d'un fronton central et de médaillons sculptés représentant les *Saisons*, les *Éléments*, et des scènes antiquisantes. L'escalier est une des merveilles du Marais : établi dans l'aile sur jardin, il y déploie sa belle rampe en fer forgé, après un immense vestibule en pierre. La cage est ornée de pilastres doubles et de niches dont les statues ont été volées au XXe siècle.

□ **N° 79** - Hôtel Louis XIII. Propriété de l'abbaye royale de Saint-Antoine des Champs à partir de 1633, cet hôtel offre une belle façade à lucarnes passantes en pierre. Les façades sur la vieille cour pavée ont été massacrées par un garage qui parasite tout le jardin.

□ **N°s 81-83** - Deux petits hôtels réunis en 1663 par la famille Le Tonnelier de Breteuil.

Le n° 81 est agrémenté d'un bel escalier Louis XV avec son vestibule à arcade surbaissée ornée d'un mascaron (stupidement peint en blanc).

Le n° 83, dont la cour est parasitée, conserve à droite son escalier d'origine en bois à balustres dont le départ a été rapporté.

C'est dans cet hôtel qu'est mort le 23 septembre 1675 Valentin Conrart,

Escalier Louis XV,
81, rue des Archives.

HÔTEL GUÉNÉGAUD DES BROSSES

60, rue des Archives

HISTORIQUE - *Construit à l'emplacement d'une maison ayant appartenu en 1530 à Jean Gentien, sieur de l'Hermitage, l'hôtel était occupé au début du XVIIe siècle par des financiers. Jean Coiffier, conseiller d'État, le cède en 1647 à Jean-François de Guénégaud, sieur des Brosses, qui agrandit son domaine d'une seconde maison en 1650 et charge en 1651-1655 François Mansart de lui construire un hôtel à la mode.*

François Mansart, architecte du roi, 1598-1666.

Le fils de Jean-François de Génégaud, Claude, n'y habite pas et préfère le louer. L'hôtel est acheté en 1703 par le fermier général Jean Romanet, qui fait refaire entièrement l'intérieur au goût du jour. Sa petite-fille l'apporte en dot au comte de Choiseul-Beaupré qui, devenu veuf, le vend en 1766 à l'oncle de sa nouvelle femme, François Thiroux d'Epersenne, maître des requêtes et riche financier (voir 5-7, rue de Montmorency, p. 302). L'hôtel devait rester dans cette famille jusqu'en 1895. Thiroux d'Epersenne possédait une remarquable collection d'œuvres d'art, dont plusieurs chefs-d'œuvre du sculpteur Étienne Falconet. La collection était installée au rez-de-chaussée et se visitait sur demande. Au XIXe siècle, l'hôtel est livré au commerce et connaît une lente dégradation. Il abrite un temps un bronzier, puis une bijouterie dont les ateliers recouvraient le jardin. Le dernier propriétaire veut raser la demeure pour rentabiliser le terrain, mais il est exproprié, et la Ville de Paris rachète l'ensemble en 1961. Loué en 1964 à M. et Mme François Sommer pour un franc symbolique et remis à neuf, l'hôtel abrite, depuis sa restauration, le musée de la Chasse et de la Nature, ouvert en 1967.

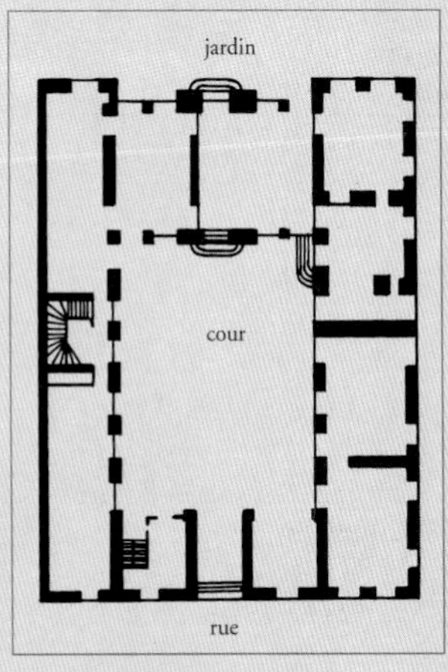

Plan de l'hôtel.

Départ du grand escalier.

Détail de boiserie (avant restauration).

ARCHITECTURE - C'est le seul hôtel construit par François Mansart qui ait été conservé intact, et où la majesté des proportions et la pureté des lignes puissent encore témoigner de l'extrême sobriété de l'architecte. La cour pavée est encadrée sur trois côtés du corps de logis et des ailes, et fermée sur rue par un portail surmonté d'une terrasse à balustrade jadis ornée de vases et non d'un treillage comme aujourd'hui. Un léger avant-corps sans fronton, mais pourvu d'un entablement à consoles qui portait des vases en amortissement, marque l'axe central, dissimulant la différence de largeur entre les deux ailes. La façade sur jardin, visible depuis la rue des Quatre Fils, se compose de deux pavillons et d'un avant-corps que soulignent un fronton et un balcon au premier étage. Les parterres néo-XVIIe et les treillages du jardin datent de la restauration, mais le bassin central n'a pas été rétabli. Des intérieurs d'origine subsiste, dans l'aile droite, le grand escalier, porté sur voûte appareillée. Il s'agit d'un chef-d'œuvre de Mansart, mais la rampe, assez sèche, a probablement été retouchée au XIXe siècle. Du décor refait pour Romanet a été conservé, au rez-de-chaussée, un beau salon aux boiseries blanc et or Louis XIV. Le musée renferme une remarquable collection d'armes anciennes et quelques tableaux de valeur (Oudry, Desportes...).

Façade sur cour.

l'un des fondateurs de l'Académie française. Il louait la maison aux Breteuil depuis 1672.

◇ La rue des Archives s'arrêtait jadis ici et tournait dans la rue Portefoin. Le petit tronçon jusqu'à la rue de Bretagne a été ouvert en 1806 ; il s'appelait alors « rue Jacques de Molay ».

□ **N° 85** - Cette belle maison basse du XVIIe à l'abandon faisait partie d'une cour de l'hôpital des Enfants Rouges.

□ **N° 90** - Emplacement de l'ancien hôpital des Enfants Dieux, dit des Enfants Rouges à cause des vêtements portés par les orphelins qui y étaient recueillis. Fondé en 1534 par François Ier, cet établissement est fermé en 1772 et ses bâtiments sont occupés jusqu'à la Révolution par les Pères de la Doctrine chrétienne. L'ensemble est aliéné en 1796. Dans la première cour subsistent, à gauche, les vestiges de la chapelle Saint-Julien des Enfants Rouges, emportée lors du prolongement de la rue jusqu'à la rue de Bretagne. On distingue nettement les murs et le chevet de l'ancienne chapelle avec ses hautes fenêtres. Elle est parfaitement alignée avec la porte qui subsiste au départ de la rue Portefoin (voir n° 2). Dans la seconde cour se dressent encore les bâtiments altérés de l'ancien hôpital.

Vestiges de la chapelle Saint-Julien des Enfants Rouges.

RUE PORTEFOIN

Ouverte par les Templiers vers 1282, et baptisée d'abord « rue Richard des Poulies », elle formait à l'origine le prolongement coudé de la « rue des Enfants Rouges » (actuelle rue des Archives) jusqu'à la rue du Temple.

□ **N° 2** - Vestige de mur et ancienne arcade cochère de l'entrée de l'hôpital des Enfants Rouges.

□ **N° 3** - Porte cochère à vantaux cloutés Louis XIII.

□ **N° 4** - La porte cochère mène, à droite du passage, à un bel escalier avec sa rampe en fer forgé Louis XV.

□ **N° 6** - Ce petit hôtel présente une jolie façade ornée d'appuis en fer forgé. La porte cochère est munie de beaux vantaux et ornée d'un mascaron.

□ **N°s 8-10** - Emplacement de l'ancien hôtel Turgot, dont le jardin s'étendait jusqu'à la rue de Bretagne. Entièrement détruit, il a été loti et remplacé par deux immeubles modernes, pour le comptoir Lyon-Allemand-Goyot.

□ **N° 11** - Emplacement de l'usine du bijoutier Ernest Orry, construite à la fin du XIXe siècle.

□ **N° 14** - Petit hôtel Louis XIV. Le portail, orné de refends et couronné d'un fronton, a gardé ses vantaux d'origine. L'hôtel abrite une cour. L'ancien jardin a été bâti au XIXe et forme une seconde cour.

□ **N° 19** - Bel immeuble d'angle du milieu XVIIIe siècle. La façade a conservé de beaux appuis et une porte cochère ouvrant sur une cour parasitée. L'angle est traité avec une chaîne de refends.

RUE PASTOURELLE

Ouverte avant 1292 par les Templiers, sous le nom de « rue Jean de Saint-Quentin », cette voie conserve une rive paire ancienne, établie sur un petit terrain parcellaire. La rive impaire – en revanche – a été anéantie aux trois quarts au profit d'une affreuse construction abritant le Central téléphonique.

□ **N° 20** - Petite maison d'une travée, vidée et rénovée en 1993.

□ **N° 22** - Cette petite maison, refaçadée sous Louis XV et surélevée d'un étage au XIXe siècle, porte de beaux appuis ouvragés au premier étage.

□ **N° 26** - La façade de fermes proportions est couronnée de jolies lucarnes maçonnées à fronton. La porte basse est munie d'un vantail du XVIIIe ajouré sous Louis-Philippe.

□ **N°s 35-37** - Maison ancienne conservée *in extremis* lors de l'extension du Central téléphonique. Le rez-de-chaussée a été évidé pour abriter le trottoir et éviter ainsi le recul de la maison à l'alignement.

□ **N° 40** - Cette façade régulière porte des appuis de la seconde moitié du XVIIIe siècle. La porte cochère conduit à un escalier avec une rampe à arceaux.

□ **N° 42** - Exemple de façade massacrée par un ravalement dans les années 50 avec un crépi au ciment et des tubes métalliques en guise d'appuis.

□ **N° 44** - Le deuxième étage offre de beaux appuis Louis XIV. La maison renferme un escalier de la même époque avec sa rampe en fer forgé à panneaux symétriques.

RUE DES HAUDRIETTES

Ouverte par les Templiers avant 1287, cette rue s'est d'abord appelée « rue Jean Lhuillier », puis, sous Louis XIII, « rue de la Fontaine Neuve », et enfin « rue des Vieilles Haudriettes » jusqu'en 1881. Toute l'ancienne rive impaire a disparu.

□ **N° 1 - FONTAINE DES HAUDRIETTES** - Nicolas-Jean Lhuillier, sieur de Saint-Mesmin, président aux Comptes et propriétaire de l'hôtel 2, rue de Braque, reçoit en 1605 une concession d'eau. Il fait construire dans son jardin un réservoir en pierre, dans lequel la Ville de Paris lui demande, en 1623, d'ouvrir deux robinets : l'un, côté jardin, à l'usage de l'hôtel ; l'autre, côté rue, pour les habitants du quartier. Cette fontaine donne bientôt son nom à la rue, « rue de la Fontaine Neuve ». En 1765, elle est reconstruite par Pierre-Louis Moreau-Desproux, architecte de la Ville. Pour agrandir le carrefour, ce bel édicule néo-classique a été démonté et reconstruit en retrait en 1933.

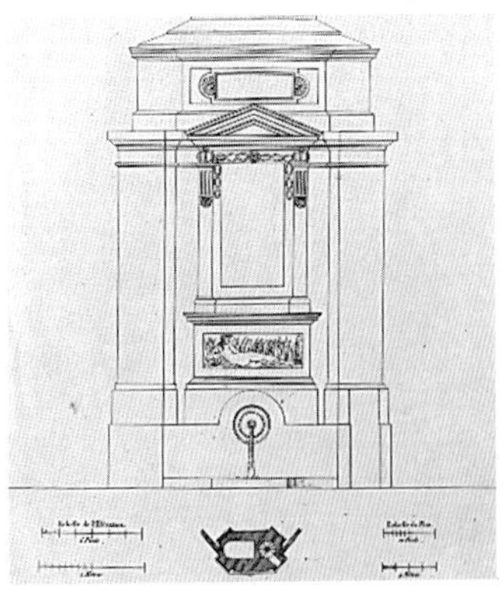

Élévation de la fontaine des Haudriettes, gravure d'Amaury Duval, début XIXe.

HÔTELS DE MONTESCOT ET DE VILLEFLIX

70-72, rue des Archives

HISTORIQUE - *Ces deux hôtels ont été construits en 1647 par François de Montescot, intendant de la généralité de Paris, sur deux terrains réunis par son beau-père, le financier Michel Simon. Passés à Nicolas de Bailleul, puis aux Jossier de La Jonchère qui ont sans doute fait refaire les deux portails Louis XIV sur rue, jadis identiques, les deux hôtels sont séparés en 1690.*

- Le n° 70 est acquis en 1740 par Geneviève Legras, veuve de Jacques Denis, trésorier général des Bâtiments du roi. Il reçoit alors divers embellissements, dont un nouvel escalier. Passé en 1752 aux Gasq de Lalande, l'hôtel est loué puis livré au commerce au XIXe siècle. Lamennais s'y installe en 1853 et y meurt le 15 mai 1854 (plaque). Cet hôtel a fait l'objet d'une restauration complète, assez vulgaire, en 1992.

- Le n° 72 est vendu en 1690 à la dame Ricoult, épouse de François Vireau de Villeflix. Leurs héritiers, Michau de Montaran, entreprennent des travaux probablement après 1740 et vendent la demeure en 1793 à Tardieu de Maleyssie. Au XIXe siècle, l'hôtel est dénaturé par le commerce et les locations.

Fontaine Louis XV
dans l'ancien jardin du n° 72.

ARCHITECTURE - Contrairement à son voisin qui a été surélevé, le n° 70 a conservé ses volumes d'origine. Il est formé d'un grand corps de logis de deux étages, flanqué d'une aile moins élevée et d'une porterie basse sur rue. Beau traitement des entresols, avec mascaron. À l'intérieur subsistent un très bel escalier Louis XV avec une gracieuse rampe en fer forgé et une poutre peinte Louis XIII. Le jardin a été reconstitué.

L'hôtel Vireau de Villeflix offrait encore sur le plan Turgot de 1739 le même portail que le n° 70. Il a été surélevé d'un petit étage à fronton orné d'appuis Louis XV. Les vantaux de la porte cochère sont très beaux. Si tout le décor intérieur a disparu, le jardin – hélas encore tout entier parasité par un atelier – conserve sa fontaine en pierre ornée de congélations et de deux statues enlacées dans une niche, aménagée vers 1740. Les jardins possédaient une sortie par la ruelle Sourdis d'où l'on peut voir les façades arrière.

HÔTELS CHAILLOU DE JONVILLE ET LE PELLETIER DE SOUZY

74-76, rue des Archives

HISTORIQUE - *Sur un jardin appartenant au sieur Fabry, situé à l'angle de la rue Pastourelle, trois parcelles ont été formées et vendues en 1642-1643. Sur deux d'entre elles donnant sur la rue des Archives ont été construits deux hôtels. La troisième parcelle forme le 17, rue Pastourelle* *(voir p. 238).*

- Le n° 74 est construit par les maîtres maçons Pierre Grandin et M. Muret pour Gédéon Tallemant, maître des requêtes, cousin du célèbre mémorialiste Tallemant des Réaux, qui le loue. Ruiné, Tallemant ne peut conserver l'hôtel qui est saisi en 1670. Il appartient en 1732 à la famille Chaillou de Jonville. Complètement défiguré, surélevé et parasité au XIXe siècle, il a fait l'objet d'une restauration-restitution spectaculaire en 1992-1993, à partir du modèle du n°76, mieux conservé.

- Le n° 76 est édifié pour Octavien Le Bis de La Chapelle. En 1676, il devient la propriété des familles Le Pelletier de Souzy, puis Turgot. Préservé au XIXe siècle, il a été acquis récemment par une société de copropriétaires et restauré avec soin en 1986-1988.

ARCHITECTURE - Les deux hôtels sont établis sur un plan semblable mais inversé, comprenant un corps de logis entre cour et jardin, une aile latérale, un mur bas et un portail sur rue. À la jonction de l'aile et du corps de logis se dresse un haut pavillon d'escalier, avec son toit indépendant caractéristique, appelé à l'époque « donjon ». Les façades sont austères et sans décor.

Détail de l'escalier du n° 76.

De l'hôtel d'origine, au n° 74, ne subsistent que le portail, refait au XVIIIe siècle, la cage d'escalier et un dixième environ des façades. Le jardin a été parasité.

Le n° 76 a conservé sur rue un beau portail Louis XIV aux chiffres OLB pour Octavien Le Bis et MDA pour son épouse Marie d'Aluymare. Il renferme un grand escalier d'origine en bois, à quatre noyaux et balustres rampants, avec un départ en fer forgé. Lors des travaux, un plafond à poutres et solives peintes Louis XIII a été découvert à l'étage.

D'une architecture austère et déjà très néo-classique, cette fontaine est seulement décorée d'un bas-relief représentant une naïade, due au ciseau raffiné du sculpteur P. Mignot.
Derrière la fontaine se dressent les étranges HLM néo-Louis XVI de l'architecte-ingénieur Heckly, dont le style semble singer celui de la petite fontaine.

□ **N° 2** - Ancien hôtel des abbés de Saint-Denis (1615-1666) puis hôtel d'Ormesson. Rendu méconnaissable au XIXe siècle par diverses surélévations, l'hôtel a conservé une cour pavée agréable et un beau portail à refends de 1764.

□ **N° 4 - HÔTEL DE MAILLY** - Cet hôtel a probablement été construit au tout début du XVIIe siècle pour Jean de Creil sur une propriété ayant appartenu aux Bondeville en 1545. La famille de Mailly le possède de 1680 à 1784. L'hôtel abrite, dès la fin du XIXe siècle, le « Comptoir général de la bimbeloterie », dont l'atmosphère a été bien rendue par Alphonse Daudet dans *Fromont jeune et Risler aîné*. En 1974-1975, l'hôtel a été l'objet d'une opération immobilière assez indigente. L'hôtel s'ouvre sur la rue par un portail à fronton et refends, décoré d'un très beau mascaron d'Hercule coiffé de la peau du lion de Némée. Les façades sur la cour sont ornées de fenêtres à frontons curvilignes. Du comble se détachent d'élégantes lucarnes en pierre, semblables à celles qui ornent la partie sur rue. L'ensemble est sobre et harmonieux, dans le goût de la fin XVIe début XVIIe. Avant le XVIIIe siècle, les deux ailes ne comportaient pas d'étages, ce qui mettait en valeur le corps du fond et ses deux pavillons en retour. L'escalier d'origine, qui se trouvait en position centrale dans le corps de logis, a disparu dès l'Ancien Régime. La façade sur l'ancien jardin a été reprise sous Louis XVI, avec des appuis en fer forgé néo-classiques. Le jardin a été en partie reconstitué, en partie loti.

□ **N°s 5-5 bis** - Emplacement de la maison de Jean Galland, riche financier. Elle avait été construite par Charles Chamois en 1640-1641.

□ **N°s 6-10** - Immeubles d'accompagnement liés à l'opération de rénovation de l'hôtel de Mailly.

□ **N° 12** - Façade en pierre du XVIIe. On devine, à gauche, l'ancienne porte cochère supprimée.

RUE DE BRAQUE

Cette voie, ouverte à la fin du XIIIe siècle, s'est d'abord appelée « rue des Étuves », puis « rue des Boucheries du Temple », les boucheries du Temple y étant établies. Restée intacte, elle offre un magnifique point de vue sur les tourelles de l'hôtel de Clisson.
Les parcelles des n°s 2, 4, 6 et 8 sont issues du démembrement d'un grand domaine médiéval, l'hôtel de Navarre.

□ **N° 2** - Emplacement de l'ancien hôtel de Montigny. Construit au XVIIIe, il possédait un jardin qui s'étendait jusqu'à la rue des Haudriettes. Il a été démoli en 1925 au profit d'une centrale électrique EDF, rhabillée récemment en style néo-Marais.

□ **N° 3** - Maison à pignon, défigurée par un ravalement en 1993.

□ **N°s 4-6 - HÔTELS LE LIÈVRE DE LA GRANGE** - Ces deux hôtels jumeaux ont été construits en 1734-1735 par l'architecte Victor-Thierry Dailly pour Le Lièvre, sieur de la Grange, dont la famille devait en rester propriétaire jusqu'en 1814. Malgré l'amputation du jardin par des constructions commerciales, l'ensemble, habité et loué en bureaux, est en assez bon état.

Console d'un balcon,
6, rue de Braque.

Dailly a donné là un bel exemple de Louis XV rocaille, au décor souple. Les deux corps de logis sont établis sur la rue. Ils se distinguent tous deux par leur portail aux remarquables vantaux sculptés et les deux balcons qui les surmontent. Les consoles sont ornées de têtes de bélier au 4 et de vieillards barbus au 6. Par le n° 6, on accède à la cour pavée, jadis divisée en deux parties. Elle est entourée à droite et à gauche de deux ailes qui abritaient les deux grands escaliers dont seul celui du n° 4 subsiste. Au revers de la façade principale, deux lucarnes à foin sont encore visibles. Le grand escalier conservé dans son intégralité est splendide : son vestibule au bout du passage cocher est agrémenté de mascarons et d'un cygne dus aux sculpteurs Bourguignon et Lissy. Le palier bas, dont les murs sont ornés de fines moulures, mène à l'escalier proprement dit, avec sa rampe en fer forgé et son étonnant départ.

☐ **N° 5** - Si la façade sur rue a été rhabillée en style néo-classique vers 1805, la cour, en revanche, abrite un étonnant petit bâtiment à pans de bois apparents du XVIIe siècle, qui a été très restauré. Sur sa gauche, un petit jardin a été restitué.

☐ **N° 7 - PETIT HÔTEL DE MESMES** - Dépendances du grand hôtel de Mesmes – qui ouvrait sur le 62, rue du Temple –, détruit sous Charles X (voir p. 282).

Il est détaché du grand hôtel en 1767 pour être vendu à Guillaume Reynal, payeur des rentes de l'Hôtel de Ville. Les deux ailes avec retour sur rue sont reliées par un beau portail Louis XVI, dont les vantaux ont été remplacés par une grille. Dans la cour pavée, on verra de part et d'autre de l'entrée des colonnes doriques cannelées. Le pavillon de droite renferme un bel escalier bordé d'une rampe en fer forgé Louis XVI. Le bâtiment du fond, très étroit, n'existait pas à l'origine : seules les arcades du rez-de-chaussée sont anciennes ; elles supportaient une terrasse (remarquer leur légère voussure).

Bâtiment à pans de bois,
5, rue de Braque.

☐ **Nº 8 - PETIT HÔTEL DE CHAUNES** - Austère façade en pierre de taille, restaurée, percée d'un portail cocher muni de beaux vantaux sculptés de têtes de lion. À gauche du vestibule à colonnes se trouve le grand escalier, restauré en 1991. La cour-jardin vitrée est partiellement bordée d'arcades.

☐ **Nº 11** - La grille de l'imposte porte le monogramme HY, non identifié. Bel escalier à balustres Louis XIII.

☐ **Nº 12** - Ces deux maisons ont été construites au XVIIe siècle sur le terrain qu'occupaient au Moyen Âge les boucheries du Temple. La viande relevait à cette époque d'un privilège accordé aux marchands bouchers, qui formaient une puissante corporation. Seules les grandes abbayes avaient le droit de posséder leurs propres étals. Ces deux maisons sont en instance de rénovation.

RUE DES FRANCS BOURGEOIS

La section comprise entre la rue Vieille du Temple et la rue des Archives s'est appelée du Moyen Âge jusqu'en 1868 « rue de Paradis au Marais », nom qui lui venait d'une enseigne.

☐ **Nº 48** - Emplacement de l'ancien hôtel de Canillac, restauré et embelli par Boffrand en 1708. L'hôtel possédait un jardin suspendu. Il a été démoli en 1879 au profit d'un immeuble de rapport très laid.

☐ **Nº 50 - HÔTEL LE TOURNEUR** - Un lourd immeuble sur rue néo-Louis XV, élevé en 1854, cache cet hôtel construit en 1618-1619 par Gabriel Soulignac, architecte des Guise, pour le sieur de Ligny, également propriétaire de l'hôtel du nº 54. Propriété de la famille Le Tourneur au XVIIIe siècle, il a particulièrement souffert des occupations industrielles successives. Il y a peu encore, une fabrique de dragées y était établie. Le jardin est recouvert par une grande usine – l'une des dernières du Marais –, qui doit prochainement disparaître. Bâti entre cour et jardin avec une seule aile, dont les arcades surbaissées abritaient les anciennes remises, l'hôtel a conservé un grand escalier à rampe en fer forgé, et quelques décors intérieurs. Le jardin, intégralement parasité, doit réapparaître lors de la rénovation.

☐ **Nº 54 - HÔTEL DE JAUCOURT** - L'hôtel primitif, construit en 1599 pour Jean de Ligny, a été remanié en 1684 pour Jean Le Camus, lieutenant civil du Châtelet, alors propriétaire, puis pour son gendre, Antoine-Nicolas de Nicolaï, marquis de Goussainville, premier président à la Cour des comptes. Le portail a été élevé en 1687 par Robert de Cotte. L'hôtel, surélevé et modifié à nouveau à la fin du XVIIIe siècle, a été acquis en 1962 par les Archives nationales, et restauré peu après. À cette occasion, des lucarnes en pierre de 1599 ont été

Grand balcon Louis XV,
56, rue des Francs Bourgeois.

mises au jour dans les surélévations de la fin du XVIIIe siècle. L'ensemble, trop rénové, a perdu tout caractère.

□ **N° 56 - MAISON CLAUSTRIER ET HÔTEL DE FONTENAY** - Le bâtiment sur rue a été construit en 1752 par l'architecte Jacques Hardouin-Mansart de Sagonne (auteur de l'église Saint-Louis de Versailles) pour Gilbert-Jérôme Claustrier, garde des registres du contrôleur général des Finances. Il cache un bel hôtel entre cour et jardin, édifié en 1733 par l'architecte Vinage pour François-Victor, marquis de Fontenay, secrétaire d'État à la guerre de Louis XV. Occupé industriellement au XIXe et au début du XXe siècle, l'ensemble a été acheté en 1949 par les Archives nationales, puis restauré.

La puissante façade sur rue, ravalée en 1992, est caractéristique de l'art de Mansart de Sagonne. Elle porte un balcon soutenu par deux grosses consoles sculptées ornées de fleurs de tournesol. Un bel escalier avec un vestibule dorique a été conservé.

Dans la cour se dresse le petit hôtel Fontenay. La façade concave sur cour et l'avant-corps convexe sur le jardin lui donnent belle allure. Un gracieux escalier Louis XV dessert l'étage où se trouve le bureau du directeur général des Archives de France.

■ **N°s 55-57 - MONT-DE-PIÉTÉ** (Crédit municipal) - (voir p. 214).

■ **N° 58 bis - HÔTEL MARIN,** puis **HÔTEL D'ASSY** - (voir p. 215).

□ **N° 59 - MAISON DUCREST** - Construite en 1778 par l'architecte Porquet et le maître maçon Grelet pour Maurice Ducrest, chef de la Fruiterie ordinaire de Monsieur (frère du roi). Elle offre une puissante façade Louis XVI en pierre, ornée de beaux appuis.

■ **N° 60 - HÔTEL DE SOUBISE** - (voir pp. 217-219).

RUE VIEILLE DU TEMPLE

Au-delà de l'enceinte de Philippe Auguste et jusqu'à la rue de la Perle, la rue Vieille du Temple longeait à l'est le domaine de l'hôtel d'Étienne Barbette, dont elle a un moment porté le nom.

□ **N° 54 - HÔTEL HÉROUET** - Ce petit hôtel à l'angle de la rue des Francs Bourgeois a été édifié, vers 1510-1520, pour Jean Hérouet, conseiller du roi au Parlement et trésorier de France. Restauré en style troubadour au XIXe siècle, l'hôtel, menacé par l'agrandissement du carrefour, est sauvé en 1908 par un érudit, Henri d'Allemagne, membre de la Commission du Vieux Paris, qui l'achète et le fait classer. Gravement endommagé lors du bombardement allemand du 26 août 1944, il a plutôt été reconstruit que restauré dans les années 70. Seule la fine tourelle en encorbellement avec un réseau de pierre de style flamboyant a conservé un peu de son charme.

□ **N°s 56-58** - Triste immeuble élevé en 1958, à la suite du bombardement allemand d'août 1944. Au fond de la cour se dresse un bâtiment ancien dénaturé, qui a conservé son escalier à vide central du milieu du XVIIe, avec une rampe en fer forgé à panneaux. Le palier du premier étage offre encore de jolies portes anciennes.

□ **N° 60** - Immeuble de rapport de 1884, élevé à l'emplacement approximatif d'une porte ogivale de l'hôtel Barbette, qui subsistait encore en 1748.

□ **N°s 64-66 - HÔTEL DE POMEREU** - Construit au XVIIe sur l'emplacement d'une partie de l'ancien hôtel Barbette. Derrière la vieille façade, percée d'une porte cochère Louis XV ornée de refends, s'étend une immense cour pavée.

MONT-DE-PIÉTÉ

55-57, rue des Francs Bourgeois

HISTORIQUE - *Fondé par Louis XVI en 1777 pour permettre aux plus démunis d'emprunter sans intérêt, le Mont-de-Piété est rattaché à l'Hôpital général. L'institution, d'abord installée rue des Blancs Manteaux (voir p. 191), connaît une activité croissante. En 1784, elle s'agrandit sur la rue des Francs Bourgeois, formant un nouvel ensemble que l'architecte Charles-François Viel dote d'une grande façade. Fermée à la Révolution, l'institution est réorganisée en 1804 par Napoléon et remporte tout au long du* XIXe *siècle un grand succès. C'est l'époque où elle est surnommée « ma tante » et où, le manque de place et le souci d'hygiène aidant, le dépôt des matelas par les petites gens donne des cauchemars aux responsables. En 1880, une nouvelle campagne d'extension permet d'achever les bâtiments de Viel. Transformé en 1918 en Crédit municipal, et depuis 1984 en organisme à vocation bancaire et culturelle, le Mont-de-Piété continue de jouer un rôle actif au cœur du Marais.*

Façade de Viel projetée sur la rue des Francs Bourgeois, gravure de Taraval, 1787.

ARCHITECTURE - Le Mont-de-Piété est un intéressant exemple d'architecture civile parisienne Louis XVI. La grande composition de Viel est sans doute austère et un peu démonstrative. Mais les détails de la modénature dorique sont remarquables et l'ensemble est construit avec un soin dont l'architecte était jaloux. Des intérieurs, fonctionnels, seul le grand escalier présente un intérêt avec ses colonnes doriques et ses faisceaux de licteurs. Dans une cour affreusement restaurée subsiste une tour de l'enceinte de Philippe Auguste, sauvée de justesse lors de la construction de nouveaux bâtiments en brique, en 1885. Dans un passage, une porte cochère aux vantaux cloutés, provenant du 14, rue des Blancs Manteaux, a été déposée. Contre le mur mitoyen du n° 59, une travée en pierre du bel hôtel de Nouveau (voir 22, rue des Blancs Manteaux, p. 191) est visible depuis la rue.

HÔTEL D'ASSY

58 bis, rue des Francs Bourgeois

Denis Marin de La Châtaigneraie, gravure de Masson, 1672.

HISTORIQUE - *Cette sévère demeure a été élevée par le maître maçon Pierre Blanvin, peut-être sur les dessins de l'architecte Pierre Le Muet, pour Denis Marin de La Châtaigneraie, conseiller du roi et riche financier. Elle ne comprenait, à l'origine, que deux corps de logis en équerre, l'un établi sur rue et l'autre sur cour. En 1706, l'hôtel passe à Jean-Pierre Chaillou de Jonville, receveur général des finances de Caen. Ce dernier fait allonger l'aile droite sur cour et construire un bâtiment avec terrasse à gauche, contre la colonnade de l'hôtel Soubise. En 1729, le président du Grand Conseil, Louis-Philippe-Guillaume de Chavaudon, fait construire entre la cour et le jardin un petit bâtiment en terrasse et confie à Oppenord la décoration des appartements dont seul subsiste un salon. En 1787, l'hôtel devient la propriété de Jean-Claude Geoffroy d'Assy, qui fait construire sur le toit un observatoire pour l'astronome Delambre, précepteur de ses enfants. En 1842, les Archives nationales achètent l'hôtel. La partie entre cour et jardin abrite aujourd'hui l'appartement du directeur général des Archives de France.*

ARCHITECTURE - La façade sur rue, d'une grande rigueur, est couronnée de belles lucarnes en pierre. Les balcons du corps de logis entre cour et jardin sont marqués du chiffre CM pour Chavaudon-Montmagny. L'hôtel conserve de ses origines Louis XIII un beau plafond à poutres et solives peintes au premier étage, et surtout le grand escalier porté sur voûtes et doté d'une rampe en fer forgé qui passe pour la plus ancienne de Paris.

Départ du grand escalier.

☐ **N° 68** - Maison Louis XV. Acquise en 1731 par une veuve, Hélène Garlin, et transformée sans doute peu après, cette maison offre de magnifiques balcons en coquille au premier étage.

☐ **N° 74** - Emplacement d'un petit hôtel. L'espèce de portail à l'ancienne, qui fait insulte à l'hôtel de Rohan, dissimule tant bien que mal l'immeuble du fond construit en 1965.

☐ **N° 75 - HÔTEL DE LA TOUR DU PIN** - Peu connu, ce petit hôtel a été construit en 1724-1725 pour Pierre Nicolas Bertin par l'architecte Villeneuve. Il porte le nom de ses héritiers, les marquis Gouvernet de La Tour du Pin. Occupé bourgeoisement après la Révolution, l'hôtel a été surélevé sous Louis-Philippe, ce qui en a ruiné les proportions. Les élégantes façades en pierre de taille sont ornées de beaux appuis. Les lucarnes à guirlandes ont probablement été remontées lors de la surélévation. Le jardin a été restitué lors de la restauration. L'immeuble locatif en pierre qui jouxte au nord l'hôtel dont il masquait la basse-cour est remarquable par la pureté de ses proportions.

☐ **N° 76 bis** - Emplacement du jeu de paume de la Sphère.

☐ **N°s 77-79** - Haute maison XVIIe avec lucarne à fronton. La porte cochère cloutée conduit à un bel escalier en bois limon sur limon à balustres carrés. Le rez-de-chaussée abrite une gracieuse boutique Empire.

☐ **N° 78** - Maison locative construite en 1683-1684 par Libéral Bruand lors du lotissement du fief des Fusées (voir 11, rue de la Perle, p. 260). Emplacement de l'entrée de l'ancien hôtel médiéval des Fusées. Une surélévation au XIXe en a altéré les proportions.

■ **N° 87 - HÔTEL DE ROHAN** - (voir pp. 222-223)

RUE BARBETTE

Ouverte en 1566 sur l'ancien hôtel Barbette, domaine réuni au XIIIe siècle pour Étienne Barbette, issu d'une riche famille parisienne qui possédait aussi, au nord de Paris, une courtille. Acheté en 1403 par Isabeau de Bavière, qui en fait son petit séjour, il passe ensuite à la famille de Montaigu, puis, au XVIe siècle, à Diane de Poitiers ; ses deux filles, les duchesses d'Aumale et de Bouillon, s'en défont en le lotissant à partir de 1561.

☐ **N°s 2-10** - Emplacement de l'ancien hôtel de Corberon. Cette demeure avait été construite avant 1645 pour le maréchal d'Estrées qui y mourut plus que centenaire le 5 mai 1670. Fouquet en a été locataire en 1650-1651. Entièrement reconstruit en style rocaille sous Louis XV, l'hôtel devient en 1750 la propriété de la famille Bourrée de Corberon. Confisqué à la Révolution, il est affecté en 1810 à la première succursale des demoiselles de la Légion d'honneur, qui y reste jusqu'en 1850. Il est alors revendu à un particulier et défiguré par une occupation industrielle. Orné avec le meilleur goût et agrémenté d'un jardin qui s'étendait jusqu'à la rue Elzévir, il a été détruit en 1930 au profit d'horribles constructions.

Le jardin, loti à la fin du siècle dernier, a été dégagé en 1969 et transformé en terrain de sport, puis recouvert en 1983-1985 par des immeubles post-modernes.

☐ **N° 5** - Immeuble de rapport de 1868 remplaçant l'arrière de l'hôtel de Livry (voir 28, rue des Francs Bourgeois, p. 159). Une caserne de gendarmerie y était établie pendant la première moité du XIXe siècle.

HÔTEL DE SOUBISE

60, rue des Francs Bourgeois

Anne Chabot de Rohan, peinture anonyme.

HISTORIQUE - *Acquéreur en 1700 de l'hôtel de Guise (ancien hôtel de Clisson, p. 202), le prince François de Soubise, alors installé place Royale (actuel 13, place des Vosges), est encouragé par son épouse, la belle Anne Chabot de Rohan, à donner une ampleur nouvelle aux vieux bâtiments. Les travaux sont confiés à l'architecte Pierre-Alexis Delamair, recommandé par l'un des enfants Soubise, le cardinal de Rohan (voir p. 222).*

Delamair fait preuve d'ingéniosité en établissant, sur le vaste terrain qui s'étendait au sud de l'hôtel jusqu'à la rue de Paradis (des Francs Bourgeois), une grande cour d'honneur bordée d'une colonnade, et en aménageant l'entrée de ce côté. Ce faisant, il change l'axe du plan et englobe la « ruelle de la Roche » qui longeait la façade latérale ; celle-ci, après un subtil rhabillage, devient la façade principale. Les travaux sont conduits de 1705 à 1708.

Disgracié, Delamair est remplacé en 1709 par Boffrand qui travaille à la décoration intérieure de l'hôtel, entièrement renouvelée en 1735-1739 à l'occasion du second mariage du fils aîné de François de Rohan, Hercule-Mériadec. Boffrand conçoit alors les deux appartements du prince et de la princesse, donnant sur le jardin, et fait appel aux meilleurs artistes de son temps, Van Loo, Restout, Lemoyne et surtout Natoire, dont on peut voir des peintures dans l'appartement de la princesse au premier étage, aujourd'hui transformé en musée de l'Histoire de France. Brunetti redécore le grand escalier. À la mort d'Hercule-Mériadec en 1749, l'hôtel passe à son petit-fils le maréchal de Soubise, esprit cultivé et aimable, qui y donne, de 1769 à 1781, le célèbre « concert des amateurs ».

Confisqué à la Révolution, l'hôtel connaît des affectations diverses et dégradantes, pour être finalement rendu en 1800 aux héritiers qui, criblés de dettes, le vendent en 1807 à Jean-Robert Chandor. Celui-ci loue une partie des bâtiments à un manufacturier, François-Marie Chenavard, inventeur de tissus et papiers peints. Sitôt installé, ce dernier est expulsé par l'État, nouvel acquéreur qui y installe « provisoirement » les Archives nationales, dont les fonds étaient jusqu'alors déposés dans des lieux divers. L'établissement des Archives provoque de nombreuses dénaturations, surtout dans l'ordonnance intérieure des appartements qui sont alors dévastés. Sous Louis-Philippe, de nouveaux bâtiments sont construits sur le jardin pour permettre un archivage de fonds toujours plus riches. Achevés sous Napoléon III, ces bâtiments ont entraîné la démolition des petits appartements Soubise. Restaurés au XXe siècle, les décors de Boffrand ont retrouvé leur éclat d'origine. Bien mis en valeur, l'hôtel a fait l'objet d'une récente campagne de ravalement.

HÔTEL DE SOUBISE

60, rue des Francs Bourgeois

Façade principale sur cour.

ARCHITECTURE - L'entrée de l'hôtel, avec un dégagement en demilune facilitant la manœuvre des carrosses, est marquée par un majestueux portail à colonnes corinthiennes. À l'extrémité gauche, un regard en pierre de taille a été construit en 1705 par Jean Beausire, en place d'une fontaine dont Soubise avait obtenu la suppression.

La cour d'honneur est entourée de cinquante-six colonnes d'ordre composite, surmontées d'une balustrade protégeant la terrasse. La façade de l'hôtel s'organise autour d'un puissant avant-corps, que soulignent des colonnes jumelées et un fronton, dépouillé de ses armes. Les fenêtres, ornées de mascarons, ont à l'étage des appuis délicatement ouvragés. La façade est décorée de copies des sculptures exécutées par Robert Le Lorrain représentant, au premier étage, les *Quatre Saisons*, et, couchées sur le fronton, *La Gloire* et *La Magnifiance des Princes*. Le haut toit d'ardoises trahit le rhabillage de l'ancienne demeure. Les appuis en fer forgé des fenêtres portent tous la macle (petit losange), symbole des Rohan-Soubise, dont la devise était *Sine macula macla*. Les intérieurs, qui abritent le musée de l'Histoire de France, renferment le plus bel ensemble de boiseries rocaille de Paris. Au rez-de-chaussée, l'appartement du prince a conservé la chambre de parade, avec ses colonnes d'alcôve, et son salon ovale, décoré de stucs. À l'étage, passé l'affreux escalier de 1844, subsistent de l'appartement de la princesse la chambre de parade, aux boiseries blanc et or (restaurée en 1992), le merveilleux salon ovale avec le cycle de Psyché de Natoire et son étonnant plafond, enfin la petite chambre, moins bien conservée. Des fenêtres de ces appartements, on voyait le grand jardin et, au fond, la façade de l'hôtel de Rohan. Les Archives nationales, mémoire vivante de la France, créées sous Louis XVI en 1790, ont

La Gloire, d'après Robert Le Lorrain.

Élévation de la façade sur cour, gravure de Mariette, XVIIIe.

Salon ovale du prince, dessiné par Boffrand.

été installées ici par Napoléon Ier en 1808. C'est grâce à une politique d'achats des hôtels et demeures voisines que les Archives ont pu rester au Marais et continuer à jouer leur rôle de conservation, de recherche et d'accueil du public. Par là, cet ensemble pouvait être mis en valeur et restauré avec soin, formant un paysage architectural d'une rare beauté.

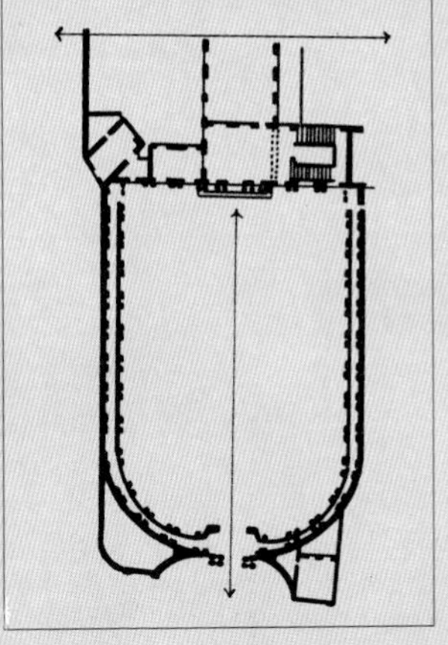

Plan de l'hôtel figurant le changement d'axe de 1705.

Chambre de la princesse, détail de la corniche.

☐ **N° 9** - Ancien hôtel ayant appartenu à la fin du XVIIIe à Turgot, qui le louait. Le jardin en a été détaché sous l'Empire. L'implantation des bâtiments très transformés n'a pas changé. Un escalier ancien subsiste.

☐ **N° 11 - PETIT HÔTEL LE MAYRAT** - Construit au XVIIe siècle et remanié sous Louis XV, il abrite une annexe du lycée Victor Hugo. La façade, reconstruite en arrière à l'alignement, a retrouvé sa porte cochère Louis XV munie de vantaux gracieusement sculptés. La porte est surmontée d'une imposte au chiffre JLM pour Joachim Le Mayrat. L'hôtel a conservé un bel escalier avec sa rampe en fer forgé.

☐ **N° 12** - Ce petit hôtel, parasité par le commerce, a gardé de jolies proportions. La cour est dénaturée par une installation industrielle.

☐ **N° 13** - Immeuble des années 60 construit à l'emplacement du jardin de l'hôtel Le Marié d'Aubigny (voir n°s 13 bis-15).

☐ **N°s 13 bis-15 - HÔTEL LE MARIÉ D'AUBIGNY** - Construit ou remanié en 1769-1770 pour Jean-Baptiste Le Marié d'Aubigny, avocat général à la Chambre des comptes, cet hôtel s'ouvre sur la rue par un remarquable portail néo-classique en pierre, aux vantaux ornés de deux médaillons sculptés, datant de 1769. La façade de l'hôtel, à gauche de la cour, est ornée d'une frise de grecques.

☐ **N° 14** - Ce petit hôtel sans caractère renferme dans l'aile gauche un bel escalier Louis XIV, et un escalier XVIIIe dans l'aile droite

☐ **N° 22** - Petite maison du début XVIIe. Lucarnes maçonnées.

◇ En face, façade latérale du 62, rue Vieille du Temple : remarquer le « donjon » de l'escalier et ses fenêtres à petits bois ouvrant à guillotine.

Escalier Louis XV,
11, rue Barbette.

RUE DES QUATRE FILS

Cette rue a été ouverte par les Templiers vers 1290 pour lotir leur ville neuve. Presque tout le côté pair, comme celui de la rue de la Perle, a été emporté dans les années 30, lorsqu'il était encore question de prolonger la rue Étienne Marcel jusqu'au boulevard Beaumarchais selon le vieux projet d'Haussmann. Ce projet a été abandonné dans les années 50. La rue évoque les quatre fils Aymon, héros d'un roman médiéval très populaire.

☐ **N° 1 - COMMUNS DE L'HÔTEL DE ROHAN** - Improprement appelée hôtel de Boisgelin, cette partie des écuries de Rohan a été construite vers 1732-1733 par le maître maçon Barthélemy Bourdet. Le portail à voussure est parcouru de refends.

☐ **N°s 3-11** - Centre d'accueil et de recherches des Archives nationales (CARAN). Construit en 1984-1987 par l'architecte S. Fiszer, il offre une façade postmoderne compliquée et assez morne. Au milieu, une sculpture est censée représenter les quatre fils Aymon. L'ensemble remplace un pâté de maisons anciennes dont l'une, l'ancien n° 5, avait conservé un caractère néo-classique.

À travers des grilles situées aux extrémités du bâtiment, on distingue la façade et le jardin de l'hôtel de Rohan.

□ **N° 16 - HÔTEL AYMERET** - Cet hôtel a été construit sous Louis XIII, sur un terrain ayant appartenu au financier Charlot, pour Paul Aymeret, sieur de Gazeau. Conservé dans la famille jusqu'en 1731, l'hôtel passe en 1767 au fermier général Gigault de Crisenoy. Très abîmé par l'alignement en 1935-1936, l'hôtel a conservé son portail à fronton Louis XV, remonté en arrière, et son grand escalier Louis XV. Mais l'ensemble, très enlaidi, est assez méconnaissable.

□ **N° 18 - HÔTEL LE REBOURS** - Cet hôtel a été construit sur un terrain ayant appartenu au financier Charlot entre 1624 et 1632, pour Élisabeth Legrand, veuve de Noël Hureau, seigneur de Rubelles, trésorier des Parties casuelles. Après la mort de celle-ci et jusqu'en 1680, l'hôtel reste en indivision. Il passe ensuite aux familles alliées Le Féron, puis Le Rebours sous Louis XVI.

Le comble est rythmé par des lucarnes et des œils-de-bœuf en pierre caractéristiques du style Louis XIII. Le grand portail néo-classique de 1776 a été emporté par l'alignement. Sur la façade arrière subsiste une tourelle arrondie avec ses fenêtres à petits bois anciens.

□ **N° 20 - HÔTEL LE FÉRON** - Cet hôtel a été acheté en 1719 par Nicolas Le Féron, président de la première chambre des enquêtes, et construit en 1732-1733 par son beau-père, René Berger, receveur général et payeur des rentes de la Ville. En 1775, l'hôtel est vendu à un ancien notaire lancé dans la finance puis dans la politique, Garnier-Deschenes. Il est acquis en 1800 par le courageux avocat de Louis XVI, Romain de Sèze, pair de France sous la Restauration. Il y meurt en 1828 (le texte de la plaque apposée est erroné).

Pur exemple de style Louis XV, l'hôtel présente une façade en pierre de taille avec des baies cintrées à clefs et une porte cochère aux vantaux sculptés avec élégance. Sur le comble se détachent deux lucarnes à foin. Le passage cocher mène à un grand escalier dont la rampe est délicatement ouvragée. Au fond de la cour pavée, encadrée d'une aile ancienne, à droite, se dresse un immeuble parasite élevé à la fin du XIXe siècle.

□ **N° 22** - Immeuble construit en 1766-1767 sur une partie de l'ancien jardin de l'hôtel Guénégaud des Brosses par Thiroux d'Epersenne. La façade ornée de refends a été surélevée et rhabillée après 1844. Elle porte des appuis en fonte du XIXe siècle.

□ **N° 24** - Jardin et façade arrière restaurée de l'hôtel Guénégaud des Brosses (voir 60, rue des Archives, pp. 204-205). La grille provient du Louvre – morceau retiré lors de la création des fossés de la colonnade en 1966.

Portail des communs, hôtel de Rohan, 1, rue des Quatre Fils.

HÔTEL DE ROHAN

87, rue Vieille du Temple

Armand-Gaston de Rohan, gravure de H. Rigaud, XVIIIe.

HISTORIQUE - *En 1705, le prince de Rohan-Soubise cède, à titre d'usufruit, un terrain dont il était propriétaire au cinquième de ses onze enfants, Armand-Gaston, qui décide d'y faire construire sous la direction de Pierre-Alexis Delamair, également architecte de l'hôtel de Soubise, une somptueuse résidence. Armand-Gaston, archevêque de Strasbourg depuis 1704, est nommé cardinal en 1712 et grand aumônier de France l'année suivante. L'hôtel, achevé en 1708, est habité par quatre Rohan, cardinaux et archevêques de Strasbourg. En 1747, le deuxième d'entre eux, Armand de Rohan, fait réinstaller les appartements du premier étage par l'architecte Saint-Martin ; Christophe Huet y décore, en 1745, l'étonnant cabinet des Singes. Le dernier cardinal, Louis René de Rohan-Guéménée, l'un des protagonistes de la triste « affaire du Collier de la reine », y réside à partir de 1779.*
À la Révolution, l'hôtel est saccagé et vidé de ses œuvres d'art. Acheté par l'État, il est affecté, en 1808, à l'Imprimerie impériale qui, devenue nationale, l'occupe jusqu'en 1928. L'hôtel, alors complètement délabré, est sauvé de la démolition par le directeur général des Archives, Charles-Victor Langlois, puis restauré par Robert Danis, qui a restitué le maximum d'éléments anciens, tant à l'extérieur que dans les appartements, reconstruisant même entièrement le grand escalier qui avait disparu. Depuis la fin des travaux en 1938, l'hôtel est affecté aux Archives nationales (minutier central des Notaires). Les expositions temporaires des Archives nationales s'y déroulent.

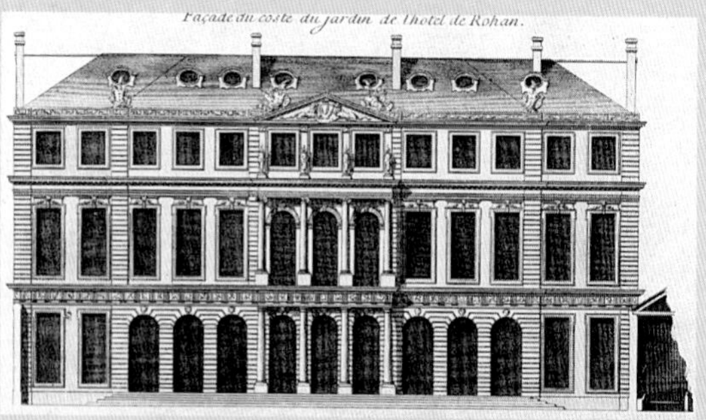

Élévation de la façade sur jardin, gravure de Mariette, XVIIIe.

Les Chevaux du Soleil
bas-relief de Robert Le Lorrain.

ARCHITECTURE - La façade sur rue s'étire en un long bâtiment bas, couvrant successivement l'ancien débouché de la « ruelle de la Roche » (porte avec fronton aujourd'hui condamnée), l'entrée de l'hôtel et les écuries – ensemble ravalé en 1992. L'entrée de l'hôtel, en demi-lune, ouvre sur la cour d'honneur bordée de bâtiments bas. La façade sur cour, sommée d'un fronton, est assez sévère.

À droite, dans la cour des communs au calme provincial, la façade orientale est décorée d'un superbe bas-relief représentant les *Chevaux du Soleil*, chef-d'œuvre de Robert Le Lorrain.

La façade sur jardin, plus longue que celle sur cour selon le principe du plan désaxé, est marquée d'un avant-corps à colonnes ioniques, sommé d'un fronton, calme et silencieuse.

Des intérieurs, très endommagés par le séjour de l'Imprimerie nationale, subsistent le petit escalier à gauche du vestibule, et quelques pièces à l'étage, dont la chambre de parade, avec sa belle corniche Louis XV et ses dessus-de-porte peints par Jean-Baptiste Pierre, et surtout l'étonnant cabinet des Singes de Christophe Huet, décoré de panneaux où de petits singes font toutes sortes de bêtises. Ce type de chinoiseries était répandu au milieu du XVIIIe siècle. Le cabinet des Fables, provenant des petits appartements de l'hôtel de Soubise, a été remonté côté cour. Il est orné de médaillons illustrant les fables d'Ésope, d'une magnifique exécution.

Cabinet des Singes,
détail d'un panneau peint, 1750.

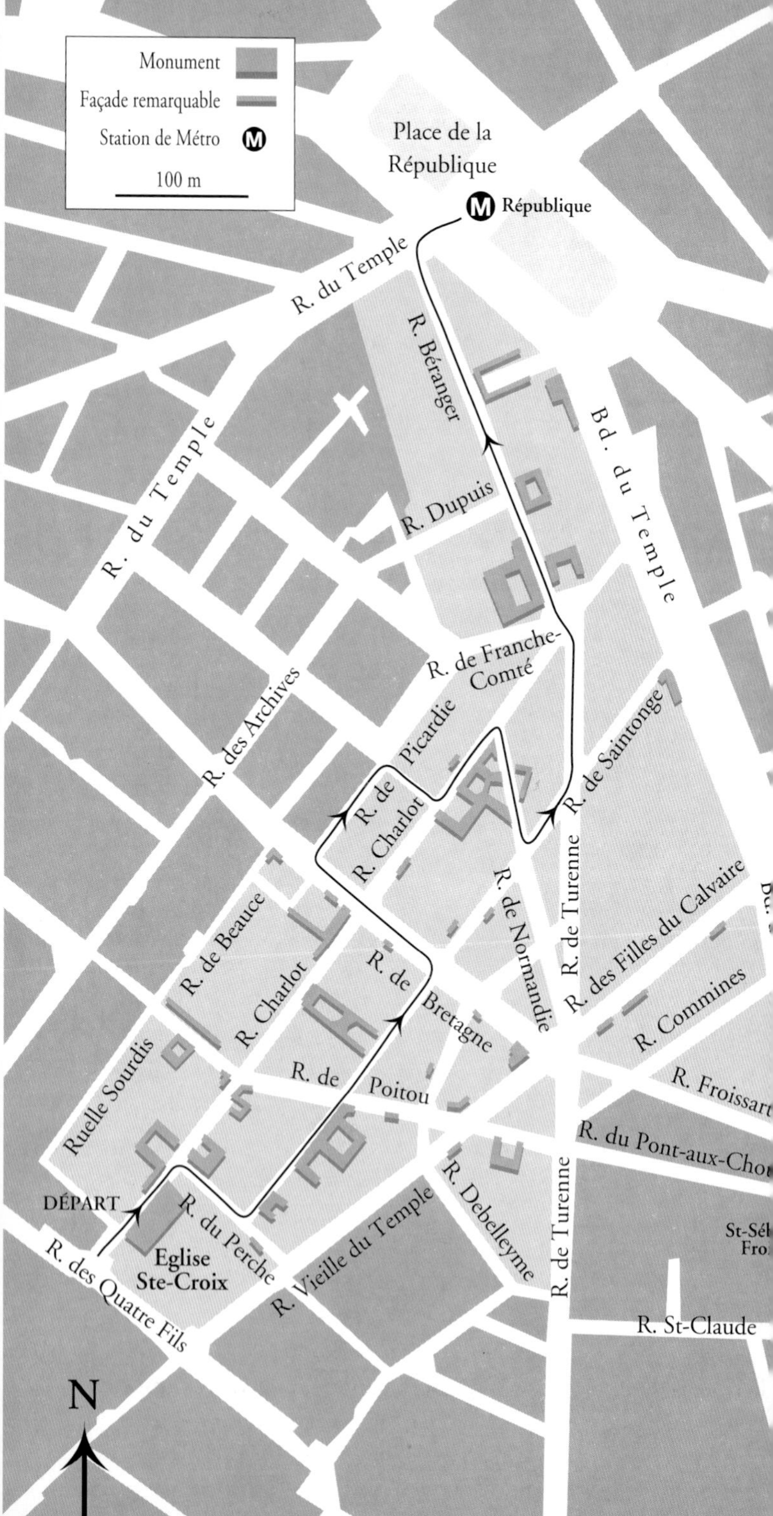

Monument
Façade remarquable
Station de Métro
100 m
Place de la République
République
R. du Temple
R. Béranger
R. du Temple
Bd. du Temple
R. Dupuis
R. de Franche-Comté
R. des Archives
Picardie
R. de Charlot
R. Charlot
R. de Saintonge
R. de Normandie
R. de Turenne
R. des Filles du Calvaire
R. de Beauce
R. Charlot
R. de Bretagne
R. Commines
Ruelle Sourdis
R. de Poitou
R. Froissart
R. du Pont-aux-Cho
DÉPART
R. du Perche
R. Vieille du Temple
R. Debelleyme
R. de Turenne
Eglise Ste-Croix
R. des Quatre Fils
R. St-Claude
N

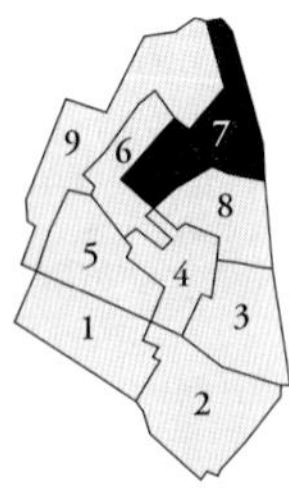

7

Promenade

La couture du Temple

Rue Charlot. Ruelle Sourdis. Rues du Perche, de Saintonge, de Poitou, Pastourelle (nos 1-19), de Beauce, des Oiseaux, de Bretagne, de Picardie, du Forez, de Normandie, de Turenne (nos 90-134), Commines, des Filles du Calvaire. Boulevards des Filles du Calvaire, du Temple. Rue Béranger.

Au nord-est de sa ville neuve, le Temple, repris par l'ordre de Saint-Jean de Jérusalem, conservait des terrains maraîchers, appelés la couture du Temple. Cédés en 1608 à Michel Pigou, homme de paille d'un groupe de financiers, ces terrains sont alors lotis. À cette occasion, Henri IV décide la création d'une place de France en demi-cercle. Quelques rues, ouvertes entre 1608 et 1610 en vue de l'aménagement de cette place, portent encore aujourd'hui le nom de certaines provinces de France. Mais la place elle-même ne sera jamais réalisée. Ce quartier, à l'époque un peu à l'écart du Marais proprement dit, n'est bordé d'hôtels que dans sa partie sud. Il se compose surtout de petites maisons et de rues paisibles. En 1696-1698, les dernières terres du Temple sont loties jusqu'aux nouveaux boulevards remplaçant l'enceinte de Charles V. Cette partie du Marais, très vivante au XVIIIe siècle, profitait de la vogue de ces boulevards, qui furent jusqu'à Haussmann la promenade favorite des Parisiens.

RUE CHARLOT

Cette longue voie, qui relie la rue des Quatre Fils au boulevard du Temple, cache sous ce nom depuis 1851 trois anciennes rues : la « rue d'Orléans au Marais », jusqu'à la rue de Poitou ; la « rue de Berry », jusqu'à la rue de Bretagne ; et Charlot, ou d'Angoumois, au-delà. Ouverte en 1608-1609 jusqu'à la rue de Normandie, et en 1696 jusqu'au boulevard, elle porte le nom d'un financier, Claude Charlot, qui a beaucoup loti dans le quartier, sous Louis XIII, avant de faire une retentissante faillite.

☐ **N° 3** - Débouché de la ruelle Sourdis (voir p. 231), qui a conservé son aspect d'origine, avec ses vieux pavés et ses bornes. À droite, un grand bâtiment moderne a été construit en place de l'hôtel du n° 5.

☐ **N° 5** - Emplacement de l'ancien hôtel Sourdis. Édifié sous Louis XIII pour Louis Caillebot de La Salle, qui le revend aussitôt, cet hôtel avait été entièrement refait en 1774 par l'architecte Antoine, auteur de la Monnaie de Paris, pour André-François Langlois. Détruit en 1974, l'édifice n'a conservé que sa façade, rhabillée sous Louis-Philippe.

☐ **N° 7 - HÔTEL CORNUEL** - Cet hôtel a été construit vers 1614-1618 pour le financier Charles Margonne, qui s'installera plus tard rue du Parc Royal (voir hôtel de Vigny, p. 152). En 1618, il est vendu à Nicolas de Villantrois, qui le loue, avant de s'en défaire à son tour. En 1634, il appartient à Claude Cornuel, l'un des proches de Bullion, le puissant surintendant des Finances de Louis XIII, et plus tard à la famille Pilleur de Brévannes. Il est redécoré au XVIIIe siècle, en témoignaient des boiseries et un vestibule en rotonde sur la cour, aujourd'hui disparus.

Cet hôtel Louis XIII a conservé son beau portail et surtout ses deux ailes ornées de puissantes lucarnes en pierre, d'une qualité remarquable. Mais le corps de logis a été surélevé au siècle dernier. La récente et malheureuse réfection de l'escalier, en position centrale, a entraîné la destruction de la rotonde Louis XVI. Au rez-de-chaussée et au premier étage du corps principal, des plafonds Louis XIII à poutres et solives peintes, intacts, ont été mis au jour en 1978. Le jardin, qui s'étendait jusqu'à la ruelle Sourdis, n'existe plus.

☐ **N° 8 - HÔTEL DE BELGUISE** - Remanié vers 1775 pour Jacques Motte, sieur de Belguise, conseiller du roi au grenier à sel de Beauvais, cet hôtel porte de curieux frontons demi-circulaires. L'ancien jardin longeait la rue du Perche au niveau des nos 12 et 14 de cette voie.

☐ **N° 9 - HÔTEL DE RETZ** - Construit en 1631-1632 pour Daniel Martin Du Mauroy, l'hôtel échoit en 1645 à Pierre de Gondi, duc de Retz, frère du célèbre cardinal. L'hôtel a été entièrement remanié sous Louis-Philippe, à la suite d'un incendie. De sa splendeur passée subsiste, sur la façade arrière, un pavillon porté par une trompe d'une longueur inusitée. Les communs possédaient une sortie rue Pastourelle (voir n° 5, p. 237), et un vaste jardin s'étendait jusqu'à la ruelle Sourdis ; il a été recouvert au siècle dernier par de petits bâtiments industriels, rénovés en 1993.

☐ **N° 10** - Ancien hôtel Tourolles. L'immeuble sur rue date de 1866. Les bâtiments sur cour reprennent l'implantation d'un ancien hôtel construit pour Charles Margonne en 1610, dont il ne reste que les caves en pierre. Propriété de la famille de Turményes, l'hôtel est habité sous Louis XIV par François de Simiane. Redécoré par É.-L. Boullée pour M. de Tourolles en 1762, il appartient, de 1829 à sa mort, en 1862,

Aile sur jardin de l'hôtel de Sauroy,
58, rue Charlot.

au célèbre préfet de police de Charles X, Louis-Marie de Belleyme.

☐ **N° 12** - Ce petit hôtel, construit en 1612-1613 par le maître maçon Jean Notin pour Charles Margonne, s'étendait jusqu'à la rue de Saintonge (voir n° 9). Sous l'Ancien Régime, il fut toujours mis en location. Trop restauré en 1993, il a perdu tout son charme. L'hôtel conserve un sobre portail Louis XIV, à vantaux sculptés néo-Louis XV ainsi que de belles lucarnes à ailerons Louis XIV. Le grand escalier dans l'aile gauche a été abîmé lors des derniers travaux et affublé d'une rampe néo-XVIIIe.

☐ **N° 14** - Construite au XVIIe siècle, cette maison abritait sous Louis XV l'étude du notaire Junot. Elle s'ouvre par une porte bâtarde Louis XV à deux vantaux ornés de sculptures sur un escalier Louis XIV avec une rampe en fer forgé à panneaux symétriques.

☐ **N° 15** - Façade munie de beaux appuis du XVIIIe siècle, et porte avec imposte à palmettes du début du XIXe. Les têtes de lion qui ornaient les vantaux ont été volées récemment et remplacées par de pâles copies.

☐ **N° 18** - Porte piétonne début XIXe. La boutique de gauche occupe l'ancien passage cocher, dont subsiste une arcade.

☐ **N° 20** - Porte cochère nantie de beaux vantaux Louis XIV.

☐ **N° 24** - Au fond de la cour s'élève un corps de logis avec des lucarnes en bois XVIIIe. La façade porte des appuis Louis XIV en fer forgé.

☐ **N° 26** - Ce petit hôtel, ouvert par une porte cochère ornée de refends, offre une intéressante façade avec des appuis Louis XV au premier étage, et Louis XVI au-dessus. Du comble se détache une lucarne avec sa poulie.

☐ **N° 27** - Façade rhabillée sous Louis XVI. La porte cochère a gardé ses vantaux d'origine ainsi qu'un beau marteau.

☐ **N° 28 - HÔTEL DE LA GARDE** - Petit hôtel Louis XIV, construit après 1701 par Jean-Baptiste de La Garde, qui avait acheté la maison à Robinot, sieur de Bérancourt. Il s'appelait à la fin du XVIIIe siècle l'« hôtel de Polignac ».
La façade sur rue s'ouvre par une porte cochère que surmonte un étroit balcon. Un bel escalier Louis XIV subsiste, à droite, dans le passage. Au fond de la cour pavée s'élève un très beau corps d'hôtel dont la façade concave a conservé ses menuiseries anciennes, quelques mascarons et de beaux appuis.

Détail de la cour de l'hôtel de La Garde, 28, rue Charlot.

☐ **N° 29** - Au premier étage, très beaux appuis Louis XV.

☐ **N° 33** - Petit hôtel dont la porte cochère munie de vantaux « néo-anciens » assez laids conduit à une petite cour pavée. Les bâtiments ont été transformés, mais l'escalier en position centrale est intact et conserve une jolie rampe Louis XV, très souple. Une seconde cour a été aménagée à la place du jardin.

☐ **N° 33 bis** - Entrée latérale du marché des Enfants Rouges (voir 39, rue de Bretagne, p. 240).

☐ **N° 34** - Petite façade Louis XVI.

☐ **N° 35** - Longue façade du bâtiment locatif construit en 1778 en bordure du marché. Cette austère façade porte de beaux appuis Louis XVI.

☐ **N° 38** - Bâtiments disparates et pittoresques entourant une cour pavée longue et étroite. Un corps de logis voisin, à gauche, est disposé en encorbellement sur le mur mitoyen.

☐ **N° 40** - Imposte en fer forgé au chiffre LC stylisé.

☐ **N° 43** - À gauche de la porte, une petite boutique aujourd'hui condamnée abritait, il y a peu de temps encore, un « couseur à façon ».

☐ **N° 44** - Charmante petite maison début XVIIe. Elle a été trop restaurée en 1993.

☐ **N° 50** - Cette maison Louis XV présente une façade avec de beaux appuis et une porte cochère ornée de consoles sculptées. La porte cochère est munie de vantaux moulurés. Un grand escalier avec une belle rampe en fer forgé ouvragé se développe juste après l'entrée, à droite dans le passage, en une disposition peu courante.

☐ **N° 52** - Façade Louis XVI avec appuis à motif géométrique. La porte cochère a conservé de sobres vantaux.

☐ **N°s 54-56** - Maison ancienne, dont la façade a été ravalée au ciment. Bel escalier Louis XIV dans la cour.

☐ **N° 55** - Appuis Louis XV au premier étage.

☐ **N° 57 - HÔTEL DE VAUCRESSON** - Construit en 1712-1713 par le maître maçon Michel Richer pour Louis-Jacques Chardon, commis du Trésor royal, cet hôtel est vendu en 1766 à Truitié de Vaucresson. Son fils, Jean-Baptiste Léger de Vaucresson, le fait remanier en 1776. À nouveau modifié sous l'Empire, l'hôtel est souvent appelé à tort « hôtel de Boulainvilliers ». Le grand portail Louis XVI, orné d'un fronton, constitue l'essentiel de la façade. Du côté de la cour, longue et étroite, les bâtiments portent au rez-de-chaussée un beau décor de pilastres à chapiteau et une fontaine.

☐ **N° 58 - HÔTEL DE SAUROY** - Construit vers 1620 pour Claude Charlot, qui y réside jusqu'à sa faillite, l'hôtel est saisi et acheté, en 1647, par Gédéon Tallemant des Réaux, cousin du célèbre mémorialiste. Il y fait décorer par Laurent de La Hyre, en 1649-1650, un cabinet sur le thème des Sept Arts libéraux.

Propriétaire au début du XVIIIe siècle, la famille Caradas du Héron loue l'hôtel, de septembre 1699 à 1704, à Michel de Chamillart, contrôleur général des Finances de Louis XIV. Apprécié du roi et connu pour son

Détail du rez-de-chaussée sur cour, 57, rue Charlot.

habileté au billard, celui-ci engage des travaux pour loger ses équipages, sous la conduite de l'architecte Beausire (voir 9 et 10, rue de Normandie, p. 242). En 1713, l'hôtel est vendu à Joseph Durey de Sauroy, marquis du Terrail, trésorier de l'Extraordinaire des Guerres, qui achètera deux maisons voisines. En 1775, Michel de Wenzel, baron du Saint Empire, et « oculiste de Leurs Majestés impériales et britanniques », en devient propriétaire (voir n°s 60 et 62). Il fait alors refaire le mur sur rue et l'étrange portail. Au XIXe siècle, l'hôtel est livré au commerce. L'hôtel primitif ne comprenait qu'un étage carré, contre deux actuellement. Il conserverait encore des plafonds peints, masqués par de faux plafonds. Sur le jardin, l'aile Louis XIV renferme l'appartement dit « de la lanterne », avec son balcon et ses deux baies en forme de *bow-windows*, ainsi qu'une chambre à alcôve avec son plafond en calotte et un petit cabinet attenant, datant de la fin du XVIIe.

□ **N° 62** - **PETIT HÔTEL DE WENZEL** - Construit à l'emplacement de deux maisons plus anciennes, ce petit hôtel appartenait sous Louis XV aux Bragelogne. Michel de Wenzel, plus tard propriétaire des n°s 58-60, l'achète en 1768. C'est lui qui fait redessiner les façades sur rue et reconstruire l'aile gauche sur cour, vers 1770-1772, par le maître maçon Jean-Nicolas Goujon, qui conserve le gros œuvre ancien. Les façades néo-classiques portent des appuis en fer forgé avec frise de postes, et une jolie corniche à modillons. Au centre, deux petits bas-reliefs représentant *La Peinture*, à droite, et *L'Architecture*, à gauche, surmontent les fenêtres du premier étage.

Dans la cour, parasitée, l'aile droite renferme un grand escalier, dont le départ à claire-voie est gardé par deux belles colonnes doriques en pierre. La rampe en fer forgé, empreinte de l'élégance Louis XV, est au chiffre LDB, pour le vicomte Louis de Bragelogne.

□ **N° 63** - Façade Louis XVI. Un vantail ajouré d'une grille en fonte Louis-Philippe orne la porte.

□ **N° 64** - **MAISON GODEFROY** - Agréable maison d'angle de style Louis XVI, refaite vers 1770 pour Denis Godefroy, exempt de la garde des Cent-Suisses du roi. Cette maison ouvrait jadis, à l'arrière, sur la rue « Boucherat » (actuel 127, rue de Turenne).

□ **N° 71** - Maison reconstruite en 1772-1773 pour Nicolas Huyot, qui ne possédait à l'origine que deux étages. La porte cochère conduit à une cour occupée par un atelier de couture. Le fond de la parcelle touche le mur de l'enclos du Temple.

□ **N° 73** - Enclavée dans l'un des bâtiments sur cour subsiste la dernière tour de l'enceinte de l'enclos du Temple. Juchée sur la muraille proprement dite, elle est établie à l'ancien angle nord-est de la fortification, qu'elle dominait par un encorbellement. Ronde, elle était coiffée en poivrière. Un projet de mise en valeur de ce précieux vestige est à l'étude.

Départ de l'escalier Louis XV, 62, rue Charlot.

Élévation du corps de logis sur cour et coupe des ailes.
Hôtel Dezègre, dessin original, XVIIIe (recadré).

◇ **FONTAINE BOUCHERAT** - Établie à l'angle de la rue de Turenne, cette fontaine a été construite en 1697 par Jean Beausire, architecte des œuvres de la Ville, et porte le nom du chancelier Boucherat. La fontaine a été remise en eau en 1993. C'est un petit édicule en pierre, au décor très sobre, qui a l'air de tout sauf d'une fontaine.

□ **N° 83 - HÔTEL MASCRANI** - Hôtel construit, en 1720-1727, pour le riche et peu scrupuleux munitionnaire Fargès par le maître maçon Gillet de La Chaussée, sur les dessins de l'architecte Sébastien Buirette. Il passe en 1738 à Louis de Mascrani, qui le conserve jusqu'en 1785. L'hôtel est acquis par échange par les Peugeot en 1880. Le jardin est alors amputé et les bâtiments, encore intacts en 1903, sont saccagés et surélevés d'un étage. Le beau portail sur la rue Charlot disparaît, l'entrée étant reportée au 2, rue Béranger. Une construction récente couleur saumon, d'une grande lourdeur, est venue masquer une partie de l'ancienne façade sur rue. Dans la cour, on retrouve sur deux niveaux l'ancien hôtel, avec un pan coupé à gauche. Un bel escalier en fer forgé subsiste. Les baies ont conservé leurs mascarons en clef.

□ **N° 85 - HÔTEL DEZÈGRE** - Construit en même temps et suivant les mêmes dispositions que son voisin, comme le montre bien le plan dit de Turgot (1739), cet hôtel a disparu sous un ensemble moderne assez fade. Son jardin, le long du boulevard, abritait à la fin du XVIIIe siècle le célèbre « Café Turc » (voir 31, boulevard du Temple, p. 245).

RUELLE SOURDIS

Cette petite ruelle, pavée et bordée de bornes, prolonge la rue de Beauce. Elle marque la limite entre la ville neuve des Templiers, lotie au XIIIe siècle, et la couture du Temple, lotie à partir de 1608. Elle s'est d'abord appelée « ruelle des Coutures du Temple », puis « rue du Maine » et, parfois, « cul-de-sac qui conduit au couvent des Capucins ». Son nom actuel lui vient de l'ancien hôtel Sourdis, sis au 5, rue Charlot. Seules les deux extrémités de la ruelle subsistent.

RUE DU PERCHE

Ouverte en 1608-1609 à proximité de la « place de France » jamais réalisée, cette rue porte le nom d'une province, comme toutes les rues voisines.

Détail d'un plafond peint Louis XIV, 7 bis-9, rue du Perche.

☐ **N° 5** - Façade Louis XIV en pierre de belles proportions.

☐ **N°s 7 bis-9** - **HÔTEL DU CHÂTELET**- Cet hôtel, extérieurement assez laid, renferme sans doute les plus beaux plafonds peints du Marais. Construit sous Louis XIII pour Guillaume Margonne, frère de Charles, qui avait fait élever les n°s 7, 10 et 12 de la rue Charlot, l'hôtel est acheté en 1668 par Catherine Bauyn, veuve Brulart, qui l'agrandit en 1670 d'une seconde maison voisine. C'est sans doute à elle que l'on doit le décor intérieur peint. La famille Eynard de Ravannes en est propriétaire de 1726 à 1774, date à laquelle il est vendu à Antoine de Bernardin, comte du Châtelet. Pension Mortelet jusqu'en 1873, l'hôtel est par la suite loué à la Compagnie des chemins de fer de l'Ouest. La SNCF, propriétaire depuis 1930, installe des entrepôts dans l'hôtel, abusivement surélevé au siècle dernier. L'ensemble est en instance de rénovation. Il est prévu de construire deux immeubles sur l'ancien jardin.

☐ **N° 8** - **HÔTEL DE WALEIN**. Reconstruit en 1771-1772 pour le comte Frédéric de Walein, cet hôtel offre un beau portail, mais une lourde restauration lui a ôté tout son caractère.

☐ **N°s 11-11 bis** - Un vilain immeuble de rapport début de siècle s'élève à l'emplacement de l'ancien grand cloître et du jardin du couvent des Petits Capucins (voir n° 13).

☐ **N°s 12-14** - Ces deux immeubles Louis-Philippe aux façades identiques ont été construits sur le jardin de l'hôtel de Belguise (voir 8, rue Charlot).

■ **N° 13 CATHÉDRALE ARMÉNIENNE CATHOLIQUE SAINTE-CROIX** - (voir p. 233).

RUE DE SAINTONGE

Elle regroupe, depuis 1851, trois anciennes rues ouvertes en 1608 : la « rue de Touraine » (entre les rues du Perche et de Poitou), la « rue de la Marche » (entre les rues de Poitou et de Bretagne) et la « rue de Saintonge » (entre la rue de Bretagne et le boulevard du Temple).

☐ **N° 4** - **HÔTEL MATHIS** - Restauré vers 1762, cet hôtel offre une façade néo-classique ornée de tables vides et de guirlandes. La porte cochère conduit par un passage décoré de colonnes doriques à une cour parasitée. L'hôtel renferme un très bel escalier, dont la rampe est un chef-d'œuvre de serrurerie néo-classique et qui a conservé un bel aileron de départ. Il est possible que Boullée, prête-nom de l'acquéreur en 1762, soit l'architecte de ce petit ensemble aujourd'hui en mauvais état. Dans

CATHÉDRALE ARMÉNIENNE CATHOLIQUE SAINTE-CROIX

13, rue du Perche

HISTORIQUE - *(ancien couvent des Petits Capucins du Marais). Fondé en 1623, le couvent est d'abord installé rue d'Angoumois, dans un hôtel de Claude Charlot, protecteur de l'établissement naissant. En 1624, les Capucins, toujours aidés par Charlot, achètent un ancien jeu de paume, à l'emplacement de l'église actuelle.*

Ce petit couvent, aujourd'hui oublié, était très prisé des habitants du quartier, et Mme de Sévigné l'affectionnait particulièrement. L'église était placée sous l'invocation de l'Immaculée Conception de la Sainte Vierge. Édifiée en 1625, elle est reconstruite en 1715 par l'architecte Nicolas Liévain et le maître maçon Ravinet. Fermé à la Révolution, le couvent a perdu ses bâtiments conventuels et son cloître réputé. L'église, fermée en 1796 puis vendue en 1797, est rachetée en 1811 par la Ville de Paris et devient alors paroisse sous le vocable de « Saint-Jean Saint-François ». Désaffectée comme Saint-Gervais dans les années 50, elle a été affectée en 1970 aux Arméniens catholiques de Paris.

Saint-François par G. Pilon et *Saint-Denys* par les Marsy.

ARCHITECTURE - L'édifice, doté d'une façade très simple sur la rue Charlot, s'ouvre par une façade très médiocre de Baltard, de 1855. L'église est précédée d'une cour-jardin, jadis fermée sur la rue du Perche par un portail Louis XV. Le petit clocher de charpente et d'ardoises date de 1769.

À l'intérieur, la nef est couverte d'une voûte en berceau, séparée par un arc triomphal d'un chœur rectangulaire qui renferme d'intéressantes toiles du XVIIe siècle et des stalles provenant de Saint-Jean en Grève. Deux belles statues encadrent l'entrée du chœur : à gauche, *Saint-François*, de Germain Pilon (1588), provenant du Louvre, et, à droite, *Saint-Denys*, par les frères Marsy, provenant de l'abbaye de Montmartre. La magnifique toile qui ornait le maître-autel, *L'Adoration des bergers*, de Laurent de La Hyre (1635), est aujourd'hui conservée au musée des Beaux-Arts de Rouen. À droite du petit parvis, le presbytère, construit en 1832 par Godde, renferme une salle à colonnes ioniques intéressante.

l'appartement de l'étage noble, quelques vestiges de décor subsistent.

□ **N°s 5-7** - Grand immeuble de rapport élevé en 1911 à l'emplacement de l'ancien jardin de l'hôtel Tourolles, 10, rue Charlot. É.-L. Boullée y avait aménagé en 1762 une célèbre perspective inventée par De Machy et dont les quatre colonnes doriques subsistaient encore en 1910.

Anciens ateliers Dida,
6, rue de Saintonge.

□ **N° 6** (et 117, rue Vieille du Temple) - Terrain occupé au début du XVIIIe siècle par un ancien jeu de boule. La partie sur la rue de Saintonge, reconstruite après 1831, est ornée sur la cour d'un fronton. Elle renferme une étonnante salle sur trois niveaux, tout en bois, qui passe à tort pour avoir été un théâtre Directoire. On l'a redécouverte en 1967. Il s'agissait en réalité des entrepôts, magasins et ateliers à galeries circulaires d'un fabricant de casques militaires, Antoine Dida.

□ **N° 8 - HÔTEL BENCE** - Cet hôtel a été construit en 1660-1661 sur un grand terrain par le maître maçon Michel Villedo pour Adrien Bence, riche traitant et satellite de Fouquet, qui l'habita jusqu'à sa mort, en 1696. Occupé bourgeoisement jusqu'en 1840, l'hôtel est alors métamorphosé en petite cité ouvrière pour un fabricant, Antoine Debladis. Le jardin est loti et une sortie est aménagée au 119, rue Vieille du Temple.

Établi sur la rue de Saintonge, le grand corps de logis offre une austère façade dont le comble est éclairé par de solides lucarnes de maçonnerie. Au-dessus de la porte cochère subsiste une inscription commerciale : « Dorure Argenture ». La cour est encadrée de deux ailes surélevées au siècle dernier, qui abritent, à gauche, un grand escalier avec une superbe rampe en fer forgé intacte, à panneaux symétriques attachés par des colliers et des marches sans limon, et, à droite, un petit escalier en bois limon sur limon à balustres carrés, dont la porte est surmontée d'une belle frise sculptée qui représente des oiseaux picorant des fruits.

La ruelle qui remplace le jardin est bordée de petits bâtiments Louis-Philippe avec toitures « en valise » zinguées.

□ **N° 9** - Façade arrière du petit hôtel du 12, rue Charlot (voir p. 228). Les trois travées de gauche ont été construites en 1676-1678. Un bel escalier en bois limon sur limon, à balustres tournés, dessert les étages. Le bâtiment, restauré en 1993, est appelé à tort « hôtel de Brossier ».

□ **N° 10 - HÔTEL GIGAULT DE CRISENOY** - À cet emplacement, un premier hôtel avait été élevé en 1619. Il était formé de quatre corps de logis encadrant une grande cour et comprenant un jardin qui s'étendait jusqu'à la rue Vieille du Temple. Il appartenait en 1630 aux Balzac d'Entraigues, puis à Adrien Bence, propriétaire du n° 8. Loué sous Louis XV au baron de Beauvais, il est vendu en 1755 à Claude Godin, orfèvre, qui entreprend de le faire reconstruire par son

frère, l'architecte Jean Godin. Mais Claude fait de mauvaises affaires, et son hôtel, dont seul le gros œuvre était achevé, est vendu en 1763 au fermier général Gigault de Crisenoy, qui termine les travaux.
Cet hôtel forme un bel ensemble Louis XV finissant. Le portail, muni de très beaux vantaux sculptés, conduit à une cour intacte et pleine de charme. L'aile droite renferme un grand escalier de facture simple. Le jardin s'étendait jadis jusqu'à l'actuel n°121 de la rue Vieille du Temple, où un immeuble a été construit sous le Second Empire.

□ **N° 11** - Petit hôtel construit en 1618-1619 pour Claude Charlot, qui l'habite jusque vers 1620. L'ensemble a été très remanié au XIXe siècle.

□ **N° 13** - Maison XVIIe rhabillée sous Louis-Philippe. Elle a été habitée d'octobre 1648 à fin 1651 par Blaise Pascal, alors âgé de vingt-cinq ans. Son père, Étienne, qui la louait, y meurt le 24 septembre 1651, provoquant le départ de la famille.

□ **N° 14** - Grand immeuble à loyer, construit en 1768-1769 pour Jean Delacroix, maître pâtissier. L'angle traité en arrondi avec refends porte l'ancienne inscription du nom de la rue.

□ **N° 15** - Boulangerie ancienne avec un décor XIXe. La maison, datant de 1617-1618, est desservie par un escalier en bois limon sur limon à balustres tournés très pittoresque.

□ **N° 16** - Haut immeuble locatif, construit, vers 1772-1774, par le maître maçon Gilles Callot pour son propre usage. L'élévation est un peu sèche.

□ **N°s 19-23** - Immeubles parasites élevés à l'emplacement des trois jardins des hôtels n°s 24, 26 et 28, rue Charlot.

□ **N° 20** - Immeuble à loyer construit en 1779-1780 par le maître maçon Edme Blondel, propriétaire du terrain. C'est l'une des plus belles façades du quartier. Bâtie en pierre de taille, avec un grand balcon au premier étage, jadis à balustres en pierre, la façade se termine par un fronton du plus bel effet. L'immeuble renferme aussi un bel escalier. Le n° 22 a été construit en même temps.

Élevation de la façade, 20, rue Saintonge, dessin original de l'architecte.

□ **N° 26** - Belle façade Louis XVI. Elle porte de beaux appuis et des seuils à consoles typiques. Très ravalée en 1993.

□ **N° 27** - Petit hôtel Louis XIII possédant une jolie cour pavée. Dans l'aile droite est conservé un escalier en bois limon sur limon, à balustres tournés, dont le départ est à claire-voie.

□ **N° 28** - Au fond de la cour, le corps de logis, quoique surélevé, a conservé un très bel escalier Louis XIV avec une rampe en fer forgé, établi sur un plan circulaire.

□ **N° 41** - Porte Louis XV ornée d'une paire de consoles sculptées et munie de vantaux ajourés au XIXe siècle. La façade offre, en revanche, un rhabillage néo-classique.

□ **N° 43** - Grand immeuble de rapport, formé de deux anciens hôtels jumeaux du XVIIe siècle, réunis en 1837 par Adolphe Raingo. Probablement construits pour Charlot, propriétaire des terrains vers 1620-1622, ils connaissent sous l'Ancien Régime des sorts distincts. L'un d'eux appartient en 1721 à Durey de Sauroy (voir 58, rue Charlot, p. 229), qui commande en 1723 des réparations à l'architecte Boisfranc (peut-être une déformation de Boffrand ?). De cette époque datent les deux corps de logis sur rue. Le second hôtel a conservé un bel escalier du XVIIIe avec une rampe à arceaux. Au fond de la cour pavée, derrière une terrasse ornée de vases, s'élève un corps de logis remanié sous Louis-Philippe. Décor typique, avec des appuis en fonte et des persiennes.

□ **N° 44** - Maison reconstruite par l'architecte Noël en 1773, pour Emmanuel de Mortemart, qui l'avait acquise en 1772. Elle porte de beaux appuis et renferme un escalier à barreaux simple.

□ **N° 46** - Agréable petite façade Louis XV avec appuis en fer forgé au monogramme D, pour Jean Dugué, maître des Comptes, qui réunit deux anciennes maisons en 1718.

□ **N° 59** - Belle façade néo-classique du début du XIXe siècle.

□ **N° 63** - Les vantaux de la porte Louis-Philippe sont ajourés par des grilles en fonte au dessin recherché.

□ **N° 64** - À l'emplacement d'une maison ancienne, habitée par Robespierre d'octobre 1789 à juillet 1791, a été construit un grand bureau de poste en brique en 1934.

□ **N° 68** - Très belle façade néo-classique avec une corniche à modillons. Du comble se détache une élégante lucarne à fronton.

□ **N° 70** - Façade latérale de l'immeuble du 19, boulevard du Temple (voir p. 245). Le rez-de-chaussée et l'entresol sont décorés de refends.

RUE DE POITOU

Ouverte en 1608-1609, c'est l'une des voies qui devaient rayonner à partir de la « place de France », d'où sa disposition biaise dans le découpage orthogonal de la Couture. Les maisons devaient toutes être uniformes, projet qui a été abandonné après l'échec de celui de la place de France.

□ **N° 7** - Ancien hôtel. Occupé au début du XVIIIe siècle par M. de Chamillart. Dans la seconde moitié du siècle, l'hôtel devient la propriété du marquis de Bondeville, puis de sa fille, épouse du marquis de Martaineville. Sa fille, comtesse d'Hunoldstein, en hérite à son tour. Ses enfants le conservent jusqu'en 1819, date à laquelle il est acquis par un marchand de sel. Il abrite aujourd'hui le lycée Simone Weil. Quoique dénaturés, les bâtiments portent la marque d'une réfection opérée à la fin du XVIIIe siècle en style néo-classique. Les ouvertures des baies ont été gravement altérées, à l'exception de celles sur la rue, très soignées avec leurs frontons curvilignes et leurs balcons à balustres de pierre. À l'actuel emplacement de la grille d'entrée se trouvait à l'origine un mur orné de refends, portant en surplomb un sévère balcon courant, qui prolongeait visuellement ceux des ailes.

□ **N° 17** - Façade Louis XVI.

□ **N° 21** - Façade Louis XVI, avec de belles consoles. Elle a été ravalée en 1993.

□ **N° 22** - Cette façade Louis XIV en pierre porte au premier étage des appuis Louis XV. La mouluration plate des fenêtres est assez caractéristique. On devine au rez-de-chaussée l'arcade de l'ancienne porte cochère. À l'intérieur subsiste un escalier avec sa rampe de fer forgé Louis XIV.

☐ **N° 28** - Immeuble à loyer Louis XVI (voir 16, rue de Saintonge, p. 235).

☐ **N° 29** - Maison d'angle, construite vers 1617-1618 par le maître maçon Pierre Fruitier. Le rez-de-chaussée, occupé par une boulangerie depuis 1625 environ, est décoré de panneaux peints de la fin du XIXe siècle. La façade a été malheureusement ravalée au ciment (voir 15, rue de Saintonge, p. 235).

☐ **N° 30** - Cette maison de 1612, défigurée par un ravalement au ciment, a conservé ses deux étages d'origine ainsi que des lucarnes à fronton.

☐ **N° 31** - Maison construite vers 1617 par le maître maçon Pierre Fruitier pour son propre usage. La façade offre une grande baie encadrée par deux autres plus petites, selon un schéma courant au début du XVIIe siècle.

☐ **N° 32** - Un escalier en bois à balustres tournés de 1620 environ dessert les étages.

☐ **N° 34** - Façade Louis XVI.

☐ **N° 36** - Cette façade est ornée d'une enseigne du XIXe siècle représentant un thermomètre géant.

Détail de la façade Louis XVI, 21, rue du Poitou.

RUE PASTOURELLE

Cette partie de la rue s'est appelée « rue d'Anjou au Marais » jusqu'en 1877 et a été ouverte, en 1626, pour relier la rue de Poitou à la rue des Archives. Cette rue est l'une des plus charmantes du Marais.

☐ **N° 1** - Petite maison début XVIIe avec lucarne maçonnée.

☐ **N° 5** - Façade très abîmée.

À droite, débouché de l'ancien passage cocher des communs de l'hôtel de Retz (voir 9, rue Charlot, p. 226) dont une arcade est visible depuis sa rénovation en 1993.

☐ **N° 6** - Ancien hôtel, transformé au XIXe. La façade, abîmée, s'ouvre par une porte cochère dont les vantaux rocaille sont sculptés de mufles de lion et de fleurs. En instance de rénovation.

☐ **N° 8** - Ancien hôtel ayant appartenu à Dru de Montgelas à la fin du règne de Louis XIV. Les héritiers le conservent jusqu'en 1779, date à laquelle il est acquis par Geneviève-Françoise Girard, veuve du négociant Loyer du Moussay. Longue façade reprise à la fin du XVIIIe siècle en style néo-classique. Ornée de refends, elle est décorée d'une corniche à denticules. La grande cour pavée est entourée de bâtiments dénaturés au XIXe siècle. Un passage a été percé dans l'hôtel pour communiquer avec l'ancien jardin, transformé en seconde cour.

☐ **N° 13** - Petit hôtel sans doute reconstruit à la fin du règne de Louis XIV pour René Berger, qui l'avait acquis en 1713. Il s'ouvre par une porte cochère ornée de refends et munie de ses vantaux d'origine. Au fond de la cour pavée, parasitée au XIXe siècle, se dresse le corps d'hôtel. À gauche, un vestibule carrelé précède le grand escalier à rampe de fer forgé. Contrairement à une légende étrange, l'atelier datant du XIXe siècle, qui recouvre l'ancien jardin, n'a jamais été un théâtre !

☐ **N° 15** - Derrière cet ensemble formé de deux maisons locatives jumelles s'élevait jadis un hôtel. La façade en pierre porte de beaux appuis Louis XV. L'ensemble est en rénovation depuis plusieurs années.

☐ **N° 17 - HÔTEL DE SABRAN** - Construit vers 1643 pour Gaspard Dodun, cet hôtel fait partie du lotissement du jardin Fabry (voir n° 19). Il était sous Louis XVI la propriété du marquis de Sabran, qui y possédait un cabinet de peintures. La façade principale de l'hôtel a gardé de jolies fenêtres ornées de harpes, mais l'hôtel lui-même a beaucoup souffert des surélévations. La cour et le jardin ont été entièrement parasités, et le mur de clôture a même été rhabillé en tôle. Le pavillon à gauche renferme le grand escalier, à vide central, avec sa rampe XVIIe.

☐ **N° 19** - Jardin de l'hôtel Le Pelletier de Souzy. C'était l'une des trois parcelles formées en 1642 lors du lotissement du jardin Fabry, situé à l'angle des rues d'Anjou et « du Grand Chantier » (voir p. 209).

RUE DE BEAUCE

Cette voie étroite, comme la ruelle Sourdis, marquait la limite entre la couture du Temple, lotie en 1608, et la ville neuve, lotie au XIIIe siècle. Elle cheminait jadis entre des jardins, remplacés depuis par de médiocres bâtisses parasites.

☐ **N°s 1-3** - Par une grille, on devine le jardin et la façade arrière de l'hôtel Amelot de Chaillou (voir p. 203). Le bâtiment parasite sur rue date de la rénovation de 1980.

☐ **N°s 5-7 et 9** - Bâtiments industriels parasites élevés sur plusieurs jardins.

☐ **N°s 8-14** - Emplacement de l'ancien hôtel habité par Madeleine de Scudéry de 1654 à sa mort, en 1701. La célèbre femme de lettres, l'une des figures les plus caractéristiques de la société des Précieuses, y avait réuni un salon dès 1670, où l'on faisait et défaisait des intrigues galantes autour de la carte du Tendre.

L'hôtel a été détruit et loti au début du XIXe. À cet emplacement, quatre maisons avaient été construites.

☐ **N° 18** - Maison de style Louis XVI construite pour lui-même par le maître maçon Jean-Nicolas Goujon (voir 45, rue de Bretagne, p. 241). Elle est formée par la réunion de deux maisons, reconstruites, pour celle qui forme l'angle avec la rue des Oiseaux, en 1768, et pour la seconde vers 1771. C'est un marchand, Caron, qui en était propriétaire à la fin de l'Ancien Régime.

RUE DES OISEAUX

Petite rue en cul-de-sac, qui relie la rue de Beauce au marché des Enfants Rouges. Ouverte en 1618 par Claude Charlot, qui lotissait une partie du secteur, elle reste voie privée jusqu'à la Révolution. Elle a perdu ses maisons sur la rive nord, mais quelques robustes rez-de-chaussée en pierre de taille ont été conservés. Les boucheries du marché y étaient installées à la fin du XVIIIe siècle.

RUE DE BRETAGNE

Ouverte en 1608-1609, elle devait être l'une des voies rayonnantes de la « place de France », prévue par Henri IV dans le nord du quartier. Sully avait ordonné que les maisons la bordant soient d'une architecture uniforme en brique et pierre, mais ce projet a été abandonné en même temps que celui de la place. La voie actuelle a été sinistrée par un élargissement de sa rive nord en 1925-1935, suivant le plan d'Haussmann, qui voulait prolonger la rue de Réaumur. La rive sud conserve, en revanche, avec ses vieilles maisons et ses commerces, un charme particulier.

□ **N° 1** (et 137, rue Vieille du Temple).- **MAISON GUÉRARD** - Construite en 1777-1778 à la place de quatre maisons anciennes par l'architecte Jean-Louis Blève pour Pierre Guérard, commissaire des Guerres, c'est l'une des plus belles maisons à loyer de cette époque. De pur style néo-classique, elle offre de hautes façades en pierre ornées de refends au rez-de-chaussée et à l'entresol. L'élévation est terminée par une corniche à modillons et denticules. Les fenêtres du premier étage sont sommées de corniches sur consoles et de bas-reliefs moulés dus au sculpteur D'Hollande, et représentant les cinq sens : *La Vue, L'Ouïe, L'Odorat, Le Goût et Le Toucher*. La porte cochère, restaurée et repeinte en 1993, conduit à une cour assez étroite. L'escalier à droite du passage, qui prend son départ entre deux colonnes doriques, offre une rampe d'un dessin néo-classique peu usité. D'indigentes fenêtres en PVC ont été installées en 1993 sur ce magnifique immeuble.

□ **N° 10** - Immeuble industriel construit par Hector Guimard en 1919.

□ **N° 11** - Petite maison construite en 1619 par le maître maçon François Chamois. Des lucarnes sans fronton éclairent le comble. Un escalier à deux noyaux et à balustres de bois tournés dessert la maison (voir 34, rue Debelleyme, p. 265).

□ **N° 14** - Immeuble de bureaux bâti en 1926 par Selonier et Depussé. Le 16 juillet 1942, lors de la grande rafle, il a servi d'antichambre au Vel' d'Hiv pour des Juifs du quartier, arrêtés par la police (plaque).

La porte est ornée de curieuses têtes sculptées « à l'égyptienne » et a conservé au-dessus une grille intéressante.

□ **N° 31** - Façade rhabillée sous Louis XV.

□ **N° 35** - Façade rhabillée en style Louis XVI. Ornée de refends, elle porte de beaux appuis et des consoles.

□ **N° 38** - Immeuble de 1910. À l'angle, la boulangerie avait un décor Belle Époque, qui fut entièrement détruit.

Maison Guérard, détail de la façade, 1, rue de Bretagne.

MARCHÉ DES ENFANTS ROUGES

39, rue de Bretagne

Détail du quartier du Temple, plan de J. de La Caille, 1714.

HISTORIQUE - *C'est le plus ancien marché de Paris. Autorisé par des lettres patentes d'août 1615 à desservir le nouveau quartier alors en plein essor, il a été créé à l'initiative de particuliers et devait rester privé jusqu'en 1912. La première halle et les étals de boucheries ont été construits dès 1615 par le maître charpentier Perceval Noblet. En 1670, Geneviève Delaistre réunit toutes les parts des associés dans ses mains. Elle épouse ensuite un immigré italien, Jean-Dominique Cassini, le célèbre astronome de Louis XIV, pour lequel sera construit l'Observatoire. Sa famille conserve la halle jusqu'en 1772, date à laquelle elle est vendue à Jean-Claude Geoffroy d'Assy, actif dans le quartier (voir 58 bis, rue des Francs Bourgeois et 62, rue du Temple). Habile, il entreprend de l'agrandir et de la moderniser, refaisant les étals, et ouvrant une fontaine publique... C'est à cette époque que le marché prend le nom des « Enfants Rouges », rappelant l'hôpital voisin, qui venait d'être fermé (voir 90, rue des Archives, p. 206).*

La famille Geoffroy d'Assy conserve le marché durant tout le XIXe siècle. Mais devant une charge de plus en plus lourde, elle préfère le vendre à la Ville de Paris en 1912. Le marché comptait à cette époque une vacherie, qui a subsisté jusqu'à la dernière guerre.

ARCHITECTURE - Désaffecté en 1994, le marché est bordé à l'est par un grand immeuble de 1778, aux belles proportions. Sur la rue, trois pittoresques maisonnettes, derniers et précieux vestiges de ce type d'architecture dans le centre de Paris, ferment le marché. Des deux portes latérales, celle de gauche a conservé son décor en fonte de la fin du XIXe siècle.

Porte ouest du marché, à la fin du XIXe.

■ **N° 39 - MARCHÉ DES ENFANTS ROUGES** - (voir p. 240).

□ **N° 41** - Haute façade néo-classique, avec des appuis Louis XV et Louis XVI.

□ **N° 45** (et 18, rue de Beauce) - Belle maison d'angle, construite par Nicolas Goujon, pour son propre usage, vers 1771. Le comble, recouvert de zinc, a une structure arrondie « en valise », qui, si elle s'avérait d'origine, serait unique pour l'époque.

□ **N°s 47 et 49** - Anciennes propriétés de l'hôpital des Enfants Rouges, vendues à des particuliers en 1776.

Le n° 47 a conservé de son occupation industrielle par le Laboratoire du docteur E. Bouchara une façade couverte d'anciens panneaux commerciaux peints. Girard, fondateur de la bibliothèque des Amis de l'instruction a habité ici au siècle dernier. La maison a fait l'objet d'une lourde restauration en 1993-1994. Le n° 49 a longtemps abrité, à l'emplacement de l'actuel supermarché, des bains-douches populaires, auxquels a succédé un petit cinéma. Maison construite en 1778.

□ **N° 57** - Belle maison Louis XIV, louée à Mme de Maintenon en 1673. La façade, très simple, est seulement marquée par un avant-corps à refends coiffé d'un fronton. Par la porte cochère, on gagne la courette et, à gauche, un escalier en bois à balustres tournés.

□ **N°s 59-63** - Emplacement de l'ancien jardin de l'hôtel Turgot (voir n°s 8-10, rue Portefoin, p. 206), sur lequel trois immeubles de rapport fin XIXe ont été élevés.

RUE DE PICARDIE

Ouverte en 1608-1609 entre la rue de Bretagne et la rue du Forez, elle s'appelait jusqu'en 1867 « rue du Beaujolais ». Elle offre un ensemble de vieilles maisons établies sur un plan parcellaire très serré. Sa partie nord a été ouverte sous l'Empire, sur l'ancien enclos du Temple.

□ **N° 6** - Grande façade rhabillée à la fin du XVIIIe siècle, avec refends et appuis géométriques.

□ **N° 7** - Cette façade est ornée au premier étage de très beaux appuis Louis XV en fer forgé.

□ **N° 16** - Sévère façade fin XVIIIe.

□ **N° 17** - Dans la cour de ce petit immeuble XVIIIe subsiste un vestige du mur de l'enclos du Temple, qui fait aujourd'hui office de mur mitoyen. Les deux petites ailes renferment des escaliers à barreaux symétriques.

□ **N° 25 - MARCHÉ DU TEMPLE** (ou carreau du Temple) - Vestige du grand marché construit sous le Second Empire par Mérindol et Legrand, et dont l'entrée se trouve rue du Temple (voir p. 289). Détruit en 1905, il n'en subsiste plus que ces deux halles. À cet emplacement s'élevait jadis la rotonde du Temple, étonnante construction établie sur un plan ovale. Destiné au commerce, cet immeuble avait été construit par l'architecte Perard de Montreuil en 1788, et abattu en 1863.

□ **N°s 26-32** - Immeubles du XIXe siècle, qui s'appuient sur l'enceinte de l'enclos du Temple.

RUE DU FOREZ

Petite rue ouverte en 1608-1609, lors du lotissement de la couture du Temple. Elle est bordée de maisons anciennes sans caractère particulier.

RUE DE NORMANDIE

Ouverte en 1608-1609, elle devait aboutir, selon le projet d'Henri IV, à la « place de France », jamais réalisée. Elle marquait, jusqu'au lotissement des terrains Beausire sous Louis XIV, la limite du lotissement de la couture du Temple.

□ **N° 1** - Cet immeuble de rapport Louis-Philippe présente une façade soignée en pierre.

□ **N° 2 bis** - Petite façade, qui porte à l'étage un minuscule cabinet en encorbellement, typique du Vieux Paris (voir 113, rue de Turenne, ci-dessous).

□ **N° 9 - ANCIENS COMMUNS DE L'HÔTEL DE SAUROY** (voir 58, rue Charlot, p. 229) - Le portail de 1700 a sans doute été construit par Jean Beausire (voir n° 10).

□ **N° 10** - Ensemble à usage de basse-cour et d'écuries, aménagé en 1699-1700 par le maître maçon Guillaume de La Vergne sur les dessins de l'architecte Jean Beausire, pour Michel de Chamillart, contrôleur général des Finances. Le ministre de Louis XIV était alors locataire de l'hôtel sis au 58, rue Charlot. Il menait grand train, d'où la nécessité de doubler la capacité des communs de l'hôtel (voir n° 9).
Les bâtiments ont été implantés sur un terrain irrégulier formé de deux triangles, dont un seul subsiste. La restauration de 1992 est assez raide.

□ **N° 12** - Façade Louis XV de belles proportions avec appuis et lucarnes (voir 125, rue de Turenne, p. 243).

□ **N° 14 - MAISON GODEFROY** - (voir 64, rue Charlot, p. 230).

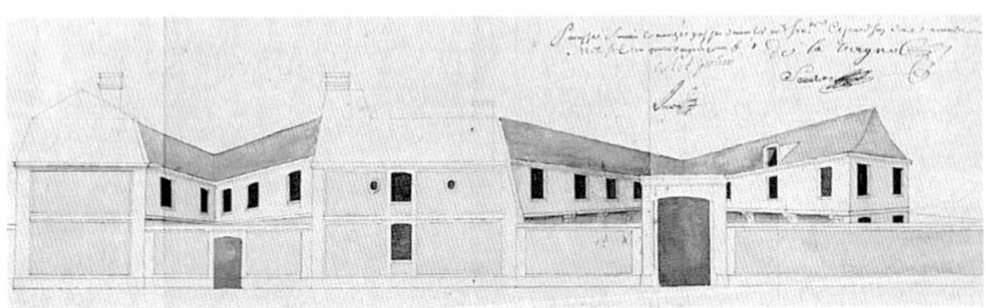

Écuries de M. de Chamillart, 10, rue de Normandie, dessin original, 1699.

RUE DE TURENNE

La partie haute de la rue de Turenne a été ouverte sous Louis XIV. Elle s'appelait « rue Boucherat », en l'honneur du chancelier de France, qui habitait au n° 60 (voir p. 270).

□ **N°s 90-94** - Emplacement du couvent des Filles du Calvaire. Fondé en 1633 avec l'appui du père Joseph, éminence grise de Richelieu, le couvent abritait une commanderie active, et devint le chef-lieu de la congrégation.

□ **N° 98** - Porte Louis-Philippe avec montants sculptés et grille en fonte.

□ **N° 113** - Au fond de la cour s'élève un petit hôtel caché par un parasite. Le terrain sur lequel il est construit avait été vendu en 1711 par l'architecte Jean Beausire au maître menuisier Joseph Muidebled. Il a été acquis en 1766 par Antoine-Charles du Tillet qui le fit sans doute redécorer à cette époque. Par la grille d'entrée, on aperçoit, au fond, un bel escalier Louis XVI avec une rampe en fer forgé. Une

La Peinture, bas-relief,
116, rue de Turenne.

statue, *L'Amour bandant les yeux de la Sagesse,* orne le vestibule.

□ **N° 116** - Immeuble de rapport Second Empire. La porte est décorée de deux statues assez charnues, à droite, *La Sculpture*, et, à gauche, *La Peinture.*

□ **N° 123** - Façade Louis XV, asséchée et surélevée d'un étage.

□ **N° 125** - Hôtel Louis XV. Il a été construit par le maître charpentier Jean Regnard entre 1716, date à laquelle ce dernier achète le terrain à Jean Beausire, et 1720, date à laquelle il est revendu à Alexis Robert, gentilhomme du duc d'Orléans.

La façade sur rue porte aux deux premiers étages d'admirables appuis Louis XV. Au fond de la cour se trouve un beau corps de logis, qui, bien que surélevé au XIXe, a conservé ses élégants mascarons, ses appuis, ainsi que son grand escalier avec une rampe en fer forgé.

□ **N°s 129-131** - Ancien hôtel orné d'une belle porte Louis-Philippe avec une grille en fonte. Il renferme un escalier avec une rampe en fer forgé. Le bâtiment bas à gauche, orné de beaux balcons du XIXe siècle, a été construit à l'emplacement du jardin qui s'étendait jusqu'à la fontaine Boucherat.

□ **N° 132** - Immeuble de rapport édifié sous Charles X. Des fenêtres en plein cintre embellissent le premier étage. L'escalier sur plan ovale a un beau mouvement de départ. Dans les pavés de la cour, les rails de l'occupation industrielle sont encore visibles.

□ **N° 134** - Immeuble de rapport Louis-Philippe. Cette façade, décorée de grands pilastres ioniques et corinthiens ainsi que de balustres en pierre à l'entresol, porte de beaux balcons en fonte.

RUE COMMINES

Voie ouverte, comme la rue Froissart voisine, en 1804, à l'initiative d'un sieur Houdin, qui lotissait alors l'ancien couvent des Filles du Calvaire. Le réseau est achevé en 1807, mais c'est sous Louis-Philippe que les constructions voient le jour. La rue s'est appelée « rue Neuve de Ménilmontant » jusqu'en 1864.

□ **N° 9** - Beau cartouche de la porte.

□ **N° 14** - Remarquable immeuble de rapport Louis-Philippe. La façade est ornée au premier étage d'une serlienne à colonnes corinthiennes que surmonte un fronton. La porte cochère, avec ses vantaux et une belle imposte en fonte, est encadrée de pilastres doriques laurés. Le passage-vestibule, voûté d'arêtes, a conservé une torchère dans une niche. L'aile de droite renferme un grand escalier dont les barreaux sont parfaits en leurs extrémités d'un motif végétal qui s'enroule sous la main courante. La cour, aujourd'hui parasitée, se terminait par un mur en hémicycle avec une fontaine.

☐ **N° 17** - Curieuse façade basse milieu XIXe, ravalée en 1993.
☐ **N° 19** - Immeuble construit par l'architecte Villemsens en 1847. La façade en pierre de taille est percée de baies aux embrasures biaises peu courantes.

RUE DES FILLES DU CALVAIRE

Ouverte sous Louis XIII, elle ne conserve plus aucune maison antérieure à la Révolution. Si l'actuelle rive impaire n'a guère d'intérêt, hormis son homogénéité, la rive paire, elle, offre de beaux spécimens d'architecture début XIXe.

☐ **N° 4** - Immeuble locatif construit sous la Restauration. La fenêtre de la travée centrale au premier étage est ornée d'un motif de serlienne à colonnes et pilastres ioniques.
☐ **N° 6** - Immeuble locatif, construit en 1822. Le portail, encadré de deux colonnes doriques sans base, est fermé de vantaux à panneaux en diamant. L'élévation est rythmée par de longs pilastres se terminant par des chapiteaux « à l'égyptienne ». La fenêtre du premier, au centre, est décorée d'une serlienne à pilastres, avec deux bas-reliefs, copies du *Printemps* et de *L'Été* de la façade Renaissance de l'hôtel Carnavalet. La cour est entourée de bâtiments homogènes, supportés par des colonnes carrées.
☐ **N° 8** - Immeuble de rapport Louis-Philippe dont la façade est décorée de pilastres.
☐ **N° 10** - La porte possède une jolie grille en fonte. Au fond de la cour se dresse un amusant petit bâtiment d'un étage, orné de pilastres ioniques et de palmettes.

BOULEVARD DES FILLES DU CALVAIRE

Recouvrant une partie de l'ancien « cours » établi sous Louis XIV, ce boulevard porte le nom du couvent des Filles du Calvaire, dont il longeait le mur du jardin, entre les n°s 5 et 17 approximativement.

La « place de France », projet encouragé par Henri IV et abandonné à sa mort, devait appuyer ici son hémicycle contre le rempart dans lequel aurait été ouverte une nouvelle porte, la seule entre celles du Temple et de la Bastille.

BOULEVARD DU TEMPLE

Autre partie du « cours » établi sous Louis XIV sur le tracé de l'enceinte Charles V, ce boulevard porte le nom de l'enclos voisin des Templiers. Principalement bordé de jardins au XVIIIe siècle, il s'anime à la fin du siècle et connaîtra une vogue continue de Louis XVI à Louis-Philippe.

☐ **N° 10** - Bel immeuble de rapport Louis-Philippe, avec une façade en pierre de taille. Bureaux de la *Revue municipale* des frères Lazare, historiens de Paris qui ont consacré leur vie à l'étude de la capitale.
☐ **N° 11** - Cet immeuble de rapport Louis-Philippe offre une façade en pierre très soignée avec une délicate modéna-

ture des travées. Une fontaine et une statue occupent le centre de la cour.

□ **N° 17** - Deux beaux immeubles de rapport jumeaux construits en 1778 par l'architecte Samson Lenoir, dit « le Romain », pour son propre compte. La façade unique, ornée de refends et décorée de frises de postes, est scandée de pilastres à chapiteau ionique grec. Elle porte de beaux appuis géométriques et de belles consoles. La porte évoque celle de la pointe Saint-Eustache de Moreau-Desproux : disposée en renfoncement circulaire et bordée par deux colonnes doriques, elle permettait de desservir les deux immeubles.

□ **N° 19** - Immeuble de rapport construit en 1778 par l'architecte Samson Lenoir sur une partie du terrain de l'immeuble voisin. Un balcon courant agrémente le premier étage. L'angle est traité en pan arrondi. L'entrée se fait par le 70, rue de Saintonge.

□ **N°s 31-35** - Ancien jardin de l'hôtel Dezègre (voir 85, rue Charlot, p. 231). Au n° 31, Bourse du Travail. L'annexe Eugène-Varlin, de style années 30, s'élève à l'emplacement du fameux « Café Turc », lieu de plaisir et de promenade caractéristique du boulevard à la fin du XVIIIe siècle. Il disparut en janvier 1847 au profit de deux immeubles de rapport. Le n° 35 a été occupé en 1927 par l'aviateur Nungesser avant sa traversée de l'Atlantique à bord de l'*Oiseau blanc*.

□ **N° 41 - THÉÂTRE DÉJAZET** - Ce charmant petit théâtre a été élevé à l'emplacement du jeu de paume du comte d'Artois, frère de Louis XVI, futur Charles X. Construit sur un terrain des Filles Sauveur (voir rue Béranger, p. 247) en 1780 par l'architecte attitré du comte, Bélanger, ce jeu de paume était alors considéré comme le plus beau de Paris. Il offrait, sur le boulevard, un immeuble abritant salons et tripots et, par-derrière, le jeu de paume proprement dit, tenu par Charrier, maître paumier du comte d'Artois. La parcelle longue se prêtait particulièrement à une transformation en théâtre. Celui-ci, fondé en 1852, s'appela d'abord « Les Folies Bergères », avant d'être baptisé en 1859 théâtre Déjazet. La façade en pierre qui subsiste n'est autre que celle de Bélanger, mais il lui manque le grand fronton triangulaire que montrent les gravures anciennes. Au premier étage, les balcons à balustres en

La promenade du Café Turc, 31, boulevard du Temple, gravure de Jazet, début XIXe.

pierre sont typiques du style Louis XVI. La porte de droite est sommée de têtes de lion, et celle de gauche, d'une marquise. La salle, qui date du milieu du XIXe siècle, a été décorée en 1993, ainsi que le foyer avec ses petits escaliers amusants, de peintures « à la Daumier », évoquant le boulevard du siècle dernier.

☐ **N° 42** - Maison habitée par Flaubert de 1856 à 1869. L'immeuble, construit sous Louis-Philippe, remplace la maison d'où Fieschi tira avec sa machine infernale sur Louis-Philippe, le 28 juillet 1835. Le roi en était sorti indemne.

◇ Du n° 41 à la place de la République, le boulevard du Temple était surnommé « boulevard du Crime », en raison de ses nombreux théâtres lyriques (théâtres de la Gaîté, des Folies romantiques, du Cirque...), dont le Déjazet est le dernier survivant. Ce célèbre coin du Paris de Louis-Philippe a été impitoyablement rasé par Haussmann.

Jeu de paume du comte d'Artois, gravure de Campion, fin XVIIIe.

RUE BÉRANGER

Ouverte en 1697, cette rue s'appelait « rue de Vendôme », du nom de Philippe de Vendôme, alors grand prieur du Temple. Elle porte depuis 1864 le nom du célèbre chansonnier Pierre Jean de Béranger, mort au n° 5.

☐ **N° 2 - HÔTEL MASCRANI** (voir 83, rue Charlot, p. 231) - Entrée principale depuis la suppression, en 1903, de l'entrée rue Charlot. Une seconde porte au n° 2 bis a été aménagée en 1903 par l'architecte Penin. Elle est établie, comme les n°s 4 et 6, sur le jardin de l'hôtel.

■ **N°s 3-5 - HÔTELS BERGERET DE FROUVILLE ET DE LA HAYE** - (voir pp. 248-249).

☐ **N° 5 bis - COMMUNS DE L'HÔTEL DE LA HAYE** - Bâtiment bas, construit après 1725 par la veuve de Jean Pujol sur un terrain acquis par ce dernier en 1720. Cette partie a été détachée de l'hôtel lors de la cession à la Ville en 1882.

☐ **N° 6 - HÔTEL LACARRIÈRE** - Construit vers 1844-1850 par l'architecte François Rolland pour François Lacarrière, gérant d'une société d'usine à gaz qu'il avait fondée. En 1842, Lacar-

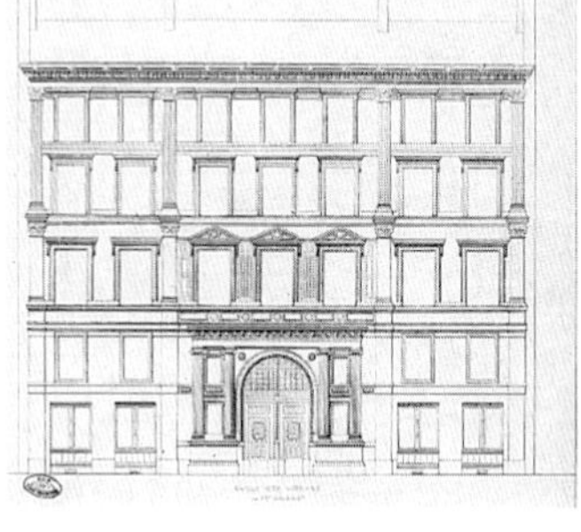

Élévation de l'hôtel Lacarrière, gravure de V. Calliat, 1850.

rière acquiert ce terrain, qui correspond à l'ancien jardin de l'hôtel Mascrani. Ses héritiers vendent l'hôtel à la famille Peugeot, qui l'échange en 1880 contre l'immeuble voisin, n°2. La façade originale s'ouvre d'une grande porte cochère. Le passage est orné de deux superbes torchères d'origine dans leur niche. La cour pavée est entourée de façades restées intactes ; celle du fond porte à l'entresol des volets à croisillons.

□ **N° 7 - PETIT HÔTEL BERTIER DE SAUVIGNY** - Construit vers 1730, il est acheté en 1752 par Sauvigny, qui désire agrandir son hôtel sis au n° 11 de la rue. La façade sans allure conserve ses vantaux anciens de porte cochère. À gauche du passage subsistent les vestiges d'un bel escalier dont la rampe en fer forgé ouvragée Louis XV a été sauvagement débitée pour la pose d'un ascenseur en 1990.

□ **N° 9** - Immeuble construit à l'emplacement du jardin de l'hôtel de Sauvigny. La rue Dupuis, ouverte en 1809, traverse également ce jardin.

□ **N° 11** - Emplacement de l'ancien hôtel de l'Intendance, construit en 1728 par l'architecte Debias-Aubry pour Louis de Lamarque, financier allié à Fargès. Il avait été refait en style néo-classique sous Louis XVI par l'architecte de la Monnaie de Paris, Antoine, pour l'intendant de Paris, Bertier de Sauvigny. Pour avoir remplacé Necker quelques jours au ministère, celui-ci est arrêté à Compiègne et massacré à Paris, le 22 juillet 1789. Il était propriétaire de l'hôtel depuis 1775, et l'État le lui avait racheté en 1784 pour installer l'Intendance de Paris. L'hôtel abrite, de 1843 à 1860, la mairie du VIe arrondissement, et, de 1860 à 1867, celle du IIIe. Cette belle construction, qu'agrémentait un jardin, a été laissée à l'abandon, pillée, et rasée en 1950, au profit d'un abominable garage en hauteur.

□ **N° 13** - Immeuble de rapport construit sur la basse-cour de l'hôtel Bertier de Sauvigny. La façade, la porte et le décor du passage d'entrée sont caractéristiques du style Louis-Philippe.

□ **N° 14** - Façade arrière du théâtre Déjazet (voir p. 245).

□ **N°s 16-18 - PASSAGE VENDÔME** - Ouvert en 1825-1827, c'est un charmant endroit, représentatif du goût du premier tiers du XIXe siècle pour les passages couverts bordés de boutiques, où le piéton pouvait flâner à l'abri des voitures, du bruit et de la pluie. L'entrée est située sous deux immeubles locatifs.

La façade Charles X est décorée d'une élégante corniche à denticules. Ensemble établi à l'emplacement du couvents des Filles du Sauveur, fondé en 1701 à l'instigation du prêtre Raveau. Le couvent est d'abord logé rue du Temple. Trop à l'étroit, les religieuses s'installent en 1704 rue de Vendôme et font bâtir une chapelle dédiée au Sauveur. L'ensemble a été aliéné en 1796.

Passage Vendôme,
vue vers la place de la République.

HÔTELS BERGERET DE FROUVILLE ET DE LA HAYE

3-5, rue Béranger

HISTOIRE - *Les deux bâtiments ont été construits sur des terrains achetés en 1719 par Gabriel Dezègre, ingénieur du roi, Abraham Peyrenc de Moras et Jean Pujol. L'hôtel qui portait jadis le n° 1 a été détruit en 1882 pour l'ouverture de la rue de Franche-Comté. Seuls restent les nos 3 et 5, construits en 1720-1722 par le maître maçon Gilbert Delaubard, sur un plan général établi par Gabriel Dezègre lui-même.*

Portail de l'hôtel de La Haye.

– Le n° 3 a été construit pour Abraham Peyrenc de Moras, riche financier qui quitte le Marais en 1731 pour s'installer rue de Varennes, dans l'hôtel abritant l'actuel musée Rodin. Ses héritiers le louent jusqu'en 1768, date à laquelle Jean-François Bergeret de Frouville s'en rend acquéreur. Il fait construire, à côté, l'ancien n° 1 et embellit son hôtel, célèbre pour ses boiseries et ses peintures, commandées à Boucher qui peint en 1769 six scènes mythologiques. Bergeret meurt là en 1783.

L'hôtel, habité bourgeoisement au XIXe siècle, est acquis en 1882 par la Ville, qui démolit le n° 1 ainsi que deux travées de l'aile gauche pour ouvrir la rue de Franche-Comté.

– Le n° 5 a été bâti pour Jean Pujol, trésorier, mort en 1724. Sa famille le revend en 1736 à Charles Michel de Roissy, financier, qui y meurt en 1754. L'année suivante, il est acheté par Salomon de La Haye des Fossés, frère d'un riche fermier général. Il fait refaire le décor intérieur. Sa famille le vend en 1819. Loué et occupé bourgeoisement, il abrite à partir de 1854 le chansonnier Pierre Jean de Béranger, qui s'y éteint le 16 juillet 1857 (plaque).

Acquis par la Ville de Paris en 1889, il est affecté à une école primaire.

Heurtoir de l'hôtel Bergeret de Frouville.

Cour de l'hôtel Bergeret de Frouville.

ARCHITECTURE - Splendide ensemble Régence, formant un hôtel double. Les magnifiques façades en pierre offrent une ordonnance générale identique, comme les combles. Cependant, des détails décoratifs signalent qu'il s'agit de deux hôtels distincts : les portails sont différents, les consoles et les agrafes des baies sont tournées dans des directions opposées. Les lucarnes sont en bois au n° 3, et en pierre au n° 5. L'ensemble a été ravalé en 1992-1993.

Imposte du portail de l'hôtel de La Haye.

Des intérieurs du n° 3, seul subsiste le grand escalier avec sa rampe en fer forgé. Sur le jardin a été construit un affreux bâtiment scolaire en béton.

Le portail du n° 5 est fermé par de superbes vantaux. À l'intérieur subsiste un escalier intact avec une rampe en fer forgé et des vestiges de boiseries. La porte de la cave est surmontée d'un bas-relief représentant Bacchus.

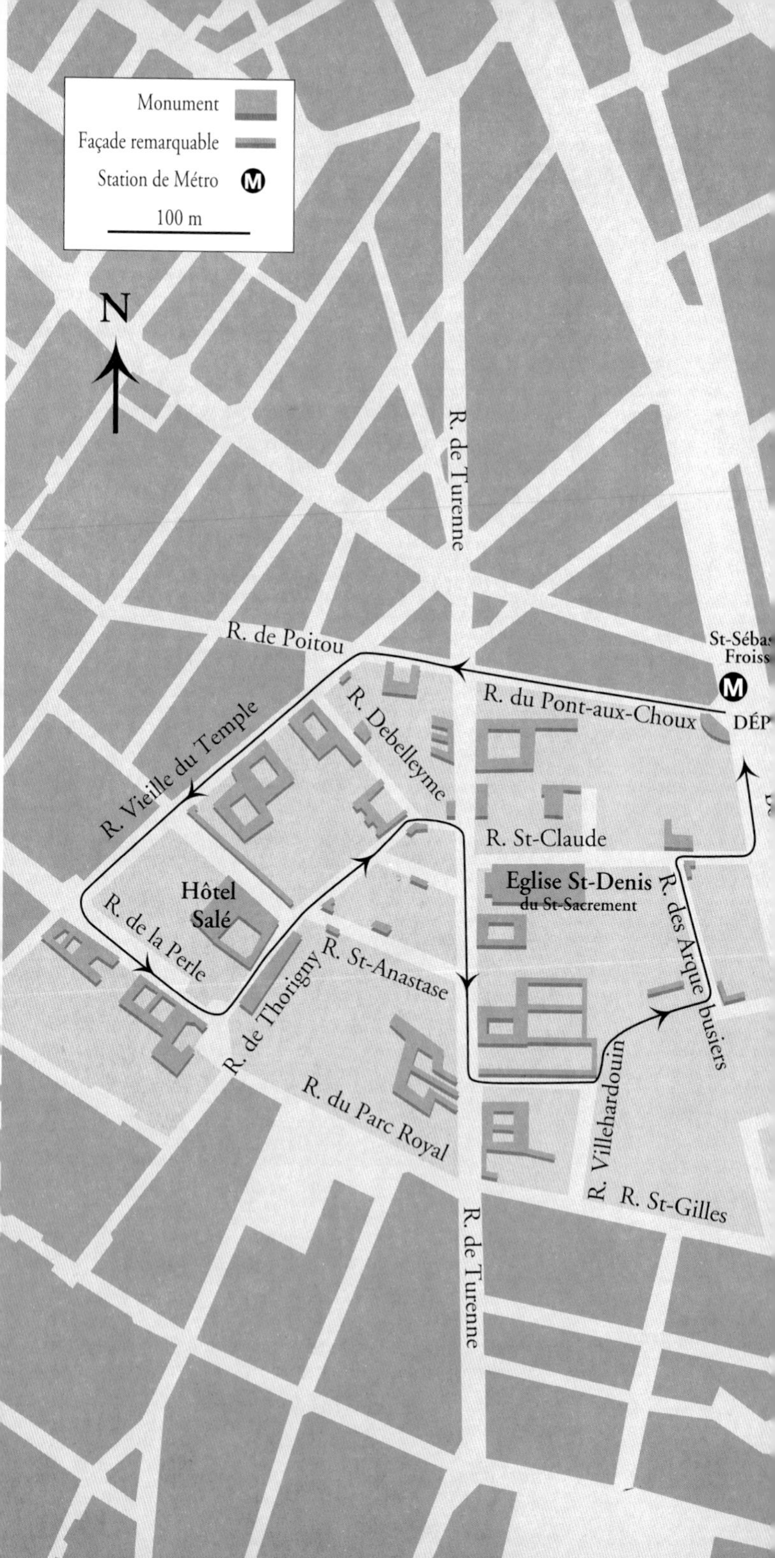

Monument
Façade remarquable
Station de Métro
100 m
N
R. de Turenne
R. de Poitou
St-Sébas
Froiss
R. du Pont-aux-Choux
DÉP
R. Vieille du Temple
R. Debelleyme
R. St-Claude
Eglise St-Denis
du St-Sacrement
Hôtel
Salé
R. de la Perle
R. St-Anastase
R. des Arquebusiers
R. de Thorigny
R. Villehardouin
R. du Parc Royal
R. St-Gilles
R. de Turenne

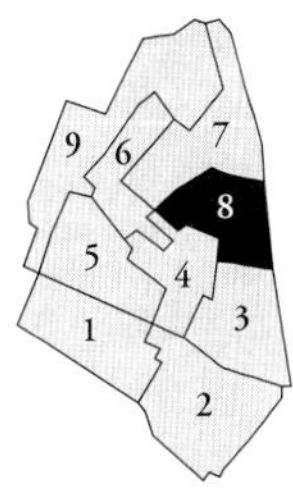

8

Promenade

Autour des coutures Saint-Gervais

Rues du Pont aux Choux, Vieille du Temple (n°s 90-137), des Coutures Saint-Gervais, de la Perle. Place de Thorigny. Rues de Thorigny, Debelleyme, du Roi Doré, Sainte-Anastase, de Turenne (n°s 50-95), Villehardouin, Saint-Claude. Impasse Saint-Claude. Rue des Arquebusiers. Boulevard Beaumarchais (n°s 81-113).

Ce quartier, né du lotissement des terrains maraîchers que possédaient les Dames hospitalières de Saint-Gervais, de part et d'autre de la rue de Turenne, a été loti et bâti en deux temps. En 1618-1620, quatre rues sont ouvertes entre la rue de Turenne et la rue Vieille du Temple. Elles se couvrent d'hôtels et de maisons, dus pour un certain nombre à Jean Thiriot, architecte lorrain qui habitait le quartier. Les autres terrains, situés à l'est et en bordure de la rue de Turenne, sont lotis et viabilisés en 1637-1640 par un particulier, Nicolas Le Jay, Premier président du parlement de Paris, bientôt relayé par des hommes de l'art, comme Dublet et l'actif maître maçon Michel Villedo. L'ouverture des boulevards sous Louis XIV a donné de l'extension à ce dernier lotissement.

RUE DU PONT AUX CHOUX

Cette voie a été ouverte sous Louis XIII. Son nom rappelle l'existence d'un petit pont qui permettait, au-delà du « cours Royal » (actuel boulevard des Filles du Calvaire), de gagner les terrains maraîchers situés de l'autre côté.

□ **N° 1 - MAISON MARTIN** - Construite en 1775. La dernière travée est surmontée d'une lucarne avec balcon, qui s'avance en saillie.
□ **N°s 2-6** - Maisons basses aux façades fin XVIIIe.
□ **N° 3** - Ancienne maison Louis XIII, ayant appartenu au maître maçon Michel Villedo. Les lucarnes maçonnées sur cour sont bien conservées. Un escalier limon sur limon en bois, à balustres tournés, dessert les étages.
□ **N° 17** - Ancien hôtel du XVIIe siècle, qui fut la propriété de Jean Thiriot, architecte et maître maçon actif dans le quartier sous Louis XIII. L'ensemble a été très altéré dans les années 30 : la façade sur rue a été gravement surélevée. Au fond de la cour se dresse un petit hôtel aux lucarnes maçonnées. Les ailes qui encadrent la cour n'avaient à l'origine que deux étages. Le corps de logis abrite un ancien escalier limon sur limon, mais la rampe date du XIXe. Un passage a été ouvert pour permettre l'accès à la seconde cour, bordée d'édifices disparates. Cette cour remplace un grand jardin qui était orné de parterres « à la française ».

RUE VIEILLE DU TEMPLE

La section comprise entre le n° 90 et le n° 137, lotie tardivement, s'est longtemps appelée « rue de l'Égout du Temple ».

□ **N°s 90-96** - Square municipal. Au fond se dresse l'imposante façade arrière de l'hôtel Salé, qui forme avec les anciennes maisons de la rue des Coutures Saint-Gervais un ensemble typique du Vieux Paris.
Au XVIIIe siècle, les écuries de l'hôtel Salé avaient été bâties à cet emplacement. Au n° 90 était établi le célèbre « jeu de paume des Maretz », construit vers 1603. Il a abrité à partir de 1634 le théâtre du Marais. Reconstruit en 1644 après un incendie, il offrait alors une grande nouveauté : aucun spectateur n'était assis sur la scène ! Les plus grandes créations de Corneille, dont *Le Cid* en janvier 1637, y ont vu le jour et l'amuseur Jodelet en a été l'un des héros. En 1662, Louis XIV rend visite au théâtre. Mais, en 1673, la troupe fusionne avec celle de Molière, et quitte le Marais pour la rive gauche.

◇ Entre les n°s 100 et 110, emplacement d'un fief privé, dit des Petits-Marais, qui appartenait à la famille Gaudart depuis 1603. Il a été loti et bâti sous Louis XIII, comme les coutures Saint-Gervais, par l'architecte Jean Thiriot.
□ **N°s 100-104 - HÔTEL DE LAUZON** - Construit par le maître maçon Jean Thiriot, en 1620, pour Jean de Lauzon, président au Grand Conseil et amateur d'art, l'hôtel passe en 1640 à Dominique de Ferrary et reste propriété de la famille jusqu'en 1741. Ferrary réduit le jardin, qui s'étendait auparavant jusqu'à la rue de Thorigny, et couvrait les n°s 9 et 11 de cette voie. L'État en devient propriétaire et en a fait, en 1938, une annexe du lycée Victor Hugo.
L'hôtel est dissimulé sur rue par deux maisons locatives aux façades enlaidies, sous lesquelles se faufile le passage cocher, fermé d'un beau portail Louis XV. La cour est entourée de façades Louis XIII en brique feinte et

Départ de l'escalier (volé),
110, rue Vieille du Temple.

harpe en pierre. L'aile gauche porte un grand balcon sur console. L'hôtel a conservé une magnifique rampe d'escalier Louis XV, et des boiseries du XVIIIe siècle.

□ **N° 101** - Le premier étage offre de gracieux appuis en forme de coquille en fer forgé Louis XV.

■ **N° 106 - HÔTEL MÉGRET DE SÉRILLY** - (voir p. 255).

□ **N° 108** - Immeuble de rapport construit en 1894 à l'emplacement d'un hôtel qui complétait la série avec les n°s 100-104, 106 et 110.

□ **N° 109** - Immeuble de rapport élevé en 1772-1773 pour Laurent Vallet, maître limonadier distilleur.

■ **N° 110 - HÔTEL D'HOZIER** - (voir pp. 256-257).

□ **N° 114** - Belle façade en pierre de taille Louis XIV avec appuis et refends latéraux. Elle a été surélevée au XIXe.

□ **N° 117** - Immeuble de rapport XVIIIe (voir 6, rue de Saintonge, p. 234).

□ **N° 124** - Maison d'angle massacrée par un ravalement au ciment. L'angle au bel arrondi et l'appui en fer forgé trahissent une ancienne façade du XVIIIe siècle. Cette maison appartenait à Jean Thiriot, maître maçon, puis architecte du roi, d'origine lorraine. Lié à Le Mercier, premier architecte du roi et favori du cardinal de Richelieu, il a participé à la construction de la Sorbonne, de la digue de la Rochelle et d'une partie du quartier. On lui doit les travaux d'agrandissement de l'hôtel d'Angoulême (voir hôtel Lamoignon, pp. 166-167) et le bel hôtel du 29, quai de Bourbon dans l'île Saint-Louis.

□ **N° 125** - À l'emplacement de cet immeuble, élevé en 1891, se trouvait jadis la fontaine de l'Échaudé construite au XVIIe siècle.

□ **N° 127** - Petite maison d'angle pittoresque, sans doute XVIIe. Elle est coiffée d'un comble d'ardoises pointu.

□ **N° 130** - Petite façade Louis XV, ornée d'appuis.

□ **N° 132** - Cette maison d'angle a été construite, en 1707, pour Nicolas Delaunay, secrétaire du roi. Elle conserve de son aspect d'origine un comble brisé et des façades de bonnes proportions, malgré leur rhabillage postérieur.

□ **N° 135 - MAISON BOSSE** - Cette façade néo-classique, construite en 1788, dissimule deux maisons plus anciennes.

□ **N° 137 - MAISON GUÉRARD** (voir 1, rue de Bretagne, p. 239).

Fontaine de l'Échaudé, avant démolition.

HÔTEL MÉGRET DE SÉRILLY

106, rue Vieille du Temple

Cour de l'hôtel.

HISTORIQUE - *Construit en 1620 par l'architecte Jean Thiriot pour Nicolas de Malebranche, secrétaire du roi, cet hôtel passe en 1641 au fils du riche financier Paul Aymeret, sieur de Gazeau, puis, en 1686, à Charles du Tillet. Sa famille le conserve jusqu'en 1741. Il est acquis en 1776 par Jean-François Mégret de Sérilly, fermier général, qui sera guillotiné en 1794. Celui-ci fait refaire une partie du décor en style néo-classique et fait travailler le célèbre ornementiste Rousseau. Le grand jardin, parasité au siècle dernier, a été détaché de l'ensemble. L'hôtel a été restauré en 1992-1993 par la copropriété.*

ARCHITECTURE - Défendu sur la rue par un bâtiment remanié sous Louis XIV, l'hôtel possède un avant-corps pourvu d'une belle porte et d'un balcon. Deux lions décorent le fronton. L'hôtel offre sur la cour pavée quatre corps de logis réguliers, en brique et pierre. Celui de droite, qui n'existait pas dans le plan d'origine, a été rajouté ultérieurement. Le terrain, très vaste, a permis le dédoublement de la cour avec l'apparition, à gauche, d'une basse-cour, suivant la formule du plan désaxé. Un petit édifice en encorbellement y subsiste. Sur l'ancien jardin, la façade plus monumentale avec ses lucarnes en pierre est flanquée de pavillons (voir 13, rue de Thorigny, p. 261). Le perron est défendu par des éléments de ferronnerie du XIXe siècle. La cage du grand escalier, à gauche, invisible depuis la restauration, a été affublée d'un décor peint néo-Brunetti, mais la rampe Louis XV est intacte. Un très beau boudoir aux boiseries Louis XVI, aujourd'hui conservé à Londres, a orné l'hôtel jusqu'en 1867.

Détail du fronton sur rue.

HÔTEL D'HOZIER

110, rue Vieille du Temple

HISTORIQUE - *Ce bel hôtel a été construit par l'architecte Jean Thiriot, en 1623, sur un terrain qu'il venait de vendre à Robert Jousselin de Marigny, conseiller du roi. Malgré des difficultés financières, la famille de ce dernier reste propriétaire de l'hôtel jusqu'au début du XVIIIe siècle. Lors d'un partage en 1707, il échoit à Pierre Bauyn, chevalier de Bersan, qui entreprend – sans pour autant en modifier l'allure – d'importants travaux en 1731-1733, sous la direction de l'architecte Denis Quirot l'aîné, excellent artiste de style rocaille. Mais, en 1735, conservant pour lui le petit hôtel du 7, rue Debelleyme, le chevalier de Bersan le revend alors à Louis-Pierre d'Hozier, auteur du célèbre* Armorial de France. *L'hôtel abrite, pendant la Révolution, une entreprise de roulage dissimulant les activités du petit-fils d'Hozier, royaliste impliqué dans le complot de Cadoudal. Dès le XIXe siècle, le commerce envahit l'hôtel, et le jardin disparaît sous un atelier bâti en 1919. En 1879, l'architecte Mabile surélève la façade sur rue et les ailes sur cour d'un étage dans un style pastiche.*
L'hôtel a fait l'objet d'une restauration très énergique en 1987-1990.

Détail de la rampe
au chiffre de Bersan.

Portail de l'hôtel, au début du siècle.

Aile-galerie sur le jardin.

ARCHITECTURE - La façade sur rue, surélevée, possède des encadrements de fenêtre en harpe et porte de beaux appuis Louis XV. La porte cochère, refaite par Quirot en 1731-1733, est une petite merveille : un beau cartouche rocaille, avec l'ancien numéro impérial, couronne les souples vantaux sculptés par Fauquière. *Mars* et *Minerve* y sont représentés. La cour, encadrée de deux ailes élevées sur arcades, qui renfermaient à droite les remises, conduit au corps de logis du fond, dont les deux étages d'origine sont sommés de lucarnes à fronton. Les façades ont souffert d'un ravalement épouvantable, qui masque le décor de brique et de pierre. Le pavillon de gauche, qui renfermait l'escalier d'origine à quatre noyaux, abrite désormais celui refait par Quirot, muni de sa superbe rampe Louis XV au chiffre B (Bersan), dû au serrurier François Lesguillier. Son extraordinaire aileron de départ a malheureusement été volé il y a quelques années. Par un passage moderne, on gagne le jardin, depuis lequel on peut admirer, porté par la façade du corps de logis attenante, un cabinet à deux étages en encorbellement, dont la trompe est ornée d'une tête de méduse. Une magnifique aile, qui renfermait une galerie aux façades en brique et pierre, portée jadis sur six arcades, ferme le jardin sur la rue Debelleyme. On remarquera entre deux fenêtres un gnomon, petit obélisque à usage de cadran solaire. Restitué, le jardin a été amputé, au fond, pour la construction d'un invraisemblable bâtiment en fer et brique.

Cartouche rocaille en clef du portail.

Méduse, trompe du cabinet sur jardin.

RUE DES COUTURES SAINT-GERVAIS

Son nom rappelle les coutures Saint-Gervais, loties en 1618-1620. À l'angle des communs de l'hôtel Salé, on distingue la marque de censive du fief des Coutures Saint-Gervais.

☐ **N° 4** - Maison du XVIIe siècle. Des combles recouverts de vieilles tuiles se détachent des lucarnes maçonnées.
☐ **N° 14** - Cette belle porte basse du XVIIIe, munie de ses vantaux, possède une imposte en fer forgé, couronnée d'une seconde imposte dans le mur.
☐ **N° 20** - Maison du XVIIe siècle. La porte cochère conduit à une petite cour, bordée, à gauche, d'une aile dont le rez-de-chaussée est à claire-voie. La porte de l'escalier (XIXe siècle) a conservé un encadrement de bois sculpté, orné de deux têtes de chérubin.

Marque de censive du **F**ief des **C**outures **S**aint-**G**ervais.

RUE DE LA PERLE

Chemin ouvert à l'époque médiévale en bordure du fief des Fusées, qui s'étendait jusqu'à l'hôtel Barbette. Il a pris à la fin du XVIe siècle son nom actuel, qui lui vient sans doute de l'enseigne d'un jeu de paume. Le fief des Fusées a été en partie vendu, en 1677, à Jean Scarron de Vaujour, conseiller au Parlement. Sa propriété est saisie et adjugée en 1683 à trois associés, parmi lesquels l'architecte Libéral Bruand à qui l'on doit les Invalides et la Salpêtrière. Il fait construire en 1683-1686 sur ces terrains une série de petits hôtels destinés à la vente et à la location. La rive nord de la rue a été détruite en 1935-1950 suivant le projet d'Haussmann, qui envisageait le prolongement de la rue Étienne Marcel jusqu'au boulevard Beaumarchais.

■ **N° 1 - HÔTEL LIBÉRAL BRUAND** - (voir p. 259).

☐ **N°s 3 et 5 - HÔTELS BRUAND DES CARRIÈRES ET CHASSEPOT DE BEAUMONT** - Il s'agit de deux hôtels jumeaux au plan affronté.
- Le n° 3 a été construit en 1684 pour Louis Bruand des Carrières, maître des comptes et parent de Libéral, qui est sans doute l'auteur des plans des deux hôtels. Les façades en pierre ont été très restaurées, et l'aile gauche a dû être partiellement reconstruite lors de la restauration. Un beau mascaron orne le portail.
- Le n° 5 a été construit en 1684, sur un terrain vendu par Libéral Bruand pour Chassepot de Beaumont, par le maître maçon Antoine Delamair, père de l'architecte de l'hôtel de Soubise. La famille de Beaumont le conserve jusqu'en 1724. Le portail est muni de panneaux géométriques datant du début du XIXe siècle.

HÔTEL LIBÉRAL BRUAND

1, rue de la Perle

HISTORIQUE - *Cet hôtel a été construit par l'architecte Libéral Bruand en 1685-1687. Celui-ci n'y a jamais vécu, non plus que ses héritiers qui vendent en 1711. Il est loué de 1771 à1788 à Jean-Rodolphe Perronet, architecte-ingénieur, qui y installe l'École des ponts et chaussées, qu'il dirige. En 1826, un marchand de couleurs défigure l'hôtel, qui perd alors ses décors intérieurs. La cour et le jardin sont parasités, et l'aile sur cour surélevée. La société Bricard, qui l'acquiert au début des années 60, s'est chargée de la restauration (R. Hermann arch.), et y a fondé en 1975 un intéressant musée consacré à l'histoire de la serrurerie. Les collections, réduites lors la vente récente de l'hôtel à une société italienne, sont désormais présentées dans les caves de l'hôtel.*

Façade sur cour.

ARCHITECTURE- De proportions remarquables, ce petit hôtel est établi sur un plan ouvert sur le carrefour. Le corps de logis principal est flanqué, sur cour, d'une seule aile, à droite, dont l'étage abritait la galerie de Perronet sous Louis XVI. L'architecte a suggéré la symétrie grâce aux arcades qui habillent le mur gauche de la cour. La façade principale, coiffée d'un grand fronton, est percée de niches occupées par des bustes d'empereurs romains. Le jardin a été reconstitué un peu sèchement.

Détail du corps de logis, le rez-de-chaussée.

☐ **N° 7** - Immeuble blockhaus, construit en 1964-1966 à l'emplacement des communs de l'hôtel du n° 9.
☐ **N° 9** - Le corps de logis principal est perpendiculaire à la rue. Sa construction est amorcée par Scarron, et ne devait être à l'origine que le doublement du n° 11 voisin. Bruand l'achète et l'isole avec une entrée particulière. Cet hôtel possède une agréable petite façade à fronton et à motifs sculptés. La cour pavée a été parasitée au XIXe siècle. L'ancien corps de logis en pierre, surélevé, renferme un escalier à rampe en fer forgé Louis XIV, qui dépendait en réalité du n° 11. L'ensemble a été restauré en 1993.
☐ **N° 11** - Ancien hôtel des Fusées. Ce domaine médiéval, qui s'ouvrait sur la rue Vieille du Temple (voir p. 216) est restauré par Bruand, qui le dote alors d'une façade sur la rue de la Perle. La cour est parasitée par un hangar.
☐ **N° 13** - Maison d'angle construite par Libéral Bruand en 1686. Une surélévation au XIXe siècle lui a enlevé tout son charme. Restaurée en 1993.
☐ **N° 18** - Emplacement approximatif de l'ancien jeu de paume de la Perle, qui a laissé son nom à la rue. Il avait été reconstruit vers 1603.
☐ **N° 20** - Emplacement d'une maison à pignon, très haute, dont la silhouette pittoresque était l'une des curiosités du quartier.
◇ A l'angle, étonnant immeuble de 1923 (arch. Boze), dont la hauteur écrase le carrefour.

PLACE DE THORIGNY

Cette place, entourée d'immeubles récents d'une affligeante médiocrité, résulte de plusieurs démolitions, qui, depuis 1838, ont visé à agrandir le carrefour. Ce devait être le symbole du nouveau Marais rénové…

RUE DE THORIGNY

Elle est formée par la réunion de deux rues anciennes : dans sa partie basse, un chemin élargi en 1620 et appelé « rue de Thorigny » sous Louis XIII et, dans sa partie haute, une rue ouverte en 1620, la « rue Neuve Saint-Gervais ».

☐ **Nos 1-3** - Maison de retraite de style néo-Marais, construite en 1977. Au n° 1 s'élevait une maison ayant appartenu, au XVIIe siècle, à Madeleine Béjart. Le n° 3 était une robuste maison Louis XIII, qui devait être conservée dans le plan de sauvegarde du Marais. Faute d'entretien, elle a dû être rasée en 1973.
☐ **N° 4 - HÔTEL LE BLANC** - Cet hôtel a été construit en 1664 par Jacques Bruand, frère de Libéral, à l'emplacement de deux maisons, d'où la travéation irrégulière de la façade. Dans la nuit du 18 au 19 février 1671, un incendie se propage dans l'hôtel, alors

Ancien nom de rue gravé, 5, rue de Thorigny.

loué par les Guitaut, amis de Mme de Sévigné qui a relaté le drame dans une lettre fameuse. La modénature de la façade est une fantaisie datant de la restauration, mais la belle porte Louis XIV à refends, avec son mascaron et ses vantaux sculptés à coquille, est d'origine. La structure de l'escalier XIXe est très originale.

■ **N° 5 - HÔTEL AUBERT DE FONTENAY** - (voir pp. 262-264).

□ **N°s 6-8-10 - MAISONS GUESTON** - Grand ensemble construit en 1659-1660 pour Claude Gueston, trésorier de l'Épargne à Caen, par l'architecte Libéral Bruand. Sous les deux immeubles sur rue, à usage locatif, un passage conduisait à l'hôtel, détruit en 1819 par un incendie. Mme de Sévigné y a vécu comme locataire de 1669 à 1672, déclarant qu'elle s'y trouvait « comme dans une île » à cause des jardins environnants. Elle s'installa ensuite 14, rue Elzévir (voir p. 157).

□ **N°s 9-11** - Maisons construites après 1661, sur le fond du jardin de l'hôtel de Lauzon (voir 100-104, rue Vieille du Temple, p. 252).

□ **N° 13** - Caché par un horrible immeuble en brique construit en 1973 par l'architecte J. Vitry, se dresse la façade en brique et pierre sur jardin de l'hôtel Mégret de Sérilly. Le comble est orné de belles lucarnes en pierre à fronton curviligne (voir 106, rue Vieille du Temple, p. 255).

□ **N° 16** - Immeuble d'angle postmoderne construit en 1991.

RUE DEBELLEYME

Le tronçon compris entre les rues de Turenne et Vieille du Temple a été ouvert en 1620 et s'appelait « rue Neuve Saint-François » en l'honneur de François Lefebre de Mormans qui en donna l'alignement. Elle a pris, en 1865, le nom de Louis Marie de Belleyme, préfet de police de Paris sous Charles X et habitant du quartier.

□ **N° 3** - Belle maison élevée vers 1768-1769 pour le maître serrurier Gabriel Parant. Elle conserve, de cette époque, sa belle porte cochère, de remarquables appuis, et un escalier.

□ **N° 5 - HÔTEL BOULA DE CHARNY** - Il est formé de deux hôtels construits en 1624 par l'architecte Jean Thiriot pour deux Italiens, Raphaël Corbinelly (partie gauche) et Zanobi Liony (partie droite). Réunis sous Louis XV, ils passent en 1769 à François Galiot Boula de Charny, qui fait refaire la porte cochère néo-classique, dont les vantaux au chiffre FG et BC étaient ornés de mufles de lion, martelés. L'ensemble a été surélevé et dénaturé au XIXe siècle. Les deux hôtels de 1624, qui ne comprenaient que deux étages, sont bâtis sur le même plan, mais inversé. On voit bien l'ancienne division, notamment aux styles différents des appuis des fenêtres à droite et à gauche.

L'aile droite renferme un petit escalier en bois limon sur limon, à balustres tournés d'origine, et surtout le grand escalier, avec sa rampe Louis XIV (à comparer avec celle du 13, rue Payenne, voir p. 156) et sa boule originale. Dans le vestibule est conservé le cadavre d'un moulage du XIXe siècle d'un faune de Coysevox, de 1707. L'escalier de la partie gauche a été refait au siècle dernier.

À l'angle avec la rue de Thorigny subsiste une marque de censive du fief des Coutures Saint-Gervais.

□ **N° 7** - Emplacement de l'ancien hôtel d'Hozier, démoli en 1930 (voir 110, rue Vieille du Temple, pp. 256-257).

□ **N° 16 - MAISON FRÉDY** - Cette maison a été construite vers 1778 à l'emplacement de deux maisons

HÔTEL AUBERT DE FONTENAY, DIT HÔTEL SALÉ

5, rue de Thorigny

HISTORIQUE - *Il a été édifié en 1656-1658 par l'architecte Jean Boullier de Bourges pour Pierre Aubert de Fontenay, ancien laquais devenu fermier des Gabelles, impopulaire impôt sur le sel. Par dérision, sa demeure est alors surnommée l'hôtel Salé. Après la faillite et la ruine du traitant, l'hôtel est saisi. Il est loué à l'ambassade de Venise, puis au maréchal de Villeroy, gouverneur de Louis XV. Il est finalement vendu en 1728 à Nicolas Le Camus, grand maître des Cérémonies, qui fait refaire le décor intérieur. La famille de Juigné en est ensuite propriétaire jusqu'à la Révolution. Leclerc de Juigné, archevêque de Paris sous Louis XVI, était connu de tous pour sa bonté. Confisqué à la Révolution, l'hôtel sert de dépôt, en 1795, aux bibliothèques des couvents supprimés. L'École centrale, fondée par Lavallée, s'y installe en 1829, et endommage autant l'extérieur que l'intérieur, avant de céder la place en 1884 au bronzier Vian, qui y établit ses ateliers. Un moment désaffecté, l'hôtel est acheté par la Ville de Paris en 1962. Restauré avec soin en 1978-1985, il abrite aujourd'hui le musée Picasso.*

Escalier et palier haut.

Façade sur jardin.

Décor de la cage d'escalier, détail des sculptures de Desjardins.

ARCHITECTURE - Cet hôtel est d'une rare ampleur et son style Mazarin un peu démonstratif l'a fait surnommer « la Maison du Bourgeois Gentilhomme » (J.-P. Babelon). Le grand corps de logis se dresse au fond de la cour d'honneur semi-circulaire. Celle-ci est bordée, à droite, par l'aile de la basse-cour et le pavillon des écuries à lucarnes en pierre et, à gauche, par un mur renard. La façade imposante est soulignée par un avant-corps surmonté d'un fronton triangulaire. Un grand fronton curviligne richement décoré, au centre duquel ont été restituées les armes des Juigné, couronne l'ensemble. Le corps de logis est calé de chaque côté par des volutes ornées de sphinges. La chapelle est encorbellée au-dessus de la basse-cour. Celle-ci, couverte pour les besoins du musée, a néanmoins conservé son puits et sa porte de sortie rue des Coutures Saint-Gervais, avec des consoles sculptées de têtes de chien.

La façade sur jardin, encore plus monumentale, ressemble à celle d'un petit château. Elle porte des balcons et des appuis Louis XV. Les volutes amortissant les pavillons latéraux portent des amours joufflus jouant avec des lions. Le jardin a été refait de manière moderne.

L'intérieur, qui bénéficie d'une distribution double en profondeur, abrite un escalier en pierre monumental avec une rampe en fer forgé à motif de balustre, portant le chiffre du propriétaire et de son épouse, AC pour Aubert et Chastellain. Les voussures du plafond et les frises de la corniche sont ornées de sculptures et de bustes d'empereurs romains, dus au ciseau du sculpteur Martin Desjardins, qui décorait le grand escalier de l'hôtel de Beauvais au même moment. Des boiseries Louis XV refaites pour Le Camus, il ne reste que quelques doubles portes. Beaucoup d'éléments ont été pillés avant les travaux, les boiseries restantes ayant été dissimulées pour l'aménagement du musée. L'hôtel conserve de beaux sous-sols voûtés.

Détail d'une console, porte des communs.

Façade sur cour de l'hôtel Salé, vue depuis la terrasse.

réunies en 1775 par Henry-Louis Frédy, conseiller au Parlement de Paris. La façade se compose de six travées, avec un avant-corps central qui en comprend deux. Décorée d'un chaînage de refends, elle porte un beau balcon en pierre sur consoles. Les baies moulurées de l'étage noble sont ornées de quatre bas-reliefs sculptés, qui sont des copies de ceux de la maison Guérard, construite à la même époque, 1, rue de Bretagne (voir p. 239). L'intérieur, saccagé pour l'occupation industrielle, a cependant conservé une belle charpente.

□ **N° 11** (et 123, rue Vieille du Temple) - Maison rénovée en 1994. À l'angle, dans la pile de pierres, on distingue encore l'ancien nom de la rue, dont les premières lettres ne sont plus lisibles, « [rue de l'Éc]haudé ».

□ **N° 19** - Cette haute façade reprise sous Louis XVI porte au premier étage un balcon et de beaux appuis. La porte cochère aux vantaux cloutés Louis XIII témoigne d'une construction plus ancienne. Dans la cour, l'aile, à droite, renferme un magnifique escalier en bois, à deux noyaux et balustres tournés.

□ **N° 30** - Maison à pignon, rhabillée à la fin du XVIIIe siècle ou au début du XIXe, qui possède des appuis de fenêtres « à la cathédrale ».

□ **N° 34** - Porte de la maison du 11, rue de Bretagne, construite en 1619. Bel escalier d'origine à deux noyaux et balustres tournés.

RUE DU ROI DORÉ

Voie ouverte en 1619-1620. Son nom lui vient sans doute d'une enseigne dorée représentant Louis XIII.

□ **N° 6** - Appuis Louis XV au premier étage. Porte cochère assez simple.

□ **N° 7** - Petit hôtel construit sous Louis XIII, propriété de Claude Monnard. Le corps de logis, disposé en aile avec petit retour, est recouvert d'un toit de vieilles tuiles, d'où se détachent des lucarnes. Escalier Louis XIV.

□ **N° 9** - Bâtiments industriels élevés sur le jardin de l'hôtel du 10, rue Sainte-Anastase. Ensemble menacé par une construction moderne.

RUE SAINTE-ANASTASE

Ouverte en 1618, elle offre un ensemble complet de maisons anciennes, aux façades hélas mal ravalées. Inscription du nom de la rue à l'angle avec la rue de Thorigny, avec les lettres « Ste » grattées à la Révolution.

□ **N° 4** - Une amusante pompe à eau du XIXe restée intacte orne la cour.

□ **N° 5** - Parcelle acquise en 1622 par Sébastien Bruand, maître des œuvres de charpenterie des Bâtiments du roi et père de Libéral. Il la revend en 1643 à Jacques Bordier qui avait acquis l'hôtel de Vigny, rue du Parc Royal. La porte cochère mène à une cour assez triste. Un bel escalier du XVIIIe a cependant été conservé à droite.

□ **N° 7** - Cette maison correspond à une place acquise en 1621 par Charles Margonne, constructeur de l'hôtel de Vigny, 10, rue du Parc Royal. Le maître maçon Girard Gippon y construit un corps de logis la même année. La maison sert de basse-cour à l'hôtel, dont elle sera détachée seulement en 1764. La façade a été très mal restaurée.

☐ **N° 9** - La porte cochère conserve de beaux vantaux du XVIIIe. Un escalier Louis XV à rampe en arceau d'un dessin simple subsiste dans l'aile droite. Au fond, on distingue l'un des immeubles massifs de l'îlot Thorigny (arch. Autheman, 1978-1980).

☐ **N° 10** - Hôtel construit pour lui-même par le maître maçon Claude Monnard, vers 1628-1630. La façade asséchée s'ouvre par une magnifique porte cochère Louis XIV, ornée d'un mascaron, de consoles et munie de vantaux sculptés. La cour pavée est entourée de façades anciennes très altérées. Au revers de la façade sur rue, de beaux appuis Louis XVI ornent le premier étage. Le jardin de ce petit hôtel correspond au n° 9, rue du Roi-Doré.

☐ **N° 12** - Dans cette maison, la célèbre maîtresse de Victor Hugo, Juliette Drouet (1806-1883), a occupé un modeste logement de 1836 à 1851. Elle avait connu l'écrivain en 1833, et devait jouer, dès l'année suivante, dans *Lucrèce Borgia*. Hugo habitait, alors, 6, place des Vosges (voir p. 126).

☐ **N° 13** - Façade Louis XVI, ornée de refends et décorée d'une corniche à denticules et balustres en pierre au premier étage. La maison a été réunie, après rénovation, au 16, rue du Parc Royal (voir p. 153).

☐ **N° 14** - Petite façade Louis XVI de quatre étages, dont un en attique surmontant une corniche fortement moulurée.

RUE DE TURENNE

Ancienne « rue Saint-Louis au Marais », cette longue voie, un peu froide, a été tracée sur l'égout couvert en 1560. Alignée en 1636, elle a été bâtie dès cette époque.

☐ **N° 50 - MAISON DUBOC** - La façade, datant du XVIIe siècle, a été surélevée au début du XIXe siècle. Elle s'ouvre par une belle porte cochère à médaillons, vers 1760, restaurée en 1993. Surmontée par un large balcon, la porte conduit à la cour pavée ; à gauche part un grand escalier au mouvement simple et élégant.

☐ **N°s 52 et 54 - HÔTELS MÉRAULT ET DE GOURGUES** - Nés du même lotissement, ces deux hôtels jumeaux forment un hôtel double. Ils ont été construits vers 1639-1640 sur des terrains que Nicolas Le Jay a vendus à Catherine Charpentier, veuve de Pierre Mérault. Son fils cadet habitait au n° 52, l'aîné, Pierre, au n° 54, qu'il fait agrandir de trois maisons sur la rue Villehardouin, en 1654. Pierre Mérault abandonne assez vite son hôtel pour la rue Saint-Claude et le loue au comte de Montrésor, l'un des héros de la Fronde. Séparés, les deux hôtels connaissent par la suite des sorts différents. Le n° 52 est acquis en 1895 par la Ville de Paris et abrite depuis

Détail de la façade, 54 rue de Turenne.

une école primaire. Le n° 54 lui aussi devient propriété de la Ville de Paris, en 1910. L'étonnante bibliothèque des Amis de l'instruction, fondée en 1861, qui constitue l'un des derniers exemples d'un cabinet de lecture du siècle dernier y est établie depuis 1884. Les jardins, bitumés, sont devenus des cours de récréation. Ces deux hôtels ont fait l'objet d'une restauration radicale en 1992-1993.

Le n° 52 a conservé sa sobre façade du XVIIe. Le portail possède une imposte en fer forgé d'un beau mouvement. Les bâtiments sur cour, datant de Louis XIII, sont ornés d'appuis en fer forgé au chiffre M, pour Mérault. L'aile droite renferme un escalier Louis XVI avec sa rampe en fer forgé.

Le n° 54, passé au XVIIIe siècle à l'intendant de Gourgues, a été modernisé sur rue vers 1742 par l'architecte Cochois. La façade, ornée de consoles et de cartouches rocaille, possède de beaux appuis en fer forgé et un grand fronton. Le portail ouvre sur une cour entourée de façades Louis XIII sommées de hautes lucarnes en pierre, formant avec le n° 52 un ensemble d'une grande majesté. Le revers du portail, à l'entresol, offre un décor Louis XV. Au-dessus du passage cocher subsiste un cartouche avec des armes sculptées. L'aile gauche renferme un bel escalier en bois à quatre noyaux, avec une rampe formée de balustres carrés, mais dont le départ jusqu'au premier est en fer forgé. De l'intérieur XVIIe demeure, dans l'aile, une poutre peinte.

□ **N° 56 - MAISON SCARRON** - Poète burlesque, Paul Scarron – bien connu comme premier mari de Mme de Maintenon, future épouse de Louis XIV – loue, à partir de février 1654, la maison sur rue à Jacques Mérault, et y meurt en octobre 1660 (plaque). Au XVIIIe siècle, la maison abrite un temps Lesage, l'auteur du célèbre *Gil Blas*. En 1762 y meurt aussi Crébillon père, auteur de neuf tragédies.

Construite en pierre de taille, la maison possède de beaux appuis du XVIIIe, mais son aspect général a été ruiné par une surélévation. Un escalier Louis XIV avec sa rampe en fer forgé a été conservé dans le bâtiment au fond de la cour.

□ **N°s 57 et 59** - Cet immeuble fait partie d'un ensemble qui se prolonge jusqu'aux n°s 61-63 de la rue selon la même disposition : un bâtiment sur rue, avec son entrée (n° 57), sous lequel se trouve un passage cocher conduisant à un hôtel établi en arrière (n° 59). Cet ensemble est dû à Jacques Berruyer, qui avait acheté les terrains jouxtant les propriétés qu'il possédait rue du Parc Royal. Nicolas Colleson, maître maçon, a conduit les travaux vers 1635. L'aile gauche de l'hôtel conserve un escalier du XVIIe, dont la rampe en fer forgé était sans doute à l'origine formée de balustres en bois. Le jardin a été amputé par deux ailes parasites. Dans le mur mitoyen de la cour subsiste un puits.

□ **N°s 61 et 63** - Sur la rue, un immeuble locatif (n° 63) a conservé une belle porte cochère et un escalier

Portail, 64, rue de Turenne.

Louis XV, avec une rampe à arceaux. On gagne, par une allée, la cour pavée et l'hôtel (n° 61), construit par Colleson en 1635 pour Berruyer, qui le cède à sa fille en 1639, à l'occasion de son mariage. Il appartient de 1683 à 1782 à la famille Carcavy d'Ussy. L'immeuble sur rue en a été détaché en 1762, et sans doute refait à ce moment-là.

L'aile droite de l'hôtel renferme un grand escalier Louis XVI, dont la rampe en fer forgé a été abîmée par l'installation d'un ascenseur. À l'intérieur subsistent quelques vestiges du décor d'origine.

■ **N° 60 - HÔTEL D'ECQUEVILLY** - (voir pp. 270-271)

□ **N° 62 - HÔTEL DE HESSE.** Son sort est lié depuis le XVIIe siècle à l'hôtel d'Ecquevilly. Construit sous Louis XIII pour Antoine de Campreny, sans doute par Michel Villedo, il devient en 1660 la propriété du chancelier Boucherat. Loué en 1722 à Joseph Pâris-Duverney, il est vendu en 1823 à l'industriel Raoul. L'hôtel est alors séparé en deux lots : le corps de logis et le jardin sont acquis en 1844 par les franciscaines, installées dans l'hôtel d'Ecquevilly voisin. Le reste est recouvert sous le Second Empire par un lourd immeuble. L'hôtel lui-même, désormais accessible depuis la cour du n° 60, a conservé un splendide escalier avec une rampe en fer forgé Louis XV. Sa façade sur jardin, reconstituée plutôt que restaurée, évoque le XVIIe siècle.

□ **N° 64 - HÔTEL MÉLIAND** - Construit par Villedo pour François Petit, maître d'hôtel ordinaire du roi, l'hôtel passe par sa fille aux Méliand en 1697. Il est entièrement remis au goût du jour en 1727-1729, sous la direction de Germain Boffrand, par le maître maçon François Vergnaux. L'organisation de l'ancien hôtel, dont le plan au sol n'a pas varié, formait une symétrie avec le n° 62. Des embellissements du grand Boffrand, seule subsiste la porte cochère aux vantaux rocaille. Tout le reste a été modifié au XIXe. Le jardin est encore parasité.

□ **N° 65 - HÔTEL DE POLOGNE** - Cet hôtel a été construit au milieu XVIIe sur un terrain vendu en 1620 par les jardiniers Morin à Éloi Boursin, maître charpentier, qui en fit un chantier au moins jusqu'en 1635. Vendu en 1778 au comte Boboli d'Ossolonski, il est alors redécoré dans le goût néo-classique. L'hôtel offre une haute façade du XVIIe, reprise sous Louis XVI avec un fronton et un rhabillage de refends. La cour est bordée, à droite, d'une aile abritant un escalier à claire-voie avec une rampe en fer forgé qui se poursuit par des balustres carrés.

□ **N° 66 - HÔTEL BOULIN** - Derrière le bâtiment sur rue (n° 68) à usage locatif s'élève le bel hôtel bâti, sans doute par Villedo, vers 1640, pour Pierre Boulin, trésorier du Marc d'or. La cour est parasitée par un atelier, et le jardin est devenu, en 1937, un garage, mais l'hôtel subsiste avec ses façades austères en pierre de taille et ses combles droits recouverts de vieilles

Façade, 65, rue de Turenne.

Grand escalier de l'hôtel Boulin, 66, rue de Turenne.

tuiles. Le pavillon de gauche abrite un escalier à quatre noyaux avec un départ en fer forgé puis à balustres en bois rampants. De belles lucarnes en pierre terminent l'élévation.

☐ **N° 67** - Acquise en 1657 par Jacques Bordier, cette maison était jadis liée au 5, rue Sainte-Anastase. Elle portait l'enseigne de « l'Écharpe blanche ». La façade néo-classique, ornée de refends, est portée au rez-de-chaussée par des colonnes doriques sans base, surmontées de têtes de bœuf. C'était une devanture de boucherie Empire.

☐ **N° 70 - ÉGLISE SAINT-DENIS DU SAINT-SACREMENT**. Construite en 1826-1829 par l'architecte Godde sur un plan basilical, cette église paroissiale s'élève à l'emplacement de l'ancien hôtel du maréchal de Turenne. Construit vers 1640 comme les hôtels voisins, celui-ci avait été acquis par Henri de La Tour d'Auvergne, vicomte de Turenne, en 1654. Le célèbre maréchal de Louis XIV devait l'habiter jusqu'en 1668. Devenu un couvent de religieuses bénédictines du Saint-Sacrement en 1684, les bâtiments sont alors aménagés et une chapelle apparaît. L'hôtel est saisi à la Révolution. La Ville de Paris l'achète en 1822 et le fait démolir peu après pour la construction de l'église. *La Déposition de croix* peinte par Delacroix en 1843, et qui orne la chapelle droite, constitue le seul intérêt de cette église.

☐ **N° 76 - HÔTEL DE MANNEVILLE** - Construit sur un terrain acquis en 1661 par Claude de Guénégaud, riche financier, cet ensemble est formé d'un hôtel, établi au fond d'une cour étroite, et d'une maison sur la rue, que le petit-fils de Guénégaud avait entièrement fait reconstruire en 1698. Étienne Rollot de La Tour achète l'hôtel en 1690, et le donne à sa fille, dont le mari, Jean-François Dupille, fait aménager vers 1719 de magnifiques appartements. Les boiseries ont été remontées à l'ambassade du Canada. La demeure est vendue en 1786 à Gabriel-François de Manneville, aide-major des gardes- françaises, qui lui a laissé son nom.

L'immeuble sur rue offre une sobre façade en pierre, percée d'une belle porte cochère. À gauche du passage subsiste un escalier. Conservé par les Guénégaud après leur déconfiture, l'immeuble est réuni à l'hôtel en 1720 par Dupille. Dans la cour, l'aile droite, surélevée au siècle dernier, abrite le grand escalier Louis XIV avec sa rampe de fer forgé. La façade du petit hôtel, précédée d'un perron, est ornée de bas-reliefs XIXᵉ, souvenirs des ateliers du propriétaire de l'époque, Morizot, fabricant de bronze au détail.

☐ **N° 78** - Cet hôtel a appartenu sous Louis XIV à Pierre Gesle du Boissau. Les mauclairs de la porte cochère portent le chiffre B. Bel escalier XVIIᵉ.

☐ **N° 80 - HÔTEL VOYSIN** - Cet hôtel a été saisi en 1659 à Geoffroy Leroy, et adjugé à François Le Coigneux, abbé de Saint-Lunert d'Orléans, dont la famille devait en rester propriétaire jusqu'en 1720. Ce sont probablement

HÔTEL D'ECQUEVILLY, DIT DU GRAND VENEUR

60, rue de Turenne

HISTORIQUE - *Cet hôtel, construit en 1637-1638 pour une veuve, Mme de Martel, passe en 1646 à Claude de Guénégaud, riche trésorier de l'Épargne, qui agrandit les terrains de l'hôtel jusqu'au rempart de Charles V. L'hôtel devient en 1686 la propriété du puissant chancelier Boucherat, déjà possesseur de l'hôtel voisin (voir n° 62), qui commande des travaux d'embellissement, tandis qu'il confie à Le Nôtre le soin de dessiner le magnifique jardin, qui comprenait une orangerie (voir 11-13, rue des Arquebusiers, p. 275). Sa fille, Mme de Harlay, morcelle l'immense domaine, et loue l'hôtel de 1708 à 1717 au chancelier Voysin, qui s'y éteint.*

Le grand escalier.

Acheté en 1733 par Vincent Hennequin d'Ecquevilly, capitaine général de l'équipage du sanglier (le Vautrait) de Louis XV, l'hôtel est remanié et embelli dans le goût léger du style rocaille par Jean-Baptiste-Augustin Beausire en 1734-1735, avec de multiples allusions cynégétiques dans la décoration.

En 1823, l'hôtel devient propriété d'un couvent de franciscaines ; les magnifiques boiseries sont dispersées à partir de cette époque. En 1901, il abrite un entrepôt des Magasins Réunis. Saccagé, l'hôtel a fait l'objet d'une récente restauration trop énergique. L'utilisation actuelle de l'hôtel est étonnante et lui a valu le nouveau surnom de « Grand Baigneur ».

Console du balcon sur jardin.

Mascaron, façade sur jardin.

La cour d'honneur.

ARCHITECTURE - Sous les habits Louis XV se dissimule l'ancien hôtel XVIIe, aux façades simples et austères percées de fenêtres rectangulaires. Le portail sur rue, refait au XVIIIe, avec ses refends et sa belle voussure, s'ouvre par des vantaux sculptés avec vigueur. L'imposte représente une hure de sanglier, et le marteau en fer forgé, des têtes de chien. Au fond de la cour pavée, à droite, deux colonnes doriques encadrent le grand escalier. La rampe en fer forgé, œuvre du serrurier Martin Daguinot, est ornée de têtes de chien, de hures et de pieux. La façade principale est surmontée d'un motif original décoré de volutes, tandis que celle sur jardin, couronnée d'un fronton, porte un beau balcon dont la grille a dû être refaite lors de la restauration. À l'intérieur, une seule pièce a conservé de sobres boiseries sans ornements.

Avant-corps de la façade sur jardin.

eux qui ont fait refaire l'ensemble des bâtiments de la cour sous Louis XIV, les dotant de sobres façades en pierre. Cet hôtel appartient de 1728 à 1770 aux Langlois de La Fortelle, puis à leur parent Roland de Fontferrière. Il est ensuite vendu par les héritiers au marquis Jourdan de Launay, le malheureux gouverneur de la Bastille, massacré le 14 juillet 1789. L'ensemble a été très dénaturé par le commerce aux XIXe et XXe siècles. L'hôtel est dissimulé par deux maisons locatives, sous lesquelles prend le passage cocher, fermé par une porte munie de ses vantaux d'origine. La façade sur rue, refaite dans un style néo-classique sévère vers 1771, correspond aux deux maisons qui avaient jadis leurs portes cochères et leurs cours séparées. Dans la grande cour pavée, des arcades embrassent l'entresol des ailes. Celle de gauche renferme l'ancien petit escalier, à la souple rampe Louis XV, tandis que celle de droite a reçu vers 1776 un escalier à rampe néo-classique au dessin caractéristique remplaçant un grand escalier XVIIe à coupole peinte. À l'arrière s'étendait jadis un grand jardin, bordé d'une aile. Il possédait, au fond, des communs dont la sortie sur l'impasse Saint-Claude subsiste (voir p. 274).

□ **N° 82** - Façade Louis-Philippe de belles proportions. Au-dessus de la porte, l'ancien numéro, 68, rue Saint-Louis, est encore visible.

□ **N° 85 - MAISON MAROIS** - Maison élevée en 1733 pour Claude Marois, par le maître maçon Brenot sur des dessins de l'architecte Debias-Aubry. La porte cochère est ornée d'un mascaron féminin aux traits vigoureux. À l'angle subsistent, gravés, les anciens noms des rues : « rue Saint-Louis » et « rue Neuve Saint-François ».

□ **Nos 91-93** - Deux petits hôtels au plan affronté. Le n° 91 possède une cour restaurée et plantée, bordée à gauche d'une aile renfermant un magnifique escalier Louis XV à la rampe ouvragée. L'ensemble a été restauré. Le n° 93, connu comme hôtel de Maître, construit à la fin du XVIIIe siècle, offre sur rue une façade en pierre avec de beaux appuis en fer forgé Louis XV. La porte cochère conduit à une vieille cour pavée. À droite, dans l'aile, un grand escalier du XVIIIe, avec départ à claire-voie, est conservé.

□ **N° 95 - MAISON TERMELIER** - Maison acquise en 1780 par Charles Termelier. Ce remarquable immeuble d'angle Louis XVI, au décor soigné, est orné de refends, et de baies à corniches et consoles au premier étage. On remarque, dans l'organisation de la façade, la présence d'une cour ouvrant sur la rue, qui préfigure un système qui se développera à la fin du XIXe et que l'on appelle « redan ». Vestiges de décoration dans la petite cour.

Ancien numéro XIXe sculpté, 82, rue de Turenne.

RUE VILLEHARDOUIN

Elle a été formée, en 1865, par deux anciennes rues ouvertes en 1637 : un tronçon de la « rue Saint-Pierre » – celle-ci reliait la rue Saint-Gilles à la rue Saint-Claude (voir n° 15) en desservant à l'origine le lotissement, mais les propriétaires des hôtels des nos 60-68 bis rue de Turenne avaient obtenu en 1655 d'en incorporer une partie à leurs jardins – réuni à la « rue des Douze Portes » qui avait reçu ce nom à cause des douze maisons semblables construites, vers 1638-1640, par les maîtres maçons Michel Villedo et Noblet.

□ **Nos 2-8** - Ces immeubles postmodernes assez affligeants longent le jardin de l'hôtel de Vaucel (voir 22, rue Saint-Gilles, p. 135). À l'emplacement approximatif du n° 6 existait une « impasse Saint-Pierre », disparue au XXe siècle. Au fond se trouvait la maison dans laquelle Malet, évadé de prison, a préparé le coup d'État qui devait renverser l'Empire en 1812, alors que Napoléon était retenu en Russie.

□ **Nos 3-5** - Façades arrière des écoles construites aux nos 52 et 54, rue de Turenne.

□ **N° 9** - Noyés dans l'épaisseur du ravalement, on distingue de petits bas-reliefs fin XVIIIe.

□ **N° 10** - Haute maison ancienne percée d'une belle porte cochère.

□ **N° 12** - Belle maison. Porte cochère. ◇ Entre les nos 12 et 14, sous un immeuble moderne, un passage piéton baptisé rue de Hesse a été ouvert récemment sur l'ancien tracé de la « rue Saint-Pierre ». On découvre les jardins et les façades arrière des hôtels de Hesse et d'Ecquevilly (62 et 60, rue de Turenne). Celle-là est marquée partiellement par une aile de 1865-1866 (arch. Lebègue) élevée pour servir de dortoir aux religieuses propriétaires de l'hôtel au XIXe siècle. En face, ensemble contemporain démoralisant.

□ **N° 13** - Maison construite en 1638. Porte cochère dont le vantail de droite conserve une imposte au chiffre LRD non identifié. À droite du portail, le

Vierge à l'Enfant,
angle des rues de Turenne et Villehardouin.

n° 116 a été gravé. Ce chiffre, attribué à cette petite rue, s'explique par le fait qu'on avait adopté un numérotage en continu dans les quartiers sous la Révolution.

□ **N° 15** - Façade en pierre de taille ouverte par une belle porte cochère. Cette maison dépendait, avec celle de l'angle et le n° 17, de l'hôtel de Montrésor, 54, rue de Turenne (voir p. 266).

□ **Nos 20-22** - Maisons acquises en 1657 par Claude Guénégaud, alors propriétaire du 60, rue de Turenne. Elles servaient de basse-cour à cet hôtel. Elles ont été réaménagées en 1734 par J.-B.-A. Beausire.

□ **N° 24** - À l'angle, niche ornée de pilastres ioniques, abritant une belle statue de la Vierge à l'Enfant.

RUE SAINT-CLAUDE

Voie ouverte en 1637, et prolongée sous Louis XIV jusqu'au boulevard.

☐ **N° 1** - Hôtel construit en 1719 pour le marquis de Bouthillier. La façade Louis XVI, ornée de refends et d'appuis, offre un beau portail qui conduit à une cour pavée ombragée. L'ensemble a été très restauré par J.-P. Jouve. Cette maison passe pour avoir abrité, au XVIIIe siècle, le célèbre Cagliostro, qui abusait ses contemporains en leur faisant croire qu'il fabriquait de l'or.

☐ **N° 8** - Petite maison construite en 1681-1682 par Libéral Bruand sur un terrain que lui avait vendu la veuve de Villedo. Une fois construite, la maison est revendue par Bruand à la famille Gou, qui la conserve jusqu'au XVIIIe siècle. La cour pavée parasitée conduit à droite au magnifique escalier à rampe de fer forgé Louis XIV, avec des panneaux symétriques attachés par des colliers, établi sur un plan semi-circulaire.

☐ **N° 10** - Porte cloutée Louis XIII.

☐ **N° 15** - Porte fermant l'ancien débouché de la « rue Saint-Pierre », close dès 1655 (voir p. 273).

☐ **N° 16 - MAISON PAPOT** - Cette maison construite après 1642 sur un terrain vendu par Michel Villedo à Étienne Papot, maître du pavé des Bâtiments du roi, offre une sobre façade en pierre ornée d'appuis en fer forgé intéressants. L'ancienne porte cochère, obturée, avec sa clef en diamant, se devine à droite.

☐ **N° 18** - Haute façade, couronnée d'une lucarne à joue avec mascaron.

☐ **N° 26** - De beaux appuis géométriques Louis XVI rythment cette façade régulière. La porte piétonne possède une grille en fonte typique de style Louis-Philippe.

IMPASSE SAINT-CLAUDE

Ouverte au milieu du XVIIe siècle sur un terrain privé, le clos Margot, propriété du couvent des Célestins, elle s'est appelée « rue Célestines » jusqu'au XVIIIe.

☐ **N° 4** - Façade XIXe ouverte d'un portail à pilastres doriques. Par une succession de cours, on peut rejoindre celle du 109, boulevard Beaumarchais.

☐ **N° 5** - Façade arrière de l'hôtel de Manneville (voir 76, rue de Turenne, p. 269). On voit bien la surélévation de deux étages XIXe sur l'étage Louis XIV.

☐ **N° 7** - Ancien accès des communs établis en fond du jardin de l'hôtel Voysin (voir 80, rue de Turenne).

RUE DES ARQUEBUSIERS

Cette rue a été ouverte en 1721 sur les terrains des anciens jardins de l'hôtel Boucherat (60, rue de Turenne), dessinés par André Le Nôtre. Elle s'appelait « rue de Harlay » en souvenir de la fille du chancelier Boucherat, qui aliéna les terrains.

☐ **N°s 2-2 bis** - Bâtiment bas ouvert d'un portail fin XVIIIe. À l'angle du boulevard, on distingue une inscription de l'ancien nom de la rue.

☐ **N° 4** - Petite façade à persiennes et appuis. La porte cochère, munie de ses vantaux, mène à une cour pavée, sinistrée par le vilain revers de l'immeuble 93, boulevard Beaumarchais. En revanche, le revers de la façade sur rue est une belle composition équilibrée, avec fronton et chaînages de refends. L'ensemble a été construit avant 1752. Les ailes, ajoutées par la suite, renferment deux escaliers identiques à rampe en fer forgé.

□ **N° 9** - Entrée de la résidence UAP, de style ville nouvelle (voir rue Villehardouin, p. 273). Elle est traversée par un passage baptisé rue du Grand-Veneur. L'allusion à l'hôtel se précise avec le motif de cors de chasse qui surmonte l'accès.

□ **N°s 11-13** - De tristes immeubles de rapport XIXe dissimulent, au fond d'une cour parasitée, un corps de logis, construit sous Louis XVI, et habité par le comte et la comtesse de La Blache. La façade néo-classique est d'une grande sobriété. À côté de ce petit édifice subsiste l'orangerie de l'hôtel Boucherat. Quoique mutilée, elle est le dernier vestige du grand jardin que Le Nôtre avait tracé pour le chancelier et qui fut un temps l'un des plus beaux de Paris.

□ **N° 12** - A l'angle, maison rhabillée sous Louis XVI.

BOULEVARD BEAUMARCHAIS

Ancien « cours », planté sous Louis XIV, il s'est d'abord appelé « boulevard de la Porte Saint-Antoine », puis « Saint-Antoine » avant d'être baptisé boulevard Beaumarchais en 1834.

□ **N° 81** - Bel immeuble de rapport de la première moitié du XIXe. Par la grande arcade, on accède à une pittoresque allée pavée, qui descend en pente douce dans la grande cour. Les bâtiments anciens et disparates qui en occupent le pourtour rappellent l'établissement d'une manufacture de porcelaine, fondée ici en 1798 par François-Maurice Honoré. Cette manufacture a fonctionné une trentaine d'années avant d'être remplacée par l'École supérieure de commerce, fondée en 1820 et dirigée par le frère d'Auguste Blanqui, Adolphe.

□ **N° 83** - Immeuble de rapport construit par l'architecte Pierre Mesnard en 1838. La façade, très ornée, est décorée de têtes aux fenêtres du premier étage et de panneaux sculptés entre les fenêtres.

□ **N° 91** - Belle façade Louis-Philippe.

□ **N° 93** - Ce grand immeuble de rapport Louis-Philippe offre une façade en pierre soignée et un décor peint dans le vestibule.

□ **N° 99** - Hôtel XVIIIe (voir 1, rue Saint-Claude, p. 274).

□ **N° 109** - Grande cour pavée, qui communique au fond avec l'impasse Saint-Claude.

□ **N° 111** - Façade Louis XVI. L'escalier à barreaux carrés, de facture assez simple, a été conservé.

□ **N° 113 - MAISON MARTIN** - Cette très belle maison à loyer a été construite en 1775 par l'architecte Robert-Eustache de Villers pour le sculpteur-marbrier Jacques-Charles Martin. Ce dernier n'en profita guère, étant décédé l'année suivante.

La façade, construite sur un plan ondulant, épouse la demi-lune formée par le débouché de la rue du Pont aux Choux. Elle est ornée de refends, et porte un beau balcon. La porte cochère, munie de ses vantaux, a conservé ses mauclairs au chiffre JCM. Dans le passage cocher, les deux grands escaliers à droite et à gauche, avec rampes en fer forgé à arceaux, ont été préservés.

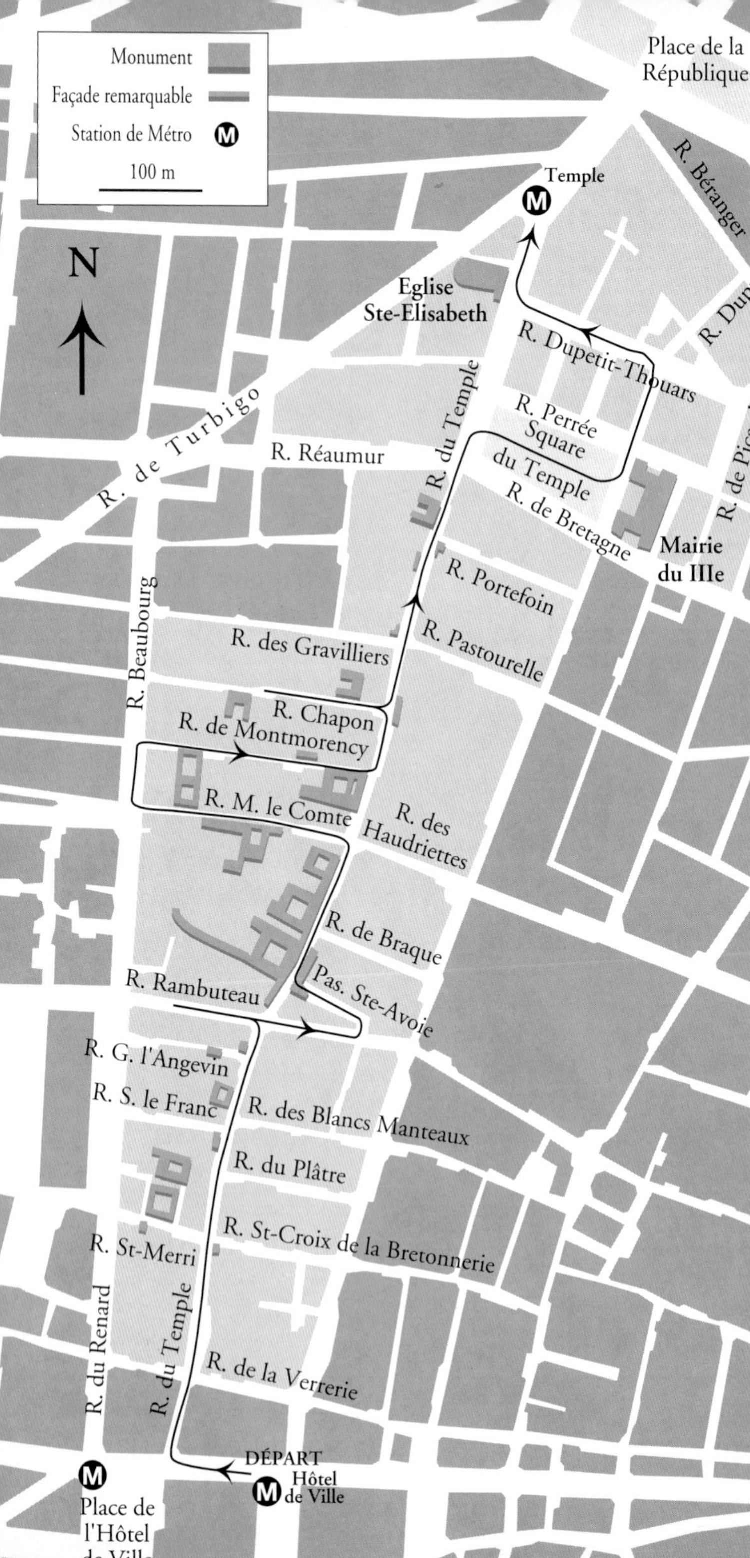

Monument
Façade remarquable
Station de Métro
100 m
N
Place de la République
R. Béranger
Temple
Eglise Ste-Elisabeth
R. Dupuis
R. Dupetit-Thouars
R. de Picardie
R. Perrée
Square du Temple
R. de Bretagne
Mairie du IIIe
R. de Turbigo
R. Réaumur
R. du Temple
R. Portefoin
R. Pastourelle
R. Beaubourg
R. des Gravilliers
R. Chapon
R. de Montmorency
R. M. le Comte
R. des Haudriettes
R. de Braque
R. Rambuteau
Pas. Ste-Avoie
R. G. l'Angevin
R. S. le Franc
R. des Blancs Manteaux
R. du Plâtre
R. St-Croix de la Bretonnerie
R. St-Merri
R. du Renard
R. du Temple
R. de la Verrerie
DÉPART
Hôtel de Ville
Place de l'Hôtel de Ville

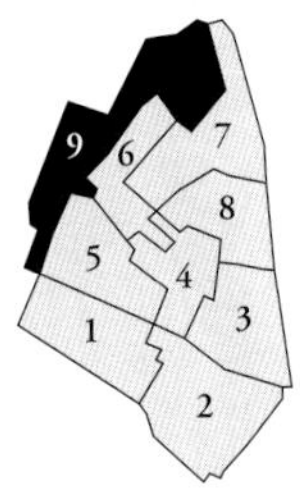

9

Promenade

La rue du Temple et ses affluents

Rue du Temple. L'ancien Temple. Rues Saint-Merri, Simon Le Franc, Geoffroy l'Angevin, Rambuteau, Michel Le Comte, de Montmorency, Chapon.

Pareil à un vaste fleuve, la rue du Temple forme un ensemble à la fois attachant et magnifique, dont chaque section est différente, mais dont le cours est harmonieux. Ses courbes, la beauté de ses façades sont typiques du Vieux Paris. La rue du Temple reliait jadis le quartier de l'Hôtel de Ville à la commanderie des Templiers, dont l'enclos, véritable petite ville, a totalement disparu depuis la Révolution, avec tous ses chefs-d'œuvre architecturaux et les souvenirs qui s'y rattachaient. Séparant la seigneurie du Temple à l'est et le fief de Saint-Martin des Champs à l'ouest, la rue du Temple a reçu de nombreuses petites rues, pareilles à des affluents. Si le secteur sauvegardé du Marais s'étend jusqu'au boulevard Sébastopol, la rue du Temple forme historiquement la limite du Marais. Au-delà, les Halles et Saint-Martin des Champs commencent leur règne.

RUE DU TEMPLE

Cette longue voie, ouverte peut-être dès avant le XIIe siècle, reliait le quartier de l'Hôtel de Ville à la commanderie des Templiers. Elle est formée de trois anciennes rues : la « rue Bar du Bec », la rue Sainte-Avoye et la rue du Temple. Elle était gardée au nord, jusqu'en 1684, par une porte ouverte dans l'enceinte de Charles V.

□ **N° 12** - Maison ancienne, rhabillée sous Louis-Philippe. On distingue encore au centre du rez-de-chaussée le mascaron sculpté de l'ancienne porte cochère.

□ **N° 16** - Emplacement de l'ancien hôtel de Bueil, qui s'est élevé ici du XIIIe siècle à la Révolution. Il a appartenu au XVe siècle au prévôt de Paris, Tanguy du Chastel. Entre cet hôtel et le n° 18 se trouvait la « ruelle Dorée », supprimée après 1752.

□ **N° 18** - Petit hôtel Louis XV dont la façade est ornée d'appuis en fer forgé. Par la porte cochère, on accède à la cour pavée parasitée. L'aile gauche renferme un magnifique escalier Louis XV, dont l'aileron de départ a conservé sa boule. La porte de la cave est restée intacte.

□ **N° 20** - Immeuble défiguré et découronné. Il était célèbre dans le quartier pour son enseigne sculptée représentant l'orme Saint-Gervais, aujourd'hui conservée au musée Carnavalet. Sur la droite, une porte conduit à une ancienne ruelle appelée « ruelle de la Dame Agnès la Buchère ». Elle rejoignait le jardin du prieuré de Sainte-Croix de la Bretonnerie. À droite, le corps de logis est en fort encorbellement. L'ensemble est à la fois sordide et pittoresque.

□ **N° 21** - Cette façade Louis XV de trois étages offre une belle porte Louis-Philippe à pilastres et des appuis délicatement ouvragés. Le comble a été détruit par une surélévation.

□ **N° 22** - Belle façade en pierre de taille, ravalée en 1993. La porte cloutée Louis XIII mène à une cour pavée assez pittoresque, bordée, à droite, d'une aile qui renferme un agréable escalier avec sa rampe en fer forgé XVIIIe. La cage a conservé des menuiseries de fenêtres à guillotine.

□ **N° 24** - Maison ayant appartenu, sous Louis XIII, à François Turpin, premier chirurgien de Gaston d'Orléans, frère du roi. Une tourelle en pierre sur plan carré début XVIIe marque l'angle de la maison. Elle était jadis coiffée d'un petit comble d'ardoises.

□ **N° 25** - À l'angle, dans la trompe du pilier, sont sculptées des têtes de *putti* dans des nuages (peut-être une enseigne). Maison ancienne rhabillée.

□ **N° 26** - Pharmacie avec un décor au plâtre néo-Louis XV, fin XIXe.

□ **N° 38** - Emplacement de l'ancienne maison de l'apothicaire Pierre Quthe, qui l'habitait au XVIe siècle. Ce notable est connu par le beau portrait qu'en a fait François Clouet, qui habitait plus haut dans la rue.

■ **N° 41 - HÔTEL DE BERLIZE** - (voir pp. 280-281).

□ **N° 43** - Façade Louis XV en pierre de taille, restaurée en 1994. Elle est ornée de beaux appuis en fer forgé de la même époque. L'aile gauche dans la cour renferme un bel escalier.

□ **N° 45 - MAISON PAULISSARD** - Construite vers 1746 pour le marchand de vin Jacques Paulissard par le maître maçon Armand, cette maison offre de sévères façades en pierre de taille. La porte cochère, décorée de refends et surmontée d'un mascaron barbu, ouvre sur un passage conduisant à une petite cour, où subsiste un très bel escalier avec sa rampe en fer forgé.

□ **N° 51** - Petit hôtel Louis XVI, avec une porte cochère à refends.

Escalier au fond de la seconde cour,
16, rue Michel Le Comte.

HÔTEL DE BERLIZE

41, rue du Temple

HISTORIQUE - *Cet hôtel, méconnu, a été construit au début du XVIIe siècle pour Guichard Faure, sieur de Champs-sur-Marne, riche financier, et Madeleine Brulart, son épouse. À l'origine, l'hôtel ne possédait pas d'accès sur la rue du Temple, et on entrait par la petite rue Pierre au Lard, qui subsiste encore, quoique mutilée. De cette époque datent le corps de logis principal, au fond, et l'aile sud, à gauche, qui servait peut-être de loggia au rez-de-chaussée et de galerie à l'étage.*

La cour vue depuis le passage d'entrée.

L'hôtel passe en 1636 à Nicolas Faure, sieur de Berlize (l'un des enfants de Guichard Faure), dont la fille aînée devait épouser le puissant Claude de Bullion, futur surintendant des Finances de Louis XIII. Berlize entreprend de s'agrandir et achète, en 1640, une grande parcelle sur la rue du Temple, à Huault de Montmagny, ce qui lui permet d'aménager une allée, et, de part et d'autre, deux petites maisons locatives. Le surplus du terrain sert à former l'aile nord à droite, et le reste sur cour (notre n° 43, rue du Temple) est vendu en 1657. Le plan de l'hôtel est alors renversé : l'ancien jardin devient la cour d'honneur, et l'ancienne cour sur la rue Pierre au Lard un petit jardin, bordé d'une aile neuve le long du côté nord.

Avant sa mort, Berlize lègue l'hôtel à ses neveux qui, après une indivision compliquée, préfèrent le vendre. Il passe ainsi en 1690 à Claude Robert, procureur au Châtelet, et reste jusqu'à la Révolution dans sa famille, les Grou sous Louis XV, puis les Noailles d'Ayen en 1780. Saisi à la Révolution puis rendu aux héritiers, l'ensemble est vendu en trois parties à des bourgeois et à des commerçants, mais l'un d'eux, Malézieux, reconstitue le domaine en 1835. Dès 1828, l'hôtel devient une maison de roulage. À cette date, un passage est percé entre la cour et l'ancien jardin, aujourd'hui recouvert d'un hangar avec une structure en bois. L'appellation d'« auberge de l'Aigle d'or », abusivement donnée à tout l'hôtel, vient d'une enseigne début XXe. Propriété privée, l'hôtel attend aujourd'hui une rénovation nécessaire.

Détail d'un plafond peint,
premier étage du corps de logis.

ARCHITECTURE - L'hôtel n'est pas établi sur la rue du Temple même, mais en cœur de parcelle. On pénètre par une allée pavée, que bordent deux petites maisons locatives : celle de droite a conservé un bel escalier en bois à balustres tournés. Le corps de logis, au fond, et l'aile gauche remontent au début XVIIe et offrent un décor typique de l'époque, avec des chaînages de pierre aux fenêtres et de grands combles d'ardoises qui couronnent le tout. L'aile d'entrée, bâtie dans le même style, date des travaux de Nicolas Faure, réalisés vers 1640. En revanche, l'aile droite, éclairée de hautes fenêtres sans décor, accuse un style plus tardif. Très abîmée au XIXe siècle, cette aile renferme cependant un petit escalier Louis XIV en fer forgé. En face subsiste le grand escalier, sans doute refait au début du XVIIIe dans un style simple, occupant deux arcades sur sa largeur. L'étage noble du corps de logis est formé de deux grandes salles – en formant jadis trois – qui ont conservé leurs beaux plafonds Louis XIII à poutres et solives peintes, redécouverts en 1971.

Escalier en bois Louis XIII,
passage d'entrée.

□ **N°s 52-58** - Immeubles de rapport Louis-Philippe. L'ancienne fontaine Sainte-Avoye était située approximativement à l'emplacement de l'actuel n° 58. C'est dans un immeuble voisin que l'architecte Verniquet habita de 1778 à 1786.

□ **N° 53** - D'élégants appuis Louis XV décorent les deux premiers niveaux de cette maison. La porte cochère, munie de vantaux avec une imposte en fer forgé, conduit à un passage d'où part un escalier avec une rampe à arceaux.

□ **N° 57 - HÔTEL TITON** - Cet hôtel a été construit sous Louis XIV pour Maximilien Titon (1631-1711). Filleul de Sully, il était le fils d'un brodeur de la Cour. Il épouse, en 1656, Marie-Angélique Bécaille, qui, en devenant nourrice des enfants de Louvois, obtient une place pour son mari. Actif, entreprenant, il développe une fortune considérable, fondant à l'Arsenal, puis à la Bastille, un célèbre magasin d'armes ; il sera directeur des Manufactures et Magasins royaux d'armes de Sa Majesté. Son quatrième fils, Evrard Titon du Tillet, sera au XVIIIe siècle un homme de lettres fameux.

L'hôtel offre sur rue une haute façade en pierre, reprise au XIXe siècle et ravalée en 1992. Le portail, muni de vantaux à panneaux géométriques et décoré de pilastres doriques, conduit à une cour pavée au fond de laquelle se dresse un beau corps d'hôtel Louis XIV, sommé d'un fronton curviligne au chiffre T. Par la fenêtre située à gauche de la porte centrale, on aperçoit le magnifique escalier Louis XIV avec sa rampe en fer forgé. Établi sur un plan ovale, il est précédé d'un vestibule en rotonde.

□ **N° 59** - Bel immeuble de rapport Louis-Philippe.

□ **N° 61** - Maison à pignon, rhabillée sous Louis-Philippe.

◇ La rue Rambuteau recouvre l'emplacement à l'ouest du couvent des Ursulines de Sainte-Avoye et à l'est de l'ancien hôtel de La Trémoille, dont seule subsiste la magnifique porte cochère de 1742, due à l'architecte Richard Cochois (voir 14, rue Rambuteau, p. 297).

La limite du n° 60-62 marque le passage de l'enceinte de Philippe Auguste, ouverte à cet endroit par la porte du Temple.

□ **N° 62 - ANCIEN HÔTEL DE MESMES** - Cet hôtel avait été construit au XVIe siècle pour le connétable Anne

Façade sur cour
de l'hôtel Titon.

de Montmorency, qui y mourut des suites de ses blessures à la bataille de Saint-Denis, le 9 novembre 1567. Il avait fait aménager une galerie décorée par Niccolo dell' Abbate. L'hôtel est acquis sous Louis XIV par Jean-Antoine de Mesmes, qui y réside jusqu'en 1712. C'est pour lui que Bullet, puis Germain Boffrand redécorent la demeure en 1704. Au XVIIIe siècle, les héritiers de la famille la louent, et John Law y installe un moment ses bureaux. Acquis en 1781 par Louis XVI pour y loger la Direction des recettes des Finances, l'hôtel est occupé par le caissier Jean-Claude Geoffroy d'Assy. L'ensemble a été détruit et loti en 1828 par le sieur Coignet pour former vingt-six lots desservis par une rue intérieure, l'actuel passage Sainte-Avoye. Ce lotissement a été lui-même bouleversé peu après par l'ouverture de la rue Rambuteau, en 1838.

Si l'hôtel lui-même a disparu, il subsiste néanmoins tout le corps de logis sur rue, formant un petit ensemble Louis XV à usage locatif construit en pierre de taille. La porte cochère de l'hôtel était située à gauche de l'actuelle entrée du passage. Dans celui-ci, à droite, subsiste l'amorce de l'ancienne aile droite.

□ **N° 67** - Ancienne propriété du couvent des Ursulines de Sainte-Avoye (voir n°s 2-6, rue Geoffroy l'Angevin, p. 296), cette maison à loyer présente une belle façade Louis XVI en pierre de taille, légèrement alignée.

□ **N° 69 - MAISON DE L'ABBAYE DE LAGNY** - En juillet 1320, un bourgeois donne à l'abbaye Saint-Pierre de Lagny un jardin au pied de la muraille de Philippe Auguste. L'abbaye fait alors construire un petit hôtel, qui sera remanié plusieurs fois, pour être finalement loué à des particuliers. Des difficultés d'argent poussent l'abbaye à vendre la propriété en 1575. Elle passe en 1663 aux propriétaires de l'hôtel de Saint-Aignan voisin, avant d'être englobée en 1686 dans le couvent des Ursulines.

La façade, qui date de 1522, a été altérée au XIXe, mais on devine encore les deux lucarnes, et certaines baies ont conservé des moulures et des départs des meneaux en pierre de la façade Renaissance. Ravalée en 1992.

■ **N°s 71-75 - HÔTEL D'AVAUX**, puis **DE SAINT-AIGNAN** (voir pp. 284-285).

□ **N° 72** - Au-dessus de la porte, on distingue encore l'inscription « Hôtel Saint-Avoye ». Des lucarnes maçonnées du XVIIe siècle dominent la triste façade asséchée au ciment.

□ **N°s 73-75 - COMMUNS DE L'HÔTEL DE SAINT-AIGNAN** - La porte, dont les vantaux cloutés sont modernes, conduit à une courette qui a conservé ses façades anciennes. L'une d'elles est encorbellée sur des consoles sculptées en pierre. À gauche, la belle salle des écuries est voûtée d'arêtes retombant sur de fins piliers carrés.

□ **N° 77** - Propriété de Saint-Aignan au début du XVIIIe siècle, cette maison offre une belle façade Louis XIV en pierre, terminée par un fronton curviligne. La porte cochère a été transformée en boutique. Le conventionnel Bouchotte, ministre de la Guerre, y aurait habité en 1791 (plaque).

■ **N° 79 - HÔTEL DE MONTMORT** - (voir p. 286).

□ **N° 81** - Agréable façade Louis XV typique avec ses fenêtres cintrées, ses appuis et ses lucarnes de charpente. La porte cochère, munie de ses vantaux d'origine, conduit à une cour pavée qui s'étire curieusement ; elle est en fait augmentée d'une partie du jardin de l'hôtel de Caumartin voisin, détachée au début du XIXe siècle.

□ **N°s 83-85 - HÔTEL DE CAUMARTIN**- Il est formé de deux maisons XVIIe réunies. Le n° 85 offre une sobre façade, avec ses six lucarnes en pierre à fronton, dont les trois de droite ont été réunies. La porte cochère, munie de ses vantaux anciens, ouvre sur une

Maison de l'abbaye de Lagny, relevé original de 1722.

HÔTEL D'AVAUX, PUIS DE SAINT-AIGNAN

71, rue du Temple

Portrait du duc de Saint-Aignan, gravure de Thomassin, XVIIe.

HISTORIQUE - *Ce magnifique hôtel a été construit en 1645-1648 par l'architecte Pierre Le Muet et l'entrepreneur Pierre Blanvain pour Claude de Mesmes, comte d'Avaux, diplomate, puis surintendant des Finances en 1642, sur une ancienne propriété familiale, l'hôtel de Roissy. À sa mort, en 1650, l'hôtel passe à ses héritiers, qui s'en défont en 1688. C'est Paul de Beauvillier, duc de Saint-Aignan, gouverneur des enfants du Grand Dauphin, qui en devient propriétaire. Ce dernier agrandit le jardin et entreprend une campagne de modification, en 1691, sous la conduite de l'architecte Jacques Le Pas du Buisson. Les intérieurs sont modernisés, la galerie disparaît, et le grand jardin est redessiné par André Le Nôtre. La famille Beauvillier reste propriétaire de l'hôtel jusqu'en 1786. Le dernier duc de Saint-Aignan, mort en 1776, possédait une remarquable collection de tableaux de l'école française.*

L'hôtel abrite la mairie de l'ancien VIIe arrondissement, de 1800 à 1823, puis déchoit rapidement. L'immense jardin se couvre alors d'ateliers, le corps de logis est surélevé de trois étages carrés, et le grand escalier en pierre est détruit. Bientôt il ne reste presque plus rien des riches décors intérieurs, à l'exception du vestibule et d'un salon boisé dans l'aile droite.

Acheté par la Ville de Paris en 1962, l'hôtel, classé l'année suivante, fait l'objet d'une première campagne de restauration. Les surélévations sont alors détruites, les vestiges du grand escalier découverts, et les parasites supprimés. Le comble d'ardoises, les lucarnes en pierre côté jardin, le fronton de la cour sont refaits dans un deuxième temps (arch. J.-P. Jouve). Désormais affecté au musée d'Art et d'Histoire du judaïsme, l'hôtel voit sa restauration s'achever : ravalement des façades, restitution des armes de Saint-Aignan, aménagement des intérieurs et reconstruction du grand escalier de Le Muet (arch. B. Fonquernie). Le jardin doit être reconstitué selon les dessins de Le Nôtre et ouvert au public.

Élévation de la façade sur jardin, (état 1650), gravure de Marot.

ARCHITECTURE - La demeure est dissimulée de la rue du Temple par un grand corps de bâtiment dont les fenêtres ont encore des meneaux et des croisillons de pierre. La porte cochère désaxée, décorée par deux têtes d'Indiens, conduit à une cour pavée de forme carrée, bordée de façades en pierre blonde ornées de solides pilastres corinthiens d'ordre colossal. La mouluration est très soignée. Les beaux chapiteaux ont été sculptés par Jean de Brétigny et François Laval. En réalité, seuls trois côtés abritent des corps de logis. La façade de gauche n'est qu'un « renard », qui s'appuie sur la muraille de Philippe Auguste, conservée en dessous. L'aile droite, d'où l'on gagne la cour des communs, abritait à l'étage la grande galerie. Au fond, le corps de logis principal a retrouvé son fronton aux armes de Beauvillier, restituées par les Monuments historiques (1993). La porte, dont le tympan est orné de deux amours qui tiennent un blason au chiffre de Beauvillier, conduit au vestibule à pilastres ioniques donnant à gauche sur le grand escalier, promis à une reconstruction à l'identique. Il était tout en pierre et coiffé d'une coupole peinte. Des décors intérieurs d'origine subsistent : la salle à manger des gardes, dont les voûtes peintes à fresque ont été découvertes en 1993 ; le grand escalier de Saint-Aignan « à l'italienne » ; un cabinet avec boiseries du XVIIIe dans l'ancienne galerie ; et un plafond Louis XIV dans l'une des pièces sur rue.

Tête d'Indien, détail de la porte cochère.

HÔTEL DE MONTMORT

79, rue du Temple

HISTORIQUE - *Un premier hôtel est d'abord construit vers 1623 pour le trésorier Jean Habert de Montmort. Des réunions scientifiques, organisées à partir de 1659 par son fils, Henri-Louis, s'y tiennent de manière régulière. Appelées « académie montmorienne », elles réunissaient de beaux esprits, tels Mme de Sévigné, Guy Patin, Roberval, Molière, Descartes, l'abbé Gassendi..., préfigurant ce que sera l'Académie royale des sciences. L'hôtel devient ensuite la propriété du sieur Bartillat, dont la famille fait exécuter quelques travaux. Les ailes et leurs pavillons en arrondi sont construits vers 1728-1730. L'hôtel lui-même est reconstruit en 1752-1754, après le rachat de la demeure, en 1751, par un riche fermier général, Laurent Charron. Envahi par le commerce au XIXe siècle, l'hôtel est loué. Cédé par don à l'Institut en 1947, il a été revendu en 1991 à un promoteur privé et doit être prochainement restauré.*

Détail de l'avant-corps, façade sur cour.

ARCHITECTURE - L'hôtel de Montmort est une splendeur Louis XV aux puissantes façades en pierre. L'entrée est marquée par un grand portail, dont le tympan est orné sur cour d'un beau profil féminin. La façade du corps de logis sur cour est soulignée par un fronton triangulaire sculpté et un magnifique balcon ouvragé en fer forgé soulignant l'avant-corps. Les petites tours en pavillon, de part et d'autre du lourd portail, datent, comme les ailes, des années 1730 et présentent une disposition originale. L'ancien vestibule, transformé en passage, donne sur le magnifique escalier dont la rampe Louis XV en fer forgé, avec sa boule de départ ouvragée, est l'une des plus belles du Marais. L'ancien jardin, en revanche, n'existe plus. Transformé en seconde cour, il est entouré de bâtiments pastiches Louis-Philippe, eux-mêmes surélevés.

Départ de l'escalier.

grande cour, où l'on distingue nettement la trace des deux anciennes parcelles. Le grand jardin, jadis planté « à la française », avait été complètement parasité au XIXᵉ siècle. Il a été recouvert en 1991 d'un lourd immeuble postmoderne, dans le cadre de l'opération « Le clos du Marais » (voir aussi 17-19, rue Michel le Comte, p. 298).
◇ À l'angle de la rue Michel le Comte se dresse un énorme gymnase qui écrase le carrefour (Ghiulamila, arch., 1989).
En face se dressait l'Échelle du Temple, c'est-à-dire la potence où l'on pendait les criminels jugés par la juridiction des Templiers pour des délits commis sur leurs terres. C'était la plus haute potence de Paris.
□ **Nº 84** - Maison fin XVIᵉ ou début XVIIᵉ, formée par la réunion de trois anciennes maisons. La partie sur la rue du Temple, à l'enseigne de « La Croix blanche », était louée à la fin du XVIIIᵉ siècle par un marchand de vin. La façade est percée irrégulièrement de fenêtres ornées de moulures et de petites têtes délicatement sculptées, sans doute de la fin du XVIᵉ siècle.
□ **Nº 94** - Ce petit hôtel a été formé, en 1770, par la réunion de deux maisons achetées par l'écuyer Veillet, qui s'y installa après transformations. La façade, asséchée, conserve au premier étage les seuils des anciens appuis Louis XV, disparus. La porte cochère, de la même époque, ouvre sur une cour pittoresque.
□ **Nºˢ 101-103** - Belles maisons à loyer construites en 1740 pour Thiroux de Lailly par le maître maçon Langiboust, sur les dessins de l'architecte Tannevot. Elles s'élèvent à l'emplacement de trois anciennes maisons et de l'entrée de l'ancien hôtel de Montmorency (voir 5, rue de Montmorency, p. 302). Des arcades encadrent le rez-de-chaussée et l'entresol. À l'angle de la voie subsiste une inscription de l'ancien nom de la rue. La façade du nº 101 a été ravalée en 1992. Sa porte conserve des vantaux anciens ajourés de mauclairs à grille en fer forgé.
□ **Nºˢ 102-104** - Immeuble de rapport Louis-Philippe, élevé à l'emplacement d'un ancien hôtel.

Façades,
101-103, rue du Temple.

□ **Nº 106** - Central téléphonique. Façade principale, construite en 1932 par l'architecte François Lecœur en béton banché. Cette construction a fait disparaître plusieurs maisons anciennes, et sur sa partie droite, la petite impasse de l'Échiquier, d'origine médiévale.
□ **Nº 114** - Cette façade Louis XV a été conservée *in extremis* dans le cadre de l'extension du Central téléphonique du Marais (voir aussi rues des Archives et Pastourelle, pp. 200, 207). La porte cochère a perdu ses beaux vantaux sculptés ; les appuis actuels sont rapportés. Les menuiseries des baies, l'étage en surélévation et les fausses lucarnes contribuent à l'enlaidissement de cette maison.

□ **N° 115** - Immeuble construit vers 1847 sur l'extrémité du jardin de l'hôtel Claude Passart (voir 4, rue Chapon, pp. 304-305). La porte cochère est ornée d'une clef où figure un caducée.

□ **N°s 122-124 - MAISON DU NOTAIRE PASSEZ** - Balzac, encore étudiant, y fut clerc de 1814 à 1819 ; il a pu y observer à loisir l'univers de la bourgeoisie, qu'il a dépeint plus tard dans *La Comédie humaine.*

□ **N° 131** - Petite maison basse XVIIe surmontée de lucarnes maçonnées à fronton.

□ **N° 133** - Façade Louis XVI ouverte d'une porte cochère.

□ **N° 134** - Emplacement de l'ancienne maison habitée de 1750 à la fin de sa vie par l'historien Dézallier d'Argenville, auteur d'un célèbre *Voyage pittoresque de Paris.*

□ **N° 140** - Belle façade en pierre de taille surélevée et ornée d'appuis. La porte cochère a conservé ses vantaux d'origine.

□ **N° 143** - Emplacement au XVIIIe du Bureau des « vinaigrettes », sorte de chaises à porteurs roulantes.

□ **N° 146** - Belle maison d'angle milieu XVIIIe (voir 19, rue Portefoin, p. 206). Maison construite en 1739-1740 par le maître maçon Chappey pour Jean-François Chassepot de Beaumont, chef du vol pour héron de la Fauconnerie de France. Elle a été acquise en 1766 par Adrien Deboisneuf, receveur de la capitation de la Cour.

□ **N° 153 - HÔTEL DE MONTBAS** - Maison de rapport construite en 1746, à l'emplacement d'un ancien hôtel, dont elle a conservé le nom, par le maître maçon Jean Petit, sur les dessins de Pierre Lefranc, architecte, pour le maître sellier Louis-Gabriel Laisné. La façade en pierre de taille a été malheureusement surélevée d'un étage. Au rez-de-chaussée, des arcades encadrent, à gauche, l'ancienne porte cochère et, à droite, une boutique.

□ **N° 157 - MAISON AUBRY** - Ce petit hôtel Louis XV a été construit, pour son propre usage, par l'architecte du roi, Claude-Guillot Aubry, à l'emplacement de deux maisons qu'il avait acquises en 1754. C'est là qu'il est mort en 1771, laissant la demeure à ses parents, les Lalliat de Chatillon. Leurs héritiers revendront l'hôtel en 1817. L'ensemble est livré au commerce dès 1836.

L'hôtel offre une belle façade à deux étages, ornée d'appuis en fer forgé. La porte cochère ouvre sur une cour pavée restaurée, bordée à droite par une aile sur laquelle a été conservé un cadran solaire. À gauche, une aile symétrique et un grand escalier, simple et élégant.

Maison Aubry,
157, rue du Temple.

□ **SQUARE DU TEMPLE** - Ce square a été aménagé par Alphand en 1857, à l'emplacement du palais des Grands Prieurs. La mairie du IIIe arrondissement, construite en 1865-1867 par V. Calliat et E.Chat, s'élève à la place de l'ancien jardin.

■ **L'ENCLOS DU TEMPLE** - Enfermé dans ses murailles dont subsistent un fragment au 17, rue de Picardie et une tour au 73, rue Charlot, l'enclos des Templiers (voir pp. 290-291), établi là dès le XIIe siècle, formait une véritable petite ville, avec ses habitants, ses rues et sa propre organisation.
En 1789, le fief du Temple s'étendait sur 12 hectares et comptait près de quatre mille habitants. Cet immense ensemble de construction a été entièrement détruit au XIXe siècle.

□ **N°s 158 bis-160** - Ces trois immeubles de rapport début XXe ont été construits à l'emplacement de l'ancien marché du Temple. Établi dans la suite de la rotonde de Perard de Montreuil (voir p. 241), un premier « marché aux vieux linges, hardes et chiffons » avait été installé sur cette partie de l'enclos du Temple en 1807. Il offrait, en 1808, des places numérotées réparties dans quatre halles en bois, élevées par l'architecte Molinos. Appelées le « Palais royal », le « Carré de Flore », le « Pou volant », la « Forêt noire » – du plus chic au plus sordide –, ces halles étaient un spectacle permanent. L'ensemble a été abattu sous Napoléon III et remplacé en 1863 par le nouveau marché des architectes Jules de Mérindol et Ernest Legrand. Construit en style Baltard, il s'étendait de la rue du Temple à la rue de Picardie, entre les rues Perrée et Dupetit-Thouars. Ses six halles désormais en fonte étaient coiffées en leur centre d'un dôme. Le marché du Temple a été détruit en 1905. Seule la partie entre les rues de Picardie et Eugène-Spuller a été conservée.
Le n° 160 porte à l'angle un fronton sculpté étonnant, très Belle Époque.

□ **N° 181** - Maison reconstruite en 1739-1740 pour Marie-Catherine Becquet, veuve Caboche. Elle conserve un beau motif sculpté à l'angle (peut-être une enseigne).

■ **N° 195 - ÉGLISE SAINTE-ÉLISABETH** - (voir p. 292).

□ **N° 199** - Emplacement du couvent des Pères de Notre-Dame de Nazareth. La chapelle, achevée en 1632, renfermait le tombeau du chancelier Séguier. L'ensemble a été détruit au XIXe siècle.

Maison à loyer Louis XVI, détruite au XIXe, rue du Temple.

◇ Sur la place de la République, face au débouché de la rue du Temple, s'élevait l'ancienne porte du Temple. Construite sous Charles V, elle avait été détruite et refaite sous Henri IV, puis supprimée en 1684, lors de l'aménagement de l'ancienne enceinte médiévale en promenade plantée d'arbres.
Deux grandes demeures avec jardins encadraient la fin de la rue : à gauche, l'hôtel Bergeret de Frouville et, à droite, l'hôtel de l'Hôpital, dans le jardin duquel avait été construit, en 1795, le Paphos, œuvre de l'architecte Bricart. Dans ce temple circulaire, les débordements licencieux du Directoire pouvaient s'épanouir à loisir.

ENCLOS DU TEMPLE

On pénétrait dans l'enclos par la grande porte du Temple (plan, 1). Cette construction médiévale flanquée de deux tours, ouverte dans la muraille crénelée qui enserrait l'enclos, s'était écroulée en 1729 et avait été reconstruite en 1733, en style classique. L'actuelle rue Perrée recouvre approximativement l'emplacement de l'église des Templiers (2). Cet édifice, rasé en 1796, était composé d'une église primitive du XIIe siècle, ronde, établie selon le plan du Saint-Sépulcre de Jérusalem, qui avait été allongée à la fin du XIIIe par un chœur et un porche. Dans l'angle sud-ouest, entre la grande porte et la rue de Bretagne, s'élevait l'ancien hôtel du Grand Prieur du Temple (3). Le premier hôtel avait été construit dans les dernières années du XVe siècle par le prieur Aimery d'Amboise. Il était alors doté de belles pièces et d'un jardin. Abandonné au XVIIe, il subsistera jusqu'à la fin du XVIIIe siècle. En effet, en 1666-1667, le grand prieur Jacques de Souvré avait entrepris de faire bâtir par l'architecte Delisle-Mansart un nouveau palais qui prit les apparences d'une aimable demeure propice aux réceptions.

La grosse tour du Temple, gravure début XIXe.

Passé le portail dorique sur rue, on découvrait la cour, bordée d'une colonnade en hémicycle qui devait plus tard inspirer la construction de l'hôtel de Soubise. Les façades en pierre de taille, de parfaites proportions, offraient un décor sobre. Sur le jardin en parterre, qui s'étendait en arrière, la façade était ornée de deux pavillons et d'un fronton curviligne.

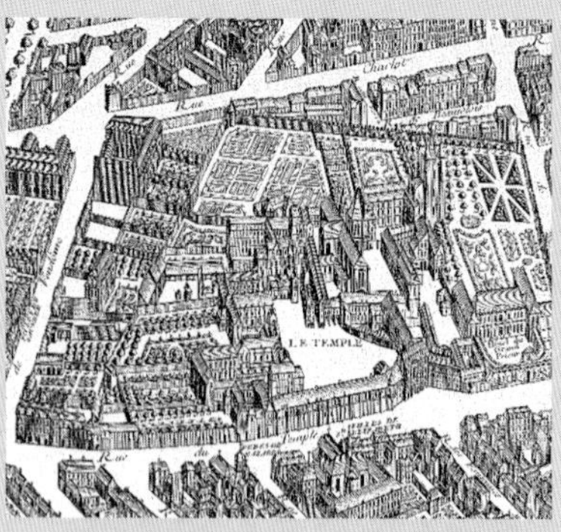

Vue de l'enclos du Temple sur le plan dit de Turgot, 1734-1739.

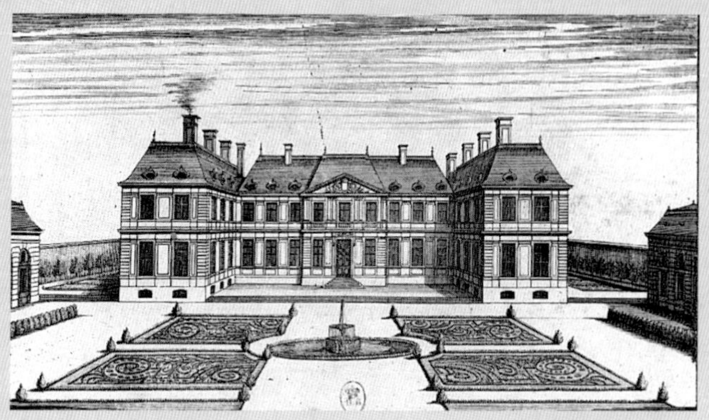

Façade sur jardin du palais du Grand Prieur, gravure de Marot, fin XVIIe.

Les appartements de cette résidence devaient être redécorés avec goût, vers 1720, par Gilles-Marie Oppenord. Dans ces salons Régence, alors tenus par le prince de Conti, Mozart, âgé de sept ans, vint jouer du clavecin lors de son premier séjour parisien fin 1763, scène immortalisée par un tableau d'Ollivier, daté de 1766 et exposé au musée du Louvre. Relativement épargné sous la Révolution, l'hôtel abrita sous l'Empire le ministère des Cultes, puis devint, sous la Restauration, le couvent de l'Adoration Perpétuelle, en expiation du régicide de 1793. Ce couvent fut supprimé en 1848 et l'hôtel rasé en 1853.

Entre le square et la mairie, sur l'ancienne rue Eugène-Spuller, se dressait le gros donjon du Temple (4). Édifié vers la fin du XIIIe siècle, c'était une formidable construction, empreinte de l'art de bâtir des Templiers. C'est dans cette tour que Louis XVI a été enfermé avec Marie-Antoinette et ses enfants du 13 août 1792 au 21 janvier 1793. Elle a été rasée en 1808 sur ordre de Napoléon Ier, soucieux de prévenir les pèlerinages monarchistes. Un marquage au sol et une plaque sur la mairie en conservent le souvenir. L'enclos du Temple renfermait une seconde tour, dite tour de César. Bâtie au XIIe siècle, elle a également été détruite sous l'Empire.

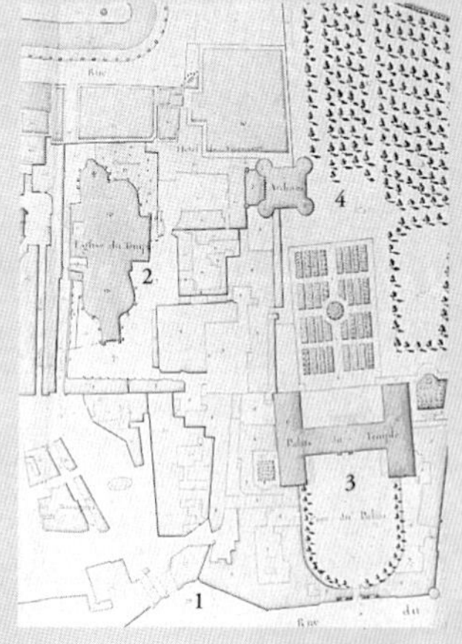

Enclos du Temple (détail), plan de la censive du Temple, 1789.

ÉGLISE SAINTE-ÉLISABETH

195, rue du Temple

HISTORIQUE - *Le 14 avril 1628, Marie de Médicis posait la première pierre de cette église franciscaine commencée par le maître maçon Louis Noblet. Les travaux, arrêtés vers 1631, reprennent en 1643, sous la conduite de Michel Villedo. L'église est dédicacée en 1646 et consacrée sous le vocable de sainte Élisabeth de Hongrie. Fermés en 1790, les bâtiments du couvent servent de magasin à fourrage. Si l'église échappe à la démolition et devient paroisse en 1803, les bâtiments conventuels et le chœur à chevet plat disparaissent alors. Sous la Restauration, l'architecte Godde construit l'actuel chœur dans un goût néo-antique. En 1857, Baltard restaure la façade. Sainte-Élisabeth est aussi depuis 1938 la chapelle des maîtres de l'ordre souverain de Malte, qui perpétue ici le souvenir de l'ordre de Saint-Jean de Jérusalem, et par là celui du Temple.*

L'église et le couvent des Filles de Sainte-Élisabeth, gravure du XVIIe [inversée].

ARCHITECTURE - La façade est une belle composition classique, ornée de pilastres, et coiffée d'un fronton. Les statues de saint Louis et sainte Eugénie datent du XIXe. Elle s'ouvre en léger recul par rapport à la rue. L'intérieur offre une belle stéréotomie avec ses voûtes en pierre. Suivant la règle franciscaine, la nef n'était flanquée que d'un seul bas-côté, au nord. Une des chapelles renferme de beaux fonts baptismaux de 1650. Le chœur en hémicycle néo-antique de Godde, datant de 1822, est très lourd. En revanche, les murs du déambulatoire sont revêtus d'admirables stalles de 1627 : les cent panneaux sculptés de scènes bibliques proviennent de l'abbaye de Saint-Vaast d'Arras.

RUE SAINT-MERRI

Cette rue médiévale, qui relie la rue du Temple à la rue Saint-Martin, s'appelait autrefois rue « Neuve Saint-Médéric ». Le tronçon à proximité des Halles est presque entièrement détruit aujourd'hui.

□ **N° 8** - Cette belle maison Louis XV présente une façade équilibrée, ornée de refends. Deux piliers en pierre encadrent la porte piétonne, surmontée d'une imposte à barreaux.

□ **N° 9 - MAISON PREVÔT DE MORSANG** - Sauvée *in extremis* par les associations de défense du patrimoine, la façade de ce petit édifice, construit vers 1645-1648, est remarquable. La composition du fronton pris dans la façade rappelle celle des hôtels de Beauvais et Hénault de Cantobre (voir pp. 64-66 et 70). La façade dissimule en réalité deux maisons à loyer avec au centre la porte d'un ancien hôtel qui se trouvait en arrière. Cette maison est appelée à tort hôtel Pottier de Blanc Mesnil (le cartouche, au chiffre PBM, est moderne).

□ **N° 10** - Maison construite en 1734 par le maître maçon François Bertault pour le sieur Decourbe. La façade, dont seul le premier étage a conservé un aspect Louis XV, a été altérée.

□ **N° 11** - Sordide édifice élevé à l'emplacement d'une belle maison du XVIIe siècle détruite en 1968. Elle avait conservé une porte cochère munie de remarquables vantaux sculptés à motifs géométriques et, dans la cour, un escalier Louis XV avec une rampe de fer forgé ouvragé.

◇ Entre les n°s 10 et 12 se faufile le pittoresque « cul-de-sac des Bœufs », venelle médiévale qui conserve ses pavés et ses bornes. Elle est encore fermée par une grille ancienne. Aux deux angles sont conservées les inscriptions gravées des anciens noms de rue.

■ **N° 12 - HÔTEL LE REBOURS** - (voir pp. 294-295).

□ **N° 14** - Façade Louis XIV en pierre de taille, avec appuis Louis XV.

Têtes de chérubins à l'angle des rues Saint-Merri et du Temple.

RUE SIMON LE FRANC

Cette rue médiévale, ouverte au XIIIe siècle et qui allait jadis jusqu'à la rue Saint-Martin, porte le nom d'un habitant du quartier. Au bout de la rue, on aperçoit les tuyaux multicolores du Centre Beaubourg.

□ **N° 2** - À l'angle subsiste une ancienne inscription Louis XV du nom de la rue. Une imposte à chiffre début XIXe surmonte la porte.

□ **N° 4** - Façade d'une travée dont la largeur n'excède pas un mètre. La porte est encadrée par deux piliers en pierre à chapiteau carré.

HÔTEL LE REBOURS

12, rue Saint-Merri

HISTORIQUE - *L'hôtel a été construit en 1624 par le maître maçon Claude Monnard pour Jean Aubery. De cette époque subsistent les bâtiments sur cour. Sa fille et son gendre, le duc de La Trémoille, le revendent en 1655 à Jean Bouër, conseiller du roi. Il passe en 1697 à Thierry Le Rebours, qui lui a laissé son nom. Acquis en 1737 par Jean-Jacques Devin, bourgeois de Paris, l'hôtel est modernisé, et le corps de logis sur rue complètement repris. De 1738 datent l'actuelle façade, attribuée à l'architecte Victor-Thierry Dailly, le vestibule et surtout le grand escalier. Déchu au* XIX*e* *siècle, l'hôtel tombe en roture, et un atelier industriel est construit sur la moitié de la cour. L'ensemble a fait l'objet d'une restauration énergique en 1991-1993.*

Détail de l'avant-corps de la façade sur rue, 1738.

Départ de l'escalier.

Plafond Louis XIII
à poutres et solives peintes.

ARCHITECTURE - La façade sur rue, avec son grand avant-corps à fronton triangulaire et ses baies ornées de délicates ferronneries, est d'un beau style Louis XV. On remarquera l'ampleur de l'escalier contemporain, avec son vestibule et sa rampe en fer forgé d'une grande qualité. Les trois corps de logis qui entourent la cour renvoient en revanche à l'architecture sobre du style Louis XIII, avec des tableaux entre les baies et des lucarnes de pierre. L'appartement au premier étage de l'aile gauche a conservé de cette époque un beau plafond à poutres et solives peintes.

La cour de l'hôtel.

□ **N° 5** - Façade en pierre du XVIIe.
□ **N° 9** - Maison du XVIIe siècle. Deux grandes arcades encadrent le rez-de-chaussée. Elles sont partiellement masquées par des coffrages en bois.
□ **N° 12** - Façade en pierre, avec rez-de-chaussée et entresol décorés de refends.

RUE GEOFFROY L'ANGEVIN

Voie médiévale, dont la rive nord a été presque entièrement emportée lors du percement de la rue Rambuteau.

□ **N°s 2-6** - Emplacement de l'ancienne maison des Bonnes Femmes de Sainte-Avoye, communauté de veuves, fondée à la fin de l'année 1283 par le curé de Saint-Merry, Jean Séquence. C'était une sorte de béguinage pour quarante veuves âgées et pauvres. Une petite chapelle avait été construite et dédiée à sainte Hedwigis, dont le nom corrompu a été transformé en « Sainte-Avoye ».
Déchue au début du XVIIe siècle, elle est reprise en 1621 par les Ursulines du faubourg Saint-Jacques, qui y fondent une maison d'éducation réputée, offrant des classes gratuites pour les enfants les plus pauvres ; elles modernisent en partie les bâtiments. Leur domaine s'étendait aussi sur la rue du Temple, depuis l'hôtel de Saint-Aignan jusqu'à l'angle avec la rue Geoffroy l'Angevin. L'ouverture de la rue Rambuteau, prévue dès 1794 dans cette partie, a ruiné ce domaine. Le n° 4 a une façade fin XVIIIe, et une porte à pilastres doriques. Bel escalier sur plan circulaire.
□ **N° 3** - Cette façade néo-classique, décorée de refends, de deux grands pilastres, et terminée par une corniche à consoles, porte de beaux balcons au premier étage.
□ **N° 7** - Emplacement de l'ancienne maison du peintre Nicolas de Largillière (1656-1746), célèbre portraitiste. Il l'avait achetée en 1713 à Charles Benoît, avant de l'accommoder à ses besoins.
□ **N°s 9-11-13** - Trois vieilles maisons un peu trop restaurées. Le n° 13 offre une façade Louis XIV ornée de refends et de baies garnies de chambranles à crossettes.
□ **N° 22** - Sur la façade, on devine, à gauche, le dessin d'une arcade de porte cochère aujourd'hui remplacée par une boutique. Les appuis Louis XVI portent les chiffres LB et MC.

RUE RAMBUTEAU

Cette rue a été ouverte en 1838 sous l'administration du préfet de la Seine de Louis-Philippe, le comte de Rambuteau. Lors du percement, deux grands hôtels situés entre la rue des Archives et la rue du Temple ont été démolis : à l'ouest, l'hôtel de La Trémouille et, à l'est, l'hôtel de Novion, habité sous Louis XVI par le lieutenant civil du Châtelet de Paris, Denis-François d'Angran d'Alleray.

Détail du décor de la façade XIXe, 2, rue Rambuteau.

□ **N°s 2-4** - Ces deux immeubles de rapport Louis-Philippe sont connus sous le nom de « maisons des têtes ». Construits, l'un en pierre, l'autre en moellons enduits, ils offrent des façades très chargées dans le goût « troubadour » néo-Renaissance typique de cette époque.

□ **N° 8** - Entrée du passage Sainte-Avoye (voir 62, rue du Temple, p. 283).

□ **N° 12-14** - Le fond de la cour marque le tracé de l'enceinte de Philippe Auguste.

□ **N°s 13-15** - Ces immeubles de rapport Louis-Philippe présentent de belles façades au décor soigné, avec rinceaux, crossettes et consoles. Les portes d'entrée sont élégamment couronnées.

□ **N° 14** - Porte remontée de l'hôtel de La Trémouille (voir rue du Temple, p. 282). Dessinée par l'architecte Richard Cochois, en 1742, c'est un très beau spécimen du style Louis XV. Les vantaux sont sculptés avec une élégance rare.

□ **N° 22 - CITÉ NOËL** - Construite en 1850 par le propriétaire Grosjean. Elle s'étend jusqu'au mur mitoyen de l'hôtel de Saint-Aignan, qui n'est autre dans cette partie que le mur de l'enceinte de Philippe-Auguste.

□ **N° 23** - De gracieux médaillons ornent le premier étage

□ **N° 24** - La porte cochère est munie de vantaux à panneaux de fonte intéressants.

Porte de l'hôtel de La Trémoïlle, 14, rue Rambuteau.

RUE MICHEL LE COMTE

Cette rue a été ouverte au XIIIe siècle par les religieux de Saint-Martin des Champs. Elle est née en même temps que les rues de Montmorency, Chapon et Gravilliers, qui lui sont parallèles. Elle a été baptisée ainsi en souvenir d'un habitant du quartier. Une expression populaire disait : « Ça fait la rue Michel » pour : « Ça fait le compte ». Elle forme un ensemble admirable et bien conservé.

□ **N° 1** - Cette maison XVIIe renferme un escalier à vide central avec une rampe Louis XIV en fer forgé de toute beauté. Sur la façade, les fenêtres de la cage sont en trapèze et décalées.

□ **N° 15** - Belle maison de rapport Louis XV, construite par le maître maçon Gaspard pour son propre usage, à l'emplacement de deux vieilles maisons qu'il avait achetées en 1752. Le rez-de-chaussée et la porte, ainsi que l'entresol de style Louis-Philippe à pilastres, forment un singulier contraste de style avec la puissante façade Louis XV en pierre, aux baies encore légèrement cintrées ornées d'appuis élégants.

□ **N° 16** - Cet ensemble appartenait au XVIIe à l'intendant Le Tellier. Au fond de la deuxième cour se dresse un superbe hôtel Louis XV, surélevé, renfermant un escalier de la même époque, au mouvement très souple.

☐ **N° 17** - Cette maison, construite sous Louis XV, a appartenu de 1448 à 1760 au collège de la Marche. Son rez-de-chaussée a été transformé en accès de parking souterrain.

☐ **N° 19 - HÔTEL LENOIR DE MÉZIÈRES** - De 1600 à 1706, cet hôtel appartient aux Maisons : Jean VIII de Longueil y habite jusqu'en 1637, et son fils René de Longueil, constructeur du château de Maisons, le loue à son frère de 1675 à 1677. Vendu en 1706 à la famille Brunet, l'hôtel entre ensuite dans le patrimoine de la famille Thiroux, très implantée dans le quartier (voir 5, rue de Montmorency, et 60, rue des Archives, pp. 302, 204-205). Pierre-Marie Thiroux le vend en 1765 à Marguerite Lenoir, veuve Codorge. Celle-ci fait reconstruire la demeure peu après par le maître maçon Goupy, sous la direction de l'architecte Dorbu. Son frère Samuel Lenoir de Mézières, payeur des rentes de l'Hôtel de Ville, y a son bureau sous Louis XVI.

Dénaturée, parasitée et surélevée au siècle dernier, cette demeure a fait l'objet, en 1991, d'une restauration privée médiocre. Si l'hôtel a retrouvé son jardin et un grand escalier dont la rampe d'origine avait été volée en 1944, une grotesque construction contemporaine est venue altérer les volumes de la cour, faisant regretter la petite aile Restauration qu'elle remplace. L'hôtel est fermé sur rue par un haut mur et un beau portail à refends, dont la porte a conservé une imposte ancienne – les vantaux sont neufs.

☐ **N° 21 - HÔTEL FERLET** - Cet hôtel a été construit en 1706-1708 pour Nicolas Ferlet, trésorier des Cent-Suisses de la garde du roi, par le maître maçon Roch Brière, sur les dessins de l'architecte Jacques Mazières. En 1719, l'hôtel passe à la famille Le Leu, qui devait le conserver tout au long du XVIIIe siècle. Il est loué, en 1786-1787, par l'architecte et géomètre Verniquet, auteur d'un grand plan de Paris, levé de 1774 à 1791, chef-d'œuvre du genre. L'hôtel offre une belle façade en pierre de taille sur la rue, ravalée en 1992. Les appuis Louis XV en fer forgé au premier étage, interrompant l'allège, sont postérieurs à la construction. La porte cochère, munie de ses vantaux, conduit à une cour pavée, bordée à gauche d'une aile qui renferme un escalier à claire-voie. Le petit hôtel en pierre de taille établi entre la cour et le jardin a été bâti sur un rez-de-chaussée surélevé, l'architecte ayant remployé les caves d'un bâtiment plus ancien. Le pavillon à gauche, dont la porte est surmontée d'un fronton, abrite le grand escalier avec sa rampe en fer forgé. Le jardin a malheureusement été parasité.

☐ **N° 23** - Hôtel XVIIIe bien restauré. La façade en pierre est percée d'un portail ouvrant sur une cour pavée.

☐ **N° 26** - Sévère façade Directoire ou Empire, alignée et ornée d'appuis de fenêtres « à la cathédrale ».

☐ **N° 25** - Longue allée aboutissant à une cour parasitée, aménagée à l'emplacement de l'ancien jeu de paume

Escalier de l'hôtel Lenoir de Mézières, 19, rue Michel Le Comte.

de la Fontaine, transformé en 1632-1633 en théâtre.

□ **N° 27** - Au fond de la cour subsiste un remarquable petit hôtel Louis XIV, dont la façade en pierre est soigneusement moulurée. À droite, grand escalier sur plan ovale, avec une remarquable rampe à balustres en pierre, puis en bois.

■ **N° 28 - HÔTEL D'HALLWYLL** - (voir pp. 300-301).

□ **N° 30** - Façade en pierre ouverte d'une porte cochère munie de vantaux à imposte en fer forgé Louis XIV. Sous l'Ancien Régime, cette maison appartenait à l'Hôtel-Dieu de Paris.

□ **N° 31** - Cette maison très restaurée conserve néanmoins un bel escalier Louis XV avec sa rampe en fer forgé, accessible par le n° 48, rue Beaubourg.

□ **N° 32** - Beau vantail de porte piétonne, début XIXe.

RUE DE MONTMORENCY

Cette rue a été ouverte au XIIIe siècle, comme les rues Michel Le Comte, Chapon et des Gravilliers, par les religieux de Saint-Martin des Champs. Elle s'est appelée, jusqu'en 1768, « rue Courteauvilain », nom issu de la déformation de « la court au vilain ». À cette date, elle a pris son nom actuel, rappelant l'illustre famille qui fut propriétaire de l'hôtel sis au n° 5.

□ **N° 3** - Ancienne dépendance de l'hôtel Thiroux (voir n° 5-7), détachée et reconstruite au XIXe siècle.

□ **N° 4** - Amusant décor en fonte autour du numéro de l'immeuble surmontant la porte.

■ **N°s 5-7 - HÔTEL THIROUX DE LAILLY** - (voir p. 302).

□ **N° 6** - Immeuble de rapport Louis-Philippe. Le portail, muni de ses vantaux, conduit à un passage orné de voûtes à caissons et de roses. Au fond de la cour se dresse la façade arrière de l'hôtel du 5, rue Chapon.

Portail Louis-Philippe,
6, rue de Montmorency.

□ **N° 8** - École municipale de 1881. Emplacement d'une maison louée en 1671 par Mme de Sévigné, qu'elle dut quitter aussitôt, sa fille, Mme de Grignan, l'ayant trouvée sombre et humide. La demeure avait été construite peu avant par Charles Bernard, à l'emplacement d'un jeu de paume. Maison rasée en 1872.

□ **N° 9** - Belle façade Louis XV, peut-être construite par l'architecte Debias-Aubry. Elle possède deux étages, et est ornée d'appuis en fer forgé aux chiffres BV pour Brochand et Vilain, propriétaires au milieu du XVIIIe siècle. La porte cochère, munie de ses vantaux d'origine et de son marteau, donne accès à une cour pavée, entourée de bâtiments anciens surélevés et dénaturés par un ravalement au ciment. À droite, l'aile renferme un grand escalier, dont le départ est à claire-voie. Les menuiseries des fenêtres à guillotine du XVIIIe ont été bien conservées.

HÔTEL D'HALLWYLL

28, rue Michel Le Comte

HISTORIQUE - *Cet hôtel a été construit à l'emplacement d'une maison ayant appartenu en 1292 à l'orfèvre Guillaume Villain et qui portait, en 1328, l'enseigne « Aux Quatre Temps ». En 1670, il passe à la marquise de La Trousse, qui le fait reconstruire en 1705, peut-être par Jules Hardouin-Mansart. En 1725, après la mort de Louis de La Pallu de Bouligneux, lieutenant général, sa veuve donne l'hôtel à son second mari, Nicolas-François de Mydorge, dont la fille épouse le comte d'Hallwyll. L'hôtel est loué en 1723 à la banque Landais, puis, en 1757, à la banque Thélusson, Necker et Cie. Germaine Necker, future M*[me] *de Staël, y naît en 1766.*

Détail de l'escalier.

En 1766-1767, les Hallwyll font remanier et embellir l'ancien hôtel Bouligneux par Claude-Nicolas Ledoux, alors tout jeune. Cet hôtel est l'une des rares œuvres de l'architecte subsistant à Paris. La demeure reste dans la famille d'Hallwyll jusqu'en 1819, puis passe aux mains de Guyot de Villeneuve, qui en reste propriétaire pendant près d'un demi-siècle. Après avoir été occupé industriellement, il abrite aujourd'hui des bureaux et fait l'objet depuis quelques années d'une restauration soignée.

Fontaine du jardin.

Fronton sculpté du portail.

ARCHITECTURE - L'intervention de Ledoux a consisté en une mise au goût du jour d'un hôtel ancien dont il a fidèlement conservé le plan. La façade sur rue, avec son portail encadré par deux colonnes, est d'une grande sévérité. Elle est décorée de refends, que l'on retrouve sur les façades sur cour. Ledoux a su créer l'impression de majesté dans une parcelle relativement petite, comme le montre son avant-corps au fond, juste souligné par le traitement des fenêtres à frontons. Deux cartouches, ornés des chiffres DH et DM pour d'Hallwyll et de Mydorge, surmontent les portes. L'hôtel renferme un bel escalier en fer forgé. L'ancien jardin, promis à la restauration, est traité « à la romaine » : il est entouré de part et d'autre par une colonnade dorique formant une sorte d'atrium et orné d'une fontaine avec une statue adossée au mur du fond.

Élévation de la façade sur rue, gravure de Ledoux, XVIIIe.

HÔTEL THIROUX DE LAILLY

5-7, rue de Montmorency

HISTORIQUE - *Du XIIIe à 1627 la famille de Montmorency a possédé là un vieil hôtel, qui ouvrait sur la rue du Temple. Nicolas Fouquet l'a habité de 1651 à 1658. Il passe en 1727, après plusieurs mutations, à Jean-Louis Thiroux de Lailly, seigneur d'Arconville, riche fermier général des Postes, qui entreprend en 1739-1741 une grande campagne de travaux et d'embellissement sous la conduite de l'architecte du roi Michel Tannevot. À la mort de Thiroux en 1742, l'hôtel revient à sa femme, et après le décès de celle-ci en 1766, à son petit-fils, Claude-Philibert, colonel d'infanterie, qui le revend en 1786. La demeure, propriété d'Eugène Gibault au début du XIXe siècle, est louée en 1810 à la Direction des droits réunis, impôts impériaux très impopulaires. Altérée par une occupation industrielle à la fin du siècle, et sauvée de justesse de la démolition, elle est acquise par l'État en 1951 et affectée à l'École nationale des impôts. Elle a fait l'objet d'une belle restauration.*

ARCHITECTURE - L'hôtel d'origine était disposé entre cour et jardin, et ouvrait sur la rue du Temple. La cour était alors située à l'emplacement du n° 3, et le jardin au n° 5. Lors des travaux, Tannevot a inversé la disposition de l'hôtel à cause de la transformation des maisons sur la rue du Temple en ensemble de rapport (voir nos 101-103, rue du Temple, p. 287). La cour d'honneur est alors installée sur l'ancien jardin, et ouverte sur la rue par un portail planté légèrement en biais, qui a conservé ses vantaux (vases rapportés). La grande façade en pierre de l'hôtel, couronnée d'un fronton triangulaire au tympan sculpté, porte un balcon au chiffre T. L'aile en retour abrite le grand escalier. La basse-cour s'étendait à droite, à l'emplacement du bâtiment pastiche construit pour l'école. Le petit jardin est encore décoré par une magnifique fontaine au fronton sculpté. Les intérieurs (la bibliothèque, le cabinet de physique et la chapelle) étaient ornés de boiseries, aujourd'hui dispersées.

Fontaine Louis XV dans l'ancien jardin.

□ **Nos 16-28** - Emplacement de l'ancien couvent des Carmélites, qui s'étendait entre les rues Montmorency et Chapon jusqu'à l'angle avec la rue Beaubourg (voir 15-25, rue Chapon).

□ **N° 17** - Façade arrière de l'hôtel d'Hallwyll (voir pp. 300-301).

□ **N° 18** - Immeuble de rapport Louis-Philippe. Beau décor du portail et de la baie du premier étage.

□ **N° 19** - Petit hôtel dont la porte cochère munie de ses vantaux ouvre sur une jolie cour pavée. Un grand escalier Louis XV, précédé d'un long vestibule, a été conservé. L'ensemble a été rénové sobrement.

□ **N° 20** - L'immeuble possède une porte cochère aux vantaux début XIXe.

RUE CHAPON

Cette voie rectiligne a été ouverte au XIIIe siècle par les religieux de Saint-Martin des Champs lors du lotissement de leurs terres, comme les rues Michel le Comte, Montmorency et Gravilliers.

■ **N° 4 - HÔTEL CLAUDE PASSART** - (voir pp. 304-305).

□ **N° 5** - Petit hôtel Louis XIV. Sur la rue, beau portail orné de refends et d'une agrafe sculptée en clef, avec ses vantaux partiellement ajourés en fonte au XIXe. La façade en pierre a été surélevée. Le pavillon de gauche renferme toujours un grand escalier Louis XV muni de sa rampe ouvragée. De belles caves ogivales ont été conservées. La façade sur l'ancien jardin est visible depuis le n° 6, rue de Montmorency.

□ **Nos 9-11** - De belles lucarnes à poulies se détachent des combles. Le n° 11 a conservé un très bel escalier.

□ **N° 13** - Ce remarquable immeuble a été construit à la fin du règne de Louis XIV, à la place d'une maison que les religieuses carmélites voisines avaient vendue à Louis-Gervais de Salvert. La façade sur rue, intacte, est construite en pierre de taille. Le portail cocher est encadré de refends et souligné par un mascaron et deux belles consoles d'un dessin original. En entrant dans la cour, on verra, au revers du corps de logis, un beau balcon sur console, et, de part et d'autre, deux ailes symétriques et leurs escaliers au départ à claire-voie. L'aile gauche a été surélevée en 1865, et le jardin, qui s'étendait jusqu'au n° 14 de la rue de Montmorency, a été détaché sous Louis-Philippe.

□ **Nos 15-25** - Emplacement du couvent des Carmélites, fondé avec l'appui de la duchesse de Longueville en 1617-1619. L'ensemble a été fermé en 1792 et remplacé par des immeubles de rapport.

□ **N° 22** - Ancien hôtel. Le portail, refait sous Louis XVI, a conservé un décor typique (vantaux et sphinx). La cour pittoresque est encadrée de façades très altérées, mais un bel escalier Louis XV est encore visible.

Mascaron,
13, rue Chapon.

HÔTEL CLAUDE PASSART

4, rue Chapon

HISTORIQUE - *Ce bel hôtel a été construit sur plusieurs parcelles médiévales, en 1619-1620, par le maître maçon Gabriel Soulignac, architecte des Guise, pour le financier Claude Passart. À sa mort, la demeure reste aux mains de financiers, Foréval, puis Claude Prévôt en 1670. Ses héritiers la vendent en 1701 à Roland-Pierre Gryun, maître des Deniers du roi, qui agrandit l'hôtel vers la rue Gravilliers en 1707. Les héritiers Gryun le conservent jusqu'à la fin du* XVIIIe *siècle. Il est habité sous Louis XVI par Jacques-Antoine Baratier de Saint-Auban, inspecteur de l'Artillerie du roi.*

L'hôtel tombe en roture dès l'Empire, et le propriétaire d'alors, Lehideux, commence à lotir le jardin. À partir de 1861, son successeur Pierre Caillot dénature la demeure en construisant des bâtiments autour du jardin, transformé en cour couverte, tandis que l'ancienne cour d'honneur est vitrée et devient une fabrique de conserves, puis un garage.

La façade sur jardin est alors détruite et les ailes surélevées, tandis que la basse-cour est lotie au profit d'un immeuble de rapport. Une audacieuse restauration, en 1991-1992, qui a eu raison de la plupart des parasites, a restitué le jardin, la façade sur jardin, et dégagé les éléments conservés de décor intérieur.

Façade du corps de logis sur la cour.

Détail du plafond peint.

Plafond peint Louis XIII, corps de logis.

ARCHITECTURE - La façade sur rue, très simple, est soulignée d'un portail à fronton et de pilastres. Les appuis néo-Louis XIV datent de la restauration. Le passage cocher voûté en arête est intéressant. Les trois façades encadrant la cour d'honneur, construites avec soin tout en pierre et richement ornées d'un décor encore maniérisant, sont admirables. À gauche, à l'emplacement de la basse-cour, s'élève un triste immeuble fin XIXe dont le gabarit écrase l'ensemble. L'aile du fond, abritant à l'étage la galerie, est portée sur des colonnes doriques jumelées d'un bel effet. Elles ont été dégagées lors de la restauration, mais à nouveau parasitées. Au revers de la façade sur rue subsistent des vestiges de décoration Louis XV : l'arcade et le mascaron d'une porte. La façade sur l'ancien jardin, hormis le comble et les lucarnes, est en revanche toute neuve : c'est un étrange essai de restitution. Une partie du jardin est encore occupée par l'immeuble XIXe de bonne facture, qui s'ouvre au n° 115 de la rue du Temple. Des intérieurs subsistent de beaux plafonds Louis XIII à poutres et solives peintes, mis au jour lors des études préalables à la restauration.

Détail de la façade neuve sur l'ancien jardin.

Cour de l'hôtel d'Ecquevilly,
60, rue de Turenne.

Annexes

Sources et bibliographie

Un guide est un livre d'histoire, et comme tel, susceptible de plus ou moins de rigueur. Abusant d'une présentation simple et cachant leur négligence derrière l'appellation commode d'« usage grand public », trop d'ouvrages compilent le vrai comme le faux, ramassent, sans vérification préalable, contes et légendes, propagent des informations scientifiquement dépassées par les recherches récentes. Notre ambition en écrivant un guide du Marais a été de renouer avec la tradition du marquis de Rochegude et de Maurice Dumolin, dont le guide de 1923 était un modèle d'érudition et de sérieux. Et, tout en restant dans le domaine dit du « grand public », nous avons pensé qu'il était possible, et même nécessaire, d'offrir aux lecteurs une information scientifiquement irréprochable, vérifiée et sortant des meilleures sources et bibliographies.

A. SOURCES

Archives nationales

– Série Q : domaines.

Q[1] 1099 [1 à 10d] : plans terriers du Roi, levés sous Louis XIV. Les 14 volumes de l'atlas, ainsi que les déclarations des propriétaires, ont été entièrement dépouillés et mis en fiches au Centre de topographie de Paris (Petit CARAN, Archives nationales).

– Série S : biens des établissements religieux supprimés.

Ont été utilisées les censives de Sainte-Catherine du Val des Écoliers, du Grand Prieuré (Temple), de Saint-Martin des Champs, de l'Archevêché, du fief aux Flamands, de Sainte-Opportune.

– Série Y : Châtelet.

Adjudications par licitations, décrets volontaires, permissions de bâtir les encoignures : voir l'inventaire : Gallet-Guerne (Danielle), Gerbaud (Henri), *Les Alignements d'encoignures à Paris, 1668-1789*, Paris, Archives nationales, 1979.

– Série Z : anciennes juridictions spéciales et ordinaires.

- Sous-série Z[1F] (Trésoriers de France). Permissions de balcons et portes cochères : voir l'inventaire : Gallet-Guerne (Danielle), Bimbenet-Privat (Michèle), *Balcons et Portes cochères à Paris. 1637-1789*, Paris, Archives nationales, 1992.

- Sous-série Z[1J] (Chambre des greffiers des Bâtiments du roi). Expertises de travaux effectués à Paris, 1610-1792. Cette sous-série, très riche, a été partiellement inventoriée :

- Krakovitch (Odile), *Greffiers des Bâtiments de Paris. Procès-verbaux d'expertises. Le règne de Louis XIII (1610-1943)*, Paris, Archives nationales, 1980.

- Bimbenet-Privat (Michèle), *Greffiers des Bâtiments de Paris. Procès-verbaux d'expertises. Le règne de Louis XIV (1643-1649)*, Paris, Archives nationales, 1987.

La période 1764-1792 a fait l'objet d'un inventaire manuscrit. Nous avons procédé à des dépouillements systématiques par périodes pour les périodes comprises entre 1649 et 1764.

– Série N : Cartes et plans.

Cadastre de Vasserot et Bellanger, levé à partir de 1807 :

- F[31] 3 à 72 : plans par maisons (levés, pour le Marais, vers 1825-1830).

Plans de quartier :

- F[31] 84 (Saint-Martin, le Temple) ;
- F[31] 85 (Saint-Jean, Mont-de-Piété) ;
- F[31] 86 (Arcis, Sainte-Avoye) ;
- F[31] 87 (Marais, Popincourt) ;
- F[31] 89 (Arsenal, Hôtel de Ville) : cadastre de Vasserot et Bellanger, plans par îlots levés de 1807 à 1836.

– Minutier central des notaires parisiens.

Très importants fonds de minutes déposées par les notaires, classées par études (122, de I à CXXII).

Archives de Paris

- D.Q.[18] : sommier foncier parisien (1809-1860 environ).
- D.1.P.[4] : calepins du cadastre (révisions de 1852, 1862 et 1876).
- Vo [11, 12 et 13] : permissions de construire (1876-1950 environ).

Archives de la Commission du Vieux Paris
Casier archéologique des IIIe et IVe arrondissements.

Bibliothèque nationale
Cabinet des Estampes, topographie de Paris (série Va, microfilmée).

Bibliothèque historique de la Ville de Paris
Manuscrits de Maurice Dumolin (Ms 74, 75 et 76. Réserve 1, 2 et 3). Il s'agit du texte du guide de 1923, corrigé et augmenté, que Dumolin s'apprêtait à faire publier au moment de sa mort. Entièrement écrite à la main dans de petits carnets noirs, cette version comprend des cotes d'archives provenant de dépouillements effectués par l'auteur.

Bibliothèque et archives de la Direction du Patrimoine
Dossiers de restauration des édifices classés et inscrits : IIIe et IVe arrondissements.

B. BIBLIOGRAPHIE

Ouvrages généraux

Les auteurs anciens
– Sauval (Henri), *Histoire et Recherches des antiquités de la Ville de Paris*, Paris, 1724, 3 tomes (réédition Paris-Genève, 1974, avec une introduction de Michel Fleury).
– Brice (Germain), *Description de la ville de Paris*, Paris-Genève, 1971 (réédition de la 9e édition de 1752, accompagnée d'une notice sur Germain Brice et d'une table cumulative des neuf éditions par Pierre Codet, avant-propos de Michel Fleury).
– Jaillot (Jean-Baptiste Renou de Chauvigné, dit), *Recherches critiques, historiques et topographiques sur la ville de Paris*, Paris, Berger-Levrault, 1977, 5 tomes et 25 plans (réédition de l'édition de 1772-1775, M. Lottin, accompagnée d'une notice sur la vie et l'œuvre de l'auteur par Michel Fleury).
– Thiéry (Luc-Vincent), *Guide des amateurs et des étrangers voyageurs à Paris...*, Paris, Hardouin et Gattey, 1787, 2 tomes.
– Lazare (Félix et Louis), *Dictionnaire administratif et historique des rues et monuments de Paris*, Paris, Maisonneuve et Larose, 1994 (réédition de la seconde édition de 1855, avec une présentation de Michel Fleury).
– Rochegude (marquis de), Dumolin (Maurice), *Guide pratique à travers le vieux Paris*, Paris, Champion, 1923.
N'ont pas été utilisés les deux ouvrages suivants, trop peu rigoureux :
– Hillairet (Jacques), *Dictionnaire historique des rues de Paris*, Paris, 1985, 2 tomes.
– Lefeuve, *Les Maisons de Paris sous Napoléon III*, Paris, 1873, 5 tomes.

Anciens plans de Paris
– Plan de Jacques Gomboust (1652),
– Plan de Bullet et Blondel (1676),
– Plan de Jean de La Caille (1714),
– Plan de l'abbé Delagrive (1728),
– Plan de Bretez dit de Turgot (1734-1739),
– Plan d'Edme Verniquet (1784-1790),
Voir également :
– Perrot (Aristide-Marie), *Petit Atlas pittoresque des quarante-huit quartiers de la ville de Paris*, Paris, Commission des travaux historiques de la Ville de Paris, 1987 (réédition de l'édition de 1835, avec une présentation de Jeanne Pronteau et Michel Fleury).

Récits des contemporains, pour le XVIIe siècle
– Tallemant des Réaux (Gédéon), *Historiettes*, texte établi et annoté par Antoine Adam, Paris, Gallimard, 1960-1961, 2 tomes.
– Saint-Simon (Louis de Rouvroy, duc de), *Mémoires*, texte établi et annoté par Gonzague Truc, Paris, Gallimard, 1961-1964, 7 tomes.

Ouvrages sur l'architecture civile
– Babelon (Jean-Pierre), *Demeures parisiennes sous Henri IV et Louis XIII*, Paris, Le Temps, 1978 (2e édition), et Paris, Hazan, 1991 (3e édition).
– Champeaux (Alfred de), *L'Art décoratif dans le vieux Paris*, Paris, Charles Schmid éditeur, 1898.
– Gallet (Michel), *Demeures parisiennes sous Louis XVI*, Paris, Le Temps, 1964.
– *Paris Domestic Architecture of the XVIIIe century*, Londres, Barrie et Jenkins, 1972.
– Le Moël (Michel), *L'Architecture privée à Paris au Grand Siècle*, Paris, Commission des travaux historiques de la Ville de Paris, 1990.
– Pérouse de Montclos (Jean-Marie), *De la Renaissance à la Révolution*, Paris, Mengès-C.N.M.H.S., 1989 (collection « Histoire de l'architecture française »).

Ouvrages sur le Marais
– *Le Marais, âge d'or et renouveau,* catalogue d'exposition du musée Carnavalet, sous la direction de Bernard de Montgolfier et de Michel Gallet. Paris, 1963.
– *Le Marais, mythe et réalité*, catalogue d'exposition de la Caisse nationale des monuments historiques et des sites, sous la direction de Jean-Pierre Babelon, Paris, Picard-C.N.M.H.S., 1987.
– *La Rue des Francs Bourgeois au Marais*, catalogue d'exposition de la Délégation à l'action artistique de la Ville de Paris, sous la direction de Béatrice de Andia et d'Alexandre Gady, Paris, D.A.A.V.P., 1992.
– De Sacy (Jacques), Christ (Yvan), Siguret (Philippe), *Le Marais, ses hôtels, ses églises*, Paris, Veyrier, 1964, réédition chez le même éditeur en 1989.

Ouvrages et articles classés par ordre de rue.

Abréviations utilisées pour les périodiques :
C.V.P. : Commission du Vieux Paris (procès-verbaux des séances de la).
B.S.H.P. : Bulletin de la Société de l'histoire de Paris et d'île-de-France.
D.A.A.V.P. : Délégation à l'action artistique de la Ville de Paris.
G.R.A.H.A.L. : Groupement de recherche Art, Histoire, Architecture et Littérature.
M.S.H.P. : Mémoires de la Société de l'histoire de Paris et d'Île-de-France.
P.I.F. : Paris et Île-de-France. Mémoires de la Fédération des sociétés historiques et archéologiques de Paris et de l'Île-de-France.
B.M. : Bulletin monumental.
G.B.A. : Gazette des Beaux-Arts.
S.M.V.P.H. : Bulletin d'information de l'association pour la sauvegarde et la mise en valeur du Paris historique.

Archives (rue des)
– n°s 22-26 : Callet (Albert), « Un procès entre la fabrique de l'église Saint-Jean en Grève et le couvent des frères Billettes », dans *La Cité*, avril 1905, pp. 405-408.
– n°s 22-26 : Raunié (Émile), « Couvent des Carmes-Billettes », dans *Épitaphier du vieux Paris*, 1893, tome II, pp. 217-238.
– n° 40 : Babelon (Jean-Pierre), « Découverte de la maison Jacques Cœur » dans l'ancienne rue de l'Homme-Armé, 38 à 42, rue des Archives », dans *C.V.P.*, 4 octobre 1971, pp. 10-26.
– n° 45 : Férault (Marie-Agnès), « Charles Chamois, architecte parisien (vers 1610-après 1684) », dans *B.M.*, 1990, tome 148-II, pp. 117-153.
– n° 47 : Garms (Jörg), « Boffrand à l'église de la Merci », dans Bulletin de la Société de l'histoire de l'art français, 1964 (1965), pp. 185-187.
– n° 54 : voir 59, rue des Francs Bourgeois.
– n° 58 : Babelon (Jean-Pierre), « Nouveaux documents pour la restauration de l'hôtel de Guise, 58, rue des Archives », dans *La Vie urbaine*, juillet-septembre 1965, pp.180-205.
– n° 60 : Babelon (Jean-Pierre), « L'hôtel de Guénégaud des Brosses, 60, rue des Archives et les maisons voisines 20 et 22, rue des Quatre Fils », dans *P.I.F.*, 1964 (1965), tome XV, pp. 75-112.
– n° 62 : recherches inédites.
– n° 68 : recherches inédites.
– n°s 70-72 : Gady (Alexandre), « Hôtels de Montescot et de Villeflix », dans *Paris. Guide du Patrimoine*, sous la direction de Jean-Marie Pérouse de Montclos, Paris, Hachette, 1994, p. 100, d'après des recherches inédites.
– n°s 70-72 : Lévy-Franc (Pierre), « Les dernières années de Lamennais rue des Archives », dans *La Cité*, janvier 1932, pp. 29-40.
– n°s 74-76 : recherches inédites de Mme Isabelle Dérens.
– n° 78 : Babelon (Jean-Pierre), « Une œuvre mal connue de Pierre Bullet : l'hôtel Amelot de Chaillou, puis de Tallard, 78, rue des Archives », dans *B.M.*, 1978, tome 136-IV, pp. 325-339.
– n° 81 : Mirot (Albert), « Valentin Conrart, Parisien », dans *B.S.H.P.*, 1955-1956 (1958), pp. 13-14.
– n° 90 : Raunié (Émile), « Hôpital des Enfants Rouges », dans *Épitaphier du vieux Paris*, 1901, tome III, pp. 567-585.
– n° 90 : Tutey (Alexandre), « Marguerite de Navarre, bienfaitrice de l'hôpital des Enfants Rouges », dans *B.S.H.P.*, 1916, pp. 48-50.

Arquebusiers (rue des)
– n°s 11-13 : voir 60, rue de Turenne.

Arsenal (l')
– Babelon (Jean-Pierre), « Le palais de l'Arsenal à Paris. Étude architecturale et essai de répertoire iconographique critique », dans *B.M.*, 1970, tome 128, n° 4, pp. 267-310.
– Battifol (Louis), « La construction de l'Arsenal au XVIIIe siècle et Germain Boffrand », dans *La Cité*, janvier 1932, pp. 1-28.
– Battifol (Louis), « Le mail de l'Arsenal au XVIIIe siècle », dans *La Cité*, janvier 1930, pp. 1-20.

Aubriot (rue)
– n° 10 : Soulange-Bodin (Henry), « Hôtel Havis, rue Aubriot n° 10 », dans *Les Vieux Hôtels de Paris. Le quartier Sainte-Avoye*, Paris, Contet éditeur, 1923, p. 9 (pl. 26-27).

Ave Maria (rue de l')
– n° 15 : Martin (Georges), « Le théâtre de Molière au jeu de paume de la Croix Noire », dans *La Cité*, avril 1907, pp. 423-434.
– n° 15 : Hartmann (Georges), « Entre le quai des Célestins et la rue de l'Ave Maria », dans *La Cité*, juillet 1930, pp. 116-127.
– n° 22 : Raunié (Émile), « Les Filles de l'Ave Maria », dans *Épitaphier du vieux Paris*, 1890, tome I, pp. 267-304.
– n° 22 : *Beauté et pauvreté. L'Art des Clarisses de France*, Paris, 1994, (voir pp. 36-39).

Barbette (rue)
Étude d'ensemble de la rue et du quartier avoisinant, voir : Sellier (Charles), *Monographie historique et archéologique d'une région de Paris. Le Quartier Barbette*, Paris, A. Fontemaing, 1899.

Barres (rue des)
– n° 12 : Le Moël (Michel), « Deux résidences de grandes abbayes dans le Marais : les hôtels de Maubuisson et de Lagny », dans *S.M.V.P.H.*, numéro spécial juin 1973, pp. 48-64.
– n°s 13 et 17 : Brochard (Chanoine Louis), *Saint-Gervais. Histoire de la paroisse*, Paris, Firmin-Didot, 1950 (voir en particulier pp. 197-201).

Bastille (la)
Sous les pavés la Bastille, archéologie d'un mythe révolutionnaire, catalogue d'exposition de la Caisse nationale des monuments historiques et des sites, sous la direction de Nicolas Fauchère, Paris, C.N.M.H.S., 1989.

Beaumarchais (boulevard)
– n° 13 : recherches inédites.
– n° 23 : voir 28, rue des Tournelles.
– n° 25 : Wild (Nicole), *Dictionnaire des théâtres parisiens au XIXe siècle*, Paris, Aux mamateurs de livres, 1989 (voir pp. 53-56).
– n° 81 : Guillebon (Régine de), « Note sur quelques immeubles parisiens encore existants ayant abrité des manufactures de porcelaine entre 1785 et 1835 », dans *C.V.P.*, 1er décembre 1981, pp. 5-10.
- n° 113 : recherches inédites.

Beautreillis (rue)
– n° 16 : « Nécrologie. Victorien Sardou », dans *La Cité*, janvier 1909, pp. 462-464.
– n° 17 : Callet (Albert), « La maison, 17, rue Beautreillis et le cimetière Saint-Paul », dans *La Cité*, juillet-octobre 1902, pp. 161-169.
– n° 22 : Vacquier (Jules-Félix), « Hôtel de Charny, rue Beautreillis n° 22 », dans *Les Vieux Hôtels de Paris. Le quartier Saint-Paul*, Paris, Contet éditeur, 1914, p. 16 (pl. 22).

Béranger (rue)
– n°s 3, 5 et 5 bis : Dérens (Isabelle), « Les hôtels Peyrenc de Moras et Pujol, puis Bergeret de Frouville et de La Haye, 3, 5 et 5 bis, rue Béranger », dans *B.S.H.P.*, 1991 (à paraître en 1994).
– n° 6 : recherches inédites avec Isabelle Dérens.
– n°s 7 à 13 : Martin (Françoise), « L'habitat parisien des Bertier de Sauvigny, intendants de Paris au XVIIIe siècle », dans *B.S.H.P.*, 1974-1975 (1976), pp. 109-129.

Blancs Manteaux (rue des)
– D'Esneval (Amaury), « Le prieuré des Blancs Manteaux et l'église actuelle », dans *La Rue des Francs Bourgeois*, catalogue d'exposition de la D.A.A.V.P., 1992, pp. 136-141.
– Lauro (Marc), « Le couvent des Blancs Manteaux, une parcelle en mutation », dans *La Rue des Francs Bourgeois*, catalogue d'exposition de la D.A.A.V.P., 1992, pp. 142-147.
– n°s 14-22 : voir 55-57, rue des Francs Bourgeois.
– n° 35 : recherches inédites.
– n° 41 : recherches inédites.

Braque (rue de)
– n° 2 : Mirot (Louis), « Communication sur l'histoire de l'ancien hôtel de Navarre rue de Braque, n° 2, et rue des Archives, n° 49 », dans *C.V.P.*, 4 avril 1925, pp. 51-54.
– n°s 4-6 : Soulange-Bodin (Henry), « Hôtel le Lièvre, rue de Braque, n° 4 et 6 », dans *Les Vieux Hôtels de Paris. Le quartier Sainte-Avoye*, Paris, Contet éditeur, 1923, pp. 9-11 (pl. 28-34).
– n°s 12-14 : Jouve (Jean-Pierre), Grand-Mesnil, (Marie-Noëlle), *Maison de commerce, 70, rue du Temple, 12-14, rue de Braque, Étude historique et documentaire*, s.d. (inédite).

Bretagne (rue de)
– n° 19 : recherches inédites de Guy-Michel Leproux.
– n° 39 : Roy (Jean-Michel), « Les marchés alimentaires parisiens du XIVe au XVIIIe siècle, textes et documents », dans *P.I.F.*, 1993, tome 44, pp. 77-132 (voir en particulier pp.116-117).
Recherches inédites de Mme Beaud-Gambier.
– n° 45 : recherches inédites.
– n° 49 : recherches inédites, avec Isabelle Dérens
– n° 57 : recherches inédites.

Caron (rue)
– n° 3 : Barré (Y.-E.), « Le sculpteur A.-A. Préault né rue Caron », dans *La Cité*, janvier 1922, pp. 15-32.

Célestins (quai des)
– n° 2 bis : Hartmann (Georges), « Hôtel Fieubet, école Massillon, quai des Célestins n° 2 », dans *La Cité*, janvier-avril 1925, pp. 177-211. Et recherches inédites.
– n° 4 : Hartmann (Georges), « L'hôtel de Nicolaï et de Combourg, quai des Célestins n° 4 », dans *La Cité*, janvier-avril 1925, pp. 212-219.
– n° 24 (ancien) : Callet (Albert), « L'établissement des eaux clarifiées », dans *La Cité*, avril 1904, pp. 144-147.

Cerisaie (rue de la)
Hartmann (Georges), « La rue de la Cerisaie et ses abords », dans *La Cité*, janvier 1933, pp. 241-262.

Chapon (rue)
– n° 4 : Leproux (Guy-Michel), Borjon (Michel), « L'hôtel de Claude Passart, dit de Jean Bart », dans *C.V.P.*, 6 juin 1988 (sténotypie, à paraître).

– n°s 15-25 : Raunié (Émile), « Couvent des Carmélites de la rue Chapon », dans *Épitaphier du vieux Paris*, 1893, tome II, pp. 177-186.

CHARLEMAGNE (RUE)
– n° 7 : recherches inédites
– n° 16 : Sellier (Charles), *Anciens Hôtels de Paris*, Paris, Champion, 1910 (pour l'hôtel de Jassaud, voir pp. 31-80).
– n° 16 : Ribéra-Pervillé (Claude), « Les hôtels parisiens de Louis Ier d'Orléans (1372-1407) », dans *B.S.H.P.*, 1980 (1981), pp. 23-50.
– n° 25 : Eymard (P.-M.), « La maison du Chasteau-Frileux », dans *La Cité*, octobre 1913, pp. 369-385.

CHARLES V (RUE)
– n°12 : Dumolin (Maurice), « L'hôtel de la Brinvilliers... », dans *La Cité*, janvier 1933, pp. 281-287.

CHARLOT (RUE)
Étude générale : Dumolin (Maurice), « La rue Charlot », *La Cité*, juillet 1930, pp. 165-196.
– n° 7 : Babelon (Jean-Pierre), « Communication sur la découverte de plafonds peints à l'hôtel Cornuel », dans *C.V.P.*, 6 novembre 1978, pp. 6-10.
– n° 9 : Dumolin (Maurice), « Addition à la rue Charlot », dans *La Cité*, janvier 1933, pp. 310-314.
- n°s 10 et 12 : Leproux (Guy-Michel), « Deux hôtels construits pour Charles Margonne en 1610 : les n°s 10 et 12, rue Charlot », dans *C.V.P.*, 8 novembre 1993 (sténotypie, à paraître).
– n° 57 : recherches inédites.
– n° 58 : Babelon (Jean-Pierre), « Travaux de Jean Beausire pour Michel Chamillart à l'hôtel du 58, rue Charlot », dans *Cahiers de la Rotonde*, n° 7, 1984, pp. 7-18.
Recherches inédites de Mme Isabelle Dérens (article à paraître).
– n°s 60-62 : recherches inédites de Mme Isabelle Dérens.
– n° 64 : recherches inédites.
– n° 71 : recherches inédites.
Tesson (Louis), « Communication sur la fontaine Boucherat », dans *C.V.P.*, 10 février 1917, pp. 37-40
– n° 83 : Lambeau (Lucien), « Démolition de l'ancien hôtel Mascrani, situé rue Charlot, n° 83 », dans *C.V.P.*, 14 mars 1903, pp. 142-156.

CLOCHE PERCE (RUE)
– n° 12 : Hartmann (Georges), « Vidocq ancien habitant de notre arrondissement », dans *La Cité*, avril-juin 1903, pp. 359-363.
– n° 16 : recherches inédites.
– n° 18 : recherches inédites.

DEBELLEYME (RUE)
– n°s 3, 5 et 12 : recherches inédites.

ÉCOUFFES (RUE DES)
– n° 3 : Samaran (Charles), « Du Cange à Paris, rue des Écouffes, d'après son testament et son inventaire après décès », dans *B.S.H.P.*, 1920, pp. 60-78.
– n°s 4-10 : recherches inédites.
– n° 13 : Babelon (Jean-Pierre), « Signalement d'une arcade décorée, 13, rue des Écouffes...», dans *C.V.P.*, 2 juin 1980, pp. 8-9.
– n° 20 : Sellier (Charles), « L'emplacement de la maison de Philippe de Champaigne, 20, rue des Écouffes », dans *C.V.P.*, 11 juin 1903, pp. 172-175.

ÉGINHARD (RUE)
Le Moël (Michel), « Une opération d'urbanisme dans le Marais sous Louis XIV, naissance et saccage de la rue Neuve Sainte-Anastase (Éginhard) », dans *S.M.V.P.H.*, numéro spécial juin 1967, pp. 27-29.

ELZÉVIR (RUE)
– n°s 2-4-6 : Babelon (Jean-Pierre), « Notices historiques sur les immeubles traités par la société de restauration du Marais...», dans *C.V.P.*, 1er mars 1971, pp. 32-51.
– n° 8 : Babelon (Jean-Pierre), « Sur trois hôtels du Marais, à Paris, datant du règne d'Henri III », dans *B.M.*, 1977, tome CXXXV, pp. 223-230.
– n° 14 : Dumolin (Maurice), « Les logis de Mme de Sévigné », dans *Études de topographie parisienne*, 1931, tome III, pp. 393-469.
– n° 16 : idem et recherches inédites.

FERDINAND DUVAL (RUE)
– n°11 : Mirot (Louis), « L'hôtel Acarie », dans *La Cité*, janvier 1923, pp. 229-235.

FIGUIER (RUE DU)
– n° 1 : Chevrel (Claudine), *L'Hôtel de Sens, la bibliothèque Forney*, Paris, Les Amis de la bibliothèque Forney, 1985.
– n° 15 : Lefol (Pierre), « La rénovation d'un immeuble XVIIIe, Pierre Lefol architecte », dans *La construction moderne*, 1962, n° 6, p. 42.

FILLES DU CALVAIRE (COUVENT DES)
Babonneix (Dr L.), « Le couvent des Filles du Calvaire », dans *La Cité*, avril 1931, pp. 333-355.

FRANÇOIS MIRON (RUE)
– n°s 2-14 : voir 17, rue des Barres.
– n° 2-4 : Bouvet (Charles), « L'appartement des Couperin », dans *La Cité*, janvier 1926, pp. 42-68.
– n° 10 : Hartmann, (Georges), « Ledru-Rollin », dans *La Cité*, janvier 1908, pp. 1-18.
– n°s 11-13 : « À Paris, rue François Miron (IVe), deux immeubles restaurés. Architecte : Robert Herrmann », dans *La construction moderne*, n° 6, 1967, pp. 48-57.

– n° 14 : catalogue d'exposition *Les Gabriel*, ouvrage collectif sous la direction de Michel Gallet et Yves Bottineau, Paris, Picard, 1982, (voir pp. 128-129).
– n° 30 : Fleury (Michel), « Signalement relatif à une maison à pans de bois, 30, rue François Miron », dans *C.V.P.*, 4 octobre 1977, pp. 10-15.
– n° 34 : Le Moël (Michel), « Note sur la maison n° 34, rue François Miron et le parcellaire l'environnant », dans *C.V.P.*, 5 novembre 1979, pp. 10-14.
– n°s 38-40 : Fleury (Michel), « Note sur l'heureuse restauration des n°s 34 à 42, rue François Miron », dans *C.V.P.*, 5 novembre 1979, pp. 7-9.
– n° 42 : Gallet (Michel), « L'architecte Pierre de Vigny, 1690-1773. Ses constructions, son esthétique », dans *G.B.A.*, n° 1298, novembre 1973, pp. 263-276.
– n°s 43-45 : Fréchet (Georges), « Les Antonins à Paris, des origines à la réforme de 1619 », dans *P.I.F*, tome XL, 1989, pp. 7-36.
– n°s 44-48 : Jouve (Jean-Pierre), « Restauration des maisons sises aux 44, 46 et, 48, rue François Miron », dans *S.M.V.P.H.*, numéro spécial, juin 1969, pp. 35-43.
– n°s 44-48 : Quétin (Michel), Robinne (Paul), « Notes historiques sur les n°s 44-46-48, rue François Miron », dans *S.M.V.P.H.*, 1965, pp. 55-57.
– n° 58 : voir 20, rue de Jouy.
– n° 68 : Cousin (Jules), « L'hôtel de Beauvais », Paris, *Revue des Arts universels*, 1864 (1865).
– n° 68 : Jouffre (Valérie-Noëlle), *Hôtel de Beauvais. Étude historique et archéologique préalable à la restauration*, sous la direction de Michel Borjon, G.R.A.H.A.L.,1994.
– n° 82 : Le Moël (Michel), « Un exemple d'architecture Louis XIV dans le Marais : l'hôtel Hénault de Cantobre », dans *Revue de l'Art*, n° 18, 1972, pp. 47-52.
– n° 86 : Pronteau (Jeanne), *Le Travail des limites, le faubourg Saint-Antoine*, Paris, Commission des travaux historiques de la Ville de Paris (à paraître).

FRANCS BOURGEOIS (RUE DES)
– n°s 24 à 36 : Babelon (Jean-Pierre), « Les hôtels de Sandreville, d'Alméras et Poussepin. Étude topographique et architecturale... », dans *B.S.H.P.*, 1972-1973 (1976), pp. 53-107.
– n° 30 : Leproux (Guy-Michel), « L'hôtel d'Alméras », dans *La Rue des Francs Bourgeois*, catalogue d'exposition de la D.A.A.V.P., 1992, pp. 244-249.
– n°s 29bis-31 : Garreta (Jean-Claude), « L'hôtel d'Albret », dans *La Rue des Francs Bourgeois*, catalogue d'exposition de la D.A.A.V.P., 1992, pp. 102-113.
– n°s 33 à 45 : Babelon (Jean-Pierre), « De l'hôtel d'Albret à l'hôtel d'O. Étude topographique d'une partie de la culture Sainte-Catherine », dans *B.S.H.P.*, 1970 (1973), pp. 87-145.
– n°s 46 à 52 : Gady (Alexandre), « La maison de Paradis, les hôtels de Canillac et Le Tourneur, et la maison Péan », dans *La Rue des Francs Bourgeois*, catalogue d'exposition de la D.A.A.V.P., 1992, pp. 261-271.
– n°54 : Babelon (Jean-Pierre), *Les Archives nationales : histoire et description des bâtiments*, Paris, Imprimerie nationale, 1969 (2e édition).
– n[os]55-57 : Gady (Alexandre), « Le Mont-de-Piété », dans *La Rue des Francs Bourgeois*, catalogue d'exposition de la D.A.A.V.P., 1992, pp. 158-169.
– n°56 : Babelon (Jean-Pierre), « L'hôtel de Breuteuil-Fontenay », dans *B.S.H.P.*, 1964 (1966), pp. 90-107.
– n°58bis : Babelon (Jean-Pierre), « L'hôtel d'Assy », dans *P.I.F*, 1963 (1964), tome XIV, pp.169-196.
– n°s 59-61 : Dérens (Isabelle), Gady (Alexandre), « L'ancien jeu de paume du Tabourin et la maison Ducrest », dans *La Rue des Francs Bourgeois*, catalogue d'exposition de la D.A.A.V.P., 1992, pp. 170-173.
– n°60 : Babelon (Jean-Pierre), *Les Archives nationales. Histoire et description des bâtiments des Archives nationales*. Paris, Imprimerie nationale, 1969 (2e édition).
– n°60 : Babelon (Jean-Pierre), « Les façades sur jardin des palais Rohan-Soubise », dans *La Revue de l'Art*, n° 4, 1969, pp. 66-73.
– n°60 : Babelon (Jean-Pierre), « Le grand appartement du prince de Soubise... », dans *Cahiers de la Rotonde*, n° 5, 1982, pp. 43-98.

FOURCY (RUE DE)
– n°6 : Le Moël (Michel), « L'hôtel Charpentier, dit "de Fourcy" », dans *C.V.P.*, 2 juin 1981, pp. 4-10.

GEOFFROY L'ANGEVIN (RUE)
– n°7 : Jarry (Paul), « Le peintre Largillière au IVe arrondissement », dans *La Cité*, janvier 1914, pp. 87-90.

GEOFFROY L'ASNIER (RUE)
– n°22 : Jarry (Paul), *Vieilles Demeures parisiennes*, Paris, 1945 (voir pp. 167-170).
– n°26 : Le Moël (Michel), « Nouvelles recherches sur l'hôtel de Chalon-Luxembourg », dans *C.V.P.*, 6 décembre 1977, pp. 25-30.
– n°26 : Fleury (Michel), « Gabriele D'Annunzio à l'hôtel Chalons-Luxembourg », dans *S.M.V.P.H.*, n° 52, 2e trimestre 1982, pp. 1-4.

HAUDRIETTES (RUE DES)
– n°1 : Dumolin (Maurice), « L'origine de la fontaine des Haudriettes », dans *La Cité*, janvier 1935, pp. 241-260.
– n°4 : recherches inédites de Mme Isabelle Dérens.

JARDINS SAINT-PAUL (RUE DES)
– Enceinte : Berry (Maurice), Fleury (Michel), *L'Enceinte et le Louvre de Philippe Auguste*, Paris, D.A.A.V.P., 1988.

JOUY (RUE DE)
– n° 7 : Gady (Alexandre), « Une relecture monumentale de l'hôtel d'Aumont, 7, rue de Jouy », dans *B.S.H.P.*, 1991 (à paraître en 1994).
– n° 8 : recherches inédites.
– n° 9 : Jouve (Jean-Pierre), Grand-Mesnil (Marie-Noëlle), *Le Lycée Sophie-Germain, étude documentaire*, 1992 (inédite).
– n° 12 : recherches inédites.
– n° 18 : Ladouée (Pierre), « Un peintre de l'épopée française, Raffet », dans *La Cité*, juillet-octobre 1933, pp. 401-412.
– n° 20 : Le Moël (Michel), « Communication sur l'immeuble sis 20, rue de Jouy », dans *C.V.P.*, 5 juillet 1977, pp. 22 25.

LIONS (RUE DES)
– n° 7 : recherches inédites.
– n° 10 : recherches inédites.
– n° 11 : Dumolin (Maurice), « Les logis de Mme de Sévigné », dans *Études de topographie parisienne*, 1931, tome III, pp. 393-469.
– n° 12 : Lambeau (Lucien), « Une prison révolutionnaire rue des Lions Saint-Paul », dans *La Cité*, juillet 1919, pp. 201-206.
– n° 12 : Boiron (Stéphane), *Hôtel de Launay. Étude historique et archéologique préalable à la restauration*, sous la direction de Michel Borjon, GRAHAL, 1991.

MARCHÉ SAINTE-CATHERINE (PLACE DU)
Capitaine Cherrière, « Le marché Sainte-Catherine », dans *La Cité*, janvier 1915, pp. 5-35.

MICHEL LE COMTE (RUE)
– n° 19 : Louis (Pierre-Yves), « Les hôtels parisiens des Longueil, seigneurs de Maisons », dans *Cahiers du Vieux Maisons*, n° 14, décembre 1987, pp. 5-25.
– n° 19 : Landes (Claude), « Le temps retrouvé au cœur des fenêtres de Paris », avant-propos de Michel Fleury, dans *La Pierre d'angle*, 1992, pp. 11-13.
– n° 21 : recherches inédites.
Sur Verniquet, voir Pronteau (Jeanne), *Edme Verniquet* (1727-1804). Paris, Commission des travaux historiques de la Ville de Paris, 1986 (voir pp. 304-305).
– n° 28 : Gallet (Michel), « Ledoux et Paris », dans *Cahiers de la Rotonde*, n° 3, 1979 (sur l'hôtel d'Hallwyll, voir pp. 69-73).

MINIMES (RUE DES)
– n° 2 à 12 : Krakovitch (Odile), « Le couvent des Minimes de la place Royale », dans *P.I.F*, 1979 (1981), tome XXX, pp. 87-258.
– n° 12 : Hannebert (Jean-Louis), « Le Couvent des Minimes de la place des Vosges », dans *La Pierre d'angle*, n° 11, mars 1992, pp. 9-10.

MONTMORENCY (RUE DE)
– nos 3-7 : travaux de M. Bruno Pons. Recherches inédites.

MORLAND (BOULEVARD)
– n° 21 : « Pavillon de l'Arsenal », dans *Paris. Guide du Patrimoine*, sous la direction de Jean-Marie Pérouse de Montclos, Hachette, Paris, 1994, pp. 337-338.

MOUSSY (RUE DE)
– nos 2-6 : Lemoine (Henri), « L'église Saint-Jean en Grève, ses cimetière et sa démolition », dans *La Cité*, juillet-octobre 1927, pp. 327-336.
– n° 7 : Pérot (Paul), « L'hôtel des Évêques de Beauvais et la rue de Moussy », dans *B.S.H.P.*, 1894, pp. 36-38.

NONNAINS D'HYÈRES (RUE DES)
– n° 12 : recherches inédites.

NORMANDIE (RUE DE)
– nos 9 et 10 : voir 58, rue Charlot.

PARC ROYAL (RUE DU)
– n° 4 : Sellier (Charles), *Anciens Hôtels de Paris*, Paris, 1910 (hôtel de Canillac : voir pp. 81-92).
– n° 8 : Leproux (Guy-Michel), « L'hôtel Duret de Chevry, 8, rue du Parc Royal », dans *L'Institut historique allemand*, Thorbecke, 1994, pp. 1-50.
– n° 10 : L'Hôtel de Vigny, *Cahiers de l'Inventaire*, n° 5, 1985.
– n° 12 : Dumolin (Maurice), « Le n° 12 de la rue du Parc Royal », dans *La Cité*, janvier 1924, pp. 47-59.
– n° 16 : recherches inédites.

PAYENNE (RUE)
– nos 1 à 7 : Babelon (Jean-Pierre), « Notices historiques sur les immeubles traités par la société de restauration du Marais... », dans *C.V.P.*, 1er mars 1971, pp. 32-51.
– n° 11 : Le Moël (Michel), « L'hôtel de Marle au Marais », dans *G.B.A.*, n° 1215, avril 1970, pp. 213-224.
– n° 13 : recherches inédites.

PAVÉE (RUE)
– nos 9-11-13 : Duvernoy (Émile), « L'hôtel de Lorraine à Paris », dans *M.S.H.P.*, 1927, tome XLIX, pp. 183-193.
– n° 12 : recherches inédites.
– n° 22 : Mirot (Louis), Rousseau (François), « L'hôtel et la prison de la Force », dans *La Cité*, juillet-octobre 1923, pp. 261-282 (I et II), et janvier-avril 1924, pp. 1-19 (III et fin).

– n° 22 : Potonniée (Georges), « Madame de Lamballe », dans *La Cité*, juillet-octobre 1938, pp. 129-146.
– n° 24 : Gady (Alexandre), « L'hôtel Lamoignon », dans *La Rue des Francs Bourgeois*, catalogue d'expostion de la D.A.A.V.P., 1992, pp. 69-87.
– Sur la bibliothèque, voir Tisserand (Lazare-M.), *La Première Bibliothèque de l'Hôtel de Ville de Paris* (1760-1797). Paris, 1873 (collection « Histoire générale de Paris »).
Et Surirey de Saint-Rémy (Henri), *La Bibliothèque historique de la Ville de Paris, hôtel Lamoignon*, Paris, 1969.

Perle (rue de la)
– n°s 1 à 11 : Barreau (Joëlle), *Recherches sur Libéral Bruand* (dont l'hôtel et le fief des Fusées), mémoire de D.E.A. sous la direction de M.M. Alain Schnapper et Claude Mignot. Paris IV, 1989 (inédit).

Perche (rue du)
– n°s 7 bis-9 : recherches inédites.
– n°s 11-13-15 : Raunié (Émile), « Couvent des Capucins du Marais », dans *Épitaphier du vieux Paris*, 1893, tome II, pp. 151-156.

Petit Musc (rue du)
– n°s 2-22 : Raunié (Émile), « Couvent des Célestins », dans *Épitaphier du vieux Paris*, 1893, tome II, pp. 303-430.
Callet (Albert), « L'ancienne caserne des Célestins », dans *La Cité*, janvier-mars 1904, pp. 21-26.

Pont Louis-Philippe (rue du)
– n°s 8-10 : Jouve (Jean-Pierre), « L'opération immobilière des n°s 8 et 10, rue du Pont Louis-Philippe », dans *S.M.V.P.H.*, n° 65, 2e semestre 1992, p. 9.
– n° 22 bis : voir 30, rue François Miron.

Quatre Fils (rue des)
– n°s 16 et 18 : recherches inédites de Mme Proust-Perrault.
– n°s 20 et 22 : voir 60, rue des Archives.

Roi de Sicile (rue du)
– n° 20 : Brochard (chanoine Louis), « Notre-Dame d'Argent ou de Souffrance », dans *La Cité*, juillet-octobre 1936, pp. 181-192.
– n° 58 : recherches inédites.

Saint-Antoine (rue)
Lambeau (Lucien), « La rue Saint-Antoine dans le passé...», dans *C.V.P.*, annexe à la séance du 25 octobre 1924, 59 p.
– n° 16 : Tutey (Alexandre), « La congrégation des Filles de la Croix Guéménée », dans *La Cité*, janvier 1910, pp. 9-20.
– n° 17 : Smith (Peter), « Mansart studies III : The Church of the Visitation in the rue Saint-Antoine », dans *Burlington Magazine*, 1964, CVI, pp. 202-215.
– n° 21 : James (François-Charles), « L'hôtel de Mayenne avant son acquisition par Charles de Lorraine », dans *B.S.H.P.*, 1970 (1973), pp. 43-85.
– n° 21 : Babelon (Jean-Pierre), « L'hôtel de Mayenne, 21, rue Saint-Antoine (4e) », dans *C.V.P.*, 9 novembre 1970, pp. 16-35.
– n°s 40-46 : Sellier (Charles), « Rapport [...] sur une borne armoriée du fief du Grand et du Petit-Chaumont trouvée 46, rue Saint-Antoine », dans *C.V.P.*, 9 février 1905, pp. 28-32.
– n°s 40-46 : Lambeau (L.), « Rapport [...] sur le bail consenti à J.-B. de La Michodière [...] », dans *C.V.P.*, 13 janvier 1926, pp. 5-6.
– n° 53 : recherches inédites.
Sur la famille Gabriel, voir *Les Gabriel*, sous la direction de Michel Gallet et Yves Bottineau, Paris, Picard, 1982.
– Église Saint-Paul Saint-Louis : *Saint-Paul Saint-Louis. Les Jésuites à Paris*, catalogue d'exposition du musée Carnavalet, sous la direction de Jean-Pierre Willesme, 1985.
– n° 117 : Hartmann (Georges), « La salle Rivoli », dans *La Cité*, janvier 1917, pp. 58-72 et « Nouvelle affectation d'une maison ancienne, rue Saint-Antoine n° 117 », dans *La Cité*, juillet-octobre 1938, pp. 186-187.
– n° 133 : Beaurepaire (Edmond), « Une maison de la rue Saint-Antoine », dans *La Cité*, janvier 1910, pp. 35-41.

Saint-Claude (rue)
– n° 8 : recherches inédites.
– n° 16 : Jouve (Jean-Pierre), *Note sur l'immeuble 16, rue Saint-Claude*, s.d. (inédit).

Saint-Gervais (église)
– Brochard (chanoine Louis), *Saint-Gervais. Histoire du monument*, Paris, Desclée de Brouwer, 1938.
– Dufourcq (Norbert), « Le mausolée du chancelier Le Tellier à Saint-Gervais », dans *P.I.F.*, 1951, tome III, pp. 217-225.
– Montgolfier (Bernard de), « Les œuvres d'art de Saint-Gervais », dans *S.M.V.P.H.*, numéro spécial, juin 1967, pp. 54-68.
Sur la résolution de l'attribution de la façade à Salomon de Brosse, voir Leproux (Guy-Michel), « La participation de Clément Métezeau à la construction de la façade de Saint-Gervais », dans *Documents d'histoire parisienne*, Institut d'histoire de Paris, 1992, tome I, pp. 25-32.
– Sur les Couperin, voir Huet de Paisy (Hugues), « Quelques curiosités sur la dynastie des Couperin », dans *La Cité*, avril 1938, pp. 65-109.
– Sur l'orme, voir Lambeau (Lucien), « L'orme Saint-Gervais », dans *C.V.P.*, annexe à la séance du 2 mars 1912, pp. 3-116.

– Sur la place, voir Hartmann (Paul), « La caserne Napoléon », dans *La Cité,* avril 1908, pp. 107-113. Et Lorenzi (Jean), « Le vieil hôpital Saint-Gervais », dans *La Cité,* janvier 1936, pp. 27-52.

SAINT-GILLES (RUE)
– n°s 8-10-12 : recherches inédites.
– n° 22 : recherches inédites.
– n°s 9-15 : recherches inédites.

SAINT-MERRI (RUE)
– n° 9 (et 11) : Chastenay (François), « Pour la sauvegarde de l'hôtel Pottier de Blancmesnil, 9, rue Saint-Merri », dans *Sites et Monuments,* n° 22, avril-juin 1963, pp. 10-15.
– Babelon (Jean-Pierre), « Communication sur le projet de démolition des maisons sises rue Saint-Merri, n°s 7, 9, et 11 », dans *C.V.P.,* 6 juillet 1964, pp. 19-27 (sténotypie).
– n° 10 : recherches inédites.
– n° 12 : Lambeau (Lucien), « Rue Saint-Merry – 12 (hôtel Le Rebours) », dans *C.V.P.,* 28 juillet 1917, pp. 267-281.
Et Gallet (Michel), « Architectes parisiens du règne de Louis XV. 3. Victor-Thierry Dailly et Claude Brice Le Chauve », dans *S.M.V.P.H.,* 1971, pp. 61-71.

SAINT-PAUL (HÔTEL)
Coyecque (Ernest), « L'hôtel royal de Saint-Pol », dans *M.S.H.P.,* 1879, tome VI, pp. 54-179.

SAINT-PAUL (RUE)
– n°s 2-6 : Lambeau (Lucien), « L'hôtel de La Vieuville rue Saint-Paul », dans *C.V.P.,* annexe à la séance du 9 février 1907, pp. 55-155.
– n° 9 : Hartmann (Georges), « Hubert Robert », dans *La Cité,* juillet 1908, pp. 207-210.
Recherches inédites.
– n° 12 : recherches inédites.
– n° 21 : Babelon (Jean-Pierre), « Communication sur le plafond à poutres peintes découvert dans l'immeuble sis 21, rue Saint-Paul », dans *C.V.P.,* 5 décembre 1983, pp. 6-9.
– n° 26 : recherches inédites.
– n° 27 : Babelon (Jean-Pierre), « Communication sur l'identification d'un vestige d'une maison du XVIe siècle, 27 rue Saint-Paul », dans *C.V.P.,* 4 octobre 1977, p. 8.
– n° 32 : Lambeau (Lucien), « L'ancien clocher de l'église Saint-Paul », dans *C.V.P.,* 20 novembre 1915, pp. 41-42.
– n° 38 : Lambeau (Lucien), « L'ancien cimetière Saint-Paul et ses charniers. L'église Saint-Paul. La grange et la prison Saint-Éloi », dans *C.V.P.,* annexe à la séance du 9 novembre 1910, 55 p.
– n° 40 : Rabié (François), Garreta (Jean-Claude), « Une maison de la rue Saint-Paul » dans *La Cité,* 1993, pp. 14-15.
– n° 47 : « Restauration de l'immeuble communal : 47, rue Saint-Paul, IVe arrondissement », dans *S.M.V.P.H.,* juillet-septembre 1975, n°s 37-38, pp. 9-12.

SAINTE-ANASTASE (RUE)
– n° 10 : recherches inédites.
– n° 14 : Hartmann (Georges), « Juliette Drouet au Marais », dans *La Cité,* janvier 1915, pp. 73-74.

SAINTE-CATHERINE (PRIEURÉ)
L'Esprit (A.), « Le prieuré de Sainte-Catherine du Val des Écoliers (I et II) », dans *La Cité,* juillet 1915, pp. 241-272. *Idem,* (III), dans *La Cité,* octobre 1915, pp. 357-384.

SAINTE-CROIX DE LA BRETONNERIE (RUE)
– n° 5 : « 5, rue Sainte-Croix de la Bretonnerie », dans *S.M.V.P.H.,* 1965, p. 42.
– n° 16 : recherches inédites.
– n° 18 : recherches inédites.
– n° 21 : recherches inédites.
– n° 24 : recherches inédites.
– n^os^31-37 : Raunié (Émile), « Prieuré de Sainte-Croix de la Bretonnerie », dans *Épitaphier du vieux Paris,* 1901, tome III, pp. 419-460.
– n^os^31-37 : Outrey (Amédée), « Les dépôts des anciennes minutes du Conseil du roi », dans *B.S.H.P.,* 1955-1956 (1958), pp. 57-74.
– n^os^31-37 : Renard (Michel), « La fortune du prieuré Sainte-Croix de la Bretonnerie sous l'Ancien Régime », dans *P.I.F.,* 1985, tome XXXVI, pp. 97-134.

SAINTONGE (RUE DE)
– n° 4 : recherches inédites de Mme Proust-Perrault.
– n° 6 : recherches inédites, en collaboration avec Mme Proust-Perrault.
– n° 7 : voir 10-12, rue Charlot.
– n° 8 : Proust-Perrault (Josette), « L'hôtel d'Adrien Bence, 8, rue de Saintonge », dans *La Cité,* 1994 (à paraître).
– n° 10 : recherches inédites de Mme Proust-Perrault.
– n° 11 : recherches inédites de Mme Proust-Perrault.
– n° 13 : Mesnard (Jean), « Les demeures de Pascal à Paris... », dans *P.I.F.,* 1953, tome IV, pp. 21-61.
– n°s 20-22 : recherches inédites.
– n° 43 : recherches inédites.
– n° 44 : recherches inédites.
– n° 46 : recherches inédites.
– n° 64 : Jarry (Paul), « Rapport... sur la maison habitée par Robespierre, rue de Saintonge, de 1789 à 1791 », dans *C.V.P.,* 31 mars 1928, pp. 110-112.

SÉVIGNÉ (RUE DE)
– n°s 7-9 : Braham (Allan), Smith (Peter), « François Mansart's work at the hôtel de

Chavigny », dans *G.B.A.*, n° 1163, décembre 1965, pp. 317-330.
– n°s 7-9 : Bautier (Robert-Henri), « L'hôtel Bouthilier de Chavigny, puis de Poulletier en la rue de la Culture Sainte-Catherine », dans *La Cité*, 1993, pp. 23-36.
– n° 11 : Radicchio (Giuseppe), Sajous d'Oria (Michèle), *Les Théâtres de Paris pendant la Révolution*, Paris, 1990 (voir pp. 87-89).
– n° 13 : voir n°s 7-9.
– n° 23 : Montgolfier (Bernard de), « L'hôtel et le musée Carnavalet », dans *La Rue des Francs Bourgeois*, catalogue d'exposition de la D.A.A.V.P., 1992, pp. 180-203.
– Sur le musée, voir Montgolfier (Bernard de), *Le Musée Carnavalet. L'Art et l'Histoire de Paris*, Paris, 1986, 135 p.
– n° 26 : recherches inédites.
– n° 29 : Sellier (Charles), *Anciens Hôtels de Paris*, Paris, 1910 (hôtel Le Pelletier de Saint-Fargeau : voir pp. 1-29).
– n° 29 : Beylier (Hubert), Bontemps (Daniel), « La rampe en fonte du XVIIe de l'escalier de l'hôtel Le Pelletier de Saint-Fargeau à Paris », dans *B.S.H.P.*, 1984 (1986), pp.125-131.
– n° 38 : Hohl (Claude), « Recherches sur les domiciles parisiens d'André Chénier », dans *P.I.F.*, 1974 (1976), tome XXV, pp. 183-206.
– n° 40 : recherches inédites.
– n° 52 : Vuaflart (Albert), « L'hôtel Flesselles, rue de la Culture Sainte-Catherine », dans *Société d'iconographie parisienne*, 1908 (1er fascicule), pp. 57-64 et quatre planches.

TEMPLE (BOULEVARD DU)
– n°s 17 et 19 : recherches inédites.
– n° 42 : Lévy-Franc (Pierre), « Flaubert boulevard du Temple », dans *La Cité*, janvier 1938, pp. 1-11.
– Deverin (Édouard), « Le Boulevard du Crime, dans *La Cité*, avril 1933, pp. 321-343.

TEMPLE (COUTURE DU)
– Mérigot (Lydia), « La place de France et le lotissement de la Couture du Temple à Paris, 1608-1630 » dans *École nationale des Chartes. Position des thèses*, 1966, pp. 87-92.
–Ballon (Hilary), *The Paris of Henri IV, architecture and Urbanisme*, The Mit Press, Cambridge, 1991 (voir pp. 199-207).
– Leproux (Guy-Michel), « Le lotissement de la Couture du Temple à Paris [Rapport sur la conférence d'] Histoire de Paris», dans *Annuaire, École pratique des hautes études, IVe section*, année 1993-1994.

TEMPLE (ENCLOS ET ORDRE DU)
– Curzon (Henri de), *La Maison du Temple de Paris, histoire et description*, Paris, 1888.
– Demurger (Alain), *Vie et mort de l'ordre du Temple*. Paris, Seuil (collection « Point Histoire »), 1989.

TEMPLE (RUE DU)
– n°s 18-20 : Mirot (Albert), « Une vieille maison de la rue du Temple, l'hôtel du Bueil du XIIIe siècle à la Révolution » dans *B.S.H.P.*, 1940-1941 (1942), pp. 22-40.
– n° 38 : Stein (Henri), « Le peintre François Clouet et l'apothicaire Pierre Quthe », dans *M.S.H.P.*,1909, tome XXXVI, pp. 223-244.
– n° 41 : Gady (Alexandre), « L'hôtel de Berlize », dans *Paris. Guide du Patrimoine*, sous la direction de Jean-Marie Pérouse de Montclos. Éd. Hachette, Paris, 1994, pp. 527-528, d'après des recherches inédites.
– n° 57 : Hartmann (Georges), « Ancienne maison rue du Temple. Le magasin d'armes de la Bastille. La famille Titon », dans *La Cité*, octobre 1908, pp. 279-310.
– n°s 61-69 : Raunié (Émile), « Les Dames de Sainte-Avoye », dans *Épitaphier du vieux Paris*, 1890, tome I, pp. 305-308.
– n° 69 : Le Moël (Michel), « Deux résidences de grandes abbayes dans le Marais : les hôtels de Maubuisson et de Lagny », dans *S.M.V.P.H.*, numéro spécial, juin 1973, pp. 48-64.
– n° 71 : Le Moël (Michel), « Sources d'archives pour une restauration de l'hôtel de Saint-Aignan », dans *Cahiers de la Rotonde*, n° 6, 1983, pp. 35-69.
– n° 71 : Jouffre (Valérie-Noëlle.), *Hôtel de Saint-Aignan. Étude historique et archéologique*, sous la direction de Michel Borjon, G.R.A.H.A.L., 1990.
– n° 79 : Foiret (F.), « L'hôtel de Montmor », dans *La Cité*, octobre 1914, pp. 309-339.
– n° 79 : Labbé (Yvonne), « Une famille de noblesse de robe, les Habert de Montmort...», dans *P.I.F.*, 1988, tome XXXIX, pp. 7-122.
– n° 79 : Recherches inédites de Mme Isabelle Dérens.
– n°s 101-103 : recherches inédites (voir aussi 5, rue de Montmorency).
– n° 115 : voir 4, rue Chapon.
– n° 124 : Brunold (Paul), « Jean-Frédéric Edelmann », dans *La Cité*, juillet-octobre 1932, pp. 161-172.
– n° 134 : Dumolin (Maurice), « Note de topographie parisienne », dans *La Cité*, janvier-avril 1925, pp. 220-231 (voir p. 224).
– n° 153 : recherches inédites.
– n° 157 : recherches inédites.
– n° 195 : Raunié (Émile), « Filles de Sainte-Elisabeth », dans *Épitaphier du vieux Paris*, 1901, tome III, pp. 539-558. Et recherches inédites.
– n° 195 : Boinet (Amédée), *Les églises parisiennes*, Paris, 1966 (voir tome II, pp. 136-146).

TEMPLE (VILLE NEUVE DU)
Étienne (Geneviève), « Étude topographique sur les possessions de la maisons du Temple

à Paris (XIIe-XIVe siècles) », dans *École nationale des chartes. Position des thèses...*, 1974, pp. 83-90.

THORIGNY (RUE DE)
– Mirot (Louis), Dumolin (Maurice), « Les deux rues de Thorigny », dans *La Cité,* avril 1928, pp. 65-90 et juillet-octobre 1928, pp. 145-182.
– Dumolin (Maurice), « Les deux rues de Thorigny, corrections et additions », dans *La Cité,* janvier 1933, pp. 297-309.
– n° 5 : Babelon (Jean-Pierre), « La maison du bourgeois gentilhomme, l'hôtel Salé, 5, rue de Thorigny, à Paris », dans *Revue de l'Art,* n° 68, 1985, pp. 7-34.
– n°s 6-8-10 : Babelon (Jean-Pierre), « Communication... sur un ensemble immobilier bâti sous Louis XIV : les maisons de Claude Gueston, 6 à 10, rue de Thorigny », dans *C.V.P.,* 6 octobre 1981, pp. 7-31.
– Barreau (Joëlle), « Libéral Bruand », notice du *Dictionnaire du Grand Siècle,* sous la direction de François Bluche, Paris, Fayard, 1990, p. 243.

TOURNELLES (RUE DES)
– n° 28 : Jarry (Paul), « Rapport sur la conservation de l'hôtel de Jules Hardouin-Mansart...» dans *C.V.P.,* 30 janvier 1932, pp. 8-13.
– n° 36 : Dumolin (M.), « Deux domiciles de Ninon de Lenclos », dans *La Cité,* janvier 1925, pp. 248-252.
– n° 40 : recherches inédites.
– n° 50 : recherches inédites.

TURENNE (RUE DE)
– n° 23 : Van Geluwe (Léon), « L'hôtel Colbert de Villlacerf », dans *La Cité,* juillet 1907, pp. 578-621.
Recherches inédites.
– n°s 24-32 : Krakovitch (Odile), « Le couvent des Minimes de la Place-Royale », dans *P.I.F,* 1979 (1981), tome XXX, pp. 87-258.
– n°s 52-54 : recherches inédites.
– n° 56 : Deverin (Édouard), « Scarron, habitant du Marais », dans *La Cité,* janvier 1936, pp. 1-26.
– n°s 57-59 : recherches inédites.
– n° 60 : Babelon (Jean-Pierre), « L'hôtel dit du Grand Veneur et ses abords. Étude topographique et inventaire archéologique... » dans *B.S.H.P.,* 1978 (1979), pp. 97-139.
– n°s 61-63 : recherches inédites.
– n° 62 : voir n° 60.
– n° 64 : voir n° 60 et recherches inédites.
– n° 65 : recherches inédites de M. William Studer, 1973.
– n°s 66-68 : voir n° 60.
– n° 70 : Hartmann (Georges), « Turenne dans son hôtel, rue Saint-Louis au Marais », dans *La Cité,* avril 1930, pp. 81-97.
– n° 70 : Hartmann (Georges), « Les amis de Turenne, ses voisins au Marais », pp. 98-109.
– n° 76 : Jarry (Paul), « L'hôtel de Manneville », dans *Les Vieux Hôtels de Paris. Le Temple et le Marais.* Paris, Contet éditeur, 1930, tome III, pp. 2-3 (pl. 4 à 9).
– Pons (Bruno), *De Paris à Versailles. Les sculpteurs ornemanistes parisiens et l'art décoratif des Bâtiments du Roi, 1699-1735,* Strasbourg, 1986 (voir pp. 239-241).
– n° 80 : recherches inédites.
– n° 95 : recherches inédites.

VERRERIE (RUE DE LA)
– n° 14-16 : recherches inédites.

VIEILLE DU TEMPLE (RUE)
– n° 15 : recherches inédites, avec I. Dérens.
– n° 18 : recherches inédites.
– n°s 20 à 40 : Dumolin (Maurice), « Le fief d'Autonne », dans *La Cité,* janvier 1927, pp. 181-202.
– n° 30 : Feldmann (Dietrich), « Jardins suspendus dans quelques hôtels parisiens du xviie siècle », dans *Bulletin de la Société d'histoire de l'art français,* 1992 (1993), pp. 1-20.
– n° 44 : recherches inédites, avec I. Dérens.
– n° 45 : recherches inédites.
– n° 47 : Brennot (Paul), *Un vieil hôtel du Marais, du XIVe au XXe siècle,* Paris, 1938.
– n° 48 : Léri (Jean-Marc), « Aspect administratif de la construction des marchés de la ville de Paris 1800-1850 », dans *B.S.H.P.,* 1976-77 (1978), pp. 171-190.
– n° 50 : Gady (Alexandre), « Les anciens hôtels de Ligny et Le Noirat », dans *La Rue des Francs Bourgeois,* catalogue d'exposition de la D.A.A.V.P., 1992, pp. 130-135.
– n° 75 : recherches inédites de Mme Isabelle Dérens.
– n° 87 : Babelon (Jean-Pierre), *Les Archives nationales, histoire et description des bâtiments,* Paris, Imprimerie nationale, 1969 (pour hôtel de Rohan, voir pp. 49-60).
– n° 90 : Deverin (Édouard), « Le théâtre du Marais », dans *La Cité,* janvier 1935, pp. 261-286.
– n°s 100 à 110 : Babelon (Jean-Pierre), « Jean Thiriot, architecte à Paris sous Louis XIII », dans *Cahiers de la Rotonde,* n° 10, 1987, pp. 69-131.
– n° 124 : recherches inédites de Mmes Dérens et Proust-Perrault.

VOSGES (PLACE DES)
– Babelon (Jean-Pierre), « Conférences sur les origines de la place des Vosges », dans *Annuaire de l'École pratique des hautes études, IVe section,* année 1975-1976 (1976), pp. 696-713.
– Lambeau (Lucien), « Communication... sur l'hôtel Sully de la rue Saint-Antoine et sur la place des Vosges », dans *C.V.P.,* 23 octobre 1902, pp. 175-216.

– Lambeau (Lucien), *La Place Royale,* Paris, Daragon, 1906.
– Lambeau (Lucien), « La place Royale, nouvelles contributions à son histoire », dans *C.V.P.*, annexe à la séance du 20 novembre 1915, 159 p.
– Ballon (Hilary), *The Paris of Henri IV, Architecture and Urbanisme*, The Mit Press, Cambridge, 1991 (voir pp. 57-113).
– n° 1 : Lambeau (Lucien), « Communication sur deux hôtels de la place des Vosges, ci-devant Royale : 1) l'hôtel de Rotrou [n° 5] ; 2) le pavillon du Roi », dans *C.V.P.*, octobre 1922, pp. 96-109.
– n° 3 : Lambeau (Lucien), « L'hôtel Le Gras, Montmorin de Saint-Hérem, Huguet de Semonville... », dans *C.V.P.*, 29 novembre 1924, pp. 130-140.
– n° 5 : voir n° 1.
– n° 6 : Lambeau (Lucien), « Communication... sur l'ancien hôtel de Rohan-Guéménée, aujourd'hui maison de Victor Hugo, place ci-devant Royale, n° 6 », dans *C.V.P.*, 24 mars 1923, pp. 48-74.
– n° 9 : Babelon (Jean-Pierre), « Hôtel de Chaulnes », dans *Revue des Monuments historiques*, 1977, pp. 33-48.
– n° 10 : Marcel Blin, *L'ancien hostel de Chastillon place Royale (10 place des Vosges),* Paris, 1974, 22 p.
– n°s 12 et 14 : Lambeau (Lucien), « Deux hôtels de la place Royale... » dans *M.S.H.P.*, 1911, tome XXXVIII, pp. 273-358.
– n° 14 : Wilhem (Jacques), « Décorations de Le Brun à l'hôtel de La Rivière », dans *Bulletin du musée Carnavalet,* novembre 1963, n° 2, p. 1-19.
– n° 13 : Lambeau (Lucien), « Communication... Renseignements relatifs au passé de cet hôtel », dans *C.V.P.*, 28 novembre 1925, pp. 107-117.
– n° 23 : Jouffre (Valérie-Noëlle), *Étude documentaire et archéologique sur le grand escalier*, sous la direction de Michel Borjon, G.R.A.H.A.L., 1992.
– n° 24 : recherches inédites.

INDEX DES ANCIENS NOMS DE RUES

A partir de la seconde moitié du XIXe siècle principalement, de nombreuses rues anciennes ont été rebaptisées, amoindrissant ainsi le patrimoine toponymique. Nous indiquons ici les principaux changements concernant le Marais.

Bar du Bec : partie de la rue du Temple
Barrés (rue des) : rue de l'Ave Maria
Berci (petite rue de) : partie de la rue du Roi de Sicile
Berry (rue de) : partie de la rue Charlot
Billettes (rue des) : partie de la rue des Archives
Boucherat (rue) : partie de la rue de Turenne
Chaume (rue du) : partie de la rue des Archives
Chaussées aux Minimes (rue de la) : rue de Béarn
Corderie (rue de la) : partie de la rue de Bretagne
Coutures Sainte-Catherine (rue des) : rue de Sévigné
Croix Blanche (rue de la) : partie de la rue du Roi de Sicile
Douze Portes (rue des) : partie de la rue Villehardouin
Écharpe (rue de l') : partie de la rue des Francs Bourgeois
Égout Saint-Paul (rue de l') : partie de la rue de Turenne
Enfants Rouges (rue des) : partie de la rue des Archives
Gérard Boquet (rue) : partie de la rue Beautreillis
Grand Chantier (rue du) : partie de la rue des Archives
Ha ! Ha ! (cul-de-sac du) : impasse Guéménée
Harlay (Rue de) : rue des Arquebusiers
Homme Armé (rue de l') : partie de la rue des Archives
Juifs (rue des) : rue Ferdinand Duval
Mail de l'Arsenal (boulevard du) : boulevard Morland
Marche (rue de la) : partie de la rue de Saintonge
Marché Saint-Jean (place du) : place Baudoyer
Mortellerie (rue de la) : rue de l'Hôtel de Ville,
Neuve de Ménilmontant (rue) : rue Commines
Neuve Saint-François (rue) : partie de la rue Debelleyme
Neuve Saint-Médéric (rue) : rue Saint-Merri
Neuve Saint-Paul (rue) : rue Charles V
Neuve Sainte-Anastase (rue) : rue Eginhard
Orléans au Marais (rue d') : partie de la rue Charlot
Ormes (quai des) : partie du quai des Célestins
Oseille (rue de l') : partie de la rue de Poitou
Paradis (rue de) : partie de la rue des Francs Bourgeois
Percée (rue) : rue du Prévôt
Porte Saint-Antoine (boulevard de la) : boulevard Beaumarchais
Prêtres Saint-Paul (rue des) : rue Charlemagne
Puits (rue du) : rue Aubriot
Royale au Marais (rue) : rue de Birague
Royale (place) : place des Vosges
Saint-Louis au Marais (rue) : partie de la rue de Turenne
Sainte-Avoye (rue) : partie de la rue du Temple
Singes (rue des) : partie de la rue des Guillemites
Touraine (rue de) : partie de la rue de Saintonge
Trois Pavillons (rue des) : rue Elzévir
Trois Pistolets (rue des) : partie de la rue Charles V
Vendôme (rue de) : rue Béranger

CRÉDITS PHOTOGRAPHIQUES

Archives nationales :
34h., 34b., 58, 94, 139b., 142, 186, 222b., 231, 235, 242, 283, 291b.
Annie Assouline :
262h.
Bibliothèque nationale :
16, 24, 55, 72, 76, 90, 93b.d., 95, 104, 105h., 108h., 114, 116b., 123h., 130h., 133, 147, 166, 189, 207, 219h., 245, 246, 254, 256b., 285h., 289, 290h., 291h., 292.
Commission du Vieux Paris :
24, 66b., 81h., 99, 101, 105b., 107b., 123m., 123b., 125, 126, 144, 163b., 172, 184h., 188, 196b., 220, 223b, 227, 234, 249h., 270h., 282.
Jean-Christophe Doerr :
162b, 164, 215b.
Droits résevés :
16, 18, 21, 22, 23, 35b., 36m., 36b., 47, 54, 64, 65, 75, 86, 91h., 92, 100, 116h., 118, 124, 162h., 167b., 181, 182h., 183h., 183m.g., 183b., 187, 191, 193h., 202, 204h., 214, 217, 222h., 240, 262b., 269, 284, 285b., 286, 287, 290b., 298, 300b., 301b., 304b., 305h.
Roland Liot :
26, 62, 63, 70b., 74, 98, 149, 150h., 152, 159, 163h., 192, 193b., 197h., 205h.d., 209, 212, 219b., 249b., 253, 256h., 263h., 294, 295h., 300h., 301h.
Lionel Mouraux :
57, 69, 78, 80, 87, 91b., 97h., 103, 107h., 117h., 117m., 122h., 132, 135, 145, 146, 155, 156, 160, 171, 174, 177, 184b., 201, 203, 205b., 208, 211, 218h., 221, 228, 230, 233, 248, 255h., 257b., 258, 259h., 260, 268, 279, 280, 288, 295b., 297, 302, 304h.
Sylvain Pelly :
6, 36h., 53, 59, 60, 61, 68, 79, 84, 93b.g., 109, 129, 138, 139h., 167h., 173, 179, 185, 194, 195, 196h., 197b., 205h.g., 229, 237, 247, 255b., 257h., 259b., 263b., 266, 267, 270b., 271h.d., 271b., 273, 281, 299, 303, 305b., 306, 320.
Caroline Rose :
66h., 70h., 89, 113, 119, 143, 148h., 150b., 161, 180h., 182b., 218b., 223h., 271h.g., 272, 293, 296.
Caroline Rose, © CNMHS, Spadem :
10,12, 25, 73, 77, 81b., 85, 88, 93h., 97b., 108b., 117b., 122b., 130b., 158, 178, 180b., 183m.d., 206, 219m., 232, 239, 243, 264.

INDEX

Beauce (rue de), ... Nom de rue
Albret (hôtel d'), ... Nom historique du monument
* Beaumarchais (maison de), ... Monument démoli

A

B

C

D

E

F

G

T

V

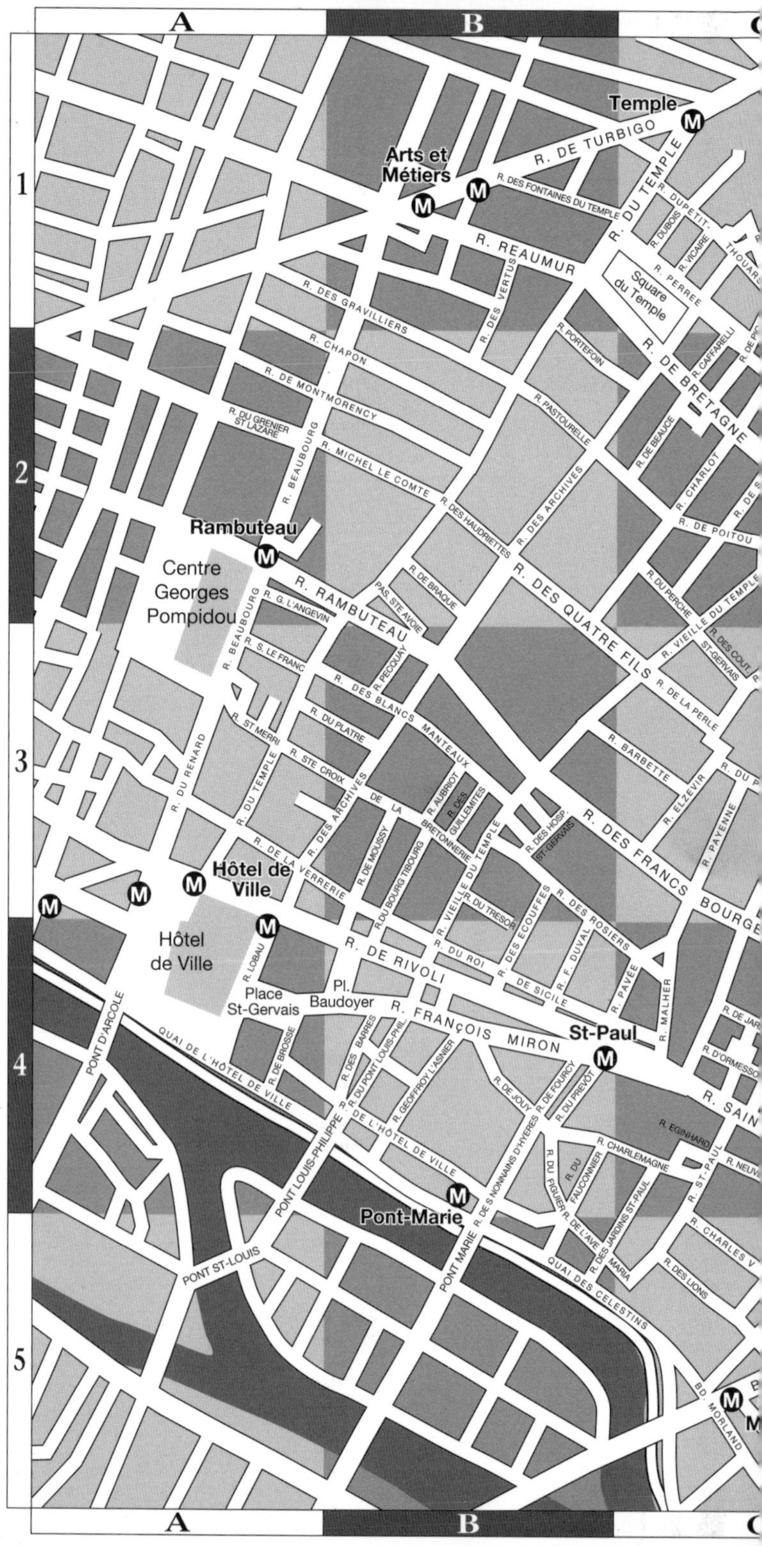

A
B
C
1
2
3
4
5
Temple
R. DE TURBIGO
Arts et Métiers
R. DES FONTAINES DU TEMPLE
R. DU TEMPLE
R. DUPETIT-THOUARS
R. DUBOIS
R. VICAIRE
R. REAUMUR
R. DES VERTUS
R. PERREE
Square du Temple
R. DES GRAVILLIERS
R. CHAPON
R. PORTEFOIN
R. DE BRETAGNE
R. CAFFARELLI
R. DE MONTMORENCY
R. DU GRENIER ST LAZARE
R. BEAUBOURG
R. PASTOURELLE
R. DE BEAUCE
R. MICHEL LE COMTE
R. CHARLOT
R. DES ARCHIVES
R. DES HAUDRIETTES
R. DE POITOU
Rambuteau
Centre Georges Pompidou
R. RAMBUTEAU
R. DE BRAQUE
PAS. STE AVOIE
R. DES QUATRE FILS
R. DU PERCHE
R. VIEILLE DU TEMPLE
R. G. L'ANGEVIN
R. S. LE FRANC
R. PECQUAY
R. DES COUT. ST-GERVAIS
R. DES BLANCS MANTEAUX
R. DE LA PERLE
R. DU PLATRE
R. ST MERRI
R. BARBETTE
R. DU RENARD
R. DU TEMPLE
R. STE CROIX DE LA BRETONNERIE
R. DES ARCHIVES
R. AUBRIOT
R. DES GUILLEMITES
R. ELZEVIR
R. PAYENNE
R. DES HOSP. ST-GERVAIS
R. DES FRANCS BOURGEOIS
R. DE LA VERRERIE
R. DE MOUSSY
R. DU BOURG TIBOURG
R. VIEILLE DU TEMPLE
R. DU TRESOR
Hôtel de Ville
R. DES ECOUFFES
R. DES ROSIERS
Hôtel de Ville
R. DE RIVOLI
R. DU ROI DE SICILE
R. F. DUVAL
R. PAVEE
R. MALHER
R. LOBAU
Place St-Gervais
Pl. Baudoyer
R. FRANÇOIS MIRON
St-Paul
R. DE JARENTE
R. D'ORMESSON
PONT D'ARCOLE
QUAI DE L'HÔTEL DE VILLE
R. DE BROSSE
R. DES BARRES
R. DU PONT LOUIS-PHIL.
R. GEOFFROY L'ASNIER
R. DE JOUY
R. DE FOURCY
R. DU PREVÔT
R. SAINT-ANTOINE
R. EGINHARD
R. DE L'HÔTEL DE VILLE
R. DES NONNAINS D'HYERES
R. DU FIGUIER
R. DU FAUCONNIER
R. CHARLEMAGNE
R. ST-PAUL
R. NEUVE
PONT LOUIS-PHILIPPE
Pont-Marie
R. DE L'AVE MARIA
R. DES JARDINS ST-PAUL
R. CHARLES V
PONT ST-LOUIS
PONT MARIE
QUAI DES CELESTINS
R. DES LIONS
BD. MORLAND